HISTORIA STANÓW ZJEDNOCZONYCH AMERYKI

1945–1990

HISTORIA STANÓW ZJEDNOCZONYCH AMERYKI

Redakcja naukowa
Donald T. Critchlow
Saint Louis University
Krzysztof Michałek
Uniwersytet Warszawski

TOM 5

1945–1990

Warszawa 1995
Wydawnictwo Naukowe PWN

Projekt graficzny okładki i kompozycja wnętrza
MIKOŁAJ FILIPIUK

Redaktor
ZOFIA MYCIELSKA-GOLIK

Redaktor techniczny
DANUTA JEZIERSKA-ŻACZEK

Opracowanie kartograficzne
SŁAWOMIRA JAROCIŃSKA
BARBARA MUZYCZAK-OSTASZEWSKA
PIOTR OSTASZEWSKI

Weryfikacja nazewnictwa geograficznego
MARZENA WORONOW

Korekta
BOŻENNA FRANKOWSKA

Tytuł dotowany przez Ministra Edukacji Narodowej
oraz
United States Information Agency

ISBN 83-01-11894-6

Wydawnictwo Naukowe PWN Sp. z o.o.
Wydanie pierwsze
Ark. druk. 25 + 2 ark. wkł. il.
Druk ukończono we wrześniu 1995 r.
Skład i łamanie: Phototext, Warszawa
Przygotowalnia poligraficzna: Studio „OBSERWATOR", Warszawa
Druk i oprawa: Drukarnia Wydawnictw Naukowych S.A.
Łódź, ul. Żwirki 2

STANY ZJEDNOCZONE PODCZAS ZIMNEJ WOJNY 1945–1975

WILSON D. MISCAMBLE

Historię powojennej polityki zagranicznej Stanów Zjednoczonych można zrozumieć jedynie w kontekście ogólnoświatowej rywalizacji pomiędzy mocarstwami zachodnimi a blokiem radzieckim; rywalizacji, którą przyjęło się nazywać zimną wojną. Polityczne i ideologiczne współzawodnictwo nigdy nie zostało formalnie zadeklarowane, niemniej jednak rosło ono, odkąd w latach następujących bezpośrednio po II wojnie światowej wcześniejsi sojusznicy w tytanicznej walce przeciwko hitlerowskim Niemcom stali się zawziętymi antagonistami. Rozgrywka rozpoczęła się zasadniczo od głębokiego sporu dotyczącego losów Europy, ale w rezultacie nabrała globalnego wymiaru i przez ponad cztery dziesięciolecia dominowała nad polityką międzynarodową. Dopiero po wydarzeniach lat 1989–1991 można było mówić o końcu zimnej wojny. Nikt się, rzecz jasna, formalnie nie poddał, ale rozpad Związku Radzieckiego, załamanie się jego ideologii, upadek komunistycznych rządów w Europie Wschodniej, usunięcie linii podziału politycznego Europy i w konsekwencji zjednoczenie Niemiec – wszystko to przemawiało za zakończeniem długiego i kosztownego konfliktu pomiędzy Związkiem Radzieckim i mocarstwami zachodnimi ze Stanami Zjednoczonymi na czele.

Konieczność skoncentrowania się na złożonych problemach współczesności i wyznaczenia odpowiedzialnego kursu na przyszłość nie powinna prowadzić do lekceważenia przeszłości. To raczej dogłębne zrozumienie natury i przebiegu zimnej wojny powinno posłużyć za punkt wyjścia do dłuższych przemyśleń nad współczesnymi problemami. Poniższy rozdział ma na celu lepsze zrozumienie tych skomplikowanych problemów. Przedstawiony w nim zostanie udział Amerykanów w zimnej wojnie od końca II wojny światowej aż do polityki „odprężenia" Nixona–Kissingera w stosunku do Związku Radzieckiego. Szczególny nacisk zostanie położony na politykę Stanów Zjednoczonych w pięcioletnim okresie 1945–1950. W tym czasie ukształtowała się ideologia zimnej wojny, Stany Zjednoczone zaś sformułowały swoją strategię, zwaną „polityką powstrzymywania" (policy of containment), która w różnej postaci i z różnym natężeniem wyznaczała kierunek amerykańskiej polityki zagranicznej w następnym czterdziestoleciu.

Pytanie o źródła zimnej wojny jest przyczyną ożywionych sporów między amerykańskimi historykami. W latach sześćdziesiątych młodzi historycy energicznie zakwestionowali powszechnie akceptowaną interpretację historyczną, która o zimną wojnę zdecydowanie obwiniała Związek Radziecki. Pisząc w okresie zaangażowania się Stanów Zjednoczonych w wojnę w Wietnamie i wyrażając niezmienny protest przeciwko tej wojnie, rewizjoniści, czyli przedstawiciele „nowej lewicy", twierdzili, że to Stany Zjednoczone ponoszą większą odpowiedzialność za zimną wojnę. Źródło konfliktu postrzegali w charakterystycznym dla gospodarki amerykańskiej ekspansjonizmie i systemie kapitalistycznym. Późniejsze prace historyczne słusznie krytykowały rewizjonistów za zbyt silne uzależnienie od aktualnej sytuacji politycznej i za ich punkt widzenia nadmiernie zawężony do czynników ekonomicznych. Akcentowały też złożoność sytuacji międzynarodowej, dylematy, przed jakimi stawali amerykańscy decydenci, oraz rolę innych państw.

Pod koniec II wojny światowej amerykańska polityka w stosunku do Związku Radzieckiego charakteryzowała się nie strategią powstrzymywania, ale raczej próbą nawiązania współpracy. Po hitlerowskim ataku na ZSRR w czerwcu 1941 r. Franklin D. Roosevelt powziął szybkie kroki w celu udzielenia Stalinowi nieograniczonej pomocy. Oczywiste jest, że głównym celem było utrzymanie na niemieckim froncie zaciekle walczących wojsk radzieckich. Podejmując te działania, Roosevelt zlekceważył wydarzenia, które czyniły Rosję współwinną agresji hitlerowskiej w latach 1939–1941: układ niemiecko-radziecki, napad ZSRR na Polskę, wojnę z Finlandią oraz zajęcie Litwy, Łotwy i Estonii. Roosevelt odsunął na bok kwestie polityczne dzielące oba mocarstwa, aby skoncentrować się na militarnym zwycięstwie nad Niemcami. Najwidoczniej żywił nieco naiwne przekonanie, że życzliwa postawa w stosunku do Stalina skłoni radzieckiego przywódcę do pohamowania swych powojennych aspiracji. Rzeczywiście, na konferencji w Teheranie (XI 1943 r.) Amerykanie zaatakowali przede wszystkim brytyjski kolonializm i nie wykazali zainteresowania potencjalną ekspansją imperium Stalina. Z pewnością Roosevelt czuł się skrępowany w prowadzeniu polityki wobec Związku Radzieckiego niedotrzymaniem obietnicy stworzenia II Frontu i pragnieniem pozyskania w przyszłości udziału ZSRR zarówno w wojnie przeciwko Japonii, jak i w nowej organizacji światowej.

Roosevelt kontynuował ograniczoną politykę współpracy ze Związkiem Radzieckim do końca 1944 r. i przez część 1945 r., pomimo ostrzeżeń niektórych urzędników amerykańskich, jak George'a Kennana, że Stalin zamierza nadać swojemu państwu charakter siły dominującej w Europie Wschodniej i Środkowej. Radzieckie dążenia do zdominowania powojennego państwa polskiego – czego dowodem stworzenie w 1944 r. w Lublinie służalczego konkurenta dla polskiego rządu na emigracji w Londynie, przyzwolenie Stalina na stłumienie Powstania Warszawskiego przez hitlerowców oraz rażąca odmowa wykorzystania baz lotniczych na Ukrainie przez samoloty brytyjskie i amerykańskie celem przerzutu polskich żołnierzy podczas powstania – nie zniechęciły Roosevelta do dyplomatycznej postawy w stosunku do Związku Radzieckiego. Na konferencji jałtańskiej (II 1945 r.) zabiegał o utrzymanie współpracy ze Stalinem, mając nadzieję na zapewnienie udziału wojsk radzieckich w wojnie na Pacyfiku i przystąpienie ZSRR do Organizacji Narodów Zjednoczonych oraz na złagodzenie działań radzieckich w Europie Wschodniej.

W interesie powojennej współpracy Stany Zjednoczone gotowe były przejść do porządku dziennego nad poważnymi wpływami Związku Radzieckiego w Europie Wschodniej. Według nieco niejasnych słów Roosevelta oznaczało to zaakceptowanie „otwartej" strefy wpływów, gdzie państwa regionu zachowałyby pewną polityczną i gospodarczą niezależność, składając jednocześnie dyplomatyczne dowody szacunku Związkowi Radzieckiemu jako regionalnemu mocarstwu. Do czasu śmierci Roosevelta 12 kwietnia 1945 r. działania Rosjan, zwłaszcza w Polsce, wskazywały na jednoznaczny plan wykroczenia poza otwartą strefę wpływów i rozpoczęcia ścisłej kontroli życia politycznego w państwach okupowanych przez Armię Czerwoną. Pewne oznaki wskazują na to, że Roosevelt coraz lepiej zdawał sobie z tego sprawę i na kilka tygodni przed śmiercią zamierzał usztywnić politykę wobec Stalina. Będąc mistrzem sprzeczności i wybiegów, Roosevelt kontynuował politykę pojednawczą, jednocześnie trzymając w dyplomatycznym zanadrzu taką broń, jak wiadomość o budowie bomby atomowej. Jednakże nie wiadomo, jak poradziłby sobie prezydent z przystosowaniem swych taktyk i strategii. Nie ma wątpliwości co do tego, że spuścizna pozostawiona źle przygotowanemu spadkobiercy, Harry'emu S. Trumanowi, była niezmiernie trudna.

Stany Zjednoczone za prezydentury Trumana bardzo wolno i chaotycznie wyrażały swój sprzeciw wobec radzieckiej hegemonii w Europie Wschodniej i zagrożenia, jakie Związek Radziecki stwarzał poza tym obszarem. Niewiele rozumiejąc z koncepcji powojennego ładu światowego Roosevelta, Truman początkowo starał się automatycznie dotrzymywać porozumień osiągniętych przez swego doskonałego poprzednika. Pomimo ostrej wymiany poglądów z radzieckim ministrem spraw zagranicznych Mołotowem, mającej na celu zagwarantowanie współpracy ZSRR na założycielskiej konferencji ONZ w San Francisco, pierwsze miesiące prezydentury Trumana były kontynuacją polityki współpracy Roosevelta. Wbrew radom premiera Wielkiej Brytanii Winstona Churchilla i bez pozytywnego odzewu, Truman polecił wycofać angielsko-amerykańskie wojska z niemałych obszarów zajętych pod koniec wojny na terenie strefy okupacyjnej Niemiec, przeznaczonej wcześniej dla ZSRR. W czerwcu 1945 r. Truman uznał wspierany przez Stalina rząd polski. Stało się to w następstwie wizyty w Moskwie Harry'ego Hopkinsa, najbardziej zaufanego współpracownika Roosevelta, który wynegocjował kosmetyczne zmiany poszerzające uprzedni rząd lubelski, teraz działający już w Warszawie. Odniesienie zwycięstwa nad Japonią przez użycie bomby atomowej oraz uzyskany w konsekwencji monopol Stanów Zjednoczonych na broń atomową nie grały większej roli w stosunkach Stanów Zjednoczonych z ZSRR. Ani podczas spotkania Wielkiej Trójki w Poczdamie (VII–VIII 1945 r.), ani podczas późniejszych obrad konferencji ministrów spraw zagranicznych, Stany Zjednoczone nie usztywniły swej polityki w stosunku do ZSRR. W rzeczywistości w grudniu 1945 r. sekretarz stanu w administracji Trumana, James F. Byrnes, uznał również zdominowane przez komunistów koalicyjne rządy Bułgarii i Rumunii. Jednak już pod koniec roku poparcie dla polityki współpracy malało.

Obawy przed niebezpieczeństwami stwarzanymi przez radziecką ekspansję i nieskuteczność wszelkich prób współpracy były domeną Brytyjczyków. Churchill zawsze był wystarczającym realistą, by zrozumieć, że Wielka Brytania musi przeciwstawić się próbom zdominowania kontynentu przez jedno mocarstwo, a w 1945 r. wiedział już, że niebezpieczeństwo promieniuje ze Związku Radzieckiego. Podobnie gabinet laburzystowski Clementa Attlee, który zastąpił rząd Churchilla w lipcu 1945 r. i w którym ministrem spraw zagranicznych był Ernest Bevin, nie miał żadnych złudzeń co do Związku Radzieckiego. Bevin czuł instynktownie, że Związek Radziecki pod przywództwem Stalina jest nieprzejednanym wrogiem europejskich partii socjaldemokratycznych, takich jak jego własna Partia Pracy. Brytyjczycy byli świadomi niebezpieczeństwa radzieckiej ekspansji nie tylko w Europie Wschodniej, ale również wzdłuż północnych krańców Bliskiego Wschodu, zwłaszcza w Iranie i w Turcji. Mieli także odwagę przeciwstawić się tej ekspansji, co doprowadziło do tzw. angielsko-radzieckiej zimnej wojny w latach 1945–1946. Jednakże Wielka Brytania wyszła z II wojny światowej niezwykle osłabiona i niezdolna w pełni sprostać radzieckiemu wyzwaniu. Gdy potęgi niemiecka, włoska i japońska zostały zniszczone, państwa alianckie, takie jak Francja czy Chiny, były osłabione nawet bardziej niż Wielka Brytania, tylko Stany Zjednoczone dysponowały wystarczającą siłą polityczną, gospodarczą i militarną, by powstrzymać radziecką ekspansję w próżnię polityczną powstałą po II wojnie światowej. W 1946 r. administracja Trumana podjęła pierwsze próbne kroki w tym kierunku.

Istniało kilka czynników, które skłoniły Trumana do przyjęcia polityki opisywanej słowami „get tough" („być twardym"). W obliczu rosnącego niezadowolenia w sferze amerykańskiej polityki wewnętrznej, wywołanego łagodnością polityki zagranicznej Byrnesa i radziecką interwencją w Iranie, Truman stał się bardziej podatny na nieformalne i oficjalne wysiłki Winstona Churchilla. Podczas prywatnej wizyty w Stanach Zjednoczonych w lutym 1946 r. były premier brytyjski namawiał amerykańskiego prezydenta do podjęcia wyzwania rzuconego przez Związek Radziecki w Europie Wschodniej.

W swoim przemówieniu wygłoszonym w Westminster College w Fulton w stanie Missouri, w którym mówił o „żelaznej kurtynie", Churchill podjął bez ogródek kwestię rzeczywistego ekspansjonizmu Związku Radzieckiego i zaapelował o konkretne działania Zachodu. Radca amerykańskiej ambasady w Moskwie George Kennan wysłał swój słynny „długi telegram", który krążąc wśród najważniejszych urzędników amerykańskich pomógł stworzyć intelektualne tło dla rozwijanej polityki stanowczości wobec ZSRR. Kennan twierdził, że Stalin potrzebuje zewnętrznego przeciwnika, by usprawiedliwić tyranię w kraju. Uważał pokojowe współżycie z ZSRR za istną szaradę i przewidywał, że Rosjanie będą nadal poszerzać swoje wpływy, jeśli nie napotkają zdecydowanego oporu. Kennan wyjaśniał, że mocarstwo radzieckie jest „głuche na głos rozsądku", ale „bardzo czułe na głos siły".

Połączone wysiłki Kennana i Churchilla zmieniły przekonanie o słuszności współpracy ze Związkiem Radzieckim i spowodowały zmianę postrzegania Rosji przez urzędników amerykańskich z trudnego sojusznika w potencjalnego wroga. Zaskakujące jest uświadomienie sobie, jak niewielki wpływ na politykę miało w rzeczywistości to nowe postrzeganie ZSRR. Decyzje o podjęciu wyzwania i konfrontacji z ZSRR w konkretnych przypadkach, jak podczas okupacji północnego Iranu przez wojska radzieckie w marcu 1946 r., nie składały się na konsekwentną politykę, którą można by wyjaśnić narodowi amerykańskiemu. Trudności ze sformułowaniem polityki Stanów Zjednoczonych trwały do 1946 r. Dały o sobie znać nastroje niepewności i obaw, nie wytyczono żadnych decydujących kierunków polityki. Gdyby Rosjanie zadowolili się swoimi dotychczasowymi zdobyczami politycznymi, polityka amerykańska mogłaby trwać w stanie bierności i pozostać w znacznym stopniu oderwana od wydarzeń w Europie. Ale Stalin przesadził i zapragnął więcej, niż dawała mu wzmocniona kontrola nad Europą Wschodnią – chciał stworzyć zagrożenie zarówno krajom basenu Morza Śródziemnego, jak i Europie Zachodniej. Trudno ustalić faktyczny zasięg jego ambicji bez dostępu do źródeł radzieckich. Jednakże, jak się zdaje, przeświadczenie Amerykanów, że Stalin chciał wykorzystać chaos i osłabienie w Europie Zachodniej, nie było bezpodstawne. Właśnie to przeświadczenie przyspieszyło reakcję o historycznym znaczeniu, pociągającą za sobą z biegiem czasu długotrwałe zaangażowanie się w „powstrzymywanie" Związku Radzieckiego.

W marcu 1947 r. Stany Zjednoczone zareagowały na postrzegane radzieckie zagrożenie w Grecji i Turcji i, sprowokowane brytyjską decyzją wycofania sił specjalnych z Grecji, opracowały program ograniczonej pomocy wojskowej i militarnej (w wysokości 400 mln dolarów) dla Greków i Turków. By skąpy Kongres przydzielił mu fundusze, Truman wygłosił swój apel posługując się uniwersalnymi sformułowaniami i malując problem w barwach konfliktu między totalitarnymi represjami a demokratyczną wolnością. Tak narodziła się doktryna Trumana i obietnica „udzielenia pomocy wolnym narodom, które opierają się próbom opanowania władzy przez uzbrojenie mniejszości bądź agresji z zewnątrz". Mimo podniosłej retoryki, administracji Trumana wciąż brak było ogólnego planu działania w stosunku do Związku Radzieckiego. Pomoc dla Grecji i Turcji stanowiła dopiero jeden element takiego działania. Pozostawało jeszcze wiele do zaplanowania. Ten problem nie zawsze był należycie zrozumiany przez historyków, którzy opisywali doktrynę Trumana jako gotowy plan ogólnoświatowej strategii powstrzymywania.

Ani doktryna Trumana, ani głośny artykuł George'a Kennana *Źródła społecznego zachowania* (*The Sources of Social Conduct*), który ukazał się w lipcowym numerze „Foreign Affairs" w 1947 r. i który wzywał do „długotrwałego, cierpliwego, ale stanowczego i czujnego powstrzymywania radzieckich tendencji ekspansyjnych", nie określały w zarysie, co Stany Zjednoczone powinny uczynić, ani też nie wyznaczały konkretnego sposobu działania. Administracja Trumana jedynie po części i małymi kroczkami zdecydowała się na zareagowanie przez Stany Zjednoczone na politykę ZSRR. Rzeczywiście, trzeba stwierdzić, że to nie doktryna powstrzymywania dyktowała ton polityki tworzonej w latach 1947–1950, ale raczej polityka nadała sens i formę doktrynie.

Departament Stanu pod kierunkiem George'a C. Marshalla, który zastąpił Byrnesa na początku 1947 r., przejął inicjatywę i zaangażował się w niezwykle twórczy okres rozwoju polityki zagranicznej. Decydenci amerykańscy obawiali się, że głębokie przemiany ekonomiczne Europy Zachodniej, jej polityczna słabość i psychologiczne wyczerpanie nie tylko przyczynią się do wykorzystania sytuacji przez lokalnych komunistów – zwłaszcza we Francji i we Włoszech – ale również uczynią region podatnym na wyzysk i zastraszenie ze strony ZSRR. Lęk przed tym skłonił Stany Zjednoczone do nakreślenia programu pomocy gospodarczej w Europie. Program ten, znany jako plan Marshalla, ostatecznie dostarczył pomocy gospodarczej w wysokości 13 mld dolarów w celu rekonstrukcji i ożywienia ekonomicznego Europy Zachodniej. Jednoznacznie określił też zobowiązania Stanów Zjednoczonych wobec regionu, który uważano teraz za istotny dla amerykańskich interesów i narodowego bezpieczeństwa. Był to decydujący krok w ustanowieniu równowagi politycznej w powojennej Europie.

Plan Marshalla i ożywiony przez niego proces gospodarczej i politycznej integracji Europy Zachodniej pokrzyżowały strategiczne plany Związku Radzieckiego, pragnącego słabej i podzielonej Europy. Sprowokowały też bardziej zdecydowaną reakcję Stalina, który przypuszczalnie uważał politycznie i gospodarczo stabilną Europę za zagrożenie dla własnego bezpieczeństwa. We wrześniu 1947 r. Związek Radziecki i osiem innych europejskich partii komunistycznych, w tym francuska i włoska, założyły Kominform (Biuro Informacyjne) – organizację, która, jak zakładali Rosjanie, miała sprawować ścisłą kontrolę nad lokalnymi partiami komunistycznymi – i rozpoczęły kampanię walki politycznej. Co więcej, Stalin nie przyjmował teraz do wiadomości jakichkolwiek apeli o tolerancję polityczną w Europie Wschodniej. Wykorzystując brutalne techniki aresztowań, prześladowań, czystek i likwidacji przeciwników politycznych, stworzył jednopartyjne reżimy totalitarne na całym obszarze kontrolowanym przez Armię Czerwoną. Obalenie czeskiego prezydenta Edwarda Benesza przez komunistę Klementa Gottwalda w lutym 1948 r. było najlepszym potwierdzeniem zamiarów Stalina i pogłębiło obawy na zachodzie Europy, gdzie wydarzenie to uważano za niebezpieczny precedens, który może się powtórzyć, np. we Włoszech.

Jednakże zamach stanu w Pradze i coraz silniejsza pozycja komunistów w Europie Wschodniej wywołały odważniejszą reakcję na zachodzie Europy. Po przejęciu inicjatywy przez Bevina, Brytyjczycy podpisali w marcu 1948 r. wielostronny traktat obronny z Francją i krajami Beneluksu. Traktat brukselski zjednoczył Europę Zachodnią i był oznaką sprzeciwu Zachodu, który nie dał się zastraszyć Związkowi Radzieckiemu. Jednak Bevin od początku zdawał sobie sprawę, że będzie musiał wciągnąć Stany Zjednoczone do sojuszu obronnego, jeśli miał on być naprawdę znaczący. Bevin pracował nad tym przez cały 1948 r., a jego wysiłki przyniosły owoce w 1949 r.

W 1948 r. rywalizacja w Europie pomiędzy Związkiem Radzieckim a mocarstwami zachodnimi osiągnęła punkt kulminacyjny w konflikcie na tle Niemiec. W 1945 r. zwycięskie siły alianckie doszły do porozumienia, według którego miały zarządzać krajem pokonanego przez siebie wroga jako całością, poprzez ciało rządzące, Sojuszniczą Radę Kontroli, ulokowaną w Berlinie. Nie planowano trwałego podziału państwa, lecz okazało się, że Rada Kontroli nie jest w stanie rządzić Niemcami. W związku z tym każde z czterech mocarstw okupujących kraj – Wielka Brytania, Związek Radziecki, Stany Zjednoczone i Francja – podejmowało własne decyzje na terenie swojej strefy. Rzekomo czasowy podział administracyjny Niemiec począł tężeć w stały podział polityczny, gdy latem 1946 r. Amerykanie i Brytyjczycy połączyli swoje strefy na zasadzie unii gospodarczej (tzw. Bizonia). Związek Radziecki natychmiast uznał tę decyzję za zwiastuna stałego podziału, ale połączenie gospodarcze nie oznaczało bynajmniej zaniechania przez Amerykanów planu zjednoczenia Niemiec. Jednakże niepowodzenie czterostronnych negocjacji w 1947 r., mających rozwiązać problem Niemiec, zmieniło kierunek polityki Zachodu. Pragnienie zmniejszenia kosztów okupacji i stymulowania rozwoju zachodniej części Niemiec, tak by wniosła ona więcej w proces gospodarczej rekonstrukcji Europy Zachodniej, skłoniły Stany Zjednoczone i Wielką Brytanię do przekonania Francji, aby ta dołączyła do umowy zwanej programem londyńskim, proponującej stworzenie zachodnioniemieckiego państwa i rządu. Związek Radziecki gwałtownie sprzeciwił się realizacji programu londyńskiego. By zapobiec wprowadzeniu w życie programu, a zwłaszcza jego wstępnych założeń przewidujących osobną walutę dla Niemiec Zachodnich, a także w celu zmuszenia mocarstw zachodnich do ponownego podjęcia negocjacji, które mogłyby zakończyć się wynikiem pomyślnym dla Rosjan, Związek Radziecki rozpoczął blokadę zachodnich sektorów Berlina, który znajdował się w całości wewnątrz radzieckiej strefy okupacyjnej. Amerykanie i Brytyjczycy zareagowali na całkowitą blokadę transportu lądowego do Berlina i zorganizowali w dramatycznych okolicznościach most lotniczy do otoczonego miasta. Loty trwały do maja 1949 r., kiedy ZSRR zniósł blokadę. Ryzykowny plan Stalina, skonstruowany dla zadania mocarstwom zachodnim klęski politycznej i dla rozbicia projektów współpracy gospodarczej w Europie Zachodniej, zawiódł. Na ironię, pomógł on w zamian utrwalić podział Europy i przyniósł jeszcze silniejsze związki Stanów Zjednoczonych z Europą Zachodnią.

Presja wydarzeń, jak zamach stanu w Pradze i blokada Berlina, w której Amerykanie na prośbę Brytyjczyków odegrali znaczącą rolę, skłoniła administrację Trumana do rozważenia udziału we wspólnym sojuszu obronnym z krajami Europy Zachodniej. Negocjacje w 1948 r. stworzyły podstawową strukturę sojuszu, ale rząd amerykański zwlekał, czekając na wyniki wyborów prezydenckich w 1948 r. i przewidywane przejęcie steru władzy przez republikanów. Gdy Truman niespodziewanie utrzymał się na stanowisku, powołał Deana G. Achesona na sekretarza stanu i kontynuował negocjacje, by doprowadzić do końca Pakt Północnoatlantycki. Został on podpisany w Waszyngtonie 4 kwietnia 1949 r. przez Stany Zjednoczone, Kanadę i dziesięć państw europejskich. Jego najważniejszym założeniem był art. 5, który mówił, że „napaść zbrojna na jedno lub więcej państw-sygnatariuszy będzie uznana za napaść zbrojną na wszystkie pozostałe". Senat Stanów Zjednoczonych ratyfikował pakt, który uzyskał silne poparcie obu partii i okazał się być kamieniem węgielnym powojennej polityki zagranicznej Stanów Zjednoczonych. Ostatecznie obawa przed wykorzystaniem przez ZSRR słabości Europy Zachodniej doprowadziła Stany Zjednoczone do zmiany dotychczasowej praktyki powstrzymywania się od wstępowania w sojusze w czasie pokoju poza półkulą zachodnią. Organizacja Paktu Północnoatlantyckiego (NATO), stworzona, by nadać sens gwarancjom pokojowym, miała początkowo niewielką siłę militarną. Była w rzeczywistości niewiele więcej niż politycznym zobowiązaniem do udzielenia pomocy, aż do 1950 r., gdy struktura NATO umocniła się. Wciąż jednak NATO służyło za ostrzeżenie i straszak przeciwko ZSRR, najważniejsza zaś bezpośrednia korzyść polegała na poczuciu bezpieczeństwa, jakie dawało mieszkańcom Europy Zachodniej. Ostatecznie główna korzyść z NATO polegała na ułatwieniu rozwoju gospodarczego i stabilności politycznej. Mając zapewnioną ochronę Stanów Zjednoczonych, Europa Zachodnia cieszyła się i jednym, i drugim.

W 1949 r. stosunek Brytyjczyków i Francuzów do problemu Niemiec pokazał jeszcze wyraźniej ich zamiar nakłonienia Stanów Zjednoczonych do gwarantowania ich bezpieczeństwa. Jeśli chodzi o kwestię niemiecką, to Stany

Zjednoczone kontynuowały politykę słusznie określoną mianem „dwutorowej". Z jednej strony realizowały program tworzenia państwa zachodnioniemieckiego, z drugiej poważnie rozważały propozycję utworzenia jednego państwa niemieckiego, co mogłoby zagrozić wycofaniem zarówno amerykańskich, jak i radzieckich wojsk z centrum Europy. Ta druga propozycja, opracowana przez George'a Kennana i nazwana „Programem A", była sama w sobie oznaką płynności amerykańskiej polityki jeszcze w 1949 r. Jednak „Programu A" nigdy nie poddano negocjacjom ze stroną radziecką, ze względu na stanowczy sprzeciw Brytyjczyków i Francuzów. Brytyjczycy bali się zaakceptować jakąkolwiek propozycję, która mogłaby zmniejszyć polityczną i militarną obecność Stanów Zjednoczonych w Europie. Francuzi zgadzali się z Brytyjczykami z podobnych przyczyn, a także z powodu swej własnej dziwacznej racji bezpieczeństwa, która uważała integrację zachodniej części Niemiec z Europą Zachodnią za hamulec nałożony powstającym z ruiny Niemcom i zabezpieczenie przed odnowieniem się niemieckiej agresji. W końcu postawa państw europejskich zmusiła Achesona do zgody na dalsze popieranie tworzenia się państwa zachodnioniemieckiego. Udział w paryskiej konferencji ministrów spraw zagranicznych w maju 1949 r. utwierdził go w tym stanowisku i przekonał, że Związek Radziecki „ma na celu wyłącznie odtworzenie swej siły w celu zablokowania postępu w Niemczech Zachodnich". We wrześniu 1949 r. wojskowa okupacja Niemiec zakończyła się. Rząd Konrada Adenauera rozpoczął swoją działalność, a Republika Federalna Niemiec, pod łagodnym nadzorem cywilnej Wysokiej Komisji, wkroczyła w okres stopniowego rozwoju ku pełnej niepodległości.

Amerykańska polityka w kwestii niemieckiej nie wynikała z chęci wykorzystania zachodnich stref okupacyjnych w strategii powstrzymywania Związku Radzieckiego. Jeszcze w połowie 1949 r. rola Niemiec Zachodnich w strategii powstrzymywania ZSRR nie była dokładnie określona. Główny problem dla decydentów zachodnich stanowiło ryzyko biernego bezpieczeństwa całych Niemiec – zwłaszcza przemysłowego Zagłębia Ruhry – które mogły znaleźć się pod wpływem lub dominacją Związku Radzieckiego. Na ówczesne decyzje polityczne Stanów Zjednoczonych nie miało wpływu pojmowanie rozwijających się Niemiec Zachodnich w kategoriach źródła czynnej siły militarnej, które można by wykorzystać w powstrzymywaniu Związku Radzieckiego. Nastąpi to z biegiem czasu.

Zawarcie sojuszu wojskowego państw zachodnich w postaci Paktu Północnoatlantyckiego oraz stworzenie państwa zachodnioniemieckiego oznaczało zamrożenie podziału politycznego Europy; ostatecznie zaprzepaściło też szansę usunięcia Rosjan z Europy Wschodniej. W tym regionie Stalin kontynuował politykę absolutnej dominacji nad państwami satelickimi imperium radzieckiego. Nie mógł tolerować niezależności komunistycznego przywódcy Jugosławii, Josipa Broz-Tito, chociaż ten, stworzywszy jednopartyjne państwo policyjne, okazał się pilnym uczniem Stalina. W czerwcu 1948 r. Kominform usunął ze swoich szeregów Komunistyczną Partię Jugosławii. Prawdopodobnie Stalin liczył na upadek rządu Tito, co jednak nie nastąpiło – było to dla zachodnich decydentów niespodziewane wyzwanie. Stany Zjednoczone, przekonane, że prawdziwym przeciwnikiem na krótką metę jest raczej mocarstwo radzieckie i jego ekspansja, nie zaś komunizm per se, przyjęły ostrożną postawę poparcia niezależności Jugosławii i wysunęły propozycję lepszych stosunków w przyszłości. Część amerykańskich decydentów miała nadzieję, że Tito posłuży za wzór dla ewentualnego pojawienia się innych komunistycznych przywódców narodowych w krajach Europy Wschodniej, i postrzegała tego typu rządy jako środek ograniczający władzę Związku Radzieckiego. Taka perspektywa najwyraźniej nie odpowiadała Stalinowi, bo w latach 1948–1950 nakazał przeprowadzić czystki wśród domniemanych „komunistycznych przywódców narodowych", jak Gomułka w Polsce, Rajk na Węgrzech czy Clementis w Czechosłowacji. Świadczyło to o determinacji Związku Radzieckiego, by utrzymać ścisłą kontrolę nad państwami satelickimi. Taki obrót spraw nie pozostawiał Amerykanom w 1949 r. nic innego, jak wyłączne kontynuowanie działań opartych na restrykcjach handlowych i kredytowych, propagandzie, pomocy dla organizacji emigranckich oraz przeważnie nieudanych tajnych operacjach. Wszystko to miało niewielki wpływ na ograniczenie zasięgu wpływów radzieckich. W końcu dopiero zapoczątkowany przez ruch „Solidarności" w Polsce wstrząs polityczny w Europie Wschodniej, na który ostatecznie przyzwolił Michaił Gorbaczow, zakończył zimą 1989/1990 r. dominację radziecką w tym regionie.

Polityczne stosunki Związku Radzieckiego z Europą Wschodnią i Stanów Zjednoczonych z Europą Zachodnią w okresie od końca II wojny światowej do 1950 r. są krańcowo różne i wyjaśniają naturę nadchodzącej zimnej wojny. Rosjanie sprawowali ścisłą kontrolę nad państwami Europy Wschodniej i odmawiali im wolności politycznych i swobód obywatelskich. Definicja bezpieczeństwa według Stalina, ze wszystkim, co sie za nią kryło, od gorzkiej, pełnej najazdów historii Rosji, po ideologię komunistyczną i osobistą paranoję Stalina, pchnęły go ku panowaniu nad większością wschodnioeuropejskich narodów wbrew ich woli i ku zagrożeniu ekspansją jeszcze większym obszarom. To tutaj leżą źródła zimnej wojny. Sugestie, że inna, przypuszczalnie bardziej przystępna, polityka Stanów Zjednoczonych być może pozwoliłaby uniknąć zimnej wojny, rozbijają się o powyższe fakty.

Stany Zjednoczone przyjęły pozycję przywódcy państw zachodnich o wiele bardziej niechętnie niż Związek Radziecki na Wschodzie, i raczej przez przypadek. Rzeczywiście, państwa zachodnioeuropejskie musiały przekonywać Amerykanów, by podjęli pewne zobowiązania, co ci uczynili dopiero wtedy, gdy żywotne interesy Stanów Zjednoczonych znalazły się w niebezpieczeństwie ze względu na radzieckie zagrożenie w Europie Zachodniej.

Ponadto, poprzez takie działania, jak powstanie NATO czy polityka w kwestii niemieckiej, państwa zachodnioeuropejskie pomogły kształtować naturę i formę zaangażowania się Stanów Zjednoczonych w Europie oraz reakcję Zachodu na zagrożenie ze strony Związku Radzieckiego. Pewien historyk zręcznie opisał polityczne, gospodarcze i militarne zobowiązania Stanów Zjednoczonych wobec Europy. Zobowiązania te spotkały się z szerokim poparciem sił demokratycznych w Europie Zachodniej, przede wszystkim dlatego, że Stany Zjednoczone wspierały politykę integracji gospodarczej i współpracy politycznej, która pomogła w odbudowie państw zarówno wojennych sprzymierzeńców, jak i wrogów oraz zasiała między nimi ziarno w pełni partnerskich stosunków. Niezależnie od późniejszych niepowodzeń politycznych i zaprzepaszczonych szans, owe niezwykłe zobowiązania Stanów Zjednoczonych wobec Europy Zachodniej mają istotne znaczenie. Przetrwały one przez 40 lat i odegrały rolę tarczy, pod którą Europejczycy cieszyli się bezprecedensowym dobrobytem i pełnym bezpieczeństwem, nie tylko przed zagrożeniem ze strony Związku Radzieckiego, ale również przed bratobójczą walką, tak dobrze im znaną w przeszłości.

Europa okazała się być głównym polem bitwy na początku zimnej wojny, ale region Azji Południowo-Wschodniej również przyciągał sporą uwagę amerykańskich decydentów w późnych latach czterdziestych. Po upadku Japonii, w Chinach wybuchł długi i przewlekły konflikt między narodowym rządem Chiang Kai-sheka (Czang Kaj-szeka) i komunistami pod wodzą Mao Zedonga (Mao Tse-tunga). Administracja Trumana przedłużyła pomoc powojenną dla rządu Chiang Kai-sheka i usiłowała zapobiec w pełni już rozwiniętej wojnie domowej w 1946 r. Kiedy wszystkie wysiłki zawiodły i Chiny pogrążały się coraz głębiej w wojnę, Stany Zjednoczone zajęły ostrożniejszą pozycję i przedłużyły udzielanie dość ograniczonej pomocy w 1948 r., ale nie chciały dalej angażować się w konflikt w Chinach. Odmówiły więc jakichkolwiek dalszych wydatków militarnych czy gospodarczych, koniecznych dla ocalenia niekompetentnego i skorumpowanego rządu narodowego. Administracja Trumana oparła swoją decyzję nie tylko na pełnym rozpoznaniu skali i niebezpieczeństwa takiej operacji, ale również na ocenie geopolitycznej, według której Chiny kontrolowane przez Mao nie mogły zagrozić bezpieczeństwu Stanów Zjednoczonych. To Japonię, nie Chiny, uważano za najważniejsze dalekowschodnie państwo dla bezpieczeństwa Stanów Zjednoczonych, przede wszystkim ze względu na jego potencjał militarno-przemysłowy. Stany Zjednoczone nie uczyniły nic, gdy w 1949 r. siły nacjonalistyczne zostały pokonane w walce lądowej. Amerykanie usiłowali zerwać wszelkie zobowiązania wobec Chiang Kai-sheka, ale nie uznali oficjalnie Chińskiej Republiki Ludowej, proklamowanej przez Mao 1 października 1949 r., decydując się poczekać, aż „opadnie pył", jak określił to Acheson.

Podejście strategiczne, przyznające Japonii wyższy priorytet niż Chinom w stosunku do interesów amerykańskich, ukierunkowało po 1947 r. politykę wobec pokonanego przeciwnika z wojny na Pacyfiku. Dotychczas okupacyjny rząd aliantów pod wodzą gen. Douglasa MacArthura wprowadzał program demilitaryzacji i demokratyzacji. Podczas gdy realizowano oba te cele, gospodarka japońska upadała. Nowa sytuacja międzynarodowa, wynikająca z wrogiej postawy Związku Radzieckiego i jego ekspansji w Europie, skłaniała do przemyśleń. Amerykańscy decydenci doszli do wniosku, że Japonia musi być politycznie i gospodarczo stabilna, tak by po zakończeniu okupacji mogła oprzeć się potencjalnej radzieckiej penetracji i ingerencji. Należało zabezpieczyć japoński potencjał militarno-przemysłowy przed Kremlem. Najbardziej niepokojące było, podobnie jak w Europie Zachodniej, widmo wewnętrznego krachu i chaosu, które mogłyby zostać wykorzystane przez japońskich komunistów i Związek Radziecki. W latach 1947–1948 Waszyngton naszkicował „zmianę kursu", w wyniku której nastąpiło przesunięcie głównych celów okupacji z przeprowadzenia reform w kierunku odbudowy i nastąpiła stabilizacja polityczna, społeczna i gospodarcza strategicznie kluczowego państwa. Te przemiany pozwoliły ugruntować władzę elit gospodarczych i politycznych, które od tamtej pory rządzą w Japonii.

W czerwcu 1950 r. region Azji Południowo-Wschodniej znalazł się w centrum międzynarodowej polityki, gdy Korea Północna rozpoczęła inwazję na Koreę Południową. Trudno przypuszczać, by rządzący Koreą Północną Kim Ir Sen działał bez porozumienia ze Stalinem. Jakkolwiek było w rzeczywistości, administracja Trumana zinterpretowała agresję w Korei jako część większego planu poszerzenia wpływów komunistycznych i nadała konfliktowi globalne znaczenie. Rząd Stanów Zjednoczonych z góry założył, że zwycięstwo komunistów w Korei poważnie zaszkodzi prestiżowi państwa i posłuży jedynie do dalszej agresji. Kiedy rozbita armia południowokoreańska wycofała się na południe półwyspu, prezydent Truman zadecydował o wysłaniu pod auspicjami ONZ z pomocą amerykańskich wojsk powietrznych i lądowych. Minęły trzy lata, zanim wojna utkwiła w martwym punkcie. Przez te trzy lata amerykańskie zobowiązania do powstrzymywania Związku Radzieckiego przybrały znacznie bardziej militarną formę, a stosunki polityczne między Stanami Zjednoczonymi a Związkiem Radzieckim znów bardzo się pogorszyły.

Wojna w Korei poważnie wpłynęła na politykę Stanów Zjednoczonych w Azji. Bezpośrednia konfrontacja wojsk chińskich i amerykańskich na koreańskim polu bitwy po grudniu 1950 r. rozpoczęła długi okres zaciętej wrogości w stosunkach chińsko-amerykańskich. Wojna w Korei nie tylko zaprzepaściła szansę na normalne stosunki polityczne, ale przyniosła również powrót do dawnej polityki ze strony Stanów Zjednoczonych odnośnie do utrzymywania Tajwanu (dawn. Formoza) i przedłużenia pomocy militarnej dla Chiang Kai-

-sheka, którego pozycja wzmocniła się teraz. Podejmowane przez ostatnie trzy lata wysiłki w kierunku odcięcia się od nacjonalistów chińskich i polepszenia stosunków z chińskimi komunistami nagle się zakończyły.

Podczas gdy wojna w Korei pogłębiała rozłam między Stanami Zjednoczonymi a Chinami, to jednocześnie nastąpiło znaczne zbliżenie z Japonią. Japonia służyła jako kluczowa baza militarna dla podejmowanych przez Stany Zjednoczone działań wojennych w Korei, co podkreślało strategiczne znaczenie kraju. Konflikt koreański pozornie potwierdzał konieczność pozostawienia sił amerykańskich w Japonii w celu zagwarantowania bezpieczeństwa w Azji Południowo-Wschodniej po zakończeniu okupacji Japonii. John Foster Dulles wyraził takie przekonanie w wynegocjowanym porozumieniu, które miało zakończyć okupację. 8 września 1951 r. Stany Zjednoczone i ich sprzymierzeńcy z wojny na Pacyfiku – poza Związkiem Radzieckim i Chinami – podpisali traktat pokojowy z Japonią. Następnie Stany Zjednoczone i Japonia podpisały dwustronny traktat bezpieczeństwa, zezwalający Stanom Zjednoczonym na stacjonowanie wojsk lądowych, morskich i lotniczych w Japonii i wokół niej. Zamiast ryzykować niezbyt bezpieczny rozwój Japonii jako państwa niezależnego, Stany Zjednoczone wolały wybrać strategię sojuszu z Japonią militarnie zależną. Ponadto, wojna w Korei oznaczała pogłębienie się zobowiązań Stanów Zjednoczonych w innych częściach Azji i utrwaliła militarną pozycję USA. Świadczą o tym decyzje Amerykanów, by uznać rząd Bao Dai w Wietnamie i przedłużyć znaczną pomoc wojskową i gospodarczą dla tego kraju, co popchnęło Stany Zjednoczone w niebezpiecznym kierunku tragicznego i kosztownego zaangażowania w Indochinach.

Wojna w Korei miała swoje echa poza Azją. Tłumaczyła wprowadzenie przez administrację Trumana zaleceń zawartych w dokumencie 68 Rady Bezpieczeństwa Narodowego (National Security Council – NSC-68), który wzywał do wzmożonego rozwoju amerykańskiego systemu bezpieczeństwa narodowego i rozbudowy sektora wojskowego. Początki NSC-68 sięgają dyskusji, które wywiązały się w następstwie przeprowadzenia radzieckiego wybuchu bomby atomowej w sierpniu/wrześniu 1949 r. Zniweczyło to poczucie bezpieczeństwa, jakie dawał amerykańskim decydentom monopol na broń atomową. Do 1949 r. Stany Zjednoczone nie wyszły naprzeciw radzieckiemu wyzwaniu i nie zainicjowały większych wysiłków zbrojeniowych, które umożliwiłyby korzystanie ze środków konwencjonalnych w konfrontacji z możliwą agresją radziecką w Europie czy gdziekolwiek indziej. Daleki od podjęcia podobnych kroków, Truman odniósł sukces ograniczając znacznie wydatki na obronę, by w ten sposób zyskać rangę popularnego polityka odpowiedzialnego za finanse państwa. Stany Zjednoczone polegały na swoim monopolu atomowym jako na straszaku przeciwko potencjalnemu użyciu przez Związek Radziecki jego silniejszych środków konwencjonalnych i przyjęły z głębokim niepokojem wiadomość o posiadaniu przez ZSRR bomby atomowej.

Reakcją Trumana na wiadomość o dysponowaniu bronią atomową przez Związek Radziecki było podjęcie dwóch kluczowych decyzji. Po pierwsze, wyraził on zgodę na rozwój broni termojądrowej – bomby wodorowej. Decyzja Trumana, motywowana zarówno obawą, jak i ostrożnością, obnażyła mechanizm napędzający wyścig zbrojeń w latach osiemdziesiątych. Amerykanie bali się – należy dodać, że nie bez podstaw – że Rosjanie już pracują nad skonstruowaniem broni wodorowej, a także nie mogli się pogodzić z przejęciem przez Moskwę prowadzenia w wyścigu nuklearnym. Równocześnie z podjęciem decyzji o budowie bomby wodorowej, Truman zażądał pełnej weryfikacji amerykańskiej polityki zagranicznej i zbrojeniowej. Tak więc niewielka grupa urzędników z Paulem Nitzem na czele przygotowała NSC-68, który określono mianem „pierwszej zrozumiałej deklaracji narodowej strategii" i przedstawiono w kwietniu 1950 r.

W dokumencie NSC-68 Nitze scharakteryzował Związek Radziecki jako nieodłącznie wojowniczy i ekspansywny, „ponieważ posiada i jest w posiadaniu światowego ruchu rewolucyjnego, ponieważ jest spadkobiercą rosyjskiego imperializmu i ponieważ jest państwem o totalitarnej dyktaturze". Nitze wyraził obawę zarówno przed możliwościami, jak i przed zamiarami ZSRR. Twierdził, że w sytuacji osłabienia Stanów Zjednoczonych Rosjanie mogą pokusić się o użycie swych przeważających sił militarnych. Stanom Zjednoczonym potrzebna była rozbudowa konwencjonalnych środków rażenia, a także rozwój arsenału nuklearnego, NSC-68 zaś dostarczał rozwiązań finansowych i wojskowych prowadzących do zwiększenia zbrojeń. Autorzy NSC-68 spodziewali się sprzeciwu dla swoich propozycji ze strony zwolenników oszczędności finansowych, zarówno w rządzie Trumana, jak i w Kongresie. Ale wojna w Korei usunęła potencjalnym przeciwnikom grunt spod nóg i zdawała się potwierdzać słuszność analiz dokumentu NSC-68.

Poglądy zawarte w NSC-68 zdominowały myślenie decydentów z wszystkich sektorów administracji Trumana. Podstawową polityką Stanów Zjednoczonych stało się doprowadzenie do – jak nazwał to Acheson – „sytuacji siły". Wydatki na obronę spotkały się z powszechnym poparciem. Wojna w Korei i w konsekwencji stosunkowo silne obawy o bezpieczeństwo w Europie zmieniły NATO w prawdziwy sojusz wojskowy z zintegrowaną siłą militarną pod dowództwem amerykańskim oraz ze stacjonującymi w Europie amerykańskimi wojskami. Przyśpieszono również decyzję o militaryzacji RFN, co postawiło kraj na drodze prowadzącej do przyłączenia się tego państwa do NATO w 1955 r.

Według NSC-68 radziecki zamach na wolne instytucje miał charakter globalny, a „przy obecnej polaryzacji władzy klęska wolnych instytucji gdziekolwiek na świecie jest ich klęską wszędzie". Ta niezwykła definicja bezpieczeństwa, która nie rozróżniała właściwie pierwszoplanowych i marginalnych interesów Stanów Zjednoczonych, postawiła politykę międzynarodową w sytuacji patowej. Bezpieczeństwo Stanów Zjednoczonych zazębiało się z bezpieczeństwem całej reszty świata. Następstwa dla polityki zagranicznej Stanów Zjednoczonych były ogromne. Z zamrożonymi liniami podziałów w Europie, konflikt wkrótce zmienił się w globalną rywalizację. Amerykańscy decydenci spoglądali na rozwój państw Bliskiego Wschodu, Azji i Afryki przez często zniekształcające szkła zimnej wojny. Do 1952 r. stosunki między Stanami Zjednoczonymi a Związkiem Radzieckim znalazły się w absolutnym impasie. Każde z mocarstw starało się zwiększyć swoją potęgę militarną i nie ufało drugiemu. Rzeczowe negocjacje między nimi okazały się niemożliwe. Nawet gdy rok później władzę w obu państwach przejęli nowi przywódcy, we wzajemnych stosunkach nastąpiła niewielka poprawa. Sedno konfliktu tkwiło znacznie głębiej niż różnice osobowościowe przywódców.

Śmierć Stalina w 1953 r. dawała pewne powody do optymizmu, ale był on bardzo krótkotrwały. Następcy Stalina okazali się równie zdecydowani utrzymać dominację nad Europą Wschodnią, co ich długoletni nauczyciel. W 1956 r. bezlitośnie stłumiono powstanie na Węgrzech. W 1968 r., kiedy Aleksander Dubczek rozpoczął tworzenie nieco bardziej niezależnego i sprawniejszego rządu komunistycznego w Czechosłowacji i gdy udało mu się zmniejszyć stopień zależności od Moskwy, radzieckie czołgi wjechały do Pragi. Rządy Nikity Chruszczowa i Leonida Breżniewa najwyraźniej spodziewały się osiągnięcia przewagi w rywalizacji z Zachodem, choć sporadycznie składały ukłony w kierunku „pokojowego współżycia" i „odprężenia". W podobnej sytuacji sojusz zachodni, na czele którego stały Stany Zjednoczone, przyjął zasadniczo obronny charakter i wyczekującą pozycję.

W kampanii prezydenckiej z 1952 r. Partia Republikańska odrzuciła politykę powstrzymywania z lat administracji Trumana z powodu jej rzekomej pasywności i amoralności. Ich celem stało się wyzwolenie, nie powstrzymywanie. Ale rozmowy o „wyzwoleniu" były wyłącznie retoryką stosowaną podczas kampanii wyborczej. Po sukcesie wyborczym i wyjściu na jaw chłodnej reakcji na powstanie w Berlinie w 1953 r. republikańska administracja Dwighta D. Eisenhowera ograniczyła się przede wszystkim do słownych protestów przeciwko kontroli sprawowanej przez Związek Radziecki nad państwami satelickimi. W zasadzie Eisenhower stosował szeroko rozumianą strategię powstrzymywania, która rozwinęła się za prezydentury Trumana i do rozwoju której Eisenhower przyczynił się jako pierwszy głównodowodzący siłami NATO. Z pewnością utrzymał on i przedłużył funkcjonowanie amerykańskich zobowiązań wobec Europy Zachodniej i Azji Południowo-Wschodniej. Za swoje główne zadanie Stany Zjednoczone wciąż uważały hamowanie ekspansji Związku Radzieckiego.

Polityka zagraniczna Eisenhowera znacznie bardziej różniła się od polityki Trumana w stosowanych przez siebie środkach niż w ostatecznych celach. W odpowiedzi na presję wywieraną przez zwolenników ograniczenia wydatków rządowych i ustabilizowania budżetu państwa, administracja Eisenhowera rozwinęła strategię obronną „nowego spojrzenia" („New Look"), która zredukowała siły konwencjonalne i oparła się w większym zakresie na broni nuklearnej jako na środku odparcia agresji. Eisenhower i sekretarz stanu Dulles zamierzali użyć groźby masowego odwetu w celu zasiania niepewności w umysłach potencjalnych przeciwników. Oba supermocarstwa akcentowały znaczenie broni jądrowej, co zapewniło kontynuację wyścigu zbrojeń i doprowadziło do zbrojeń kosmicznych i rakietowych. W 1954 r. oba kraje dysponowały bombą wodorową i pracowały nad zwiększeniem jej zasięgu i mocy. Ale intensywność zimnowojennych działań słabła. W 1955 r. Eisenhower i Chruszczow odbyli w Genewie spotkanie na szczycie. Wysunięty przez Eisenhowera projekt „otwartego nieba", oparty na nadzorze lotniczym jednego supermocarstwa przez drugie, został odrzucony przez ZSRR. Ostateczne osiągnięcia były niewielkie. Związek Radziecki żądał usunięcia sił NATO z Europy, podczas gdy Amerykanie domagali sie wycofania wojsk radzieckich z Europy Wschodniej. Żadna z propozycji nie została wzięta pod należytą rozwagę. Niemniej jednak klimat wzajemnych stosunków uległ poprawie, w czym pomogło potępienie przez Chruszczowa działań Stalina na XX Zjeździe KPZR i podjęte przez niego kroki w kierunku destalinizacji.

Poza Europą administracja Eisenhowera nadal prowadziła politykę powstrzymywania i akcentowała nowe działania, jak tajne operacje czy międzynarodowa pomoc w walce z komunizmem. Nie tylko kontynuowano politykę nieuznawania rządu chińskiego, ale posunięto się dalej, do podpisania z Chiang Kai-shekiem dwustronnego sojuszu obronnego i przedłużenia pomocy militarnej i gospodarczej dla jego rządu na Tajwanie. W rzeczywistości doprowadziło to Stany Zjednoczone na krawędź konfliktu z Chinami, w którym kwestią sporną stały sie wysepki Jinmen (Cinmen) i Matsu Tao. W Indochinach Eisenhower zwiększył pomoc udzielaną Francuzom, a po ich klęsce pod Dien Bien Phu w 1954 r. poparł utworzenie antykomunistycznego Południowego Wietnamu pod rządami Ngo Dinh Diema. Amerykańscy decydenci, nie zorientowani w wewnętrznych tarciach w konflikcie, twierdzili, że Wietnam Południowy przypomina kostkę domina, której upadek w kierunku komunizmu spowoduje reakcję łańcuchową wśród innych państw regionu. Stosunek do Wietnamu Północnego i ochrona Azji Południowo-Wschodniej przed możliwą komunistyczną ekspansją, skłoniły Stany Zjednoczone do podjęcia inicjatywy stworzenia Paktu Azji Południowo-Wschodniej (SEATO). SEATO miał być repliką NATO, ale był zaledwie jej bladą imitacją, większość zaś niekomunistycznych państw azjatyckich odmówiła uczestnictwa w organizacji. Podobnie Pakt Bagdadzki – próba utworzenia sojuszu obronnego północnych państw Bliskiego Wschodu – nie zdołał zakorzenić się wśród krajów Trzeciego Świata. Stany Zjednoczone błędnie stosowały sprawdzającą się w Europie politykę powstrzymywania i w efekcie nie zdołały pojąć nacjonalizmów i politycznej niestabilności wielu państw odzyskujących niepodległość. Podobne błędy prześladowały Amerykanów w latach sześćdziesiątych, gdy Stany Zjednoczone ugrzęzły w wietnamskim koszmarze.

Eisenhower zapewnił Stanom Zjednoczonym pokój przez osiem lat swojej prezydentury i dzielnie „stał na froncie" walki z ekspansją Związku Radzieckiego. Jednakże, gdy jego kadencja dobiegła końca, wydawało się, że Stany Zjednoczone są w defensywie. Widoczne prowadzenie Związku Radzieckiego w wyścigu kosmicznym w następstwie sukcesu sputnika wystrzelonego w kosmos w październiku 1957 r. oraz agresywne wyzwanie rzucone przez Chruszczowa w 1958 r. w Berlinie dowodziły, że Rosjanie zyskują przewagę w rywalizacji z Zachodem. Dyskusje toczone wokół zestrzelenia nad Związkiem Radzieckim amerykańskiego samolotu szpiegowskiego U-2 w maju 1960 r. odnowiły napięcia w konflikcie amerykańsko-radzieckim. W wyborach prezydenckich w 1960 r. kandydat demokratów John F. Kennedy krytykował administrację Eisenhowera za brak działania i tolerowanie pomyślnej dla Związku Radzieckiego „przepaści rakietowej". Obiecywał, że ożywi kraj i podejmie aktywną politykę zagraniczną. W styczniu 1961 r. wprowadził się do Białego Domu.

Podczas gdy administracja Kennedy'ego zachowała podstawowe zobowiązania Stanów Zjednoczonych w Europie i Azji Południowo-Wschodniej oraz rozwiniętą przez Trumana i utrwaloną przez Eisenhowera politykę powstrzymywania, nowy prezydent wyrażał niepokój co do dostępnych mu środków realizowania strategii powstrzymywania i wydawał się być gotowy do zademonstrowania swojej stanowczości. Zaangażował się z początku w jadowitą retorykę antykomunistyczną, a w kwietniu 1961 r. dopuścił do klęski akcji w Zatoce Świń – zaplanowanej z zimną krwią operacji obalenia rządu Fidela Castro na Kubie, który zdążył już odsłonić swe prawdziwie komunistyczne oblicze. Kennedy znacznie zwiększył zaangażowanie Stanów Zjednoczonych w Wietnamie, chociaż nie zgadzał się na wysłanie oddziałów wojskowych. Początkowo akcentował szczególne znaczenie ekspansji militarnej, by poszerzyć opcję polityczną i zmniejszyć widoczną zależność od broni jądrowej, wywodzącą się z polityki „nowego spojrzenia". Przyjął też stanowisko tzw. elastycznego reagowania, które dało mu możliwość reagowania na każdym szczeblu konfliktu, tak nuklearnym, jak i konwencjonalnym. Pomimo danych świadczących o czterokrotnej przewadze Stanów Zjednoczonych w dysponowaniu atomową bronią strategiczną dalekiego zasięgu, administracja Kennedy'ego pod silnym przywództwem sekretarza obrony Roberta McNamary przeprowadziła poważną rozbudowę sił nuklearnych i konwencjonalnych.

Wyraźnie pragnąc zmniejszyć przewagę nuklearną Stanów Zjednoczonych, radziecki premier Chruszczow rozpoczął jesienią 1962 r. ryzykowną operację instalowania wyrzutni pocisków rakietowych średniego zasięgu na komunistycznej Kubie i w ten sposób rozniecił najniebezpieczniejszą konfrontację radziecko-amerykańską w całym okresie zimnej wojny. Po wykryciu wyrzutni przez amerykański wywiad, Kennedy zdecydował się powstrzymać umieszczanie broni jądrowej na Kubie. 22 października Biały Dom ogłosił morską blokadę wyspy. Wobec amerykańskiej przewagi nuklearnej i masowej blokady obszaru przez amerykańską marynarkę wojenną, Chruszczow spuścił z tonu i wycofał pociski zdolne do przenoszenia broni jądrowej w zamian za nieoficjalne zapewnienie, że Stany Zjednoczone wycofają pociski rakietowe z baz w Turcji.

Kryzys kubański spowodował znaczące konsekwencje. Stał się bodźcem do wprowadzenia kontroli zbrojeń oraz poprawił łączność między oboma supermocarstwami. W czerwcu 1963 r. strony podpisały porozumienie wprowadzające specjalne środki łączności w wypadku konfliktu, tzw. gorącą linię. Co ważniejsze, w lipcu 1963 r. Stany Zjednoczone i Związek Radziecki dołączyły do Wielkiej Brytanii podpisując częściowe porozumienie o zakazie prób jądrowych, zabraniające przeprowadzania prób z bronią nuklearną w powietrzu, w przestrzeni kosmicznej i pod wodą. Był to pierwszy prawdziwy sukces w ograniczaniu wyścigu zbrojeń. Paradoksalnie, kryzys kubański, który przyczynił się do kontroli zbrojeń, dostarczył również silnego bodźca dla wyścigu zbrojeniowego. Decydenci radzieccy wywnioskowali z doświadczeń na Kubie, że przewaga nuklearna daje polityczny i dyplomatyczny prestiż i byli zdecydowani rozpocząć wyścig jądrowy na masową skalę. W 1970 r. Związek Radziecki prześcignął Stany Zjednoczone w liczbie posiadanych ICBM-ów (międzykontynentalnych pocisków rakietowych), chociaż Amerykanie wciąż dysponowali większą liczbą głowic jądrowych w strategicznej triadzie ICBM-ów, bombowców załogowych i łodzi podwodnych.

Przez resztę lat sześćdziesiątych kolejne wysiłki zmierzające do wprowadzenia kontroli zbrojeń i znaczącej poprawy stosunków między supermocarstwami nie dały większych rezultatów. Kennedy, który w ostatnim roku swej kadencji demonstrował coraz większą dojrzałość polityczną, moralność i stanowczość i opowiadał się bardziej bezpośrednio za potrzebą pokojowego współistnienia, został zamordowany w listopadzie 1963 r. w Dallas w stanie Teksas. Śmierć Kennedy'ego i odsunięcie od władzy Chruszczowa wkrótce potem spowodowały zejście ze sceny przywódców, którzy mogli nadać nowy wymiar stosunkom między supermocarstwami. Ich następcy skupili się na innych kwestiach. Lyndona Bainesa Johnsona pochłonęła całkowicie wojna w Wietnamie.

Obejmując urząd prezydenta, Lyndon Johnson nie miał wielkiego doświadczenia w zakresie polityki zagranicznej, ale podzielał z całym swym pokoleniem wiarę w fundamentalne zasady zimnej wojny. Rzecz jasna, przejął on podstawowe nakazy polityki powstrzymywania i kontynuował linię polityczną swojego zamordowanego poprzednika. By to zapewnić, pozostawił sobie kluczowych doradców do spraw polityki zagranicznej z rządu Kennedy'ego. Początkowo Johnson poświęcił swą wielką energię i polityczny talent programowi „wielkiego społeczeństwa". Nie wykazał się inicjatywą na polu polityki zagranicznej i nie udało mu się wycisnąć piętna na żadnym z międzynarodowych procesów, w które zaangażowane były Stany Zjednoczone. Sojusz NATO zachował swoje podstawowe znaczenie, ale Johnson nie poświęcał mu wiele uwagi, nawet mimo niepokoju wywołanego bardziej niezależną postawą przyjętą w ciągu tej dekady przez Francję Charlesa de Gaulle'a. Johnson pozostawił stosunki z większością państw komunistycznych w takim stanie, w jakim je zastał. Postrzegał Chiny jako zagrożenie i potencjalnie ekspansywną potęgę. Stosunki z Moskwą Leonida Breżniewa i Aleksieja Kosygina były spokojniejsze, lecz wciąż podyktowane głównie politycznym i militarnym współzawodnictwem.

Johnson nie wykazał wiele zrozumienia dla znaczących zmian zachodzących w państwach Trzeciego Świata. Jego działania w tym regionie były zazwyczaj podyktowane postawą brutalnego antykomunizmu, nie przykładającą żadnego znaczenia do natury rewolucji społecznych i nacjonalistycznych sentymentów. Zwłaszcza w Ameryce Łacińskiej Johnson zwiększył pomoc gospodarczą i militarną dla niedemokratycznych rządów wojskowych, głównie dzięki ich antykomunistycznemu nastawieniu. Użył również sił zbrojnych Stanów Zjednoczonych w Republice Dominikańskiej w 1965 r. w celu zapobieżenia, jak uważał, możliwości powstania „kolejnego rządu komunistycznego na półkuli zachodniej". Zdaniem Johnsona, Kuba nie mogła się powtórzyć. Świadomość odniesionego w Dominikanie sukcesu skłoniła go do stawienia oporu komunizmowi w tej części świata, której poświęcał najwięcej uwagi – w Azji Południowo-Wschodniej.

Johnson postrzegał wojnę w Wietnamie w kategoriach silnie osobistych i poprzysiągł sobie stłumić tamtejszą komunistyczną agresję. Motywując decyzję dotyczącą incydentu w Zatoce Tonkińskiej z sierpnia 1964 r., która została ostatecznie wykorzystana przez administrację Johnsona jako odpowiednik wypowiedzenia wojny, powiązał on bezpośrednio walki w Wietnamie ze strategią powstrzymywania, prowadzoną od czasów prezydentury Trumana. „Wyzwanie, jakie podejmujemy dzisiaj w Azji Południowo-Wschodniej", stwierdził, „jest tym samym wyzwaniem, jakie podjęliśmy z całą powagą i któremu sprostaliśmy militarnie w Grecji i Turcji, w Berlinie i Korei, w Libanie i na Kubie". Ustalając strategię w Wietnamie, administracja Johnsona popełniła dwa fundamentalne błędy, nie doceniając determinacji północnowietnamskiego przeciwnika i przeceniając własne możliwości ustanowienia w Wietnamie Południowym zdolnych utrzymać się antykomunistycznych rządów.

W 1965 r. Stany Zjednoczone zwiększyły naloty na Wietnam i wysłały tam wojska lądowe. Wkrótce siły amerykańskie pod dowództwem gen. Williama Westmorelanda przejęły większą część operacji lądowych. Do końca 1967 r. około pół miliona żołnierzy amerykańskich walczyło w Wietnamie, ale efektem ich obecności było tylko utknięcie krwawego konfliktu w martwym punkcie. W tym samym czasie wojna wywołała w Stanach Zjednoczonych rosnące wrzenie i nasilające się protesty polityczne. Wśród najbardziej przekonujących krytyków byli amerykańscy realiści, jak George F. Kennan, którzy twierdzili, że światowe działania antykomunistyczne doprowadziły do szkodliwego i nadmiernego zaangażowania się i udziału Stanów Zjednoczonych w konfliktach. Ich apel o rozsądniejsze rozważenie środków i celów i jednoznaczną ocenę pierwszoplanowych, w odróżnieniu od marginalnych interesów Stanów Zjednoczonych, stały się głównym problemem dla administracji Johnsona po wielkiej ofensywie przeprowadzonej przez wojska Wietnamu Północnego i Vietcong w styczniu 1968 r. Pomimo poważnych strat Vietcong osiągnął zwycięstwo psychologiczne, które wykluczyło jakikolwiek sukces Amerykanów w Wietnamie. Podczas gdy wojskowi zażądali wysłania kolejnych oddziałów, nowy sekretarz obrony Clark Clifford przekonał Johnsona, że cena jest zbyt wysoka jak na dość niepewny wynik. Skłonił on Johnsona do wysunięcia propozycji wstrzymania nalotów bombowych jako wstępu do rozmów pokojowych. Prezydent uczynił to 31 marca 1968 r. w przemówieniu, w którym, upokorzony i pokonany, ujawnił swą decyzję wycofania się z kampanii o ponowną prezydenturę. Wojna w Wietnamie przyniosła mu klęskę polityczną.

Rozmowy pokojowe między Stanami Zjednoczonymi a Wietnamem rozpoczęły się w kwietniu 1968 r., ale tego roku nie osiągnięto zbyt wiele. Zadanie przeprowadzenia negocjacji i usunięcia wojsk amerykańskich z wietnamskiego konfliktu spadły na następcę Jonsona, którym okazał się być Richard Milhous Nixon, dawny zwolennik zimnej wojny, który był wiceprezydentem u boku Eisenhowera. Nixon nie tylko przejął brzemię wojny w Wietnamie, ale stanął również przed serią trudnych problemów na polu polityki zagranicznej, między innymi ogromnym spadkiem prestiżu Stanów Zjednoczonych, ekspansją wojskową Związku Radzieckiego i rosnącą siłą polityczną i gospodarczą Europy Zachodniej i Japonii. Nixon rozpoczął swą prezydenturę przygotowany na konfrontację z nową sytuacją międzynarodową, nie chcąc polegać jak jego poprzednik na stosowaniu brutalnej polityki powstrzymywania.

Kształtując politykę zagraniczną, Nixon polegał przede wszystkim na jednym człowieku – urodzonym w Niemczech profesorze Harvardu Henrym Kissingerze, który początkowo służył jako doradca do spraw bezpieczeństwa narodowego, a od 1973 r. sprawował również urząd sekretarza stanu. Nixon i Kissinger nie planowali pośpiesznego wycofania wojsk amerykańskich z Wietnamu, a zamiast tego zamierzali zmniejszyć koszty zaangażowania się Stanów Zjednoczonych w Wietnamie. Prowadzona przez Nixona polityka „wietnamizacji" umożliwiła stopniowe wycofanie sił amerykańskich z jednoczesnym wspieraniem rozbudowy siły wojskowej Wietnamu Południowego. Ponadto Stany Zjednoczone wykorzystywały lotnictwo wojskowe w celu wywarcia presji militarnej na Wietnam Północny i wymuszenia ustępstw w paryskich negocjacjach pokojowych, w których Kissinger ścierał się z Le Duc Tho z Wietnamu Północnego. Niemniej jednak musiały upłynąć cztery długie lata konfliktu, zanim negocjatorzy podpisali w Paryżu zawieszenie broni, co umożliwiło wycofanie wojsk amerykańskich. W ciągu zaledwie dwóch kolejnych lat rząd z Hanoi przeprowadził ostateczną ofensywę, która obaliła reżim z Sajgonu i położyła kres długotrwałym wysiłkom Stanów Zjednoczonych, by utrzymać niepodległość Wietnamu Południowego. Inicjatywy Nixona z lat poprzednich znacznie zmniejszyły rozmiar katastrofy w amerykańskiej polityce zagranicznej.

Nixon i Kissinger zapoczątkowali znacznie bardziej geopolityczne podejście do polityki zagranicznej. Chcieli stworzyć strukturę, która kontynuowałaby rywalizację głównych mocarstw. Owoce tych starań są najlepiej widoczne w polityce odprężenia wobec Związku Radzieckiego i normalizacji stosunków z Chińską Republiką Ludową. Nixon wyzbył się resztek przeświadczenia o istnieniu monolitycznego bloku komunistycznego i wykorzystywał głęboki rozłam pomiędzy Chinami a ZSRR. Uczynił odważny ruch dyplomatyczny, upoważniając Kissingera do podjęcia wysiłków w kierunku poprawy stosunków z Pekinem. Sukces prezydenckiego doradcy był tak wielki, że w lutym 1972 r. Nixon odwiedził Chiny i podpisał komunikat szanghajski, który zapewnił normalizację stosunków i zakończył dwie dekady nieprzejednanej wrogości.

Najlepiej odczuwalnym efektem polityki odprężenia w stosunku do Związku Radzieckiego było porozumienie w sprawie kontroli zbrojeń, podpisane w Moskwie w 1972 r., tzw. porozumienie SALT I. Okazało się, że Nixon jest gotów zaakceptować fundamentalną równowagę w dysponowaniu bronią jądrową i pragnie uniknąć destabilizującego wyścigu zbrojeń, czy to w zakresie ofensywnej broni jądrowej, czy defensywnej broni rakietowej. SALT I uwzględniał powyższe cele, ale nie ograniczał doskonalenia broni ofensywnej i defensywnej ani nie wyznaczył pułapu liczby głowic jądrowych, jakie mogły być przenoszone przez pociski ofensywne. Nixon uważał porozumienie za pierwszy krok, ale, jak się okazało, było to jego jedyne osiągnięcie. W 1973 r. atmosfera ogólnokrajowego skandalu otaczająca aferę „Watergate" poważnie zaszkodziła powodzeniu prezydenta w polityce zagranicznej. W tym samym roku Kongres uchwalił ustawę o uprawnieniach wojennych, ograniczającą prerogatywy prezydenta i nakładającą na niego system kontroli. W roku kolejnym Richard Nixon opuścił Biały Dom z wciąż jeszcze świeżymi wspomnieniami wielkich sukcesów dyplomatycznych w Pekinie i w Moskwie, ale i w hańbie – jako pierwszy prezydent, który zrezygnował ze sprawowanego urzędu.

Gerald Ford zatrzymał Kissingera na stanowisku sekretarza stanu i obiecał kontynuować politykę zagraniczną Nixona. Najistotniejszą oznaką kontynuacji okazało się wstępne porozumienie zawarte między Fordem a Breżniewem w listopadzie 1974 r. we Władywostoku, wprowadzające pewne ograniczenia zasięgu ofensywnej broni nuklearnej. Administracja Forda odmówiła ujęcia tego porozumienia w formie układu i nie przedłożyła go Senatowi do ratyfikacji. Do tego czasu krytyka polityki odprężenia osiągnęła tak wysoki poziom, że ratyfikacja nie miałaby większych szans. W Kongresie część demokratów pod wodzą senatora Henry'ego Jacksona krytykowała politykę odprężenia za jej amoralny charakter i próbowała uzależnić wszelkie amerykańskie ustępstwa w zakresie kontroli zbrojeń czy handlu od radzieckich zabowiązań pełniejszego przestrzegania praw obywatelskich. Brawurowe działania radzieckie w krajach Trzeciego Świata spowodowały nowe napięcia w polityce odprężenia, zwłaszcza w związku z głośnym udziałem żołnierzy kubańskich w walkach w Angoli i Mozambiku w 1975 r. Wydawało się, że radzieckie intencje szerzenia komunizmu nie osłabły. W takich okolicznościach Ford stawił czoło konserwatyście, dawnemu gubernatorowi Kalifornii, Ronaldowi Reaganowi w wyścigu o republikańską nominację na kandydata na prezydenta. Ford z trudem wytrzymał tę próbę, ale nie udało mu się już pokonać demokratycznego kandydata na prezydenta, mało znanego Jimmy'ego Cartera, dawnego gubernatora Georgii, który umiał doskonale wykorzystać reputację człowieka obcego w kołach waszyngtońskich.

Carter wniósł do Gabinetu Owalnego niezaprzeczalnie dobre chęci i na nowo zaakcentował popieranie praw człowieka za granicą, co silnie kontrastowało z niewielkimi osiągnięciami Nixona w tej dziedzinie. Ponadto, Carter miał na celu poprawę wzajemnego zrozumienia pomiędzy państwami uprzemysłowionymi i rozwijającymi się. Zasygnalizował też wysiłek Stanów Zjednoczonych, by poświęcić więcej uwagi kwestiom z zakresu stosunków Północ–Południe, a nie tylko geopolitycznym problemom Wschód–Zachód, dominującym w amerykańskiej polityce zagranicznej od lat czterdziestych. Trzeba zauważyć, że w tej dziedzinie czekała go w przyszłości trudna lekcja. Jednakże pomimo przesunięcia akcentów i wrzawy wokół wojny w Wietnamie i afery „Watergate", Stany Zjednoczone zachowały w latach siedemdziesiątych pryncypia polityki powstrzymywania.

Po trzech dekadach zimnej wojny i bez widoków na jej zakończenie, Stany Zjednoczone wciąż były gotowe wziąć na swoje barki ciężar powstrzymywania Związku Radzieckiego. Utrzymały podstawowe zobowiązania poczynione przez administrację Trumana, ku zdziwieniu tych, którzy kwestionowali ciągłą zdolność Stanów Zjednoczonych do wypełniania kosztownych zobowiązań międzynarodowych. Bolesne koszty niewłaściwego zastosowania polityki powstrzymywania w Wietnamie oraz błędy polityki amerykańskiej, wynikające z nadmiernego zaangażowania się w konflikty i z niepewności co do słusznych celów i środków, nie mogą przesłonić rzeczywistości. Stany Zjednoczone stały na czele sojuszu państw zachodnich i zapewniały im niezbędną ochronę, co pozwoliło sojusznikom Amerykanów poświęcić większe środki na własny rozwój gospodarczy, podczas gdy Stany Zjednoczone wydawały znaczniejszą część majątku narodowego na mało produktywne cele wojskowe. Zobowiązania Stanów Zjednoczonych wynikały jednoznacznie z ich narodowych interesów i odzwierciedlały głęboko zakorzenioną siłę polityczną i ideologiczną kraju. Chociaż w połowie dekady lat siedemdziesiątych żadne oznaki zwycięstwa w zimnej wojnie nie były widoczne, to ostatecznie siła ta zatriumfuje.

Tłumaczyli *Tomasz Basiuk*
Marcin Łakowski

BIBLIOGRAFIA

Bundy McGeorge, *Danger and Survival: Choices About the Bomb in the First Fifty Years*, Random House, New York 1988

Gaddis John Lewis, *Strategies of Containment: A Critical Appraisal of Postwar American National Security Policy*, Oxford University Press, New York 1982

Gaddis John Lewis, *The United States and the Origins of the Cold War, 1941–1947*, Columbia University Press, New York 1972

Halle Louis J., *The Cold War as History*, Chatto & Windus, London 1971

Herring George C., *America's Longest War: The United States and Vietnam 1950–1975*, 2nd edition, Alfred A. Knopf, New York 1986

Hogan Michael J., *The Marshall Plan: America, Britain, and the Reconstruction of Western Europe, 1947–1952*, Cambridge University Press, New York 1987

Larson Deborah Welch, *Origins of Containment: A Psychological Explanation*, Princeton University Press, Princeton, N.J. 1985

Miscamble Wilson D., *George F. Kennan and the Making of American Foreign Policy, 1947–1950*. Princeton University Press, Princeton, N.J. 1992

Schulzinger Roberto D., *Henry Kissinger: Doctor of Diplomacy*, Columbia University Press, New York 1989

Ulam Adam B., *The Rivals: America & Russia since World War II*, The Viking Press, New York 1971

ERA
TRUMANA–EISENHOWERA

ELLIS W. HAWLEY

Lata 1945–1960, nazywane erą Trumana–Eisenhowera, były okresem, w którym duma, bogactwo i optymizm narodu amerykańskiego w dziwny sposób przemieszały się ze strachem i niepokojem. Ameryka wyłoniła się z II wojny światowej jako największe mocarstwo świata, a rozkręcona podczas wojny koniunktura gospodarcza miała uczynić społeczeństwo amerykańskie najbogatszym. Obawy przed powojennym kryzysem pierzchły wobec rozwijającej się gospodarki, a optymistyczne wizje postępu spowszedniały. Jednocześnie przed narodem amerykańskim stanęły nowe problemy, wywołujące jego zaniepokojenie. Na zewnątrz Stany Zjednoczone musiały stawić czoło Związkowi Radzieckiemu, rozpadającemu się porządkowi kolonialnemu, a także rychłej utracie monopolu atomowego. Z kolei od wewnątrz kraj był nękany falami histerii na tle działań postrzeganych jako wywrotowe, zachwiania utwierdzonej w przeszłości hierarchii społecznej i etnicznej, a także kontrowersjami dotyczącymi roli rządu w życiu społecznym i gospodarczym. Z jednej strony Harry S. Truman i Dwight D. Eisenhower sprawowali urząd prezydencki w okresie „dumnych dekad", kiedy „kraina Boga" powróciła do minionej chwały. Z drugiej strony był to okres, w którym rozwiązywanie problemów odkładano „na później", przez co wyzwania czasu, z którymi radzono sobie w taki właśnie sposób, zebrały plon w „dekadzie rozczarowań", czyli w latach sześćdziesiątych.

Zaprzysiężony 12 kwietnia 1945, bezpośrednio po śmierci Franklina D. Roosevelta, Harry S. Truman był trzydziestym trzecim prezydentem Stanów Zjednoczonych. W 1944 r., w wyniku kompromisu nazywanego czasem „drugim Missouri", Truman został współkandydatem Roosevelta, by następnie w czasie niedługiej wiceprezydentury pozostawać odciętym od ważniejszych kwestii politycznych. Co więcej, większość komentatorów sceny politycznej była zdania, że umiejętności Trumana nie pozwalały mu sprostać wymaganiom urzędu prezydenckiego. Urodzony w 1884 r. w stanie Missouri, zanim zajął się polityką, był farmerem i biznesmenem. W latach dwudziestych związał się z machiną polityczną Pendergasta w Kansas City i z jej pomocą został wybrany do Senatu w 1934 r. W czasie pierwszej kadencji pozostawał bierny. Ale w czasie wojny stanął na czele specjalnej komisji badającej kontrakty wojenne i w tej roli zdobył sobie powszechne uznanie jako człowiek dokładny i uczciwy, który przyczynił się do oszczędzenia milionów dolarów odsłaniając marnotrawstwo, malwersacje i nieuczciwe korzyści czerpane z dostaw dla wojska. Jego polityczni koledzy cenili go jako dobrego, a nawet wyjątkowo zdolnego człowieka – ale nie dostrzegali w nim cech, które powinien posiadać prezydent. Trumanowi brakowało właściwego pochodzenia, doświadczenia i osobowości, których spodziewano się po osobie piastującej najwyższy urząd w państwie. „Jeżeli Harry Truman może być prezydentem – powiedział ktoś – to mój sąsiad też mógłby nim być".

Różnice między Trumanem a Rooseveltem były bardzo widoczne. Podczas gdy Roosevelt był obyty, ogładzony i kosmopolityczny, Truman był typem małomiasteczkowym, o swojskim sposobie bycia, wiernym wobec przyjaciół, przedsiębiorczym i starannym, pozbawionym jednak umiejętności i doświadczenia potrzebnych przy podejmowaniu decyzji na najwyższym szczeblu. Dobrze rozumiał metody i sposoby działania partii politycznych, zwłaszcza na poziomie lokalnym. Ale kiedy przyszło mu lawirować na krajowej scenie politycznej, gdzie był zmuszony brać pod uwagę subtelne niuanse i niejasne sytuacje – które Roosevelt po mistrzowsku wykorzystywał – Truman wydawał się być wrzucony na zbyt głęboką wodę. Był przy tym pozbawiony instynktu manipulowania opinią publiczną, co stanowiło poważną przeszkodę w pełnieniu urzędu. Także jego styl sprawowania władzy był zupełnie inny aniżeli Roosevelta. Poprzednik Trumana słynął z wyjątkowo chaotycznego stylu pracy i ze skłonności do odkładania spraw, by „dojrzały", zanim podjął decyzję. Truman natomiast był staranny i dokładny, wysoko cenił porządek i jasność, a ponadto miał tendencję, by decyzje podejmować natychmiast. Pewien komentator sceny politycznej tak ich porównał: podczas gdy Roosevelt potrafił zdominować każdą dyskusję, zainspirować i natchnąć innych poczuciem pewności, unikając przy tym podjęcia decyzji, Truman mówił niewiele, wywoływał poczucie niepewności, ale podejmował decyzje.

Truman pierwotnie obiecał kontynuować politykę Roosevelta i poprosił jego współpracowników oraz poprzedni gabinet o pozostanie na stanowiskach. Ale wkrótce przekonał się, że z większością z nich nie jest w stanie współpracować i dokonał zmian personalnych. Niektóre z nich nastąpiły w sposób polubowny, inne zaś po gwałtownych starciach dotyczących kwestii politycznych. Mówiąc ogólnie, usunął z administracji wielu reformatorów Nowego Ładu, zastępując ich kombatantami partyjnymi, np.: James F. Byrnes objął Departament Stanu, Lewis Schwellenbach Departament Pracy, a Clinton Anderson Departament Rolnictwa. Ponadto Truman ściągnął swych dawnych współpracowników z Missouri, np. John Snyder został sekretarzem skarbu, a Harry Vaughan doradcą wojskowym. Zaskoczeniem w obliczu populistycznych sentymentów objawionych podczas pracy w komisji senackiej była zdolność prezydenta Trumana do współpracy z „odpowiedzialnymi" członkami elity amerykańskich korporacji. Ludzie, tacy jak W. Averell Harriman, William L. Clayton, Dean Acheson, John J. McCloy i Robert A. Lovett szybko objęli ważne stanowiska w przebudowanej administracji państwowej. Krytycy biadali nad tym, że „gang z Missouri" postanowił przekształcić ośrodek światowej władzy w „świetlicę Lion's Club z miejscowości Independence w stanie Missouri". Inni z kolei przyklaskiwali odejściu autorów Nowego Ładu w przekonaniu, że „nonsensowne" reformy społeczne Roosevelta dobiegły wreszcie końca.

Pierwsze cztery miesiące prezydentury Trumana związane były ze zwycięskim końcem II wojny światowej. 12 kwietnia 1945 r. armie alianckie weszły już do Niemiec, i zaledwie 26 dni później, w sześćdziesiąte pierwsze urodziny Trumana, wojna w Europie zakończyła się bezwarunkową kapitulacją Niemiec. Potencjał wojskowy można było skierować w rejon Pacyfiku, przygotowując inwazję na Japonię, planowaną na listopad. Administracja amerykańska postanowiła wywierać stały nacisk na ten kraj, aż do chwili bezwarunkowej kapitulacji Japonii. Aby ją przyspieszyć, siły amerykańskie zajęły wyspę Okinawa i założyły tam bazę wojskową, jednocześnie intensyfikując wojnę powietrzną i morską skierowaną na japońskie miasta i linie przewozowe. Po oporze, jaki napotkali na Okinawie, amerykańscy dowódcy wojskowi obawiali się, że wojna może przeciągnąć się na kolejny rok. Nie wątpili jednak, że zakończy się porażką winnych „podstępnego ataku" na Pearl Harbor.

Podczas gdy prowadzono przygotowania do inwazji w Japonii, rząd pracował nad długotrwałym rozwiązaniem pokojowym. 26 czerwca Truman podpisał nową Kartę Narodów Zjednoczonych, uważaną przez wielu za „drugą szansę" Stanów Zjednoczonych na stworzenie systemu zapewniającego bezpieczeństwo na arenie międzynarodowej. 17 lipca Truman spotkał się w Poczdamie z Józefem Stalinem, przywódcą radzieckim, oraz z Winstonem Churchillem (zastąpionym później przez Clementa Atlee na stanowisku premiera Wielkiej Brytanii), z którymi omawiał kwestię Niemiec i powojennego porządku w Europie. W dużej mierze uzgodnienia dotyczące demilitaryzacji i środków zastosowanych wobec Niemiec, a także granic i rządów w Polsce oraz udziału Związku Radzieckiego w wojnie na Pacyfiku były jedynie potwierdzeniem wcześniejszych ustaleń wynegocjowanych przez Roosevelta. Do uzgodnień tych doszła jednak skomplikowana kwestia reparacji niemieckich wobec ZSRR, które miały polegać na przekazaniu majątku kapitałowego w postaci sprzętu. Kwestia ta miała wkrótce wywołać ostre spory między ZSRR a mocarstwami zachodnimi, podżegane wcześniejszymi oskarżeniami Zachodu o to, że Związek Radziecki nie wywiązywał się z zobowiązań dotyczących demokratycznego samostanowienia w Polsce i w krajach bałkańskich. Truman miał nadzieję na ostateczne ustalenia dotyczące statusu Niemiec i Europy Wschodniej. Stalin jednak mnożył trudności i opóźniał podjęcie decyzji, tak że Truman wyjechał z konferencji z poczuciem frustracji i rozczarowania z powodu rosyjskiego „uporu".

Będąc w Poczdamie Truman otrzymał informacje, że prace nad bombą atomową, najbardziej tajną z amerykańskich tajemnic wojskowych, doprowadziły do powstania broni „o niezwykłej sile rażenia". Sukces wieńczący badania nastąpił 16 lipca na poligonie w stanie Nowy Meksyk, a 24 lipca dowódcy amerykańscy i brytyjscy podjęli decyzję o użyciu nowej broni, właściwie nie biorąc pod uwagę innych możliwości. 26 lipca Stany Zjednoczone, Wielka Brytania i Chiny wydały Deklarację Poczdamską, w której wezwały Japonię do kapitulacji pod groźbą „rychłej i całkowitej zagłady". Gdy wezwanie nie odniosło skutku, Truman wydał rozkaz „użycia broni, kiedy będzie gotowa, ale nie wcześniej niż 2 sierpnia". 6 sierpnia Hiroszima stała się pierwszym celem ataku, a 9 sierpnia drugą bombę atomową zrzucono na Nagasaki. W okresie pomiędzy tymi dwoma atakami Związek Radziecki przystąpił do wojny na Oceanie Spokojnym, a 10 sierpnia cesarz Japonii rozkazał swojemu gabinetowi, by podjął rozmowy pokojowe. Japończycy zgodzili się na kapitulację pod warunkiem, że zachowany zostanie tron cesarski. Alianci odpowiedzieli, że cesarz pozostanie na tronie, jeżeli będzie wykonywał polecenia dowódcy wojsk okupacyjnych. 14 sierpnia Japończycy przyjęli postawione warunki. Flota aliancka wpłynęła do Zatoki Tokijskiej, gdzie 2 września 1945 r. na pokładzie okrętu Missouri podpisane zostały dokumenty kapitulacyjne (V-J Day).

Wojna zakończyła się i nadszedł czas świętowania zwycięstwa. Poczucie niepewności utrzymywało się jednak ze względu na ewentualny konflikt ze Związkiem Radzieckim, a także możliwość wojny atomowej. Jednocześnie okazało się, że wydarzenia wewnątrz kraju niweczą nadzieje Trumana na przestawienie „wspaniałej" machiny wojennej na działania pokojowe. Wezwania do poświęceń i współpracy pozostawały bez odzewu, a prawodawcy wydawali się nie zainteresowani wprowadzaniem programu prezydenckiego, zmierzającego do uzyskania postępu „na sposób prawdziwie amerykański". Przedstawiony 6 września 1945 r. w liczącym 16 tys. słów posłaniu do Kongresu program prezydencki proponował uchwalenie nowych przywilejów dla robotników i farmerów, rozbudowę państwa opiekuńczego, powołanie stałej komisji badającej sytuację pracowników, szeroko zakrojone zmiany w systemie podatkowym, połączone z subsydiami federalnymi na rzecz budownictwa mieszkaniowego, a także przedłużenie o rok ustawy (War Powers and Stabilization Act) nadającej administracji specjalne uprawnienia na czas wojny w celu uniknięcia niepożądanego, gwałtownego wzrostu i następnie spadku gospodarczego, jakie wystąpiły po zakończeniu I wojny światowej. Przedstawiając swoje propozycje, Truman okazał się w oczach wielu „liberałem" i zwolennikiem polityki Nowego Ładu. Proponowany program wkrótce utknął w Kongresie zdominowanym przez konserwatywnych republikanów i południowych demokratów, nastawionych na zwalczanie prerogatyw, którymi urząd prezydencki został obdarzony na czas wojny.

Jednocześnie naród amerykański i Kongres nie były skłonne przyjąć planów Trumana dotyczących organizacji wojska na czas pokoju. Prezydent nawoływał do uporządkowanej demobilizacji, powiązanej z zobowiązaniami Stanów Zjednoczonych poza granicami państwa, postulował wprowadzenie nowego systemu powszechnego szkolenia wojskowego, w ramach którego wszyscy zdrowi mężczyźni w określonym wieku byliby zobowiązani do odbycia służby wojskowej. Opowiedział się też za zjednoczeniem sił zbrojnych pod egidą nowego Departamentu Obrony. Jednak duży nacisk społeczny na przeprowadzenie natychmiastowej demobilizacji, wyrażony przez licznie powstające kluby, które domagały się „powrotu ojców do domu", spowodował zarzucenie pierwotnych planów systematycznej demobilizacji. Opór społeczny wobec propozycji wprowadzenia powszechnej służby wojskowej oznaczał, że Truman musiał zgodzić się na kompromisowe rozwiązanie polegające na czasowym przedłużeniu wojennych zasad konskrypcji. I chociaż w 1947 r. utworzono Departament Obrony, wizja Trumana dotycząca całkowitego zjednoczenia sił wojskowych nigdy się nie ziściła. O wiele większą wagę, przynajmniej zdaniem historyków opisujących powstanie amerykańskiego systemu bezpieczeństwa narodowego, okazały się mieć dwie inne agendy utworzone na fali dyskusji nad unifikacją sił zbrojnych, na które Truman kładł o wiele mniejszy nacisk w swoich propozycjach. Jedną z nich była Rada Bezpieczeństwa Narodowego (National Security Council), mająca służyć za ciało koordynujące politykę obronną. Drugą była Centralna Agencja Wywiadowcza (CIA), której zadaniem było usystematyzowanie i prowadzenie prac wywiadu na całym świecie.

Tymczasem, w miarę rozluźnienia środków administracyjnych wprowadzonych na czas wojny, plany rządu dotyczące uporządkowanego przestawienia gospodarki na potrzeby pokoju okazały się niemożliwe do przeprowadzenia. W lutym 1946 r. obawy przed kryzysem powojennym doprowadziły do przyjęcia ustawy o zatrudnieniu, która określiła „maksymalne zatrudnienie, produkcję i siłę nabywczą" jako nadrzędny cel. Z jej mocy utworzono Radę Doradców Ekonomicznych (Council of Economic Advisers), którzy mieli zalecać konkretne rozwiązania fiskalne. Jednakże wysiłki zmierzające do skorelowania struktury cen i zarobków wywoływały przede wszystkim niezadowolenie przedsiębiorców, braki w dostawach i przerwy w pracy. Na początku 1946 r. wystąpiły masowe strajki, które czasowo zahamowały działalność podstawowych gałęzi gospodarki i wywołały podwyżkę cen oraz płac, a także czasowe opanowanie kolei żelaznych przez strajkujących, którym prezydent zagroził następnie przymusowym zaciągiem do wojska. W lipcu nastąpiło czasowe rozluźnienie interwencjonizmu gospodarczego w wyniku zawetowania przez Trumana ustawy przedłużającej, a jednocześnie łagodzącej kontrolę cen.

Ustawa została w końcu przyjęta, ale wprowadzone sposoby kontrolowania gospodarki nie sprawdziły się, a w szczególności doprowadziły do wstrzymania sprzedaży bydła na rynek i do poważnych braków towarów w sklepach mięsnych. W październiku, w obliczu nadchodzących wyborów, Truman zniósł kontrolę nad dystrybucją mięsa. Niemniej wielu Amerykanów podchwyciło republikański slogan: „Masz dość? Głosuj na republikanów" – w rezultacie czego wybrano pierwszy od 1928 r. Kongres, w którym przewagę miała Partia Republikańska. W tych okolicznościach Truman przyznał się do porażki i wykorzystał wyniki wyborów za pretekst do wycofania się z pozostałych środków kontroli gospodarki.

W swoich przemówieniach skierowanych do osiemdziesiątego Kongresu – w którym w większości zasiadali republikanie – Truman w dalszym ciągu popierał reformy liberalne i antyinflacyjne ustawodawstwo. Jednak odnosił mniejsze sukcesy niż uprzednio, a w trzech przypadkach był zmuszony przyjąć ustawy gospodarcze, którym był przeciwny i które usiłował zablokować. Jedną z nich była ustawa rolna z 1948 r., wycofująca subsydia cenowe dla farmerów. Drugą była ustawa o dochodach z tego samego roku, obniżająca stawki podatkowe dla wyższych przedziałów dochodów, którą Truman nazwał „prawem podatkowym dla bogaczy". Trzecią z nich to ustawa związkowa Tafta–Hartleya (Taft–Hartley Labor Relations Act), którą w 1947 r. przegłosowano pomimo prezydenckiego weta. Z punktu widzenia Trumana, ochrona praw pracowniczych zapoczątkowana przez polityków Nowego Ładu była istotnym elementem postępu osiągniętego przez społeczeństwo amerykańskie, a skuteczna reakcja rządu na strajki górników i kolejarzy w 1946 r. pokazała, że istniejące prerogatywy władzy wystarczają na radzenie sobie z „nieodpowiedzialnymi" ruchami robotniczymi. Jednakże osiemdziesiąty Kongres, w ferworze antyzwiązkowej fali przelewającej się przez kraj, był odmiennego zdania. W Kongresie powtarzano, że władza związków musi zostać ukrócona i poddana zewnętrznej kontroli, w rezultacie czego zakazano ograniczania zatrudnienia do członków jednego związku (closed shop) i podobnych praktyk związkowych, upoważniono pracodawców do wytaczania związkom procesów o zrywanie umów, wprowadzono „okresy karencyjne" w sporach pracowniczych i inne środki doraźne, a także wymóg, by związki przedstawiały sprawozdania finansowe. Wreszcie zakazano im wspierania kampanii politycznych, a ponadto wymagano dowodów na to, że przywódcy związkowi nie są komunistami. Co więcej, ustawa zachęcała do podejmowania antyzwiązkowych kroków na poziomie stanowym, pozwalając stanom na bronienie „prawa do pracy" poprzez wprowadzanie ustawodawstwa zwalczającego obowiązkową przynależność do związków zawodowych.

Pomimo niepowodzeń Trumana w dziedzinie proponowanych przez niego środków ekonomicznych, funkcjonowanie gospodarki amerykańskiej zażegnało niebezpieczeństwo masowego bezrobocia i spadku siły nabywczej, jakich spodziewano się w okresie powojennym. O wiele bardziej obawiano się, że narastający konflikt pomiędzy Stanami Zjednoczonymi a Związkiem Radzieckim doprowadzi do wybuchu III wojny światowej. Powstały dwie rywalizujące koncepcje bezpieczeństwa narodowego: jedna z nich opierała porządek i pokój na świecie na rozszerzeniu kontaktów handlowych, demokratycznym samookreśleniu i światłym internacjonalizmie, druga natomiast podkreślała, że Rosja potrzebuje „zaprzyjaźnionych" państw ościennych oraz ostrzegała przed odrodzeniem się mocarstwa niemieckiego. Na początku 1946 r. proponenci obydwu koncepcji przedstawiali poglądy swoich oponentów w możliwie najgorszym świetle. W lutym Józef Stalin oświadczył, że pokojowe współistnienie z zachodnim kapitalizmem jest niemożliwe na długą metę, na co odpowiedział Winston Churchill w przemówieniu wygłoszonym 5 marca w obecności prezydenta Trumana w Fulton, w stanie Missouri. Churchill oświadczył, że żelazna kurtyna zapadająca nad Europą stanowi nowe wyzwanie dla cywilizacji chrześcijańskiej. W ten sposób nadzieje na powojenną współpracę przerodziły się w stan zimnej wojny, uwidocznionej w sporach dotyczących odbudowy gospodarczej Niemiec, „państw policyjnych" utworzonych w Europie Wschodniej, a także radzieckich zamiarów, by dominować na Bliskim Wschodzie.

Na początku 1947 r. administracja Trumana opracowała strategię prowadzenia zimnej wojny. Pierwotnie Truman przejawiał brak zdecydowania w tej kwestii, aprobując nawet wystąpienie sekretarza handlu Henry'ego A. Wallace'a, który oświadczył, że Stany Zjednoczone „nie mają interesów politycznych w Europie Wschodniej, podobnie jak Związek Radziecki w Ameryce Łacińskiej". Jednakże sekretarz stanu Byrnes nalegał na prezydenta, aby ten dokonał wyboru. Wybór padł na politykę powstrzymywania (containment), nakreśloną przez pracowników Departamentu Stanu, między innymi George'a Kennana i Deana Achesona. Wallace został odwołany ze stanowiska, gen. George Marshall zastąpił Byrnesa na stanowisku sekretarza stanu. Administracja rozpoczęła starania, by zapełnić polityczną próżnię powstałą na obrzeżach radzieckiego imperium amerykańskim potencjałem wojskowym i gospodarczym, przeciwstawiając radzieckiej ekspansji siłę, z którą ta musiała się liczyć i zmuszając oponenta do podejmowania rozważnych, a przede wszystkim pokojowych kroków. 12 marca 1947 r., po tym jak Brytyjczycy postanowili zaprzestać niesienia pomocy Grecji w zażegnywaniu komunistycznego powstania, prezydent ogłosił tzw. doktrynę Trumana. Wzywała ona do niesienia pomocy nie tylko Grecji i Turcji, ale określiła mianem polityki państwowej wspieranie „wszystkich wolnych narodów zmagających się z próbami zdominowania przez uzbrojone mniejszości lub siły zewnętrzne".

80 Kongres okazał się bardziej otwarty na politykę zimnej wojny niż na proponowany przez Trumana program polityki wewnętrznej. W maju 1947 r. przegłosowano ustawę przyznającą pomoc Grecji i Turcji; ustawie tej wkrótce

przypisano zasługę udaremnienia ekspansji ZSRR na Bliskim Wschodzie. Gdy rząd postanowił, że polityka „powstrzymywania" wymaga masowego programu odbudowy gospodarczej Europy Zachodniej, w Kongresie wyłoniła się dwuparytyjna koalicja wspierająca tę koncepcję. Plan Marshalla, wysunięty po raz pierwszy w czerwcu 1947 r., został wprowadzony w kwietniu 1948 r. Jego realizacja została przyspieszona komunistycznym przewrotem w Czechosłowacji i początkiem nowej „czerwonej paniki" w Stanach Zjednoczonych. Pomoc amerykańska w ramach tego programu osiągnęła wysokość 17 mld dolarów i w 1950 r. plan Marshalla był powszechnie uważany za wielkie osiągnięcie gospodarcze i polityczne. Ponadto, dyplomaci amerykańscy przyczynili się do powstania Organizacji Państw Amerykańskich (Organization of American States, OAS) na półkuli zachodniej, a w Niemczech, gdzie polityka powstrzymywania była jednoznaczna z gospodarczym odrodzeniem Niemiec, decyzje istotne dla odrodzenia gospodarki były wprowadzane w życie pomimo ostrych protestów strony radzieckiej. Podtrzymano je również w 1948 r., kiedy to Rosjanie zareagowali na taką politykę blokadą lądową Berlina Zachodniego. W odpowiedzi Truman zorganizował most lotniczy, który okazał się tak skuteczny, że Rosjanie zrezygnowali z blokady.

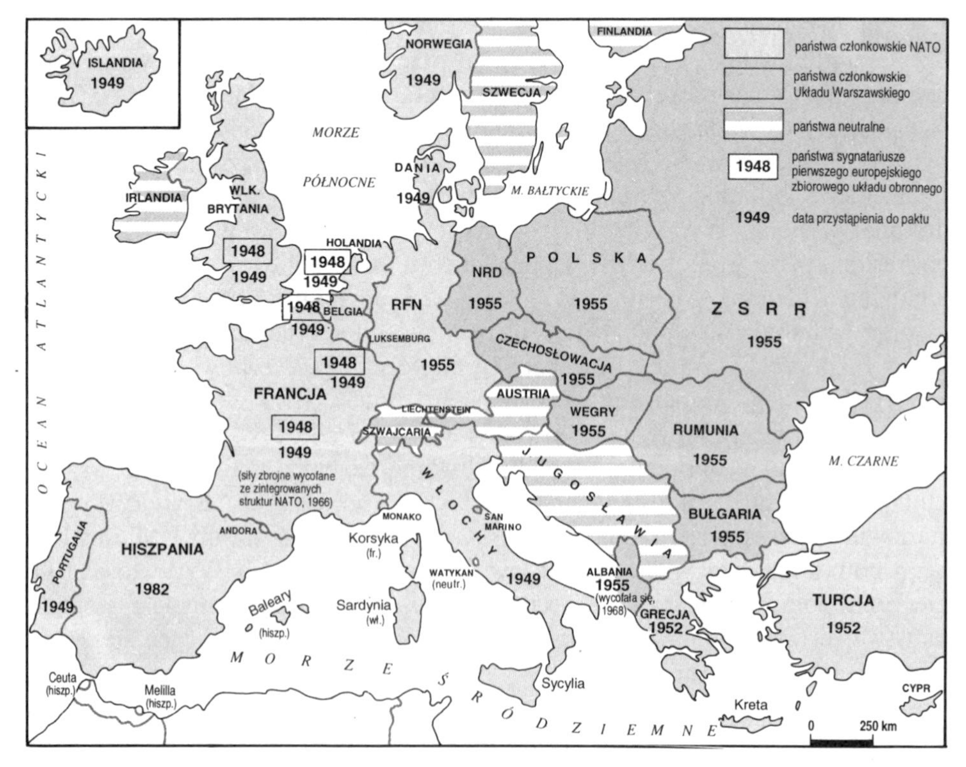

1. Podział Europy po II wojnie światowej

W miarę postępów zimnej wojny Amerykanie zaczęli coraz szerzej kwestionować lojalność amerykańskich radykałów. Była to reakcja nie tylko na retorykę antykomunistyczną używaną do propagowania polityki powstrzymywania, ale również na oskarżenia wysuwane pod adresem osób na wysokich stanowiskach, które miały współpracować z nowym wrogiem. Domysły tego rodzaju znalazły szerszą akceptację po ujawnieniu rosyjskiej siatki szpiegowskiej współpracującej z prominentami kanadyjskimi. Atmosfera sprzyjała poparciu dla dochodzeń prowadzonych w celu ujawnienia „czerwonych" w administracji i innych instytucjach, np. na uniwersytetach, w mass mediach i w związkach zawodowych. Agendy takie jak Kongresowa Komisja ds. Badania Działalności Antyamerykańskiej (House Committee on of Un-American Activities) znalazły się w centrum politycznej oceny. Powodowana głównie względami politycznymi, administracja Trumana sprawdzała lojalność swoich urzędników i ustanowiła procedurę wyszukiwania nielojalnych osób we własnych szeregach. 21 marca 1947 r. Truman wprowadził Program Bezpieczeństwa i Lojalności Urzędników Federalnych (Federal Employees Loyalty and Security Program), uprawniający do zwalniania pracowników, których lojalność była wątpliwa, pomimo że kryterium „nielojalności" pozostało nie ustalone, a oskarżeni nie mieli możliwości konfrontacji z osobami wysuwającymi oskarżenia pod ich adresem. Z upływem czasu Truman przyznał, że program był z gruntu niewłaściwy, niemniej utrzymywał, że jego intencją było zapobieżenie gorszej ewentualności.

Truman uważał, że program sprawdzający lojalność zneutralizuje „polityczne błoto", po które sięgali jego przeciwnicy. Nie wierzył też, mimo iż wiele osób tak twierdziło, że opanowanie Kongresu przez republikanów w 1946 r. zwiastuje przejęcie Białego Domu przez tę samą partię. Argumentując za utrzymaniem demokratów u władzy, zwłaszcza w czasie swego „apolitycznego" tournée po Stanach Zjednoczonych w czerwcu 1948 r., podkreślał nie tylko optymistyczną wizję przyszłości, na której opierał swą politykę, ale i sukces w forsowaniu programu demokratycznego, któremu kraj zawdzięczał bezprecedensową koniunkturę gospodarczą, najwyższą w historii stopę życiową oraz siłę, dzięki której mógł skutecznie podejmować odpowiedzialność wynikającą z pozycji światowego lidera. Wskazywał, że przedsiębiorcy mają się lepiej niż kiedykolwiek i że biją nowe rekordy. Również farmerzy i robotnicy mieli powody do zadowolenia, a ustawa demobilizacyjna, przyjęta jeszcze w 1944 r., zapewniała weteranom wykształcenie i pełną resocjalizację. Zdaniem Trumana, osiągnięcia demokratów zasługiwały na pełne poparcie społeczeństwa. Politycznej korzyści spodziewał się również – przynajmniej jeśli ufać jego politycznym strategom – po dwóch decyzjach podjętych w 1948 r.: uznania nowo powstałego państwa Izrael i skierowania do Kongresu sygnałów popierających prawa obywatelskie na podstawie sprawozdania specjalnej komisji prezydenckiej. Obie decyzje miały licznych przeciwników i spotkały się z krytyką. Jednakże w ocenie prezydenta i jego najbliższych doradców były to decyzje właściwe w sensie tak moralnym, jak i politycznym.

Pomimo to wyniki badań Gallupa wykazały, że tylko 36% respondentów popiera prezydenta, a większość uczestników konwencji republikańskiej w czerwcu 1948 r. uważała, że nominując Thomasa E. Deweya i Earla Warrena, wybierają kolejnego prezydenta i wiceprezydenta. Jednocześnie większość demokratów nie była entuzjastycznie nastawiona do kandydatur Trumana i Albena Barkleya, zwłaszcza gdy skrajne prawe i lewe skrzydła wyłamały się z partii i wysunęły własnych kandydatów. W końcu lipca Truman musiał zmierzyć się już nie tylko z Deweyem, ale również z Henrym Wallace'em, kandydatem lewicowej Partii Postępowej (Progressive Party) i ze Stromem Thurmondem, kandydatem Dixiecrats (odłamu Partii Demokratycznej popierającego prawa stanowe), która wyłamała się z powodu wprowadzenia pakietu ustaw do praw obywatelskich wysuwanych przez Partię Demokratyczną. Niewielu Amerykanów spodziewało się, że Truman wygra wybory, kiedy on sam postanowił zwrócić się wprost do narodu, przemawiając w małych miejscowościach w całym kraju, nazywając republikanów „zapleśniałymi sakwami" i „narzędziami w ręku Wall Street". Szczególnie ostro atakował Kongres osiemdziesiątej kadencji za jego „nieróbstwo". W dramatycznym geście politycznym zwołał nadzwyczajną sesję Kongresu (którą nazwał sesją rzepy, ponieważ dzień, w którym się zebrał, był świętem rzepy w stanie Missouri), wezwał go do przegłosowania liberalnych zmian będących częścią programu republikanów, a otrzymawszy odmowę, uznał ją za dowód zasadności swoich zarzutów.

Zwycięstwo Trumana było jedną z największych niespodzianek w historii Stanów Zjednoczonych. Ostatnie ankiety przed wyborami jasno wykazywały „niekwestionowaną" przewagę Deweya. Jednak przy liczeniu głosów okazało się, że Truman zdobył 24 mln głosów, Dewey 22 mln, a Wallace i Thurmond po milionie. W głosowaniu elektorów Truman otrzymał 303 głosy, Dewey 189, Thurmond 39, a Wallace ani jednego. Patrząc na te wybory z perspektywy historycznej łatwo jest wytłumaczyć tym, że dawna rooseveltowska koalicja robotników, farmerów i mniejszości wielkich miast odrodziła się na dzień wyborów, by wybrać Trumana. Tak więc, ku zaskoczeniu wielu Amerykanów, ani kampania Wallace'a, ani wyłamanie się Dixiecrats nie przyniosło Trumanowi poważnego uszczerbku. Zaiste, jego nieprzejednana postawa w kwestii praw obywatelskich przyniosła mu większe zyski na Północy niż straty na Południu. Z kolei kandydatura Wallace'a uwolniła Trumana od podejrzeń, że daje posłuch radykalnym doradcom i że sam sympatyzuje z komunistami. Thomas Dewey jawił się jako postać z wyższych sfer, wyobcowana ze społeczeństwa. Jeden z wyborców nazwał go obojętnym i „wypieszczonym" w przeciwieństwie do Trumana, który „biegając, krzycząc i wciąż się potykając" wydał mu się kimś, kto „potrafi wczuć się w moje kłopoty".

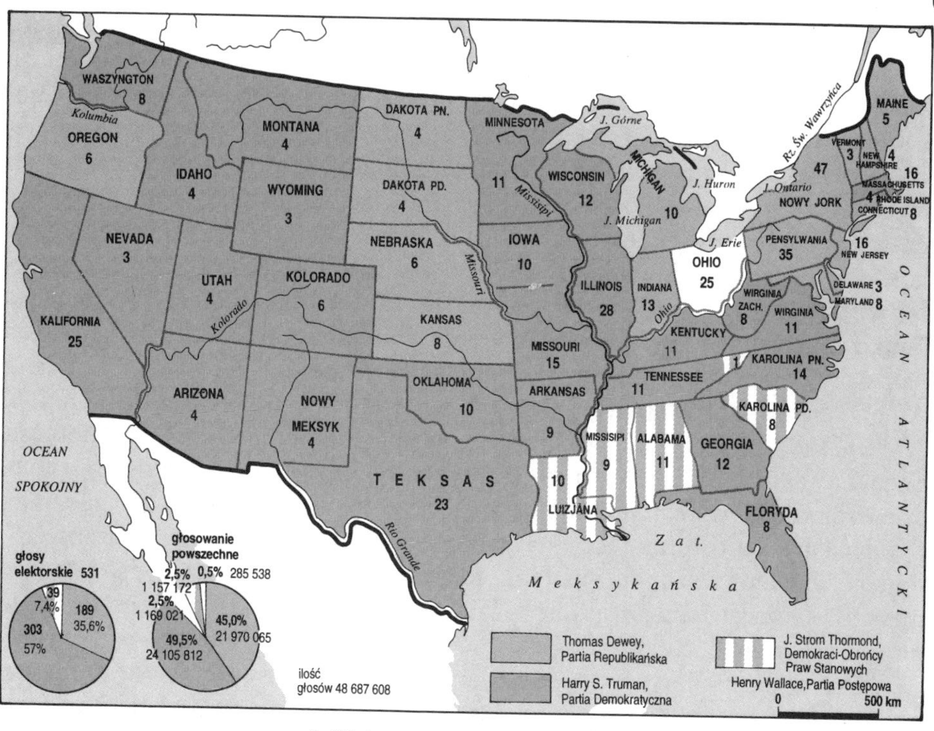

2. Wybory prezydenckie 1948 r.

Demokraci odzyskali większość w Kongresie, któremu w styczniu 1949 r. Truman przedstawił swój program polityki wewnętrznej, nazywając go „uczciwym ładem" (Fair Deal). Tak jak poprzednio, proponował podjęcie działań w trzech dziedzinach. Pierwszą była reforma systemu opieki społecznej, zmierzająca do rozszerzenia istniejących programów rządowych, stworzenia systemu powszechnych ubezpieczeń zdrowotnych oraz wprowadzenia dotacji państwowych dla oświaty. Druga dziedzina obejmowała prawodawstwo dotyczące praw obywatelskich, a w szczególności ochrony prawa do udziału w wyborach, przeciwdziałania dyskryminacji przy zatrudnianiu, zniesienia podatku od głosowania oraz uznania lynchu za przestępstwo ścigane przez sądy federalne. Wreszcie trzecia dziedzina dotyczyła reform gospodarczych. Truman przewidywał szerokie uprawnienia dla agencji zajmujących się gospodarką rzeczną i energetyczną, unieważnienie ustawy Tafta–Hartleya dotyczącej stosunków pracy, a także wprowadzenie silniejszych instrumentów zarządzania gospodarką oraz bardziej demokratycznego programu wspierania rolnictwa, nastawionego raczej na niesienie pomocy rolnikom indywidualnym niż dużym gospodarstwom rolnym. W opinii Trumana stan państwa był „dobry", ale można by osiągnąć poprawę, nie ograniczając się jedynie do dalszego stymulowania wzrostu gospodarczego, lecz zapewniając również bardziej sprawiedliwy podział zysków.

Okazało się jednak, że demokratyczna większość nie uczyniła Kongresu wiele bardziej otwartym na propozycje prezydenta. Konserwatywna koalicja republikanów i południowych demokratów pozostała nienaruszona, co w połączeniu z nieudolnością Trumana jako negocjatora ustaw oraz wobec zainteresowania opinii publicznej kłopotami za granicą spowodowało, że program prezydencki został zablokowany. Na przykład ustawodawstwo dotyczące praw obywatelskich utknęło w komisjach, zablokowane przez opozycję partyjną Południa oraz przez niemożność dokonania zmian proceduralnych. Również ustawy dotyczące oświaty i ubezpieczeń zdrowotnych stanęły w martwym punkcie; przegłosowanie pierwszej powstrzymywała debata na temat kontroli państwa i dotacji dla szkół parafialnych, a druga spotkała się z ostrym oporem Amerykańskiego Towarzystwa Medycznego (American Medical Association, AMA) i innych grup, zaniepokojonych „uspołecznioną medycyną". Administracja Trumana co prawda osiągnęła pewien postęp w dziedzinie opieki społecznej: niewielki wzrost minimalnej płacy (z 40 na 75 centów za godzinę), ograniczony wzrost funduszy na mieszkania dla ubogich oraz zwiększenie dotacji na budowę szpitali i badania medyczne. Zmiany te stanowiły zaledwie niewielkie rozszerzenie programów zainicjowanych w latach trzydziestych, nie można więc uznać ich za znaczące.

Środki gospodarcze proponowane przez rząd spotkały się ze złym przyjęciem. Pomimo wysiłków nie udało się unieważnić ustawy Tafta–Hartleya, a także utworzyć nowych agend inwestycyjnych wzorowanych na Urzędzie ds. Doliny Tennessee (Tennessee Valley Authority, TVA), wprowadzić nowych elementów rządowej kontroli gospodarki ani „zdemokratyzować" programu na rzecz rolnictwa zgodnie z sugestiami sekretarza rolnictwa Charlesa Brennana. Kongres ograniczył się do zwiększenia liczby pojedynczych tam wznoszonych na zachodzie kraju, zatwierdził tymczasowe rozszerzenie kontroli nad czynszami oraz zastąpił ustawę o rolnictwie z 1948 r. prawem zezwalającym na dalsze stosowanie istniejących form dotacji cenowych. W zakresie prawa antymonopolowego jedynym sukcesem była ustawa z 1950 r., uprawniająca Federalną Komisję Handlu do blokowania fuzji nadmiernie osłabiających konkurencję. W rzeczywistości, pomimo populistycznych sentymentów stanowiących źródło politycznej retoryki Trumana i jego sympatii dla małych przedsiębiorców, państwo przemieszczało się w kierunku ściślejszej współpracy z dużymi koncernami. Było to widoczne w rozrastaniu się struktur doradczych związanych z Radą Doradców Gospodarczych oraz z różnymi agencjami Departamentów Handlu, Stanu i Zasobów Wewnętrznych. Symptomatyczna była reakcja rządu na spadek koniunktury w 1949 r.: zwołano konferencję z udziałem największych przedsiębiorców i namawiano ich do współpracy w celu zwiększenia wydatków inwestycyjnych. W relacjach między przedsiębiorcami a rządem społeczeństwo amerykańskie odchodziło od postaw konfliktowych odziedziczonych po Nowym Ładzie i przemieszczało się w kierunku postawy współpracy, która miała dominować w okresie prezydentury Eisenhowera.

Wprowadzanie polityki wewnętrznej Trumana zostało osłabione przez niepowodzenia za granicą i domniemania, że wywołały je działania wywrotowe w kraju. W 1949 r. komuniści wygrali wojnę domową w Chinach, podczas gdy administracja Trumana nie była w stanie wpływać na jej przebieg i postanowiła pozostawić ją własnemu losowi, jeśli nie liczyć symbolicznej pomocy udzielonej siłom narodowym. Nasilające się zamieszki w dawnych koloniach azjatyckich wywoływały obawy, że nacjonalizmy w krajach Trzeciego Świata mogą być manipulowane przez komunistów. Niepokojąca była zwłaszcza sytuacja w Indochinach, Malezji, Birmie, Indonezji, które niedawno odzyskały niepodległość, Filipinach, a także w Korei, gdzie radziecko-amerykańska okupacja doprowadziła do podziału na komunistyczne państwo na północy i prawicowe, z nacjonalistycznym rządem na południu. Wybuch atomowy w Związku Radzieckim w 1949 r. świadczył o tym, że Stany Zjednoczone nie są już jedyną potęgą nuklearną na świecie i że nie mogą liczyć na tę broń jako na tarczę chroniącą Europę. W oczach wielu Amerykanów wydarzenia te oznaczały, że polityka powstrzymywania jest niewystarczająca. Niektórzy wyciągali jednak bardziej pesymistyczne wnioski. Twierdzili, że jest to robota krajowych i obcych wywrotowców, którzy przeniknęli do sfer rządowych i zablokowali politykę, która zabezpieczyłaby interesy narodowe.

Dlatego jednym z rezultatów niepowodzeń na arenie międzynarodowej było szukanie winnych w kraju. W Kongresie krytycy polityki Trumana na Dalekim Wschodzie oskarżali „zdrajców" w Departamencie Stanu i w służbie dyplomatycznej o spodowanie „utraty" Chin, a oskarżenia te narastały w miarę, jak rząd usiłował bronić swoich racji i przeciwstawiać się wmanewrowaniu Stanów Zjednoczonych w podjęcie obrony chińskich sił narodowych na Tajwanie. Jednocześnie rewelacje dotyczące szpiegostwa rosyjskiego, a zwłaszcza siatki, za pośrednictwem której brytyjski fizyk Klaus Fuchs przekazał tajemnice dotyczące badań atomowych Związkowi Radzieckiemu, spowodowały wysunięcie zarzutów, że utrata amerykańskiego monopolu w dziedzinie broni atomowej na rzecz Związku Radzieckiego była również dziełem zdrajców. Politycy republikańscy, rozczarowani ponownym zwycięstwem Trumana w wyborach prezydenckich w 1948 r., nadużywali Programu Bezpieczeństwa i Lojalności Urzędników Federalnych do prześladowania podejrzanych według nich obywateli. Nadali rozgłos sprawie Algera Hissa, byłego funkcjonariusza państwowego z epoki Nowego Ładu, który w latach trzydziestych przekazał tajne dokumenty szpiegom radzieckim, czyniąc go symbolem „chwiejności politycznej skłaniającej ku zdradzie" liberałów. To oni przygotowali wejście na scenę polityczną senatorowi Josephowi McCarthy'emu ze stanu Wisconsin, który na początku 1950 r. stał się przywódcą i symbolem kolejnej „czerwonej nagonki".

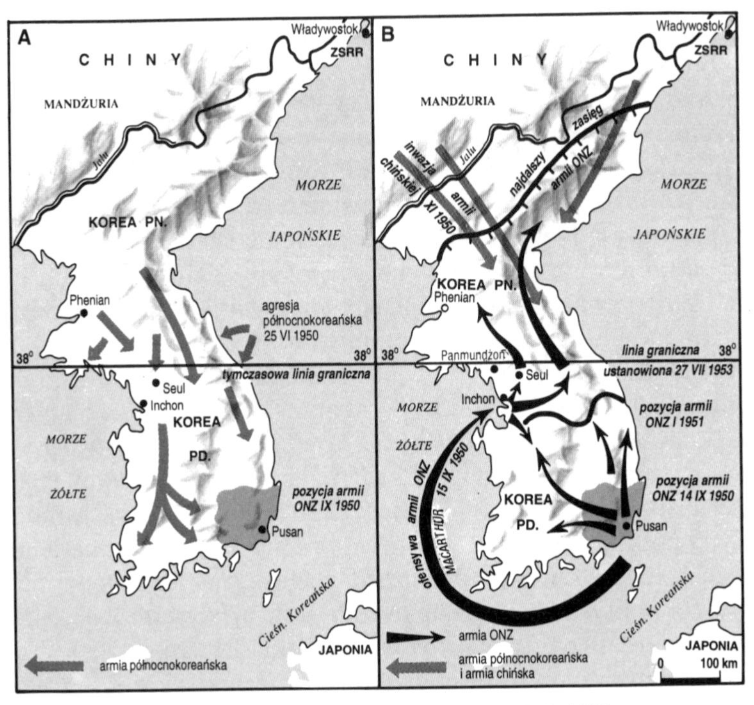

3. Wojna w Korei – działania zbrojne 1950–1953

Inną z kolei reakcją na rozwój sytuacji międzynarodowej była rewizja polityki powstrzymywania i początek zmian w polityce militarnej. W roku 1949 r. powstał Pakt Północnoatlantycki (NATO), który dał impuls do rozbudowy programu nowych zbrojeń w Europie Zachodniej, włączając w to plany remilitaryzacji RFN jako części składowej nowych sił zbrojnych NATO. W tym samym roku nastąpił triumf „wielkich zmian" w Japonii, polityki podporządkowującej powojenne plany demokratyzacji kraju przedsięwzięciu przebudowy japońskiego potencjału przemysłowego w instrument powstrzymywania. Był to rok, w którym Truman sformułował politykę „czwartego punktu" (tj. zaproponowaną w czwartym punkcie przemowy inaugurującej jego prezydenturę), wzywającą Amerykanów do dostarczenia pomocy technicznej i gospodarczej krajom rozwijającym się. W 1950 r. powzięto decyzje zapewniające Francuzom pomoc amerykańską w Indochinach i rozpoczęto konstruowanie bomby wodorowej, co doprowadziło do znaczącej rewizji pozycji militarnej Stanów Zjednoczonych. Efektem był dokument nr 68 Rady Bezpieczeństwa Narodowego (NSC-68), zaakceptowany przez Trumana w kwietniu 1950 r., który akcentował bezradność aktualnie prowadzonej polityki wobec wyzwania ze strony ZSRR i apelował o „prędki rozwój" nowych środków militarnych i przyznanie władzom nowych pełnomocnictw w celu przeprowadzenia ogólnopaństwowych „działań w zakresie wywiadu, bezpieczeństwa wewnętrznego, propagandy oraz tajnych i psychologicznych operacji wojskowych".

Świadomy kosztów, które ponieść miał budżet, Truman bał się udzielić zdecydowanego poparcia realizacji NSC-68. Potrzeba było kolejnego zagrożenia z zewnątrz, by Truman zmienił zdanie i przeprowadził zmiany w polityce powstrzymywania przewidziane w dokumencie. Nastąpiło to 25 czerwca 1950 r., kiedy północnokoreańscy komuniści przeprowadzili zmasowany atak na Koreę Południową. Wciąż nie jest jasne, czy był on inspirowany przez Związek Radziecki. Jednak w Waszyngtonie wszyscy byli przekonani, że Rosjanie chcą dołączyć do swego „imperium" kolejny obszar, tak więc podjęto błyskawiczne decyzje w celu zagwarantowania potępienia napadu przez Narody Zjednoczone (co stało się możliwe dzięki nieobecności delegata ZSRR) i w celu wysłania amerykańskich sił zbrojnych dla zapobieżenia podbojowi Korei Południowej. Truman nazywał to „akcją policyjną", ale zaangażowała ona wkrótce tysiące żołnierzy i stała się uzasadnieniem dla „rozwoju militarnego" zalecanego przez NSC-68. Budżet na cele wojskowe zwiększył się czterokrotnie, a wobec wojny administracji Trumana łatwiej było przeprowadzać remilitaryzację w Europie i rozbudowę ekonomiczną w Japonii oraz tworzyć nowe sojusze i programy pomocy na Dalekim Wschodzie.

Na Półwyspie Koreańskim koleje wojny zmieniały się. Początkowo siły Narodów Zjednoczonych pod dowództwem gen. Douglasa MacArthura zostały zepchnięte do obwodu Pusan na krańcu półwyspu. Ale we wrześniu doskonale przeprowadzone lądowanie w Inczhon połączone z wydostaniem się z Pusan pozwoliły wojskom ONZ na zniszczenie większości sił północnokoreańskich i – zgodnie z przekonaniem, że kraj należy „zjednoczyć" – na ujarzmienie większości terytorium Korei Północnej. Kiedy 15 października Truman spotkał się z MacArthurem na wyspie Wake, zdawało się, że „chłopcy wrócą do domu na Gwiazdkę". Jednakże w listopadzie nastąpiła chińska interwencja, którą przywódcy amerykańscy uważali za bardzo mało prawdopodobną. Na początku 1951 r. siły ONZ znów zostały zepchnięte do Korei Południowej. Pod koniec stycznia udało im się odzyskać inicjatywę, ale znaleźli się tylko na wysokości 38 równoleżnika, w punkcie wyjściowym. Co więcej, do tego czasu administracja Trumana zdecydowała się ograniczyć swoje cele do obrony Korei Południowej. Jak dowodzono, umacniało to zasadę wspólnego bezpieczeństwa, a jednocześnie zmniejszało ryzyko rozpętania III wojny światowej.

Ale gen. MacArthur nie mógł pogodzić się z tą decyzją. Od samego początku był przeciwny koncepcji „wojny ograniczonej", a także szczególnemu zainteresowaniu Europą wykazywanemu przez administrację Trumana i rezygnacji prezydenta z użycia sił chińskich z Tajwanu. Po chińskiej interwencji MacArthur rozpoczął kampanię na rzecz rozszerzenia działań wojennych o naloty bombowe i blokadę Chin, lądowanie wojsk z Tajwanu na chińskim wybrzeżu i, w razie potrzeby, sięgnięcie po broń atomową. Truman i Połączone Kolegium Szefów Sztabu nie mogli przyjąć żadnej z tych propozycji, ale MacArthur nie chciał uznać ich decyzji za wiążącą. W zamian wydał własne oświadczenie, grożąc przeniesieniem wojny do Chin. W liście odczytanym w Izbie Reprezentantów przez przewodniczącego opozycji Josepha Martina, MacArthur wezwał do wojny przeciwko komunizmowi w Azji i stwierdził, że nie istnieje „środek zastępczy dla zwycięstwa". Truman zareagował zwalniając MacArthura ze stanowiska 10 kwietnia 1951 r., co spowodowało ogromny zamęt polityczny. Wracającego do Stanów Zjednoczonych MacArthura witano gigantycznymi owacjami. Generał wygłosił w Kongresie przemowę, w której uzasadniał swoje stanowisko. Ale podczas późniejszych przesłuchań stracił on na popularności. Mimo wszystko, jawnie złamał konstytucyjną zasadę przyznającą cywilom kontrolę nad wojskowymi. Ostatecznie większość Amerykanów zgodziła się z gen. Omarem Bradleyem, przewodniczącym Połączonego Kolegium Szefów Sztabu, który o wojnie w Chinach powiedział, że była ona prowadzona nie w tym miejscu, nie w tym czasie i nie z tym przeciwnikiem.

W lipcu 1951 r. sugestie Związku Radzieckiego, że wojnę można zakończyć rozejmem wzdłuż 38 równoleżnika, doprowadziły do podjęcia rozmów pokojowych. Jednak negocjacje szybko utknęły w martwym punkcie, głównie za przyczyną spornej kwestii przymusowej repatriacji jeńców wojennych. Ciągnięto więc wojnę, zredukowaną teraz do statycznych, pozycyjnych działań, które wciąż jednak przynosiły spore straty i podtrzymywały uczucie społecznej frustracji. Wzrastała niechęć do kontroli cen, płac i materiałów, nałożonej na początku 1951 r. Kontrola taka była trudna do przeprowadzenia w praktyce, stale ją atakowano, a zastosowane środki nie spełniły wyznaczonych zadań, zwłaszcza w odniesieniu do zapobiegania inflacji, przestojom w pracy i czarnorynkowym operacjom. Wiosną 1952 r. zaś, kiedy Truman przejął przemysł stalowy, co Sąd Najwyższy uznał za działanie sprzeczne z konstytucją, administracja została wystawiona na ogień krytyki przypominającej lato i jesień 1946 r. „Wojna ograniczona" przyniosła wyłącznie rozczarowania, nic więc dziwnego, że politycy republikańscy zaczęli mówić o „wojnie Trumana" jako o przykrej konsekwencji jego powrotu do Białego Domu.

Taka atmosfera sprzyjała także dalszemu narastaniu „czerwonej paniki". Rządowi wywrotowcy – brzmiały oskarżenia – tak ukształtowali politykę, by sprowokować atak na Koreę Południową i narzucić restrykcje uniemożliwiające zwycięstwo. Wśród ich „rzeczników", jak twierdzono, znaleźli się wysocy urzędnicy państwowi, jak sekretarz stanu Dean Acheson i jego poprzednik, gen. George Marshall. Ze strony senatora Josepha McCarthy'ego popłynął strumień fantastycznych i nieodpowiedzialnych oskarżeń, popartych nieustanną żonglerką dowodami, a później twierdzeniami, że osoby demaskujące owe

1

Harry S. Truman, prezydent Stanów Zjednoczonych w latach 1945–1953

2

Gen. Douglas MacArthur i prezydent Korei Płd., Syngman Rhee, październik 1948 r.

Most powietrzny do Berlina w czasie kryzysu berlińskiego z lat 1948–1949

3

4

Amerykańskie oddziały w trakcie walk nad rzeką Han w pobliżu Seulu, Korea Płd., wrzesień 1950 r.

Amerykańscy żołnierze w strefie zdemilitaryzowanej w Korei

5

Szczyt NATO w Waszyngtonie w 1950 r.

7

John Wayne i Coleen Gray w filmie „Czerwona rzeka", 1952 r.

Duke Ellington w 1955 r.

8

9

Scena z dramatycznych wydarzeń w Little Rock (Arkansas) we wrześniu 1957 r. – żołnierze eskortujący murzyńskich uczniów pragnących uczęszczać do szkoły tylko dla białych

Rosa Parks, której protest w Montgomery (Alabama) z grudnia 1955 r. dał początek działalności ruchu praw obywatelskich na Południu

10

11

Szczyt przywódców czterech mocarstw w Genewie w 1955 r. Od lewej: N. Bułganin (ZSRR), D.D. Eisenhower (USA), E. Faure (Francja), A. Eden (W. Brytania)

12

Żołnierze amerykańscy wycofują się z doliny An Lho w Wietnamie, maj 1967 r.

Żołnierze amerykańscy w rejonie Da Nang, 1967

13

oskarżenia same były narzędziami w rękach komunistycznego spisku. Gdy na przykład oskarżenia dotyczące „noszących komunistyczne legitymacje" pracowników Departamentu Stanu okazały się bezzasadne, McCarthy zajął się obrzucaniem błotem wchodzących w skład rządu profesorów Owena Lattimore'a i Philipa Jessupa, a w wyborach 1950 r. przyczynił się do przegranej senatora Millarda Tydingsa z Marylandu, który był przewodniczącym komisji badającej zarzuty wysuwane przez McCarthy'ego. Stosowana przez niego taktyka została wykorzystana również w innych rywalizacjach wyborczych w 1950 r., czego dobitnym przykładem był wyścig o fotel senatorski w Kalifornii, gdzie Richard Nixon pokonał Helen Gahagana Douglas, mówiąc o niej, że jest „różowa aż do bielizny". Ponadto, w całym kraju podejmowano kroki o charakterze represji. Przyjęto ustawy o lojalności wobec państwa, stosowano procedurę kryminalną wobec przywódców partii komunistycznej, a we wrześniu 1950 r., mimo weta prezydenta, uchwalono ustawę o bezpieczeństwie wewnętrznym McCarrana, według której osoby powiązane z organizacjami „nieamerykańskimi" (zdaniem prokuratora generalnego) nie miały prawa do imigracji, podróży zagranicznych i pracy w zakładach zbrojeniowych.

Trwało też polowanie na wywrotowców w Kongresie. W latach 1951 i 1952 Komitet Izby Reprezentantów do Badania Działalności Antyamerykańskiej oraz Senacka Podkomisja Bezpieczeństwa Wewnętrznego niemal bez ustanku przeprowadzały dochodzenia skupiające się na osobach rzekomo odpowiedzialnych za „utratę" Chin i pozbycie się MacArthura. Kiedy zaś Truman chciał przejąć kwestię przez powołanie specjalnej Komisji Bezpieczeństwa Wewnętrznego i Praw Obywatelskich, reakcją Kongresu był sabotaż tych działań poprzez odmowę przegłosowania niezbędnej legislacji. Tymczasem program „uczciwego ładu" Trumana ginął powolną śmiercią. Reformy odrzucone przez 81 Kongres miały jeszcze mniejsze szanse na uchwalenie przez 82 Kongres. W niektórych przypadkach, zwłaszcza podczas działań w kierunku zliberalizowania systemu imigracyjnego, reformatorskie inicjatywy dały rezultat przeciwny do zamierzonego w postaci kolejnych ustaw dotyczących bezpieczeństwa, przyjętych pomimo prezydenckiego weta. Jedyną dziedziną, w której osiągnięto pewien sukces reformatorski, był atak na dyskryminację rasową, ale i tu postęp dokonał się raczej dzięki działaniom administracyjnym i sądowniczym niż legislacyjnym. Wojna przyniosła znoszenie segregacji rasowej w armii, rozpoczęte w 1948 r. przez Trumana, jak również działania administracyjne wymierzone w dyskryminację przy zatrudnianiu na etatach federalnych i przy federalnej pracy kontraktowej, w zakresie sądownictwa zaś zapadające wyroki stopniowo podkopały prawną segregację na Południu. W trzech sprawach rozstrzygniętych w 1950 r. Sąd Najwyższy wydał wyrok znoszący segregację rasową w kolejowych wagonach restauracyjnych, zezwolił Murzynom na wstęp do Teksańskiej Szkoły Prawniczej i postanowił, że Murzyni nie mogą być separowani od innych studentów na Uniwersytecie Oklahomy.

W 1952 r. polityka powstrzymywania przeprowadzana przez administrację Trumana była już znacznie zaawansowana. Odniesiono sukces we wzmocnieniu struktury NATO, rozpoczęto szeroko zakrojony program wzajemnej współpracy w dziedzinie bezpieczeństwa, zapewniono system bezpieczeństwa w Azji Wschodniej oparty na pokoju i układach o bezpieczeństwie podpisanych z Japonią oraz dwustronnych zobowiązaniach w zakresie bezpieczeństwa z Filipinami, Australią i Nową Zelandią. Sukcesem było pobudzanie rozwoju gospodarczego i utrzymywanie powszechnego dobrobytu. Jednak kwestie „wojny Trumana" i „czerwonych w rządzie" kosztowały administrację utratę części popularności, w dodatku do jej kłopotów dołączyło gwałtownie zwiększające się podejrzenie opinii publicznej o korupcję w agencjach federalnych i w wielkich amerykańskich miastach. Kongresmani prowadzący dochodzenia, np. Clyde Hoey, J. William Fulbright czy Estes Kefauver łączyli teraz „serdecznych przyjaciół" Trumana ze zdobywaniem przychylności agencji, wiązali zorganizowaną przestępczość z miejską polityką demokratów i krytykowali prezydenta za zbytnie zadufanie. Republikańską formułą na zwycięstwo w 1952 r., jak twierdził senator Karl Mundt, było K1C2 – Korea, Komunizm i Korupcja (Korea, Communism, Corruption).

W marcu 1952 r. Truman oznajmił, że nie będzie ubiegać się o kolejną kadencję. Przypuszczał, że republikanie wybiorą na swego kandydata senatora Roberta A. Tafta z Ohio, a sam pragnął wyboru demokratycznego następcy, który kontynuowałby jego program i politykę. Zaskoczyła go decyzja i następnie sukces gen. Dwighta D. Eisenhowera, który postanowił ubiegać się o republikańską nominację. Chociaż Truman miał spory udział w wykreowaniu nominacji gubernatora Illinois Adlai E. Stevensona na Konwencji Partii Demokratycznej, to okazało się, że Stevenson nie postrzegał związków z Trumanem za korzystne dla siebie i w rezultacie starał się trzymać od Trumana z daleka. W kampanii, jaką wkrótce podjęto, dowcip, obycie i osiągnięcia Stevensona zyskały mu poparcie demokratycznych liberałów i większej części środowisk inteligenckich. Jednakże jego popularność nie mogła dorównać ogromnej popularności Eisenhowera, przegrywała w obliczu nagromadzenia pretensji do administracji Trumana i wreszcie straciła wiele na rzecz Eisenhowera, który obiecywał osobistą inspekcję w Korei i przejęcie roponośnych terenów morskich pod kontrolę stanów. Nawet wielki skandal, jaki wywołało wyciągnięcie na światło dzienne nieczystego finansowania kampanii kandydata na wiceprezydenta, Richarda Nixona z Kalifornii, nie stanowił zagrożenia dla republikanów. W wystąpieniu telewizyjnym Nixon zagrał na emocjonalnej nucie, mówiąc o swojej rodzinie, a nawet o piesku swoich dzieci Checkersie, co przekonało większość opinii publicznej, że właściwie nie zrobił nic złego.

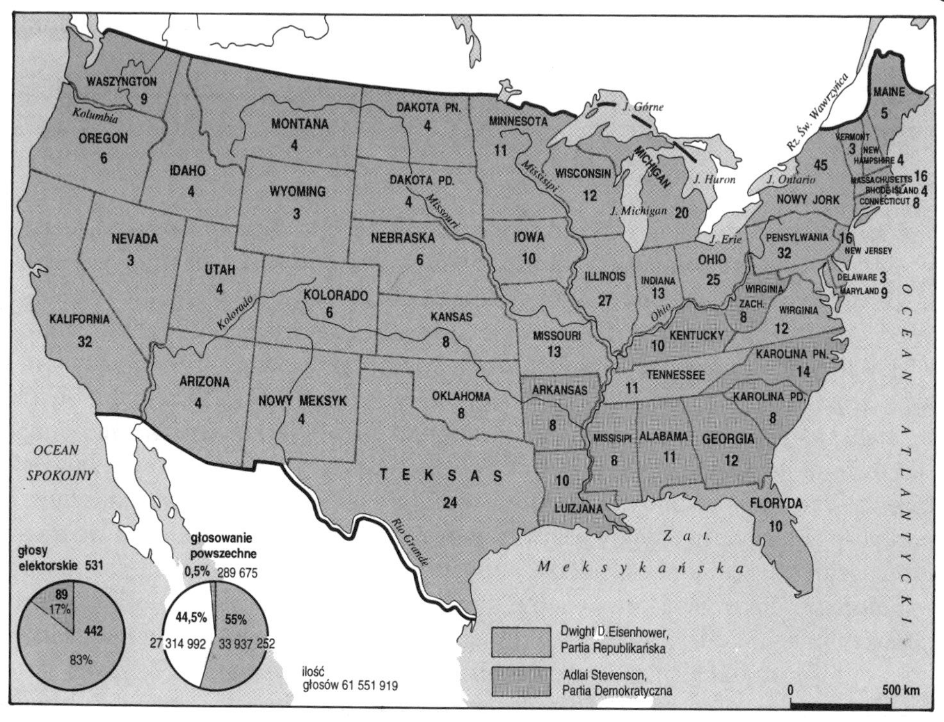

4. Wybory prezydenckie 1952 r.

Gdy policzono głosy oddane w 1952 r., okazało się, że republikanie odzyskali przewagę w Kongresie zaledwie niewielką liczbą głosów, ale za to odnieśli druzgocące zwycięstwo w kampanii prezydenckiej. Eisenhower otrzymał około 55% głosów wyborczych i 442 głosy w stosunku do 89 w kolegium wyborczym. Ale Eisenhower nie był Taftem czy McCarthym. Związany był przede wszystkim z republikańskimi politykami i biznesmenami, którzy wspierali politykę zagraniczną Trumana, odrzucali teorię spisku wewnętrznego i dopuszczali możliwość wprowadzenia założeń „uczciwego ładu" w zakresie gospodarki wspomaganej przez rząd i usprawnień socjalnych. Dlatego też przemiany towarzyszące początkom pierwszej republikańskiej prezydentury od dwudziestu lat dotyczyły raczej formy, taktyk, metod i stylu, nie zaś podstawowych celów i linii politycznych. Nie chciano niszczyć nowej organizacji państwa amerykańskiego, jaka rozwinęła się za Roosevelta i Trumana. Polityka ogólnoświatowego powstrzymywania komunizmu za granicą, liberalnego powstrzymywania radykalizmu w kraju oraz ekonomia polityczna sprzężająca rozwój kapitalistyczny z opieką socjalną pozostały głównymi elementami prezydenckich projektów rozwoju państwa. Co prawda rada dana narodowi amerykańskiemu przez Trumana w 1952 r. została odrzucona, jednak było to raczej odrzucenie samej osoby prezydenta, aniżeli międzynarodowych zobowiązań kraju, kontynuacji polityki Nowego Ładu, liberalnego podejścia do ideału rozwoju państwa i włączenia sfer wielkiego biznesu do rządów w państwie i wreszcie rozszerzenia i głębokiego zinstytucjonalizowania urzędu prezydenckiego.

Zaprzysiężony na prezydenta w styczniu 1953 r. Eisenhower był pierwszym zawodowym żołnierzem na tym stanowisku od czasu Ulyssesa S. Granta. Wychowany w Abilene w stanie Kansas, w 1911 r. dostał się do Akademii West Point i robił karierę wojskową, której szczytowym punktem było stanowisko głównodowodzącego sił alianckich w Europie podczas II wojny światowej, a następnie naczelnego dowódcy sił zbrojnych NATO, utworzonych w 1949 r. Przeciwnicy Eisenhowera twierdzili, że taka kariera nie musi stanowić najlepszego przygotowania do prezydentury. Ale wojskowe sukcesy Eisenhowera w ogromnym stopniu wynikały z jego talentów i zdolności politycznych. Podczas wojny celował w organizowaniu różnorodnych operacji i zachęcał upartych przywódców innych państw i sił zbrojnych do ścisłej współpracy. Jako wojskowy nabył umiejętności, które miały mu posłużyć podczas prezydentury, zwłaszcza umiejętności zarządzania dużymi przedsięwzięciami w ramach biurokratycznych struktur, utrzymywania dobrych stosunków z innymi ośrodkami władzy i z prasą, a także wywierania dobrego wrażenia na opinii publicznej, skuteczności w działaniu i bezkompromisowej uczciwości. Umiejętności te łączył z praktycznym sprytem i wykształconym intelektem. Historyk Charles Alexander napisał o Eisenhowerze, że za sympatycznym wyglądem i sławnym uśmiechem krył się brak tolerancji dla nieskutecznie działającej administracji i nie przemyślanych propozycji.

Z doświadczeń wojskowych Eisenhower zapożyczył koncepcję roli prezydenta jako „kapitana drużyny". Uważał, że administracja i legislatorzy powinni „grać w jednej drużynie", pozbywając się wzajemnych antagonizmów. To samo dotyczyłoby przywódców stojących na czele rządu, biznesu, związków zawodowych i przedstawicieli rolnictwa, prowadzących agencje państwowe, ludzi na kierowniczych stanowiskach na wszystkich poziomach administracji państwowej i wreszcie przywódców innych państw „wolnego świata". Powinni tworzyć „drużyny", prowadzone i współpracujące ze sobą w ten sposób, że ułatwiałyby postęp państwa i postęp świata. Obsadzając stanowiska w administracji państwowej, Eisenhower starał się dobierać osoby o odpowiednim nastawieniu „kapitanów drużyn" i „budowniczych", wyszukując ich przeważnie w sferach wielkiego biznesu i związanych z nim sferach prawniczych. Wśród mianowanych przez niego urzędników znaleźli się John Fuster Dulles, prawnik pracujący dla dużych korporacji, który objął Departament Stanu, George Humphrey, biznesmen z Ohio, który objął Departament Skarbu, oraz George E. Wilson, członek zarządu General Motors, który objął Departament Obrony. Większość Amerykanów nie postrzegała tych nominacji jako „zalewu biznesmenów". Pomimo krytyki części demokratów, że nowy gabinet składa się z „dziewięciu milionerów i hydraulika" (Martin Durkin, który objął Departament Pracy), powszechnie uważano, że wielki biznes stał się elementem dobroczynnym i postępowym, zdolnym wykształcić w społeczeństwie zdolność do „pracy w drużynie" i „odpowiedzialność za kraj", będącym w stanie wystawić oświeconych urzędników, którym można bezpiecznie powierzyć interesy społeczeństwa.

Definiując swoją politykę, Eisenhower i jego rządowa „drużyna" starali się znaleźć „drogę środka", łączącą podejście liberalne z konserwatywnym i prowadzącą do konkretnych osiągnięć, które zadałyby kłam politycznemu doktrynerstwu i ekstremizmowi. Ta „droga środka" miała kontynuować i rozbudowywać programy opieki społecznej rodem z Nowego Ładu i „uczciwego ładu". Wiązała się również z utrzymaniem odpowiedzialności rządu tak za gospodarcze prosperity, jak i za przewodzenie „wolnemu światu" i zapewnianie mu bezpieczeństwa. „Droga środka" miała również powstrzymać „pełzający socjalizm", zredukować i uprościć biurokrację państwową, a także przenieść część odpowiedzialności za gospodarkę i politykę społeczną na administrację lokalną i biznes prywatny. Politykę taką określano mianem „nowoczesnego republikanizmu" albo terminem Eisenhowera „dynamiczny konserwatyzm". Pomimo że krytycy tej koncepcji określali ją jako niejasną i pełną wewnętrznych sprzeczności, odpowiadała ona poglądom większości Amerykanów, którzy życzyli sobie większego bezpieczeństwa, jakie zapewniały reformy z lat trzydziestych i czterdziestych, a jednocześnie uważali, że należy ukrócić rozrastającą się biurokrację i powstrzymać rosnący interwencjonizm państwa. Popierali więc program, który obiecywał załatwić obie te sprawy.

Na polu polityki zagranicznej „droga środka" Eisenhowera doprowadziła do przemian strategii ograniczania i odrzucenia proponowanych przez niektórych republikanów alternatyw neoizolacjonistycznych, liberalizujących lub kładących nacisk na politykę amerykańską w Azji. Co prawda, Eisenhower zaczął od zapewnień, że flota amerykańska zaprzestanie „osłaniania" komunistycznych Chin przed atakami sił narodowych, a europejska rozgłośnia Głosu Ameryki nawoływała do rewolucji w państwach satelitarnych Związku Radzieckiego. Ruchy te były jednak nie więcej niż ukłonami w stronę republikańskiej prawicy. Właściwa strategia rządu polegała na globalizacji i militaryzacji polityki powstrzymywania zapoczątkowanej przez Trumana, na próbach rozszerzenia sektora prywatnego, zwiększenia siły nabywczej dolara oraz zapobieganiu „wojnie ograniczonej", takiej jak wojna w Korei. Nowe aspekty realizacji tej polityki polegały głównie na tym, że doceniono rolę kapitału prywatnego w polityce zagranicznej, polegano na lotnictwie strategicznym i tajnych operacjach paramilitarnych, ze względu na ich stosunkowo niskie koszty, oraz że przyjęto doktrynę „zmasowanego odwetu" (Massive Retaliation Doctrine), która miała zapobiec wojnom typu wojny w Korei. Doktryna ta, ogłoszona na początku 1954 r. przez sekretarza stanu Dullesa, zakładała, że Moskwa stoi za każdą działalnością komunistyczną w świecie i że zagrożenie odwetem nuklearnym powstrzyma ekspansję „sowieckiego imperium".

Najbardziej palącym problemem dla Eisenhowera w chwili objęcia urzędu była wojna trwająca w Korei. Eisenhower spełnił obietnicę udzieloną w czasie kampanii i udał się na pole walki, a także rozpoczął rozmowy zmierzające do zażegnania konfliktu. Zdecydował podjąć ostateczną próbę zawarcia porozumienia w sprawie zawieszenia broni, a gdyby ta się nie udała, gotów był przenieść wojnę do Chin i użyć broni atomowej. Chińczycy dowiedzieli się o tym za pośrednictwem premiera Indii Jawaharlala Nehru. Być może właśnie na skutek tej groźby komuniści zgodzili się na nowe rokowania, w wyniku których 27 czerwca 1953 r. nastąpiło zawieszenie broni. Granice ustalono wzdłuż istniejącej linii frontu, którą otoczono pasem zdemilitaryzowanym. Wypracowano kompromis dotyczący wymiany jeńców: obie strony miały prawo przysłać delegatów, którzy mieli przekonać jeńców do powrotu na drugą stronę, jeńcy zaś, których nie udało sie przekonać, mieli być zwalniani pod nadzorem bezstronnej komisji. Poczyniono także plany przyszłej konferencji pokojowej, która jednak nie doszła do skutku. Zawieszenie broni przerodziło się w długotrwały rozejm.

Czy to dzięki politycznej zręczności, czy to dzięki łutowi szczęścia administracji Eisenhowera udało się nie zaangażować wojsk amerykańskich w wojnach w Trzecim Świecie. W 1953 r. CIA stała się instrumentem służącym do rozwiązywania groźnych konfliktów w Iranie i w Gwatemali. W Iranie CIA udało się przeprowadzić zamach stanu, który przywrócił władzę szacha i zapewnił Zachodowi kontrolę nad irańską ropą naftową. Z kolei w Gwatemali oddziały uchodźców wspierane przez CIA obaliły rząd lewicowy. W 1954 r. administracja amerykańska postanowiła nie interweniować w Indochinach, przyjmując do wiadomości przegraną Francji i ograniczając swoją aktywność do udzielenia pomocy Wietnamowi Południowemu i do stworzenia Paktu Azji Południowo-Wschodniej (SEATO). W 1955 r. Amerykanie posłużyli się groźbami użycia broni atomowej, obietnicami obrony oraz manifestowali potęgę floty morskiej, by podtrzymać chińskie siły narodowe, których obecność w Cieśninie Tajwańskiej postrzegali jako element polityki powstrzymywania. Również w 1956 r., kiedy przejęcie przez Egipt Kanału Sueskiego, stanowiącego własność brytyjską, doprowadziło do francusko-angielskiej i izraelskiej inwazji na Egipt, któremu z kolei Związek Radziecki obiecał udzielić pomocy, administracja amerykańska stosując strategię powstrzymywania unikała obietnic pomocy militarnej, nawołując do zaprzestania walk, pozostawienia Kanału w rękach egipskich i poszukiwania nowego systemu bezpieczeństwa dla tego regionu. Pomimo, że ówcześni krytycy określali tego rodzaju politykę zagraniczną jako nieodpowiedzialną, zdradzającą nieznajomość rzeczy i „balansującą na krawędzi", jej późniejsi obrońcy wskazali na niewątpliwy sukces w zapobieganiu wojnom w rodzaju wojny koreańskiej, jaki Stany Zjednoczone zawdzięczały połączeniu moralizatorskiej retoryki z podejściem pragmatycznym.

Tymczasem w Europie wysiłki administracji Trumana, by zwiększyć zdolność obronną NATO zaczęły dawać rezultaty, których punktem kulminacyjnym było uzbrojenie Republiki Federalnej Niemiec i włączenie jej do paktu. W ten sposób po obydwu stronach konfliktu znalazło się jedno z państw niemieckich. Obie strony miały też własne przymierza wojskowe i organizacje pomocy gospodarczej, a także własne arsenały broni jądrowej; bieg wydarzeń wydawał się wskazywać, że linie napięć zaistniałe w tej sytuacji mają trwały charakter. Co prawda, śmierć Stalina w 1953 r. wyzwoliła nadzieje na okiełzanie ZSRR, co znalazło krótkotrwałe potwierdzenie w wyrażonej przez nią zgodzie na neutralność Austrii, przyznanie szerszej autonomii Polsce oraz w udziale Związku Radzieckiego w genewskim spotkaniu na szczycie w lipcu 1955 r. Jednak konferencja genewska nie przyniosła przełomowych zmian w dziedzinie ograniczenia zbrojeń ani w odniesieniu do przyszłości Niemiec, ani też nie doprowadziła do przyzwolenia na wzajemny rekonesans w ramach tzw. planu „otwartego nieba", zaproponowanego przez Eisenhowera podczas konferencji. W październiku 1956 r. na Węgrzech wybuchło antyrosyjskie i antykomunistyczne powstanie, na które Rosjanie zareagowali zbrojną interwencją. Nadzieje na „wyzwolenie" Europy Wschodniej pierzchły, a niemożność Zachodu przyjścia z pomocą powstańcom, do których sam agitował, stała się aż nadto jasna.

Wprowadzając w życie strategię powstrzymywania, Eisenhower wkrótce zorientował się, że jego główni krytycy i oponenci znajdują się w szeregach jego własnej partii. Dla poważnej części prawego skrzydła Partii Republikańskiej pomoc zagraniczna równała się czemuś w rodzaju globalnego Nowego Ładu, a polityka powstrzymywania oznaczała utrzymywane w tajemnicy pozostawienie własnemu losowi „zniewolonych narodów", haniebnie „wyprzedanych" na konferencjach w Jałcie i w Poczdamie. Ci prawicowi republikanie domagali się działań, które odwróciłyby sytuację i „odkupiły" wyprzedanych. A ponieważ w 1953 i 1954 r. sprawowali kontrolę nad większością komisji w Kongresie, byli w stanie postawić prezydenta w trudnej sytuacji. Udało im się np. ograniczyć wydatki na pomoc zagraniczną. Kwestionowali też akty nominacyjne prezydenta, zwłaszcza nominację Charlesa Bohlena na ambasadora w Związku Radzieckim. Zabiegali o wprowadzenie poprawki do Konstytucji (tzw. poprawki Brickera), mającej ograniczyć uprawnienia prezydenta do negocjowania umów i układów międzynarodowych, aby zapobiec powtórzeniu się sytuacji wynikłej z konferencji w Jałcie. Co więcej, ponieważ postrzegali zagrożenie komunistyczne jako problem wewnętrzny raczej niż zewnętrzny, domagali się intensywnego poszukiwania wywrotowców robiących „krecią robotę" wewnątrz kraju. Senator McCarthy uzyskał szerokie pełnomocnictwa do prowadzenia śledztwa w sprawie „dywersantów". McCarthy objął fotel przewodniczącego Stałej Senackiej Podkomisji Dochodzeniowej, uzyskał dla niej nowe uprawnienia i wytoczył serię spektakularnych oskarżeń, skierowanych przede wszystkim na domniemane antyamerykańskie działania wywrotowe w programach Głosu Ameryki i w bibliotekach zagranicznych Międzynarodowej Agencji Informacyjnej (IIA).

Administracja była początkowo bardziej skłonna ulegać presji McCarthy'ego, niż go zwalczać. Umożliwiło mu to mianowanie urzędnika do spraw bezpieczeństwa w Departamencie Stanu i przeprowadzenie czystki w dyplomacji. Postawa rządu ułatwiła też usuwanie książek z bibliotek zagranicznych, a następnie zwalnianie ze stanowisk osób o „podejrzanych powiązaniach", czego najszerzej publikowanym przykładem było odwołanie J. Roberta Oppenheimera, dyrektora programu badań nad bombą atomową w czasie II wojny światowej. Po pewnym czasie Eisenhower przybrał jednak postawę krytyczną wobec „palenia książek" i „nieodpowiedzialnych ataków" kierowanych między innymi na osoby duchowne, którym zarzucano brak lojalności. Na początku 1954 r., kiedy McCarthy skierował swe kolejne zarzuty pod adresem wojska, stało się jasne, że posunął się za daleko i że administracja odpowie atakiem na atak. Zarzuty dotyczyły awansu i następnie zwolnienia ze służby lewicowego dentysty, przy czym McCarthy atakował generała odpowiedzialnego za powyższe decyzje, zabiegając jednocześnie o specjalne traktowanie przez armię byłego pracownika swojej komisji. Najważniejszym aspektem konfliktu była transmisja z przesłuchania nadana przez telewizję amerykańską i ukazującą metody działania senatora. McCarthy wypadł bardzo źle, zwłaszcza w porównaniu ze swoim adwersarzem Josephem Welchem, prawnikiem reprezentującym siły zbrojne. W wyniku transmisji senator gwałtownie stracił na popularności. W grudniu 1954 r. Senat wykluczył go z izby, a w maju 1957 r. zmarł jako człowiek złamany i w osamotnieniu.

Upadek McCarthy'ego nie spowodował natychmiastowego osłabienia entuzjazmu, jaki Kongres żywił do sprawy zwalczania komunistów. Po serii przesłuchań Kongres przegłosował ustawę, która faktycznie zdelegalizowała Amerykańską Partię Komunistyczną. Samo ośmieszenie McCarthy'ego nie umożliwiło Eisenhowerowi „zmodernizowania" Partii Republikańskiej. Jednak przy współpracy z demokratami, zwłaszcza po przejęciu przez nich Kongresu w wyborach 1954 r., udało mu się doprowadzić do uchwalenia większej części praw koniecznych do realizacji prezydenckiej polityki środka. Nie udało mu się uzyskać dofinansowania prywatnych ubezpieczeń zdrowotnych ani lokalnych funduszy budowy szkół, a ponadto niektóre propozycje prezydenta dotyczące gospodarki, decentralizacji i ograniczenia interwencjonizmu spotkały się z oporem ze strony istniejących programów rządowych. Równocześnie w 1956 r. prezydent podpisał ustawy rozszerzające system ubezpieczeń społecznych na osoby pracujące na własny rachunek oraz niepełnosprawne, podnosząc minimalną stawkę godzinową, uelastyczniając subsydia cenowe w rolnictwie i dostosowując je do wymogów rynku, inicjując prace nad regulacją Rzeki Świętego Wawrzyńca, łączącej Wielkie Jeziora z Oceanem Atlantyckim, oraz ustawę o budowie międzystanowego systemu autostrad. Udało mu się również spełnić obietnice dane podczas kampanii wyborczej, dotyczące zniesienia kontroli cen i płac, oddania morskich terenów roponośnych pod kontrolę stanów, zredukowania podatków nakładanych na firmy oraz prywatyzacji dziedzin, w których rynek miałby poradzić sobie lepiej od państwa. Przykładami takiej prywatyzacji były likwidacja Korporacji ds. Rekonstrukcji Finansów (Reconstruction Finance Corporation) oraz sprzedaż rządowych zakładów wytwarzających sztuczny kauczuk.

Sukces legislacyjny rządu tłumaczy szeroka publiczna akceptacja koncepcji prezydenta, by włączyć wielki biznes do rządów i by rozwijać współpracę między sferą publiczną a prywatną. Koncepcja ta wymagała ustanowienia nowych mechanizmów, przekazujących zarząd i kontrolę nad poszczególnymi dziedzinami gospodarki odpowiednim agencjom prywatnym lub lokalnym, który to proces w 1956 r. był już w pełnym toku. Na przykład Departament Handlu, kierowany przez Sinclaira Weeksa, przejął komisje przemysłowe ustanowione podczas wojny koreańskiej, włączając je w swoją strukturę. W ten sposób powstały programy gospodarcze i informacyjne, w ramach których rząd dzielił się kompetencjami administracyjnymi z organizacjami prywatnymi. Również Departament Zasobów Wewnętrznych kierowany przez Douglasa McKaya popierał „koncepcję partnerską", zwłaszcza w dziedzinie regulacji rzek i wydobycia ropy. Departament Pracy, kierowany przez Jamesa Mitchella, popularyzował i zabiegał o rozwinięcie współpracy pomiędzy zarządami firm a przedstawicielami pracowników najemnych. Współpraca i „oswojona konkurencja" stały się hasłami agencji antymonopolowych. Nowy republikanizm dążył nie tylko do zrównoważenia kolektywizmu państwa opiekuńczego z zasadami wolnego rynku, ale i do rozszerzenia wpływów korporacji, które zdolne były utrzymać tę równowagę.

Jednocześnie Eisenhower zaczął zdawać sobie sprawę z istnienia wyraźnej granicy, do jakiej można było zredukować rząd i jego uprawnienia, przekazując poszczególne zadania agencjom prywatnym. Jednym z wyznaczników tej granicy były grupy partykularnych interesów wyrosłe na gruncie ustanowionych wcześniej programów rządowych. Dotyczyło to zwłaszcza programów dla farmerów i drobnych przedsiębiorców. Atakowanie tych programów spotykało się z oporem potężnych grup lobbystycznych i prowadziło do alienacji części wyborców popierających Partię Republikańską. Innym wyznacznikiem poziomu, do jakiego można było redukować administrację państwową, okazały się skandale zadające kłam hipotezie obywatelskiej odpowiedzialności sektora prywatnego. Na przykład wysiłki, by ograniczyć interwencjonizm państwa w branży gazu ziemnego, okazały się chybione, kiedy wyszło na jaw, że przedstawiciele branży usiłowali przekupywać kongresmanów. Z podobnych względów unieważniono kontrakty na budowę elektrowni Dixona–Yatesa, która miała zastąpić dalszy rozwój Urzędu ds. Doliny Tennessee (Tenneessee Valley Authority), ponieważ inspekcja Kongresu wykryła, że poszczególni negocjatorzy kontraktu reprezentują interesy obydwu stron. Co więcej, reorganizacja gospodarcza przeprowadzana przez rząd ucierpiała przez stosunkowo poważną recesję, jaka nastąpiła w 1954 r. Krytycy ogłosili, że oto powtarza się historia: republikanie u władzy doprowadzą do kolejnej „recesji Hoovera", wobec czego administracja wycofała się z ekstremalnej polityki fiskalnej, zastępując ją stymulantami podatkowymi i monetarnymi wynikającymi z keynesowskiego podejścia do gospodarki. Wyglądało na to, że potężny rząd rzeczywiście spełnia ważną funkcję stabilizującą.

Koncepcja obywatelskiej funkcji sektora prywatnego i współpracy sfery publicznej i prywatnej miała wyraźny związek z kwestią praw jednostki. Eisenhower starał się zapewniać prawa obywatelskie poprzez oświatę, tworzenie szans na włączenie się do mechanizmu społeczeństwa i oświecone rządy, ale nie przez nowe ustawy, których domagał się ruch praw obywatelskich, a poprzednio koncepcja „uczciwego ładu" Trumana. Eisenhower zaczął popierać dość skromne żądania legislacyjne dotyczące prawa do udziału w wyborach dopiero w 1956 r. Pomimo to prawo się zmieniało, czego najbardziej spektakularnym przykładem była sprawa Browna przeciw Radzie Oświaty w Topeka, w stanie Kansas, w której to sprawie Sąd Najwyższy wydał wyrok 17 maja 1954 r. Wyrok brzmiał, że segregacja rasowa na terenie szkoły jest sprzeczna z zasadą równouprawnienia wynikającą z XIV poprawki do Konstytucji Stanów Zjednoczonych. W miarę jak narastał konflikt wokół wprowadzenia w życie decyzji sądu, Eisenhowerowi coraz trudniej było znaleźć rozwiązanie kompromisowe, które zadowoliłoby wszystkie strony biorące udział w sporze. Prezydent powiedział swoim pracownikom, że jego zdaniem decyzja sądu stanowi krok wstecz na drodze do desegregacji rasowej. Przez cały czas swej prezydentury Eisenhower nie uświadamiał sobie, że dalsze utrzymywanie desegragacji rasowej było moralnie naganne i politycznie niemożliwe.

Jednakże z wyjątkiem kwestii rasowych, społeczeństwo amerykańskie w latach 1955 i 1956 wydawało się zgodne co do ważnych kwestii politycznych i celów, do jakich wspólnie dążyło. Wszelki ekstremizm cieszył się coraz gorszą sławą, a zarówno neokonserwatyści, jak i neoliberałowie zwracali się ku „witalnemu środkowi", akceptując politykę ograniczania na zewnątrz i opiekę społeczną wewnątrz państwa, przy czym zdecydowanie większy nacisk kładziono na utrzymanie istniejącego porządku, niż na jego zmienianie. Przeciwstawne dążenia do większego bezpieczeństwa i większej szansy dla przedsiębiorczości wydawały się zrównoważone dzięki ustrojowi polityczno-gospodarczemu, który łączył tak różnorakie elementy, jak wielkie korporacje, mechanizmy rynkowe i instrumenty interwencjonizmu państwa. Wyjście z recesji 1954 r. wydawało się potwierdzać, że amerykański „nowy kapitalizm" jest niezastąpiony w dostarczaniu nowych miejsc pracy, zapewnianiu postępu technicznego i coraz wyższej stopy życiowej. Jednocześnie pojawiło się poczucie harmonijnej jedności narodowej, dla której osoba Eisenhowera stała się powszechnie akceptowanym symbolem. Poczucie jedności przezwyciężyło podziały klasowe, regionalne, etniczne i partykularno-grupowe. Nigdy przedtem Amerykanie – ani żaden inny naród – nie cieszyli się tak powszechnym i spektakularnym dobrobytem. Jednocześnie po raz pierwszy od II wojny światowej nie czuli się tak zintegrowani. Poczucie rosnącego bogactwa, będącego udziałem szerokich kręgów społecznych, poparte silną pozycją Stanów Zjednoczonych w świecie zapoczątkowało „erę dobrego samopoczucia", odsuwając na jakiś czas poczucie zagrożenia i obawy.

Narodową zgodę budowały również wyraźne tendencje do idealizowania jedności, konformizmu i dostosowywania się w sferze kultury. Kulturowymi ideałami epoki byli: „pracownik firmy", entuzjastyczny konsument, kobieta prowadząca dom, przedstawiana jako „zarządca gospodarstwa domowego" – wszyscy współtworzyli uporządkowany świat przedsiębiorstw, rynków, domów rodzinnych i lokalnych społeczności, na których opierała się wielkość narodu i jego dobrobyt. Takie modele obywatelskie znaleźć można w sloganach reklamowych tamtej epoki, w przemówieniach, w podręcznikach szkolnych i nauce religii, wreszcie w produktach kultury masowej. Jednocześnie krytyka kultu organizacji, jako siły niszczącej twórczość jednostki i zaprzepaszczającej bogactwo płynące z różnorodności, nie była jeszcze rozwinięta i nie znajdowała szerszego posłuchu. Uważano raczej, że rozwój nowoczesnego ustroju biurokratycznego stanowi etap na drodze do realizacji amerykańskich ideałów, takich jak szansa dla jednostki i oświecony liberalizm. Dlatego nieumiejętność włączenia się do nowo wypracowanej formuły narodowej organizacji i niechęć do podpisania się pod wyznawanymi przez nią wartościami odczytywano w kategoriach irracjonalnego oporu lub zdrady narodowej idei.

Wydawało się, że Eisenhowerowi udało się zjednoczyć Stany Zjednoczone i że w 1956 r. jedyną przeszkodą w uzyskaniu nominacji prezydenckiej może być zły stan zdrowia. Pod koniec 1955 r. prezydent przeszedł lekki atak serca, a w 1956 r. poddał się poważnej operacji związanej z zapaleniem jelita grubego. Jednakże w obydwu przypadkach powrócił do zdrowia tak szybko, że wszelkie wątpliwości dotyczące zdolności do dalszego sprawowania urzędu ze względu na zdrowie natychmiast się rozwiały. Nie wątpiono przy tym, że zostanie ponownie wybrany. Adlai Stevenson, kandydujący po raz kolejny z ramienia Partii Demokratycznej, argumentował za koniecznością wprowadzenia zakazu prób z bronią nuklearną i starał się krytykować politykę zagraniczną Eisenhowera. Platforma ta nie mogła jednak podważyć republikańskich zasług, za jakie uważano utrzymanie pokoju, rosnący dobrobyt i umiejętność radzenia sobie z kryzysami międzynarodowymi, która uwidoczniła się w związku z wydarzeniami w Egipcie i na Węgrzech. Eisenhower wygrał jeszcze bardziej miażdżącą większością głosów niż w 1952 r. Zdobył 58% głosów w wyborach powszechnych i 457 głosów w kolegium elektorskim (przeciwnik tylko 74). Równocześnie jednak rosnąca grupa Amerykanów głosujących niezależnie od powiązań partyjnych wybrała Kongres, w którym większość mieli demokraci. Zdobyli oni 50 mandatów w Senacie (republikanie 46) i 233 mandaty w Izbie Reprezentantów (wobec 202 mandatów republikańskich).

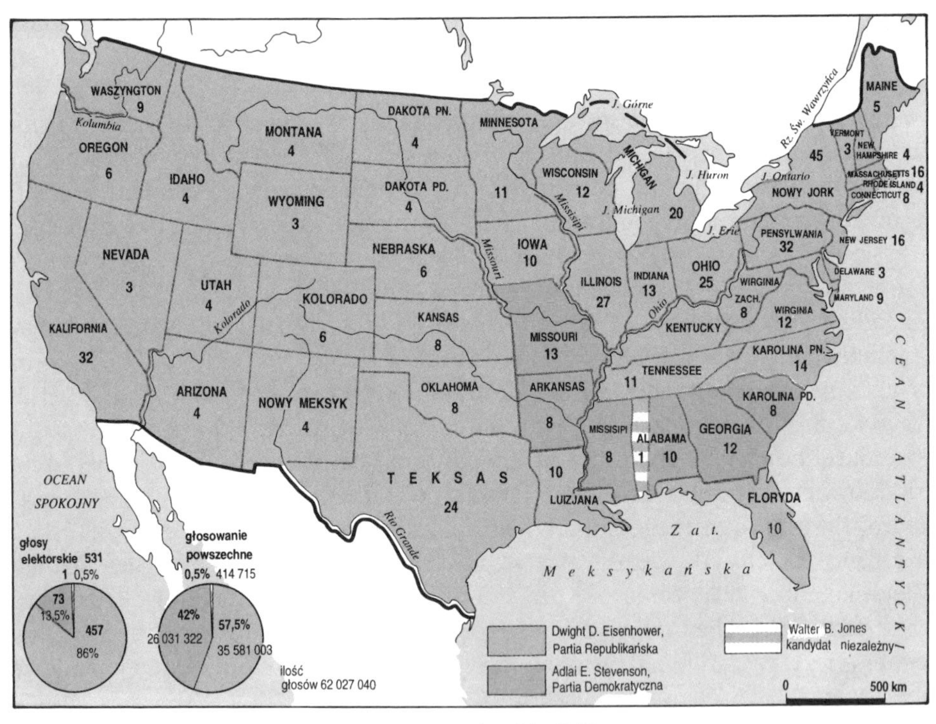

5. Wybory prezydenckie 1956 r.

W drugiej kadencji Eisenhower zmuszony był zmagać się z coraz większymi trudnościami, by utrzymać ustanowiony wcześniej narodowy konsensus. „Droga środka" stawała się coraz bardziej wyboista w związku z konfliktami dotyczącymi kwestii rasowych, nowymi problemami gospodarczymi, niepokojami dotyczącymi utrzymania „jakości życia", skandalami związanymi z korupcją na wysokich szczeblach, rewelacjami podważającymi poczucie narodowego bezpieczeństwa i pozycji Stanów Zjednoczonych w świecie, a wreszcie w związku z malejącą akceptacją proponowanych modeli organizacji społecznych i związanych z nimi postaw etycznych. Pomimo tego, że Eisenhower nie stracił nic na popularności, naród stawał się coraz bardziej podatny na nowe podziały, powstawały nowe proreformatorskie grupy nacisku żądające rozszerzenia uprawnień rządu i narastała wizja politycznej polaryzacji. Tendencje te miały wreszcie doprowadzić do rozpadu narodowego konsensusu. Pozostaje nie rozwiązane pytanie, czy konsensusu nie udało się obronić ze względu na słabość Eisenhowera jako przywódcy, czy ze względu na polityczne błędy jego następców, czy też może z powodów, których politycy nie są w stanie określić.

W 1956 r. Eisenhower zignorował niepokoje wywołane desegregacją szkół, a także zdystansował się w stosunku do bojkotu środków komunikacji miejskiej w Montgomery, w stanie Alabama, przez czarnych mieszkańców miasta. Dzięki temu bojkotowi czarnoskóry pastor Martin Luther King stał się osobą powszechnie znaną, a bierny opór, nie uciekający się do użycia przemocy, stał się podstawową metodą walki o prawa człowieka. Dopiero kiedy gubernator stanu Arkansas, Orval Faubus, uniemożliwił nakazaną przez sąd integrację w miejscowości Little Rock, prezydent był zmuszony interweniować, wysyłając na miejsce oddziały wojskowe. Sprowokowało to gniew południowych separatystów, którzy zorganizowali własną odmianę biernego oporu. Jednak działacze na rzecz praw obywatelskich, coraz lepiej zorganizowani i znajdujący poparcie dla swych racji w retoryce zimnej wojny, w obaleniu pseudonaukowego rasizmu i w ustawicznej migracji czarnych do metropolii miejskich, uważali politykę rządu za nazbyt kompromisową. Wskazywali na niepraktyczność ustaw z lat 1957 i 1960, rozszerzających prawo do udziału w wyborach, narzekali na nieudolność, z jaką wprowadzano w życie decyzje sądu w sprawie Browna, i krytykowali niechęć rządu do reagowania na przemoc stosowaną przez białych na Południu wobec czarnych obywateli usiłujących korzystać z tych samych miejsc publicznych lub próbujących zarejestrować się jako woborcy. Atakowali też rząd za nieudzielenie moralnego wsparcia strajkom okupacyjnym zapoczątkowanym w Greensboro w Karolinie Północnej na początku 1960 r. i szybko rozprzestrzeniającym się w innych miastach. Widać stąd, że w 1961 r. nie tylko nie istniał konsensus w kwestii stosunków rasowych, ale że pojawiły się nowe siły proreformatorskie, powodujące erozję „drogi środka", proponowanej przez Eisenhowera.

Innym czynnikiem przemawiającym za zmianami był cios zadany poczuciu narodowej dumy i bezpieczeństwa przez sputnik-satelitę wypuszczony przez ZSRR w październiku 1957 r. Osiągnięcie to rozbiło poczucie technologicznej wyższości i wywołało uczucia poniżenia, złości i strachu, zwłaszcza gdy okazało się, że amerykańska próba wysłania na orbitę znacznie mniejszego satelity spełzła na niczym. Rosnąca grupa głosów krytycznych przekonywała, że Stany Zjednoczone zmiękły, że osłabła ich wola i chęć działania i że zatarła się wizja celu, do którego zmierzają. Zdaniem tychże krytyków, Stany Zjednoczone potrzebowały poczucia misji, dyscypliny i zaangażowania

– zwłaszcza w szkołach, w miejscach pracy i na najwyższych szczeblach władzy. W końcu lat pięćdziesiątych administracja Eisenhowera dokonała trzech zmian wywołanych tą krytyką. Po pierwsze, zainicjowano program budowy rakiet dalekiego zasięgu i statków kosmicznych (tych drugich pod auspicjami Krajowej Agencji Aeronautyki i Przestrzeni Kosmicznej – National Aeronautics and Space Agency, NASA). Po drugie, doprowadzono do uchwalenia w 1958 r. ustawy o ochronie oświaty narodowej (National Defense Education Act), która miała podnieść poziom nauczania przedmiotów ścisłych, matematyki i języków obcych. Po trzecie, Eisenhower powołał Komisję ds. Celów Narodowych (Commission on National Goals), na czele której stanął Henry Wriston z Uniwersytetu Columbia. Zadaniem Komisji było przełożenie publicznej debaty na konstruktywne wnioski. Sprawozdanie przedstawione przez komisję miało wpłynąć na kształt reform na początku lat sześćdziesiątych.

Debacie na temat narodowych celów towarzyszyła inna debata na temat „jakości życia" Amerykanów i ich perspektyw na przyszłość. Krytycy polityki rządowej powszechnie uważali, że „droga środka" Eisenhowera prowadzi wyłącznie do nudy, płycizny, kulturowego zubożenia, zniszczenia środowiska oraz rosnącego poczucia alienacji i bezsilności obywateli. Takie oto plony – mówili – przyniosło życie w domku na przedmieściu, praca w dużej firmie, zawodowy sukces i etos konsumpcyjny. Nasiona późniejszej kontrkultury były już widoczne, zwłaszcza w literaturze i sztuce, w kulturze popularnej, której odbiorcami było dorastające pokolenie powojennego wyżu demograficznego (tzw. baby boom) oraz w ideałach wyznawanych przez małą, lecz szeroko komentowaną grupę alternatywną tzw. beatników. Tendencje te przeciwdziałały utrzymaniu społecznego konsensusu i prowadziły do podziału. Tymczasem do szeregu proreformatorskich żądań, którym Eisenhower starał się stawić odpór, dołączyły głosy mówiące o „jakości życia", domagające się wspierania przez państwo kultury, przebudowy miast, ochrony środowiska i konsumenta i wreszcie umożliwienia samorealizacji potencjału społecznego i jednostkowego.

Co więcej, późne lata pięćdziesiąte doprowadziły do kłopotów gospodarczych, które zepsuły wizerunek establishmentu i stworzyły nowe źródła nacisków proreformatorskich. Spadek koniunktury w 1958 i 1960 r. spowodował zarzuty, że potencjał gospodarczy kraju nie jest w pełni wykorzystywany, i żądania nowych inwestycji publicznych oraz zorganizowanie programów szkoleniowych dla osób pozbawionych pracy. Rewelacje dotyczące monopolistycznych praktyk cenowych dużych korporacji zmusiły Kongres do zbadania tej kwestii. Senator Estes Kefauver stwierdził, że to polityka cenowa koncernów leży u źródeł wszelkich kłopotów gospodarczych państwa. Również rewelacje dotyczące korupcji i terroryzmu w związkach zawodowych spowodowały dochodzenie komisji Kongresu i doprowadziły do przegłosowania nowych ustaw (ustawa Landruma–Griffina z 1959 r.), zwiększających kontrolę nad działalnością i nad finansami związków zawodowych. Kolejne skandale podważały zaufanie do kolejnych instytucji publicznych: wyszły na jaw nieuczciwości związane z grami telewizyjnymi, konflikty interesów w systemie obronnym i agencjach regulujących gospodarkę, wreszcie domniemana przekupność Shermana Adamsa, szefa personelu Białego Domu. Ten ostatni skandal zmusił Adamsa do ustąpienia ze stanowiska w 1958 r. Była to kompromitacja rządu, który, według samego Eisenhowera, miał być „czysty jak łza".

Eisenhower był krytykowany również za politykę zagraniczną. W Trzecim Świecie starannie unikał powtórzenia historii w rodzaju wojny w Korei. Podejmując starania, by ograniczyć procesy rewolucyjne i narodowe na Bliskim Wschodzie, w Ameryce Łacińskiej, Afryce i Azji Południowo-Wschodniej, polegał na metodach, które nie doprowadziły do zaangażowania amerykańskich sił zbrojnych. Również kolejny kryzys w Cieśninie Tajwańskiej w 1958 r. nie przerodził się już w konflikt wojenny z komunistycznymi Chinami. Jednakże w oczach rosnącej grupy neoliberałów polityka Eisenhowera nie mogła doprowadzić do osiągnięcia najważniejszego celu, jakim było uzyskanie przewagi nad ZSRR w krajach Trzeciego Świata. Do 1960 r. krytycy rządu nawoływali do przeprowadzania „kontrpowstań" i utworzenia „ruchomych grup uderzeniowych", które w teorii miały zapewnić bardziej „elastyczny opór". Proponowano strategie, które miały być otwarte na współpracę, a w rezultacie „amerykanizować" grupy zmierzające do przemian społecznych w swoich krajach, zamiast je antagonizować. Z takiej krytyki wyłoniły się alternatywne narzędzia polityki powstrzymywania, takie jak komandosi, Korpus Pokoju, Agencja Rozwoju Międzynarodowego i Przymierze na rzecz Postępu.

Krytykowano również politykę Eisenhowera wobec Związku Radzieckiego. Próby ułożenia stosunków postrzegane były przez część krytyków jako przejaw braku zdecydowania wobec wrogiego mocarstwa, podczas gdy inni krytykowali je jako zbyt nieśmiałe, by mogły doprowadzić do przerwania zimnej wojny. Próby zmiany polityki wobec Związku Radzieckiego pojawiły się po raz pierwszy w 1958 r., po kryzysie wywołanym zapowiedzią Chruszczowa, że przekaże Berlin Niemieckiej Republice Demokratycznej. Negocjacje na ten temat stały w martwym punkcie aż do sierpnia 1959 r., kiedy to Eisenhower i Chruszczow zgodzili się spotkać w Camp David, w domu prezydenta w stanie Maryland. W czasie spotkania odrzucono możliwość przekazania Berlina, po czym Chruszczow udał się w podróż po Stanach Zjednoczonych. Mówiono o „nowym duchu Camp David", możliwościach poprawy wzajemnych stosunków i kontrolowania prób z bronią atomową. Planowano rozszerzone spotkanie na szczycie w Paryżu w 1960 r., ale tuż przed jego rozpoczęciem Rosjanie strącili samolot szpiegowski U-2 przelatujący nad terytorium Związku Radzieckiego i pojmali pilota. Po gniewnej wymianie zdań konferencja nie doszła do skutku. Atmosfera, jaką Eisenhower przekazał swemu następcy, różniła się więc znacznie od „nowego ducha Camp David". W połowie lat sześćdziesiątych Eisenhower zwierzył się jednemu z doradców z odczuwanego przez siebie żalu, że „głupia historia z U-2" popsuła mu plany zbudowania bezpieczniejszego świata.

Narodowy konsensus, który wydawał się trwały w połowie lat pięćdziesiątych, ulegał gwałtownej degradacji w wielu dziedzinach życia już w 1960 r. Zmiany te miały wywrzeć ogromny wpływ na najbliższą dekadę. Jednym z efektów krytyki rządu była próba podjęta przez liberalnych demokratów, by przejąć władzę i rozwiązać nowo powstałe problemy państwa. Taka możliwość pojawiła się w wyborach 1958 r., w których demokraci uzyskali znaczną przewagę w Kongresie. Łączyła ona elementy Nowego Ładu z nowymi pomysłami dotyczącymi odbudowy narodowych celów i podwyższenia „jakości" amerykańskiego życia. Co więcej, polityczne spektrum uległo ponownemu rozszerzeniu. Po jednej stronie znaleźli się radykalni krytycy amerykańskiego kapitalizmu, tacy jak Herbert Marcuse, C. Wright Mills oraz William Appleman Williams, którzy zdobywali szerokie poparcie wśród młodych intelektualistów i działaczy studenckich, będących prekursorami tzw. „nowej lewicy". Po drugiej zaś stronie odnowiły się tendencje ekstremalnie prawicowe, dopatrujące się działań wywrotowych i konspiracyjnych w ruchu praw obywatelskich, w naciskach proreformatorskich, w inicjatywach pokojowych Eisenhowera i w decyzjach Sądu Najwyższego dotyczących swobód obywatelskich. Wśród Nowej Prawicy najbardziej znaczące było Stowarzyszenie im. Johna Bircha, założone przez Roberta Welcha w 1958 r. i noszące imię Amerykanina zabitego w Chinach.

Popularność Eisenhowera utrzymywała się nawet w tak zmienionym pejzażu politycznym. Jednak w świetle XXI poprawki do Konstytucji, ratyfikowanej w 1951 r., prezydent mógł sprawować urząd tylko przez dwie kadencje. Republikanie nominowali na swego kandydata wiceprezydenta Richarda M. Nixona. Wydawało się, że jego polityczne doświadczenie oraz sukces, jaki odniósł jednocząc partię wokół swej osoby, dadzą mu znaczną przewagę nad kandydatem demokratów Johnem F. Kennedym, którego szanse pomniejszał młody wiek i przynależność do Kościoła katolickiego. Opinia publiczna zmieniła zdanie dopiero w czasie debat telewizyjnych, w których Nixon wypadł niekorzystnie, podczas gdy Kennedy'emu udało się wywrzeć wrażenie człowieka dynamicznego i wzbudzić entuzjazm hasłami „Nowego Pogranicza" i pobudzenia kraju do działania. Lyndon B. Johnson, ubiegający się o fotel wiceprezydenta z ramienia Partii Demokratycznej, okazał się doskonałym partnerem, zdolnym zapewnić Kennedy'emu głosy wyborców z Południa. Jego interwencja w sprawie uwięzienia Martina Luthera Kinga spowodowała, że czarni obywatele Południa po raz pierwszy masowo głosowali na demokratów. Kennedy wygrał bardzo nieznaczną większością głosów – niewiele ponad 100 tys. w wyborach powszechnych i uzyskując przewagę 303 do 219 w kolegium elektorskim. Niemniej Kennedy zwyciężył, demokraci wrócili do rządów, a zwolennicy reform wierzyli, iż podjęte zostaną starania, by rozwiązać zaniedbane problemy państwa.

Wieczorem 19 stycznia 1961 r. Eisenhower wygłosił mowę pożegnalną, ostrzegając nie tylko przed komunizmem, nadmiernym rozdęciem budżetu i przesadnym materializmem, ale również przed niebezpieczeństwem, jakie stanowił kompleks militarno-przemysłowy i subsydiowanie badań naukowych przez rząd. W nadchodzącej dekadzie Amerykanie mieli wiele okazji, by zastanowić się nad tymi słowami. Niemniej, nawet naśladowcy politycznych metod ustępującego prezydenta często zauważali, że właśnie na Eisenhowerze spoczywa część odpowiedzialności za wydarzenia, które miały nastąpić. Jego prezydentura zapewniła Amerykanom dekadę, która była może najspokojniejsza i najdostatniejsza w całym stuleciu, ale ponieważ prezydent nie docenił dynamizmu i różnorodności amerykańskiego społeczeństwa, nie udało mu się stworzyć sprawnej administracji zdolnej zapobiec cierpieniom, ekstremizmom i rozczarowaniom dekady lat sześćdziesiątych.

Pomiędzy zaprzysiężeniem Trumana a mową pożegnalną Eisenhowera upłynęło prawie 16 lat, uważanych przez wielu za lata postępu. Ludność Stanów Zjednoczonych wzrosła ze 140 do 180 mln. Siła robocza stała się bardziej produktywna i znacznie bogatsza. Przemiany w dziedzinie komunikacji, łączności i nauk technicznych otworzyły bramy do świata odrzutowców, autostrad, telewizji i syntetyków. Jednocześnie był to okres niepewności i niepokojów, pozostawiający po sobie szeroką spuściznę nie rozwiązanych problemów. Próby wprowadzenia amerykańskiego ładu zapewniającego bezpieczeństwo na świecie doprowadziły do zimnej wojny i nuklearnego wyścigu zbrojeń ze Związkiem Radzieckim, do „gorącej wojny" w Korei, do licznych konfliktów w krajach Trzeciego Świata oraz do tak niepokojących zjawisk, jak rozrośnięcie się aparatu bezpieczeństwa wewnątrz państwa i powstanie kompleksu militarno-przemysłowego. Obawy przed działaniami wywrotowymi wywołały paniczny atak na ruch praw obywatelskich. W obliczu narastających problemów wewnętrznych, propagowana przez Eisenhowera koncepcja narodowego konsensusu nie powstrzymała fali konfliktów związanych z nadużyciami władzy, tak prywatnej, jak publicznej, ani nie unormowała stosunków pomiędzy grupami społecznymi podzielonymi według rasy, płci i klasy. W okresie tym dostrzec można zarówno efekty działań wywołanych wielkim kryzysem i wojną, jak i zaczątki nowej dekady reform, podziałów i politycznej polaryzacji.

Tłumaczył *Tomasz Basiuk*

BIBLIOGRAFIA

Alexander Charles C., *Holding the Line: The Eisenhower Era, 1952–1961*, Indiana University Press, Bloomington, Indiana 1975

Burk Robert E., *Dwight D. Eisenhower: Hero and Politician*, Twayne Publishers, Boston 1986

Diggins John Patrick, *The Proud Decades: America in War and in Peace, 1941–1960*, Norton, New York 1988

Goldman Eric F., *The Crucial Decade – And After: America, 1945–1960*, Random House, New York 1960

Greenstein Fred I., *The Hidden-Hand Presidency: Eisenhower as Leader*, Basic Books, New York 1982

Hamby Alonzo L., *Beyond the New Deal: Harry S. Truman and American Liberalism*, Columbia University Press, New York 1973

McCoy Donald R., *The Presidency of Harry S. Truman*, Regents Press of Kansas, Lawrence, Kansas 1984

McCullough David, *Truman*, Simon and Schuster, New York 1992

Oakley J. Ronald, *God's Country: America in the Fifties*, Dembner, New York 1986

Richardson Elmo, *The Presidency of Dwight D. Eisenhower*, Regents Press of Kansas, Lawrence, Kansas 1979

ERA

KENNEDY'EGO–JOHNSONA

HUGH DAVIS GRAHAM

Kampania prezydencka 1960 r. między wiceprezydentem Richardem Nixonem a senatorem Johnem Kennedym zamknęła względnie spokojną, pomyślną i politycznie stabilną prezydenturę Dwighta D. Eisenhowera i zapoczątkowała burzliwą erę lat sześćdziesiątych. Lata prezydentury Kennedy'ego i Johnsona przyniosły serię dramatycznych wstrząsów w amerykańskim stylu życia i ostrych zakrętów społecznych nastrojów. Po wyborczym zwycięstwie przystojnego „księcia Camelotu", Johna F. Kennedy'ego w 1960 r., nastąpił pat parlamentarny w latach 1961 i 1962, a jesienią 1963 r. zabójstwo prezydenta w rodzinnym stanie wiceprezydenta Lyndona Johnsona. Po błyskotliwym zwycięstwie Johnsona w wyborach 1964 r. nastąpił istny zalew legislacji socjalnej, która dorównała, a w pewnych dziedzinach przewyższyła osiągnięcia polityki Nowego Ładu Franklina Roosevelta z lat trzydziestych.

Jednakże od 1965 r. kraj był rozdarty falą murzyńskich rozruchów, antywietnamskiej wrzawy i zamachów politycznych. Zabójstwa pastora Martina Luthera Kinga i senatora Roberta Kennedy'ego w 1968 r. zbiegły się z nasileniem się protestów antywojennych, wycofaniem się Lyndona Johnsona z kampanii prezydenckiej, masowymi rozruchami na tle rasowym w stolicy państwa i innych miastach oraz niezwykłą, bo prowadzoną równolegle przez trzech kandydatów, kampanią prezydencką, która zapewniła republikanowi Richardowi Nixonowi fotel w Białym Domu. W latach prezydentury Kennedy'ego i Johnsona tempo przemian tak się zwiększyło, że Amerykanie nie potrafili pojąć znaczenia bolesnych wydarzeń, których byli świadkami. Dziś dopiero zaczynamy zdawać sobie w pełni sprawę z ich konsekwencji.

Wybory prezydenckie z 1960 r. dały demokratom szansę udowodnienia, że wciąż są w Stanach Zjednoczonych partią większości. Demokraci uważali republikańską prezydenturę Eisenhowera za anomalię, którą wyjaśniali osobowością niepokonanego bohatera wojennego. Mieli nadzieję na przejęcie w 1960 r. fotela prezydenckiego w imieniu całej koalicji centrolewicowej stworzonej przez Franklina Roosevelta w latach Nowego Ładu. Zadanie, przed jakim stanęła Partia Demokratyczna wiosną 1960 r., polegało na zaproponowaniu takich kandydatów na prezydenta i wiceprezydenta, którzy mieliby największe szanse na ożywienie raczej chwiejnej koalicji partyjnej białych z Południa (głównie protestantów ze wsi i małych miast), grup „etnicznych" z miast na Północy (silnie katolickich i żydowskich), zorganizowanych robotników, liberalnych intelektualistów (na uniwersytetach, w związkach zawodowych i środkach przekazu) i Murzynów (podzielonych geograficznie pomiędzy Południe i miasta przemysłowe). Wzorcowy kandydat demokratów z lat pięćdziesiątych, gubernator Illinois Adlai Stevenson, został dwukrotnie pokonany przez Eisenhowera, ale prezydenturę Ike'a ograniczała do dwóch kadencji poprawka XXII do Konstytucji. Nie było wątpliwości co do tego, że republikanie wybiorą na swojego kandydata wiceprezydenta Richarda Nixona.

Poszukiwania nowego przywódcy demokratów doprowadziły wiosną 1960 r. do dwuosobowych rywalizacji na kilkunastu stanowych konwencjach przedwyborczych, które miały wybrać delegatów na letnią konwencję partyjną nominującą kandydata. Główne skrzydło partii pod wodzą Stevensona opowiadało się za senatorem Hubertem Horatio Humphreyem z Minnesoty, liberałem zbliżonym do organizacji robotniczych. Głównym konkurentem Humphreya do miana kandydata był senator John Fitzgerald Kennedy z Massachusetts. Drugi syn bogatego Josepha P. Kennedy'ego, który w późnych latach trzydziestych był ambasadorem Roosevelta w Wielkiej Brytanii, „Jack" Kennedy ukończył uniwersytet harvardzki w 1940 r. i służył jako oficer marynarki wojennej na Oceanie Spokojnym podczas II wojny światowej. W 1946 r. wygrał w Bostonie wybory do Izby Reprezentantów, a w 1952 r. zajął miejsce republikańskiego senatora Henry'ego Cabota Lodge'a. Na siłę Kennedy'ego składały się zamożność rodziny, elitarne wykształcenie, ujmujący młodzieńczy wygląd i irlandzki urok, zdolność wyszukiwania utalentowanych współpracowników, a także sprawna organizacja kampanii politycznych. Słabymi punktami było, iż był katolikiem w kraju, który dotychczas wybierał na swoich prezydentów wyłącznie protestantów, zły stan zdrowia, reputacja playboya, bogaty i manipulatorski ojciec, który chciał koniecznie, by któryś z jego synów został prezydentem, oraz żywione przez demokratycznych liberałów podejrzenie, że ambicja jest dla niego ważniejsza od zasad.

Występy Kennedy'ego na przedwyborczych konwencjach w 1960 r. były olśniewające. Jego apel do ducha idealizmu i społecznej sprawiedliwości był wystarczająco pojemny, by zawrzeć w sobie liberalne tradycje Partii Demokratycznej. Ale Kennedy unikał takich obietnic przedwyborczych dawanych demokratycznym wyborcom – przede wszystkim związkom zawodowym i grupom działającym na rzecz praw obywatelskich – które skojarzyłyby Humphreya z demokratyczną lewicą i w ten sposób groziły zrażeniem bardziej konserwatywnych białych demokratów z Południa. Humphrey nie chciał wykorzystywać kwestii religijnej, a Kennedy z kolei obiecał całkowicie oddzielić swoje prywatne przekonania religijne od roli publicznej nadanej mu przez Konstytucję. Ostatecznie Kennedy'ego i Humphreya niewiele różniło na polu polityki zagranicznej, jako że obaj byli nieprzejednanymi antykomunistami. Antykomunizm – instynktowne kredo Partii Republikańskiej i jej bardziej konserwatywnych wyborców z kręgów biznesu – został przejęty przez przywódców demokratycznych w późnych latach czterdziestych, kiedy administracja Trumana rozwinęła doktrynę „powstrzymywania" (Containment Doctrine) i zaatakowała wewnętrzną korupcję państwa, broniąc się przed oskarżeniami republikanów, że Partia Demokratyczna jest lewicowa i „miękka" w stosunku do komunizmu.

W końcu kwietnia przewaga Kennedy'ego w kampanii przedwyborczej wyeliminowała Humphreya z wyścigu do Białego Domu, a w lipcu, na Krajowej Konwencji Partii Demokratycznej w Los Angeles, Kennedy bez kłopotu otrzymał w pierwszym głosowaniu nominację na kandydata. Dostał 806 głosów, a jego najsilniejszy rywal na konwencji, przewodniczący większości w Senacie, Lyndon Johnson z Teksasu – 409. Później Kennedy przekonał Johnsona, by ten przyjął nominację na wiceprezydenckiego kandydata demokratów. Wybranie Johnsona zirytowało wielu z najbliższych zwolenników Kennedy'ego, zwłaszcza jego młodszego brata Roberta, jego lojalnych współpracowników, „irlandzką mafię", która uważała Johnsona za wulgarnego, zawadiackiego Teksańczyka, którego aspiracje do władzy mogą mieć wpływ na jego lojalność. Jednakże nominowanie Johnsona okazało się słusznym ruchem politycznym, ponieważ wysoki Teksańczyk dawał demokratom równowagę geograficzną w klasycznym stylu. Jego niestrudzenie prowadzona kampania polityczna przyniosła decydujące w wyborach poparcie południowych stanów, gdzie źródłem wierności do Partii Demokratycznej była pamięć o klęsce w wojnie secesyjnej i okupacji przez wojska Unii dowodzone przez republikanów. Żaden demokratyczny kandydat nie wygrał nigdy w wyborach prezydenckich bez silnego poparcia na Południu.

W kampanii jesiennej drużyna Kennedy–Johnson stawiła czoło wiceprezydentowi Nixonowi i jego partnerowi, ubiegającemu się o stanowisko wiceprezydenta, Henry'emu Cabotowi Lodge'owi. Kampania Nixona–Lodge'a akcentowała kontynuację stylu prezydentury i linii politycznej z lat pokoju i dobrobytu popularnych rządów Eisenhowera, a badania Gallupa przeprowadzone po konwencjach obu partii wykazały przewagę Nixona wynoszącą 50% w stosunku do 44% poparcia dla Kennedy'ego. Kampania Kennedy'ego akcentowała potrzebę nowego stylu rządzenia, który znów „rozruszałby" państwo. Zwracała uwagę na stagnację ekonomiczną od czasu recesji z 1957 r., na malejący prestiż Stanów Zjednoczonych po wysłaniu w kosmos sputnika przez Związek Radziecki, na domniemaną „przepaść rakietową" pomiędzy Stanami Zjednoczonymi a ZSRR oraz na nowe zagrożenie komunistyczną rewolucją Fidela Castro na Kubie.

By zmniejszyć przewagę Nixona, Kennedy wykorzystał w kampanii jesiennej trzy wydarzenia. Jednym z nich była dramatyczna, powszechnie chwalona przemowa przed trzystoma pastorami protestanckimi, wygłoszona przez

Kennedy'ego w Houston w stanie Teksas, w której odważnie podjął on kwestię własnego katolicyzmu:

„Wierzę w Amerykę, w której rozdział Kościoła i państwa jest absolutny – w której żaden katolicki hierarcha kościelny nie powie prezydentowi (jeśli ten będzie katolikiem), jak ma postępować, a żaden pastor protestancki nie powie swoim parafianom, na kogo mają głosować – w której żaden Kościół ani szkoła kościelna nie będzie otrzymywać pieniędzy z funduszy publicznych ani politycznej protekcji – i w której nikomu nie zabroni się sprawowania urzędu państwowego tylko dlatego, że jego religia różni się od religii prezydenta, który go może powołać, albo od religii ludzi, którzy go mogą wybrać".

Drugim wydarzeniem był cykl czterech godzinnych, transmitowanych na cały kraj debat telewizyjnych pomiędzy dwoma kandydatami na prezydenta. Ocenia się, że 70 mln Amerykanów obejrzało pierwszą debatę 26 września. Kennedy zademonstrował pewność siebie i dobrą znajomość dyskutowanych problemów, co polepszyło jego obraz jako przywódcy narodu, jego fotogeniczność zaś przyćmiła nieciekawy występ Nixona. Trzecie wydarzenie, które miało miejsce pod koniec kampanii, wiązało się z aresztowaniem w Georgii pastora Martina Luthera Kinga, który został formalnie oskarżony. Senator Kennedy zadzwonił do pani King, by wyrazić swe poparcie, a Robert Kennedy wystąpił o uwolnienie Kinga za kaucją. Kampania Kennedy'ego żywiołowo rozreklamowała te działania w kościołach murzyńskich i wśród murzyńskich działaczy politycznych – ta strategia pozwoliła Kennedy'emu zebrać głosy Murzynów.

Mimo różnic w stylu i symbolach, podstawowe cechy obu kandydatów na prezydenta – Kennedy'ego i Johnsona – były niezwykle podobne. Obaj byli młodymi weteranami marynarki wojennej z okresu II wojny światowej, obaj odnieśli sukces, przekonując do siebie wyborców i doświadczonych polityków z Kapitolu. Obaj byli nieprzejednanymi antykomunistami, mało różniło ich również w zakresie roli, jaką miał odegrać rząd w gospodarczej i społecznej polityce państwa. Obaj byli ludźmi ambitnymi, pragmatycznymi, nieideologicznymi.

Obaj rozumieli, że wybory prezydenckie w centrowej, nieideologicznej Ameryce wygrywano zwykle poprzez kontrolę nad środkiem spektrum politycznego i kreślenie bardziej radykalnego obrazu rywala i jego partii – demokratów jako zbyt lewicowych, republikanów jako zbyt prawicowych. Chociaż Nixon osiągnął ogólnokrajowy rozgłos dzięki prowadzonym podczas swej kariery w Kongresie śledztwom antykomunistycznym, podobnie jak czynił to senator Joseph McCarthy, to poglądy Nixona stały się bardziej umiarkowane, gdy został on wiceprezydentem. John Kennedy zaś przede wszystkim nigdy nie był, w odróżnieniu od Huberta Humphreya, zaangażowanym liberałem. W dniu wyborów Kennedy'emu udało się wygrać przewagą zaledwie 119 450 z 68,8 mln oddanych głosów. Partia Demokratyczna radziła sobie lepiej niż jej kandydat na prezydenta i z łatwością utrzymała kontrolę nad Kongresem, zdobywając większość 65 do 35 miejsc w Senacie i 262 do 174 w Izbie Reprezentantów. Katolicyzm Kennedy'ego kosztował go wiele głosów na protestanckim Południu i na Środkowym Zachodzie, jednak w rezultacie kwestia religijna pomogła Kennedy'emu. Intensywna kampania Johnsona na Południu pomogła powstrzymać wszystkie oprócz 4 z 11 stanów południowych przed przyłączeniem się do republikanów, podczas gdy połączone głosy katolików skupionych w miastach przemysłowych Północy oraz Murzynów dały Kennedy'emu, zgodnie z zasadą „zwycięzca bierze wszystko", całość głosów wyborczych w wielkich kluczowych stanach, jak Nowy Jork (45), Pensylwania (32) i Illinois (27). Trzeba przyznać, że Nixon nie wystąpił o ponowne przeliczenie głosów w wyborach przegranych tak niewielką liczbą głosów, chociaż nieprawidłowości w głosowaniu były częste w takich zdominowanych przez demokratów obszarach, jak hrabstwo Cook, w stanie Illinois czy wiejski zachodni Teksas.

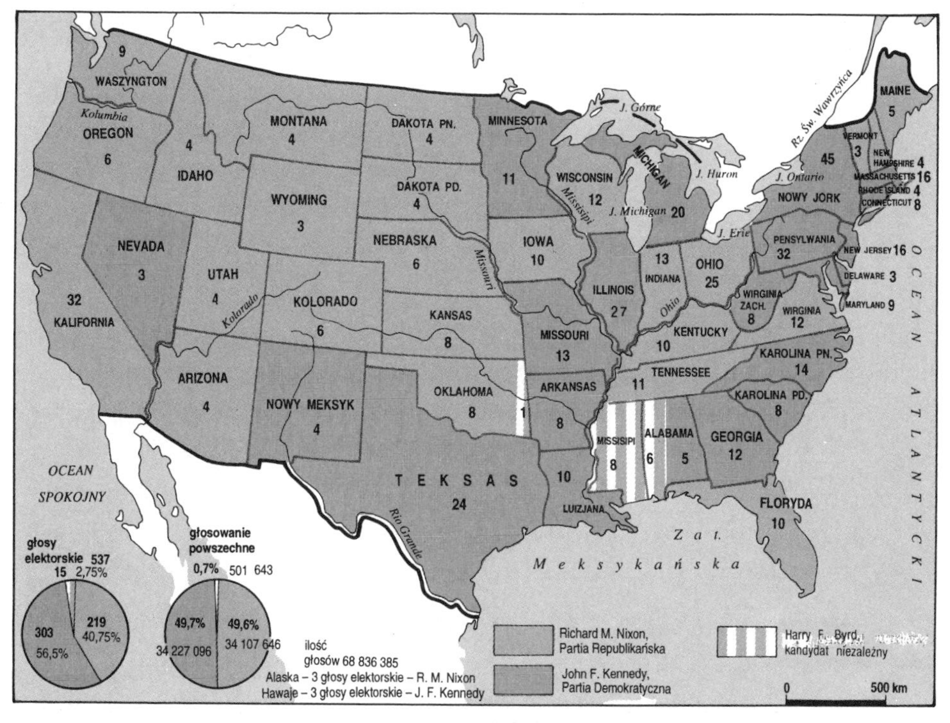

6. Wybory prezydenckie 1960 r.

Tak więc w wyniku wyborów prezydenckich Stany Zjednoczone otrzymały nowego prezydenta o charyzmatycznej osobowości, który jednak nie miał za sobą spójnego mandatu. Co więcej, demokratyczna większość w 87 Kongresie była pozorna. Z biegiem czasu system wyboru na przewodniczących komisji, oparty na starszeństwie, dawał przywilej kongresmanom z ogólnie bezpieczniejszych, jednopartyjnych okręgów silnie demokratycznego Południa, gdzie nie było poważnej rywalizacji. Do 1961 r. południowi demokraci kontrolowali kluczowe stanowiska przewodniczących 11 z 17 stałych komisji w Izbie Reprezentantów i 10 z 15 w Senacie. Kennedy uzyskał poparcie demokratycznych baronów Kongresu dla swoich nowych propozycji ożywienia roli Stanów Zjednoczonych na arenie działań międzynarodowych. Propozycje te obejmowały ustawy dotyczące zwiększenia ekspansji handlowej i wydatków na cele wojskowe, rozszerzenia programu kosmicznego i rozbudowania sieci satelitów komunikacyjnych oraz stworzenia Korpusu Pokoju, Sojuszu dla Postępu (Alliance for Progress) i nowej Amerykańskiej Agencji Kontroli Zbrojeń i Rozbrojenia (US Arms Control and Disarmament Agency). 87 Kongres Stanów Zjednoczonych poparł również ustawy Kennedy'ego rozszerzające tradycyjne programy demokratów o zagadnienia płacy minimalnej, emerytur i bezpieczeństwa socjalnego, budownictwa państwowego, pomocy dla obszarów wiejskich dotkniętych kryzysem oraz mianowania nowych osób na stanowiska sędziów federalnych (Kennedy mianował 73 nowych sędziów, w większości mających poparcie Kongresu).

Jednakże nie były to duże osiągnięcia. Kennedy nie zdołał przekonać Kongresu do przyjęcia jego głównych propozycji reform wewnętrznych, jak ubezpieczenia zdrowotne, prawa obywatelskie i rozwój miejski. Po obaleniu propozycji Trumana dotyczącej ogólnokrajowego projektu ubezpieczeń zdrowotnych jako „uspołecznionego lekarstwa" przez lobby Amerykańskiego Towarzystwa Medycznego (American Medical Association), udało im się zablokować również apel Kennedy'ego o wprowadzenie ubezpieczeń zdrowotnych dla osób starszych. Demokraci z Południa, zdecydowani walczyć przeciwko każdej ustawie na rzecz praw obywatelskich, mogącej zagrozić systemowi segregacji rasowej, wykorzystywali swoich ludzi na stanowiskach przewodniczących komisji i tradycję nieograniczonej debaty senackiej (potrzeba było dwóch trzecich głosów, by zignorować sprzeciw „obstrukcjonisty" i zezwolić Senatowi głosować nad ustawą). W rzeczywistości Kennedy był tak głęboko przekonany o małych szansach politycznych na przeprowadzenie reformy w zakresie praw obywatelskich, że w ogóle nie przedstawił 87 Kongresowi żadnej istotnej propozycji reform. W zamian skoncentrował się na wydawaniu decyzji wykonawczych walczących z dyskryminacją w zatrudnianiu na etatach federalnych i kontraktach rządowych i dających większą reprezentację mniejszości w akademiach wojskowych, amerykańskim korpusie dyplomatycznym i na poważniejszych stanowiskach rządowych.

Kongres odrzucił również propozycję Kennedy'ego dotyczącą utworzenia nowego Departamentu Spraw Miejskich i program rozwoju miejskiego transportu masowego w zatłoczonych metropoliach. Stało się tak częściowo dlatego, że struktura komisji Kongresu była ściśle związana z istniejącą strukturą departamentów. Komisje inwestycyjne Kongresu tworzyły tradycyjnie coś, co dziennikarze nazywali „żelaznymi trójkątami". Były to trójstronne stosunki wzajemnych interesów łączące komisje Kongresu z zorganizowanymi grupami interesu korzystającymi z rządowych programów pomocy (rolnicy, weterani, górnicy, przemysł drzewny, stoczniowy i zbrojeniowy, wytwórcy produktów mięsnych i mlecznych), a także z agencjami przeprowadzającymi te programy (Departamenty Rolnictwa i Zasobów Wewnętrznych, Administracja ds. Weteranów – Veterans Administration, Pentagon i inne agencje). Propozycje reform miejskich Kennedy'ego były blokowane częściowo dlatego, że stanowczy kongresmani z terenów wiejskich nie mieli zamiaru tworzyć nowych, konkurencyjnych programów inwestycyjnych dla miast, a kongresmani z Południa nie chcieli oddać w ręce Kennedy'ego stanowisk, na które prezydent mógł mianować Murzynów.

Powtarzające się żenujące odrzucanie propozycji Kennedy'ego wprowadzających pomoc federalną dla edukacji najlepiej ilustruje naturę martwego punktu w legislacji socjalnej i spowodowany nim ograniczony zakres działania, i zdecentralizowany charakter amerykańskiego systemu federalnego. Obszerny system szkół publicznych w Stanach Zjednoczonych był w historii kraju kontrolowany i dotowany przez władze stanowe i lokalne. Amerykańska rewolucja była skierowana przeciwko złu scentralizowanej władzy i Amerykanie tradycyjnie cenili sobie wysoko brak narodowego ministerstwa edukacji, narodowego systemu uniwersytetów czy narodowego ministerstwa policji. Tomasz Jefferson (założyciel Partii Demokratycznej) uczył, że rząd amerykański działa najlepiej, gdy najmniej rządzi i że prawy rząd pozostaje blisko narodu. Do 1960 r., gdy senator Kennedy zaapelował o fundusze federalne na wsparcie budowy szkół lokalnych i podniesienie niskich płac nauczycieli, dziennikarze zaczęli określać kontrowersyjny program blokujący od czasów Trumana przyznanie federalnej pomocy dla szkolnictwa mianem „trzech r". Była to gra słowna oparta na powtarzaniu się litery „r" w znanych każdemu amerykańskiemi uczniowi słowach „reading, writing, arithmetic" („ czytanie, pisanie, rachowanie"). „Trzema r" polityki Kongresu były „race, religion, reds" – „rasa, religia, czerwoni". Przez „rasę" rozumiano sprzeciwy Południowców, twierdzących, że fundusze federalne wymuszą integrację rasową szkół. „Religia" oznaczała sprzeciwy protestantów i żydów obawiających się wykorzystania pieniędzy pochodzących z podatków na dotowanie katolickich szkół parafialnych. Natomiast „czerwoni" to scentralizowana kontrola rządowa nad programem szkół lokalnych.

Wszystkie te różnorodne źródła sprzeciwu złożyły się na siłę, która podczas sesji 87. Kongresu w 1961 i 1962 r. obaliła priorytetową ustawę Kennedy'ego przyznającą pomoc finansową szkołom. W głosowaniu przeciwko ustawie Kennedy'ego kilkakrotnie łączyli się katolicy z miast na Północy, protestanccy demokraci z Południa i konserwatywni republikanie z Środkowego Zachodu – często z różnych przyczyn. Ogólnie wziąwszy, przegrana w sprawach pomocy szkołom i ubezpieczeń zdrowotnych dla osób starszych w latach 1961 i 1962 była dla prezydenta sporą porażką, nawet pomimo tego, że częścią winy obarczano Kongres. Jeśli chodzi o politykę zagraniczną, w której swoboda działania wykonawczego prezydenta jako głowy państwa i zwierzchnika sił zbrojnych była znacznie większa, to Kennedy rozpoczął swoją prezydenturę klęską w Zatoce Świń na Kubie. Powetował ją sobie jednak rok później jeżącym włos epizodem prowadzącym na krawędź konfliktu nuklearnego. Kryzys kubański wywołał panikę na całym świecie.

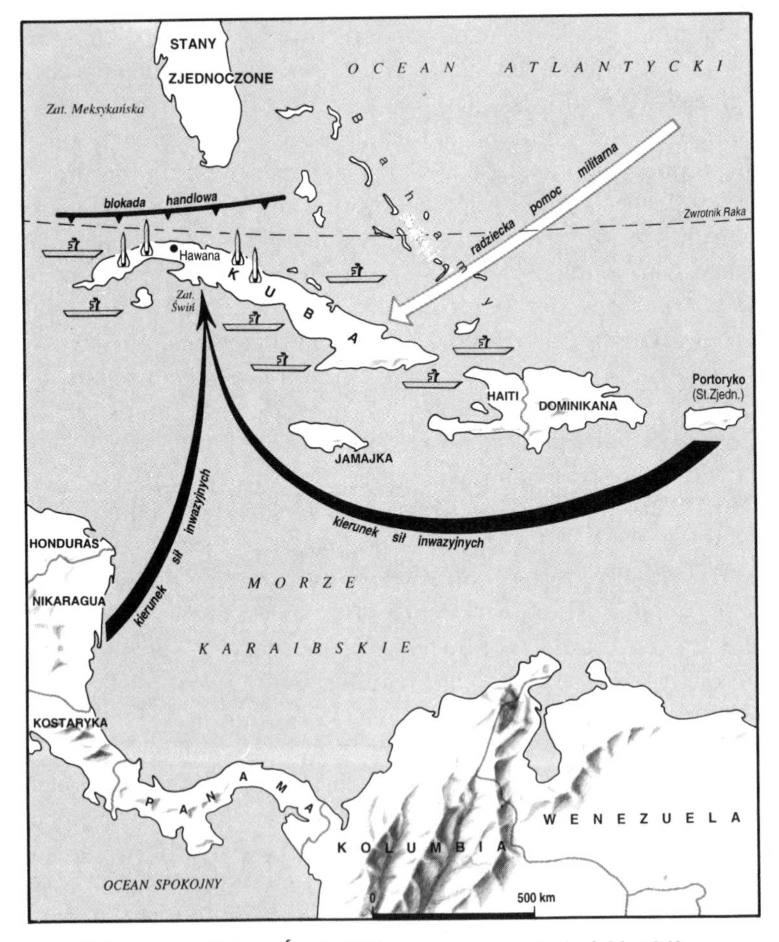

7. Inwazja w Zatoce Świń, 1961 r., oraz kryzys kubański, 1962 r.

Nieudana akcja w kubańskiej Zatoce Świń (hiszpańskie Bahia de Cochinos) miała swoje początki w latach administracji Eisenhowera, gdy tajne działania Centralnej Agencji Wywiadowczej (CIA) obaliły nacjonalistyczno-lewicowe reżimy w Iranie (1953) i w Gwatemali (1954) i zastąpiły je prozachodnimi rządami prawicowymi. Prezydent Kennedy otrzymał w spadku plan CIA wysłania na Kubę batalionu przeciwnych rządom Castro uchodźców kubańskich, którzy staną się zarzewiem powstania mogącego obalić komunistyczny rząd na wyspie. Skrytykowawszy Eisenhowera za nieefektywny opór wobec rządów Castro na Kubie, Kennedy wyraził zgodę na rozpoczęcie planu, chociaż łamał on kilka amerykańskich porozumień i praw. 13 kwietnia 1961 r. półtora tysiąca uzbrojonych Kubańczyków wylądowało w bagnistej Zatoce Świń. Zostali oni natychmiast odcięci i pobici przez znacznie poważniejsze siły Castro. Nie tylko nie wybuchło na Kubie żadne antykomunistyczne powstanie, ale Castro zdobył ogromny prestiż przez upokorzenie „głupich jankesów". Sfuszerowana inwazja wywołała oburzenie w całej Ameryce Łacińskiej, gdzie historia amerykańskich interwencji poprzedzających politykę „dobrego sąsiedztwa" Franklina Roosevelta z lat trzydziestych wyrobiła Stanom Zjednoczonym reputację natrętnego i bezwzględnego sąsiada. Co gorsza, radziecki premier Nikita Chruszczow, skuszony pozorną słabością i niekompetencją administracji Kennedy'ego, zaczął wywierać presję w celu zdobycia przewagi strategicznej.

Po fiasku kubańskim, Kennedy i Chruszczow spotkali się 3 i 4 czerwca w Wiedniu w atmosferze napięcia i wyczekiwania. Chruszczow zażądał traktatu pokojowego kończącego okupację Berlina przez cztery mocarstwa. Suk-

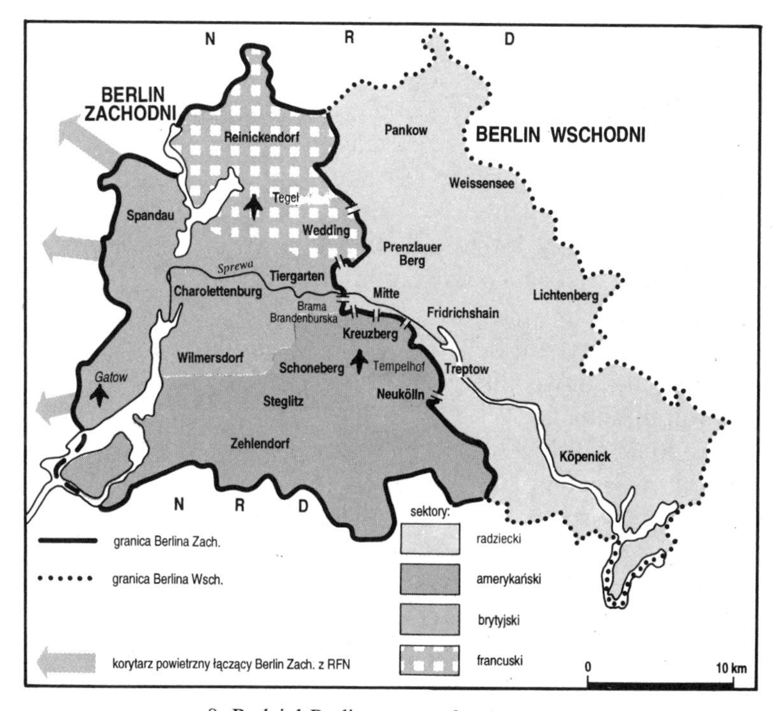

8. Podział Berlina na strefy okupacyjne

ces gospodarczy i wolności polityczne w RFN przyciągały dziennie ponad tysiąc uciekinierów z NRD. Wielu z nich było wykwalifikowanymi pracownikami, bardzo potrzebnymi chwiejącej się komunistycznej gospodarce. Kennedy odpowiedział na rosnące napięcie, przyspieszając pobór do armii, mobilizując rezerwy i występując do Kongresu o 3,25 mld dotacji na cele obronne. 13 sierpnia wojsko rozpoczęło budowę wokół Berlina Zachodniego wysokiego muru ze zbrojonego betonu. Mur Berliński powstrzymał falę ucieczek na Zachód, Chruszczow zaś podpisał specjalny traktat pokojowy z Niemiecką Republiką Demokratyczną. Jednakże wojska radzieckie nie paliły się do ataku na uzbrojone konwoje słane przez NATO do Berlina dla utrzymania łączności z miastem, co Chruszczow odpokutował, wysłuchując od Chińczyków kpin na temat braku socjalistycznej stanowczości.

W następnym roku Chruszczow rozpoczął w tajemnicy odważną inicjatywę nuklarną, mającą na celu zachwianie światowej równowagi strategicznej. Latem 1962 r. siły radzieckie – 175 okrętów i 6 tys. żołnierzy – zaczęły montowanie wyrzutni rakiet balistycznych średniego zasięgu na Kubie. Ale na początku października, kilka dni przedtem, zanim Chruszczow mógł ogłosić, że umieszczone w odległości zaledwie 90 mil od wybrzeży Ameryki rakiety są wyposażone w głowice nuklearne, samolot szpiegowski U-2 wykrył wyrzutnie i w ciągu tygodnia prezydent Kennedy nakreślił odpowiedź. Kennedy odrzucił sugestie najbardziej wojowniczych doradców, tzw. jastrzębi, np. dawnego sekretarza stanu Deana Achesona i większości doradców wojskowych, aby „chirurgiczny" nalot lotniczy wyeliminował wyrzutnie rakietowe (a wraz z nimi radziecką obsługę). Prezydent opowiedział się za bardziej elastyczną opcją blokady morskiej, zalecaną przez podsekretarza stanu George'a Balla i popieraną przez sekretarza obrony Roberta McNamarę i prokuratora generalnego Roberta Kennedy'ego. 22 października Kennedy postawił amerykańskie siły lotnicze w stan gotowości bojowej, przygotował ponad 150 ICBM-ów (międzykontynentalnych pocisków rakietowych) i wysłał flotę 180 okrętów wojennych, które otoczyły Kubę. Zwołał spotkanie Organizacji Państw Amerykańskich (OAS) i w transmitowanym na cały kraj orędziu oznajmił narodowi amerykańskiemu i światu, że Kuba znalazła się pod „ścisłą kwarantanną".

Przez dwa dni świat drżał na progu wojny atomowej. Rosjanie stwierdzili, że blokada jest nielegalna, ale 24 października tuzin radzieckich okrętów opuścił Kubę. Po chaotycznej wymianie wiadomości i listów między Moskwą a Waszyngtonem, kryzys został zażegnany. Chruszczow zgodził się na wycofanie rakiet w zamian za amerykańską obietnicę o zniesieniu blokady i nieingerencji na Kubie oraz ustne zobowiązanie do wycofania przestarzałych rakiet o napędzie na paliwo ciekłe z terenu sprzymierzonej z NATO Turcji.

Kennedy wyłonił się z tej wojny nerwów jako osoba o wzmocnionym prestiżu, co pozwoliło mu zmienić wrogi stosunek do bloku radzieckiego.

Amerykanie i Rosjanie rozpoczęli negocjacje na szczycie, które latem 1963 r. doprowadziły do zawarcia ograniczonego porozumienia zakazującego prób z bronią nuklearną. Zabraniało ono przeprowadzania próbnych wybuchów na lądzie, w powietrzu i pod wodą. Jednak porozumienie zezwalało na próby podziemne (które nadal napędzały wyścig zbrojeń jądrowych) i możliwość inspekcji w miejscu wybuchu. Wkrótce układ o zakazie prób jądrowych podpisało 100 innych państw, z wyjątkiem Francji i Chin. Zainstalowano „gorącą linię" telefoniczną łączącą Moskwę i Waszyngton, a Kennedy wyraził zgodę na sprzedaż Związkowi Radzieckiemu nadwyżek zboża o wartości 250 mln dolarów. Pod koniec 1964 r. Chruszczow został zmuszony do odejścia ze sceny politycznej, Kennedy zaś wyłonił się z tego kryzysu między supermocarstwami jako przywódca o większej pewności siebie. Otworzyła się przed nim szansa na zmniejszenie napięć międzynarodowych i odprężenie w stosunkach z blokiem radzieckim.

W tym samym czasie Kennedy zdecydował się kontynuować i przyspieszyć program Eisenhowera w Azji Południowo-Wschodniej. Dotyczył on pomocy gospodarczej i militarnej udzielanej prozachodniemu rządowi Ngo Dinh Diema w Republice Wietnamu. Diem, katolik, często odwiedzający Stany Zjednoczone i dobrze znany Kennedym, cieszył się entuzjastycznym poparciem antykomunistycznego „lobby chińskiego" w USA. Jego autorytarny rząd w Sajgonie, finansowany głównie z pomocy amerykańskiej, zacieśnił kontrolę nad wietnamską wsią. W latach 1961–1963 Diem stawił czoło powstaniu buddystów, którzy wsparli wspólne zbrojne powstanie Narodowego Frontu Wyzwolenia Południowego Wietnamu i północnowietnamskiego rządu Ho Chi Minha. Spiesząc z pomocą, Kennedy zwiększył liczbę amerykańskich „doradców" wojskowych w Republice Wietnamu z około 650 w 1961 r. do ponad 16 tys. jesienią 1964. Sekretarz obrony McNamara powołał nowe siły zwalczające partyzantkę, jak Zielone Berety, mające stawić czoło powstańcom komunistycznym w walce o „wyzwolenie narodowe". Jednakże rosnąca brutalność rządu Diema podważyła zaufanie administracji Kennedy'ego dla reżimu. 1 listopada 1963 r. południowowietnamscy generałowie znajdujący się w opozycji do rządu Diema przeprowadzili za cichą zgodą Waszyngtonu przewrót wojskowy. Ku konsternacji administracji Kennedy'ego, przywódcy przewrotu zamordowali prezydenta Diema i jego brata, siejącego trwogę komendanta naczelnego policji, Ngo Diem Nhu. Pogłębiający się w Wietnamie konflikt, bez szans na zakończenie, rzucił cień na przyszłość administracji Kennedy'ego, która poza tym zdobywała rosnące zaufanie i nabierała rozpędu.

Podobnie jak kryzys kubański zmusił Kennedy'ego do podjęcia zdecydowanych działań z pozycji lidera sojuszu państw zachodnich, tak też cykl dramatycznych wydarzeń w kraju sprowokował go do zajęcia się niełatwą kwestią praw obywatelskich. W kwietniu 1963 r. pastor King poprowadził pokojową demonstrację w Birmingham w stanie Alabama – mieście na południu Stanów, gdzie panowała silna segregacja rasowa. Lokalne siły policyjne pod komendą komisarza Eugene'a „Bulla" Connora zaatakowały demonstrantów, używając miotaczy ognia, elektrycznych biczów do poganiania bydła i psów policyjnych. Kraj przeżył wstrząs, oglądając nocną transmisję telewizyjną z pokazu przemocy rasowej w Birmingham. Badania opinii publicznej wykazały, że większość obywateli domaga się położenia przez rząd kresu rasowemu uciskowi na Południu.

W odpowiedzi Kennedy, w poruszającym wystąpieniu telewizyjnym 11 czerwca, zaapelował do Kongresu o przyjęcie ustawy zakazującej dyskryminacji rasowej w całych Stanach Zjednoczonych w miejscach użyteczności publicznej (państwowe szkoły, parki, budynki państwowe), a także w budynkach publicznych (prywatne hotele, restauracje, teatry, domy towarowe). Warunek dotyczący budynków publicznych był postrzegany przez konserwatystów jako szczególne zagrożenie. Obawiali się oni interwencji biurokratów z Waszyngtonu w decyzje podejmowane przez prywatnych przedsiębiorców. Kongres natychmiast rozpoczął debatę nad propozycją Kennedy'ego. Jesienią 1963 r. dwupartyjna koalicja w Kongresie wypracowała wraz z prezydentem i jego bratem, prokuratorem generalnym Robertem Kennedym, kompleksową ustawę ochrony praw obywatelskich, zawierającą większość zasad, które stały się obowiązującym prawem latem 1964 r. Kennedy odniósł podobny sukces, uzyskując poparcie Kongresu dla priorytetowej ustawy zmniejszającej podatki, jego współpracownicy zaś przygotowali kolejną istotną propozycję legislacyjną – postępowy program rządowy walki z ubóstwem na terenach szczególnie dotkniętych biedą. Jesienią 1963 r. demokraci Kennedy'ego byli w optymistycznych nastrojach, przygotowując się do wyborów prezydenckich w 1964 r. Mieli nadzieję, że senator Barry Goldwater z Arizony, lider konserwatywnego skrzydła Partii Republikańskiej, otrzyma nominację swojej partii na kandydata na prezydenta. Umożliwiłoby to Kennedy'emu utrzymanie swej pozycji w politycznym centrum, w odróżnieniu od łatwego do zaatakowania, arcykonserwatywnego przeciwnika. Dzięki ponownemu zwycięstwu w wyborach w listopadzie 1964 r., Kennedy mógłby dokonać przełomu legislacyjnego podczas swej drugiej kadencji, uzyskując dla swojego programu poparcie 89. Kongresu w latach 1965 i 1966.

Taki układ polityczny zaprowadził Kennedy'ego pod koniec listopada 1963 r. do Dallas w Teksasie. Objechał on już 11 zachodnich stanów we wrześniu i odwiedził wiele wschodnich miast w październiku, utrwalając swe związki z przywódcami demokratycznymi i przygotowując się do ponownej kampanii prezydenckiej w nadchodzącym roku. Kluczowym stanem był Teksas. Wizyta Kennedy'ego i wiceprezydenta Johnsona w Dallas 22 listopada miała na celu zniwelowanie różnic między wojującymi frakcjami wewnątrz

Partii Demokratycznej w Teksasie. Gdy otwarty samochód prezydenta przejeżdżał między wiwatującymi tłumami w Dallas, z okna budynku Magazynu Książek Szkoły Teksaskiej padły strzały. Kennedy został postrzelony w głowę i w szyję i zmarł w ciągu godziny. Wkrótce potem Lyndon Johnson został zaprzysiężony na prezydenta na pokładzie Air Force One, prezydenckiego odrzutowca wiozącego ciało Kennedy'ego do Waszyngtonu.

Okoliczności zamachu były niejasne i stały się na całym świecie źródłem spekulacji i podejrzeń o spisek. Wkrótce policja w Dallas aresztowała pracownika Magazynu Książek Szkoły Teksaskiej nazwiskiem Lee Harvey Oswald, 24-letniego mężczyznę, byłego żołnierza Marines. Oswald, słabo wykształcony, o zachwianej osobowości, mieszkał przez pewien czas w ZSRR, był ożeniony z Rosjanką i należał do amerykańskiej grupy marksistów popierających rząd Castro na Kubie. Dwa dni po zamachu na prezydenta, podczas gdy policja przewoziła Oswalda do innego aresztu, kamery telewizyjne zarejestrowały jego zabójstwo, dokonane ręką właściciela klubów nocnych w Dallas, Jacka Ruby'ego. Świat przyglądał się z niedowierzaniem temu pochodowi antybohaterów i nieprawdopodobnych wydarzeń.

Prezydent Johnson powołał komisję do przeprowadzenia śledztwa w celu wyjaśnienia okoliczności zamachu, na czele której stanął przewodniczący Sądu Najwyższego Earl Warren. Wnioski Komisji Warrena – mówiące, że Oswald zabił prezydenta „działając w pojedynkę" – miały na celu uspokojenie wzburzonej opinii publicznej. Jednak nie zdołały one zapobiec powstawaniu teorii spisku. Pojawiła się fala publikacji książkowych, pełnych spekulacji i nieraz fantastycznych wątków angażujących w spisek rozmaite powiązania CIA, FBI, wiceprezydenta Johnsona, „kompleksu wojskowo-przemysłowego" (hierachii w Pentagonie i producentów broni), grup uchodźców kubańskich, członków Komisji Warrena, policji z Dallas, mafii, a nawet Ku-Klux-Klanu. W 1992 r. amerykański filmowiec Oliver Stone nakręcił film *J.F.K.*, łączący hollywoodzką fikcję z dokumentalnym materiałem filmowym z zamachu. Film Stone'a ukazywał spisek wysokich urzędników rządowych, który doprowadził do zamordowania Kennedy'ego, w wyniku którego Johnson mógł kontynuować przynoszącą zyski wojnę w Wietnamie. Chociaż przez 30 lat nie ujawniono żadnych dokumentów świadczących o podobnym spisku ani ze strony rządu amerykańskiego słynącego ze swoich „przecieków", ani żadnych demaskatorskich wspomnień ze strony wydawców, to pośpieszne zapewnienia członków Komisji Warrena pozostawiły wiele wątpliwości i pytań bez odpowiedzi. Wznowione śledztwo nad zamachem pozwoliło specjalnej komisji Izby Reprezentantów, działającej w latach 1979–1980, na konkluzję, że morderstwo Kennedy'ego było prawdopodobnie wynikiem spisku na niskim szczeblu, w którym udział brali przestępcy z marginesu społecznego, którzy byli jednak słabo zorganizowani. Ludzie tego pokroju od wielu pokoleń sprawiali kłopot tajnym służbom mającym niełatwe zadanie ochrony przywódców rządowych w tak otwartym społeczeństwie.

Zamordowany Kennedy, podobnie jak 100 lat wcześniej Abraham Lincoln, niemal natychmiast uległ przemianie z niezmiernie kontrowersyjnego polityka w niemal mityczne uosobienie szlachetnych celów i zniszczonych nadziei. Człowiek o dowiedzionej odwadze i wzór idealizmu dla młodego pokolenia, Kennedy był z natury politykiem ostrożnym i w wielu dziedzinach konserwatywnym. Portretowany jako model ojca katolickiej rodziny, Kennedy był również niepoprawnym cudzołożnikiem, nawet mimo tego, że ozdobą pokoi Białego Domu była jego piękna żona, Jacqueline Bouvier Kennedy. Plany Kennedy'ego na zdobycie za swoje sukcesy legislacyjne mandatu w wyborach w 1964 r. były prawie pewne, a ponowny wybór na prezydenta na drugą kadencję – całkiem prawdopodobny. Jednak najznakomitsi prezydenci amerykańscy prawie zawsze odnosili największe zwycięstwa legislacyjne podczas swoich pierwszych kadencji – np. Woodrow Wilson przed I wojną światową; Franklin Roosevelt podczas wielkiego kryzysu w latach trzydziestych; i później Lyndon Johnson w połowie lat sześćdziesiątych i Ronald Reagan we wczesnych latach osiemdziesiątych. Osiągnięcia tragicznie i przedwcześnie zakończonej administracji Kennedy'ego w porównaniu z tak wysoką konkurencją były raczej skromne.

„Kontynuujmy", zwrócił się do narodu amerykańskiego Lyndon Johnson w swoim pierwszym przemówieniu prezydenckim w Kongresie, 27 listopada 1963 r. Ruchy polityczne Johnsona były szybkie i pewne. W dowód pamięci poległemu Kennedy'emu, Johnson zobowiązał się wprowadzić jako obowiązujące prawa główne propozycje jego administracji. Przekonał członków gabinetu Kennedy'ego i starszych rangą pracowników Białego Domu, aby pozostali na swoich stanowiskach. W lecie 1964 r. większość tkwiącego w martwym punkcie programu legislacyjnego Kennedy'ego została szczęśliwie przyjęta przez Kongres i podpisana przez Johnsona jako nowe prawo. Ograniczono podatki, by stymulować rozwijającą się gospodarkę; przyjęto ustawę o pomocy zagranicznej; powołano nowe Biuro Szansy Ekonomicznej (Office of Economic Opportunity), by eliminować ubóstwo poprzez przysposabianie do zawodu, kształcenie i programy robót publicznych. Wprowadzono najbardziej istotną ustawę o prawach obywatelskich (Civil Rights Act), która zlikwidowała legalne podstawy segregacji rasowej na Południu.

W lipcu 1964 r. Krajowa Konwencja Partii Republikańskiej zebrała się w San Francisco, aby wybrać kandydata na prezydenta. Była ona zdominowana przez młodą grupę konserwatywnych republikanów, głównie z Zachodu i z Południa. Zwani przez demokratów „radykalną prawicą", przejęli oni kontrolę nad partią od liberalnych i umiarkowanych republikanów, którzy kontrolowali działania republikańskie – najpierw pod przywództwem gubernatora Nowego Jorku Thomasa Deweya (który przegrał z Rooseveltem w 1944 r. i z Harrym Trumanem w 1948 r.), następnie pod wodzą prezydenta Eisenhowera. Republikanie Goldwatera, prowadzeni przez milionera z Arizony, właściciela sieci domów towarowych, wierzyli, że „cicha większość" amerykańskich wyborców zagłosuje na kandydata republikańskiego, oferującego „wybór – nie echo". Odrzucali scentralizowaną w Waszyngtonie, „wielkorządową" politykę wysokich podatków i drogich programów socjalnych, która – jak twierdzili – charakteryzowała obie wielkie partie od czasów Nowego Ładu. Bronili praw poszczególnych stanów przed biurokracją Waszyngtonu. Apelowali o inicjatywy i programy w zakresie sektora prywatnego, które zastąpiłyby konkurencyjne inicjatywy rządowe (jak produkcja energii elektrycznej przez sektor państwowy) i przymusowe zobowiązania wobec państwa (np. obowiązkowe dotowanie programu ubezpieczeń emerytalnych). Republikanie Goldwatera sprzeciwiali się narzucanej przez rząd desegregacji szkół, poparciu rządu dla dużych związków zawodowych, subsydiom rządowym, które wypaczały wolny rynek rolniczy.

Na konwencji w San Francisco przejmujący kontrolę konserwatyści nominowali wśród okrzyków entuzjazmu Barry'ego Goldwatera. W swoim wystąpieniu Goldwater stwierdził, że „radykalizm w obronie wolności nie jest grzechem". Goldwater był przystępnym i uczciwym człowiekiem, którego

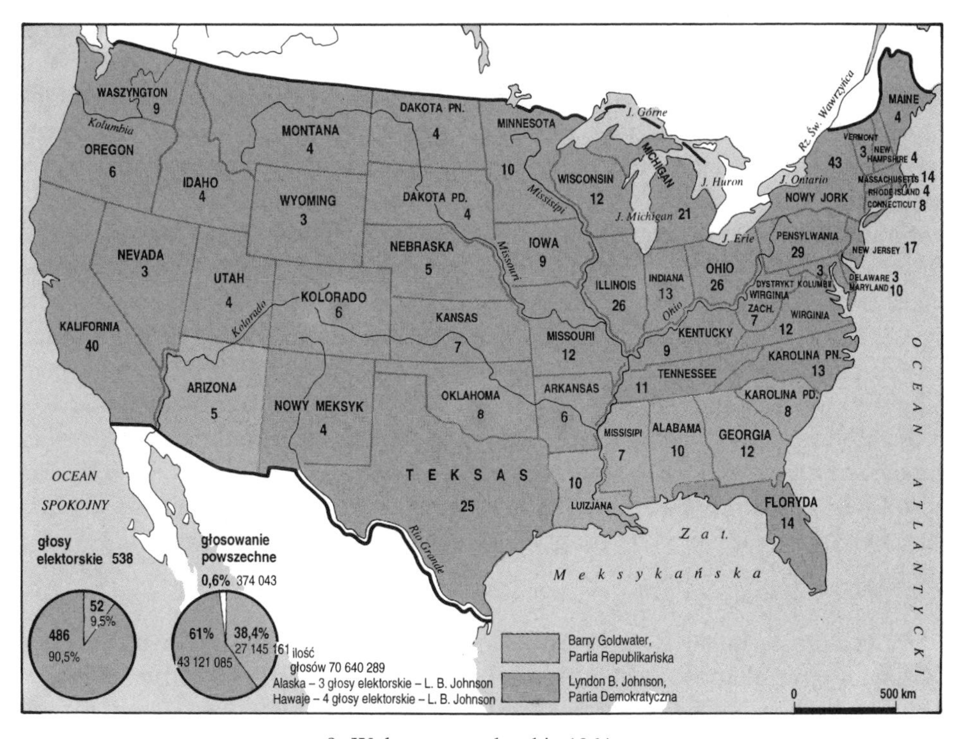

9. Wybory prezydenckie 1964 r.

przyjaciele szanowali jeśli nie za inteligencję i rozsądek, to za prawość. Retoryka jego kampanii, w której wypowiadał się bez ogródek, pozwoliła Johnsonowi i demokratom sportretować go jako niebezpiecznego radykała trzymającego palec na spuście. Goldwater nazwał demokratów „mięczakami" w stosunku do komunizmu i opowiedział się za polityką zagraniczną „pełnego zwycięstwa" nad „powszechną determinacją komunizmu, by opanować świat i zniszczyć Stany Zjednoczone". Demokraci wyświetlali w telewizji scenę, w której mała dziewczynka zostaje zmieciona przez eksplozję jądrową. Prezydent Johnson ostrzegał, że zwycięstwo Goldwatera może zagrozić cieszącemu się dużą popularnością programowi ubezpieczeń emerytalnych oraz że polityka zagraniczna Goldwatera jest nierozsądna. „Nie mamy zamiaru wysyłać amerykańskich chłopców dziewięć czy dziesięć tysięcy mil od domu", mówił Johnson, „by zrobili to, co chłopcy z Azji powinni zrobić sami".

Wczesną jesienią badania opinii publicznej dawały Johnsonowi i jego partnerowi ubiegającemu się o stanowiska wiceprezydenta, Hubertowi Humphreyowi, wysoką przewagę nad prowadzącym pełną potknięć kampanię Goldwaterem. Johnsonowi udało się przejąć kontrolę nad politycznym centrum, Goldwatera zaś portretowano jako radykalnego ekstremistę – człowieka nie nadającego się na prezydenta. Kiedy w listopadzie oddano głosy, Johnson odniósł nad Golwaterem druzgocące zwycięstwo polityczne: 43 mln głosów oddanych na demokratów w stosunku do 27 mln na republikanów. Goldwater, który w 1964 r. głosował przeciwko ustawie o prawach obywatelskich jako interwencji w prawa stanowe, zwyciężył tylko w swoim rodzinnym stanie – Arizonie – i pięciu stanach głębokiego Południa, gdzie białych wyborców przerażała myśl o zniesieniu segregacji rasowej. Johnson przeprowadził kampanię na rzecz szerokiego programu reform socjalnych, nazwanego przez niego programem „wielkiego społeczeństwa". Apelował o nowe prawa wprowadzające ubezpieczenia zdrowotne dla osób starszych, pomoc dla publicznych szkół podstawowych oraz ochronę konsumentów i środowiska naturalnego, przyspieszające walkę z ubóstwem, rozpoczynające przebudowę miast. Zdecydowane zwycięstwo Johnsona nad Golwaterem dało mu ogromną przewagę zwolenników w 89. Kongresie: 295 demokratów do 140 republikanów w Izbie Reprezentantów oraz 68 demokratów do 32 republikanów w Senacie, co pozwoliło zmienić obietnice wyborcze w obowiązujące prawo. W styczniu 1965 r. Johnson został zaprzysiężony jako prezydent wybrany z wystarczająco silnym mandatem, by wprowadzić w życie program „wielkiego społeczeństwa".

Lyndon Johnson dorastał w ubogim, górzystym środkowym Teksasie i osiągnął pełnoletność w latach wielkiego kryzysu. Będąc młodym człowiekiem o ambicjach polityka, sprzymierzył się ze stanowymi demokratami popierającymi Nowy Ład i został wybrany na przewodniczącego Krajowej

Administracji ds. Młodzieży (National Youth Administration) w Teksasie. Po zwycięstwie w wyborach uzupełniających do Kongresu w 1937 r., Johnson popierał takie programy Nowego Ładu, jak elektryfikacja wsi, dotowanie cen produktów rolnych, budowa państwowych elektrowni i większość inicjatyw Roosevelta w zakresie opieki społecznej. Paradoksem Nowego Ładu był fakt, że gospodarczy upadek z lat wielkiego kryzysu przesunął głosy niezadowolonych wyborców w lewo, co stworzyło sytuację społecznego zapotrzebowania na liberalne programy socjalne Roosevelta, ale z drugiej strony wyczerpana gospodarka dostarczała tak niewielkich dochodów z podatków, że zakres działania państwa opiekuńczego Nowego Ładu był minimalny. W odróżnieniu od większości państw uprzemysłowionych w połowie stulecia, Stany Zjednoczone nie zapewniały swoim obywatelom ubezpieczeń zdrowotnych czy opieki państwowej służby zdrowia. Rządowe fundusze przeznaczone na opiekę społeczną dla ubogich w Stanach Zjednoczonych były niezmiernie niskie i ogromnie się różniły w poszczególnych stanach. Państwowe budownictwo mieszkaniowe niemal nie istniało. Prorobotnicza legislacja Nowego Ładu zapewniła miejskim imigrantom system ochrony w gospodarce przemysłowej, a w zamian większość Amerykanów z klasy robotniczej pozostała lojalna politycznie. Jednakże polityka Nowego Ładu została zmuszona niełatwą sytuacją do skoncentrowania się na pomocy dla najuboższych: wdów, sierot, bezrobotnych, potrzebujących.

Kariera legislacyjna Lyndona Johnsona jako kongresmana z Teksasu w latach czterdziestych oraz jako przewodniczącego większości w Senacie w latach pięćdziesiątych zbiegła się z bezprecedensowym przeskokiem Stanów Zjednoczonych w stan gospodarczego dobrobytu w latach powojennych. Plan „wielkiego społeczeństwa" Johnsona z 1964 r. nie był projektem socjalistycznym, podobnie jak wszystkie istotne posunięcia reformatorskie w Stanach Zjednoczonych. Johnson chciał dokonać więcej, niż zrobił Nowy Ład, odwołując się do tkwiącej u podstaw problemu kwestii sprawiedliwości społecznej, która w dotychczasowej wersji broniła milionom amerykańskich Murzynów, milionom białych z terenów wiejskich i milionom osób starszych wstępu do pałacu dobrobytu. Dlatego też toczona przez Johnsona „walka z ubóstwem" akcentowała raczej kształcenie i przysposobienie do zawodu niż dotowanie etatów przez rząd – „A hand up, not a handout", „Pomocna dłoń, a nie jałmużna", mówił Johnson.

Pasją Johnsona była polityka wewnętrzna, nie zaś polityka zagraniczna, o której wiedział niewiele. Johnson był uznanym mistrzem strategii legislacyjnej. Wybrany na prezydenta w 1964 r., w okresie pokoju i wzrostu gospodarczego, Johnson zorganizował kilkanaście zespołów inicjatywnych, składających się przede wszystkim z doświadczonych pracowników rządowych i naukowców, znających problemy reform socjalnych i mających nakreślić główne rządowe propozycje legislacyjne. Planowanie, które lansował Biały Dom, pozwoliłoby obejść żądania silnego lobby zorganizowanych grup interesu w Kongresie. Propozycją o najwyższym priorytecie był dla Johnsona „Medicare" – program dotowanych przez rząd ubezpieczeń zdrowotnych dla osób starszych, którego Kennedy nie zdołał wprowadzić z powodu sprzeciwu lobby lekarzy i firm ubezpieczeniowych. Działając w ścisłej współpracy z demokratycznymi przywódcami w Kongresie, Johnson otrzymał poparcie dla obszernego, trzyczęściowego kompromisu dotyczącego „Medicare". Rząd federalny miał zapewnić: 1) ubezpieczenia zdrowotne dla osób starszych (powyżej 65 lat) i 2) „Medicaid" – ubezpieczenia zdrowotne dla najuboższych (osób korzystających z opieki społecznej), podczas gdy 3) pracodawcy mieli zapewnić z własnych środków zasiłki zdrowotne dla swoich pracowników. Była to jedna z najbardziej znaczących reform programu „wielkiego społeczeństwa". W ciągu jednego pokolenia „Medicare" i zasiłki powiązane systemem ubezpieczeń społecznych zmieniły szybko rosnącą (i znaczącą w wyborach) społeczność starszych obywateli z najbardziej poszkodowanej części społeczeństwa w grupę cieszącą się największym bezpieczeństwem i najsilniejszą politycznie.

Następnie Johnson zajął się kontrowersyjną kwestią federalnych dotacji dla szkolnictwa. Przezwyciężył problem „trzech r", wprowadzając przede wszystkim ustawę o prawach obywatelskich w 1964 r., która zabraniała dotowania przez rząd federalny szkół z segregacją rasową; następnie zaś zapewniając dotacje federalne dla okręgów szkolnych zgodnie z formułą walki z ubóstwem, zezwalającą na pomoc dla dzieci z prywatnych szkół oraz szkół należących do Kościoła, włączając w to zarówno instytucje katolickie, jak i szkoły publiczne; w końcu domagając się, by urzędnicy federalni nie mieli żadnej kontroli nad programem szkół lokalnych. Ustawa o kształceniu podstawowym i średnim z 1965 r. rozdzielała ponad miliard dolarów rocznie pomiędzy 95% amerykańskich okręgów szkolnych. Działaniom tym towarzyszyły programy walki z ubóstwem, jak „Head Start", skupiające się na kształceniu początkowym, zwłaszcza dzieci przedszkolnych w wieku 3–5 lat z ubogich rodzin.

Z rogu obfitości prezydenta Johnsona sypały się osiągnięcia legislacyjne w 89. Kongresie w latach 1965–1966, w tym nowe programy stworzenia systemów transportu masowego w miastach czy „Model Cities" – program likwidacji slumsów i rozpoczęcia nowoczesnej zabudowy. Dla nadzoru nad tymi programami stworzono dwa nowe departamenty: Departament Spraw Mieszkaniowych i Rozwoju Miast oraz Departament Transportu. Kongres przyjął nowe ustawy o kontroli zanieczyszczeń powietrza i wody, ochronie konsumentów przed oszustwem, ochronie środowiska naturalnego. Do systemu parków narodowych i obszarów ochrony dzikiej przyrody dodano miliony akrów ziemi. Stworzono fundacje narodowe wspierające twórczość kulturalną w zakresie sztuk pięknych i nauk humanistycznych. W 1965 r. Johnson podpisał ustawę o prawach wyborczych (Voting Rights Act), która była wystarczająco radykalna, by przełamać dotychczasowe praktyki uniemożliwiające Murzynom z Południa głosowanie w wyborach. Nowe prawo wyborcze zawierało formułę niezależności od rasy wyborcy, wskazywało okręgi, w których dotychczas głosowało mniej niż połowa uprawnionych i likwidowało lokalne wymogi, jak test oparty na umiejętności pisania, które historycznie uniemożliwiały głosowanie większości Murzynów z Południa (i wielu biednym białym). W rezultacie do 1970 r. niemal milion nowych czarnoskórych wyborców dołączył do życia politycznego narodu, a rasistowska demagogia i lokalne łamanie praw, terroryzujące Murzynów na Południu przez całe pokolenia, faktycznie wygasły.

Generalnie w latach 1964–1968 Kongres wprowadził ponad 200 ustaw, istny zalew programów i regulacji socjalnych, które przewyższyły nawet apogeum Nowego Ładu z lat 1933–1937. Ambitnym celem programu „wielkiego społeczeństwa" Lyndona Johnsona było zapewnienie równych szans w edukacji i gospodarce dla wszystkich Amerykanów, niezależnie od klasy społecznej, rasy, płci, przynależności etnicznej czy wieku; ochrona środowiska naturalnego i obszarów dzikiej przyrody oraz ochrona konsumentów przed produktami niskiej jakości i ochrona pracowników przed niebezpiecznymi warunkami pracy.

W tych samych latach Sąd Najwyższy Stanów Zjednoczonych wspierał reformy socjalne przeprowadzane przez dwie pozostałe, wybieralne gałęzie władzy. Od 1962 r. Sąd wyraźnie zwiększył tempo wydawania liberalnych werdyktów, zapadających od czasu decyzji przewodniczącego Sądu Najwyższego sędziego Earla Warrena w sprawie Browna, dotyczącej desegregacji szkół w 1954 r. W 1962 i 1963 r. Sąd Warrena wydał serię postanowień narzucających proporcjonalną do wielkości populacji reprezentację dystryktów legislacyjnych (wyłączając Senat Stanów Zjednoczonych, w którym równa reprezentacja stanów była gwarantowana przez Konstytucję). Sąd rozszerzył także zakres I poprawki do Konstytucji, chroniącej wolność słowa, prasy i religii, poprzez zniesienie praw stanowych i lokalnych, nakazujących odmawianie modlitw w szkołach i nakazujących wartości moralne (zakazując propagowania pornografii). Sąd rozszerzył prawa osób oskarżonych o popełnienie przestępstw kryminalnych poprzez ograniczenie praw policji do przeszukań i konfiskaty, wprowadzenie wymogu, aby podczas aresztowania oficerowie policji wyjaśniali oskarżonym ich prawa oraz wprowadzenie obrońców z urzędu dla najuboższych oskarżonych. W końcu w 1965 r. Sąd rozpoczął wydawanie obszernej serii werdyktów w zakresie konstytucyjnego prawa do ochrony prywatności. Te decyzje, rozpoczęte sprawą Griswold przeciwko Connecticut w 1965 r., zlikwidowały prawa ograniczające dostęp do sztucznych środków regulacji urodzin, a w 1973 r. doprowadziły do kontrowersyjnej decyzji w sprawie Roe przeciwko Wade, która uznała za sprzeczne z konstytucją prawa zabraniające aborcji we wszystkich pięćdziesięciu stanach.

W dziedzinie desegregacji szkół Sąd pod przewodnictwem sędziego Warrena nie narzucił zbyt intensywnej integracji szkół przez 10 lat po decyzji w sprawie Browna. Wynikało to po części z obawy, że administracje stanów południowych mogą przeciwstawić się decyzjom sądu, po części zaś z faktu, że Kongres i prezydent zrobili niewiele w kierunku poparcia ataków sądu na dyskryminację rasową. Jednakże po przyjęciu ustawy o prawach obywatelskich w 1964 r., sądy federalne rozpoczęły działania w kierunku szerzenia świadomości antyrasistowskiej poprzez integrację uczniów i systemu szkolnego transportu, dobór kadry nauczycielskiej – wszystko w celu przyspieszenia integracji szkół. Dyrektorom szkół na Południu polecono rozpoczęcie stanowczych działań przeciwko dyskryminacji rasowej i nakazano im podjęcie pozytywnych, świadomych kroków w celu zlikwidowania efektów dyskryminacji w przeszłości.

W późnych latach sześćdziesiątych liberalne decyzje Sądu pod przewodnictwem Warrena w niepopularnych sprawach zaczęły powodować reakcję konserwatystów przeciwko „społeczeństwu przyzwalającemu", zbrodni i społecznemu nieładowi w Stanach Zjednoczonych. Konserwatyści sprzeciwiali się procesom sądowym wygrywanym przez kryminalistów, dystrybutorów literatury i filmów pornograficznych, Murzynów stawiających opór obywatelski, radykałów palących amerykańską flagę i pikietujących w dzielnicach mieszkaniowych. Nastroje społeczne w środku dekady przesunęły się z pozycji reformatorsko-optymistycznej w kierunku polaryzacji i podziałów. Linią graniczną stało się lato 1965 r. kiedy Lyndon Johnson posłał wojska lądowe Stanów Zjednoczonych do walki w Wietnamie, a Murzyni rozpoczęli serię „długich, gorących lat", cechujących się rozruchami i podpaleniami w miastach.

W sierpniu 1965 r., zaledwie pięć dni po podpisaniu przez prezydenta Johnsona ustawy o prawach wyborczych, czarna dzielnica Los Angeles o nazwie Watts eksplodowała falą zamieszek. Szaleństwo zgotowane zamożnemu Los Angeles przez Murzynów było szokiem dla kraju. Aresztowano ponad 4 tys. osób, 34 osoby zginęły, pożary i plądrowanie spowodowały straty w wysokości 35 mln dolarów. W roku następnym amerykańskie środki masowego przekazu nagłośniły radykalną retorykę murzyńskich przywódców nacjonalistycznych, jak Malcolm X czy pochodzący z Trynidadu Stokley Carmichael, którzy odrzucali ideę integracji rasowej i apelowali o użycie separatystycznej „czarnej siły" („Black Power"). Kiedy w 1966 r. pastor King przeniósł swe działania na Północ, do Chicago, gdzie zaczął organizować pokojowe kampanie protestacyjne na rzecz usprawnienia systemu szkolnictwa i równych szans zawodowych dla czarnoskórych biednych, demonstracje skończyły się wybuchem przemocy. Ścisłe związki pomiędzy rodziną a Kościołem, które integrowały pokojowe i przynoszące rezultaty protesty czarnoskórych farmerów z Południa prowadzonych przez Kinga, uległy rozpadowi w warunkach panujących w północnych gettach. Czarnoskóra rodzina z amerykańskiego miasta rozpadała się w procesie społecznego nieładu.

W 1967 r. kolejna letnia fala murzyńskich rozruchów przetoczyła się przez kilkanaście amerykańskich miast. Gigantyczne zamieszki ogołociły większą część Detroit, przynosząc 43 ofiary śmiertelne (33 Murzynów i 10 białych), 40 mln dolarów strat; 7200 aresztowanych osób. Prezydent Johnson, który wysłał wojsko w celu stłumienia zamieszek w Detroit, powołał krajową komisję dochodzeniową z gubernatorem Illinois Otto Kernerem na czele. Z początkiem 1968 r. Komisja Kernera w głośnym raporcie obciążyła odpowiedzialnością „biały rasizm". Johnson był rozgoryczony faktem, że raport nie zdołał należycie docenić zalegalizowania praw obywatelskich i programów socjalnych „wielkiego społeczeństwa".

Rozpoczętej w 1965 r. fali murzyńskich zamieszek towarzyszył rosnący protest przeciwko wojnie w Wietnamie, podnoszony głównie przez białych z wyższym wykształceniem. Wkrótce po zainagurowaniu swej prezydentury w styczniu 1965 r., Johnson zgodził się na kontynuowanie nalotów bombowych na Demokratyczną Republikę Wietnamu (Wietnam Północny). Sek-

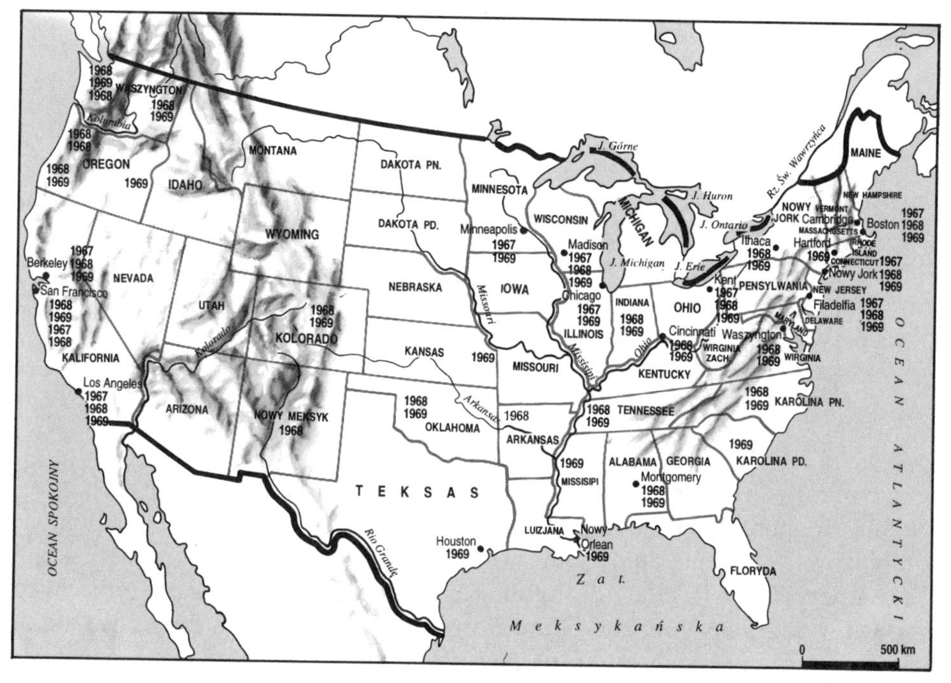

10. Antywojenne protesty na wyższych uczelniach w latach 1967–1969

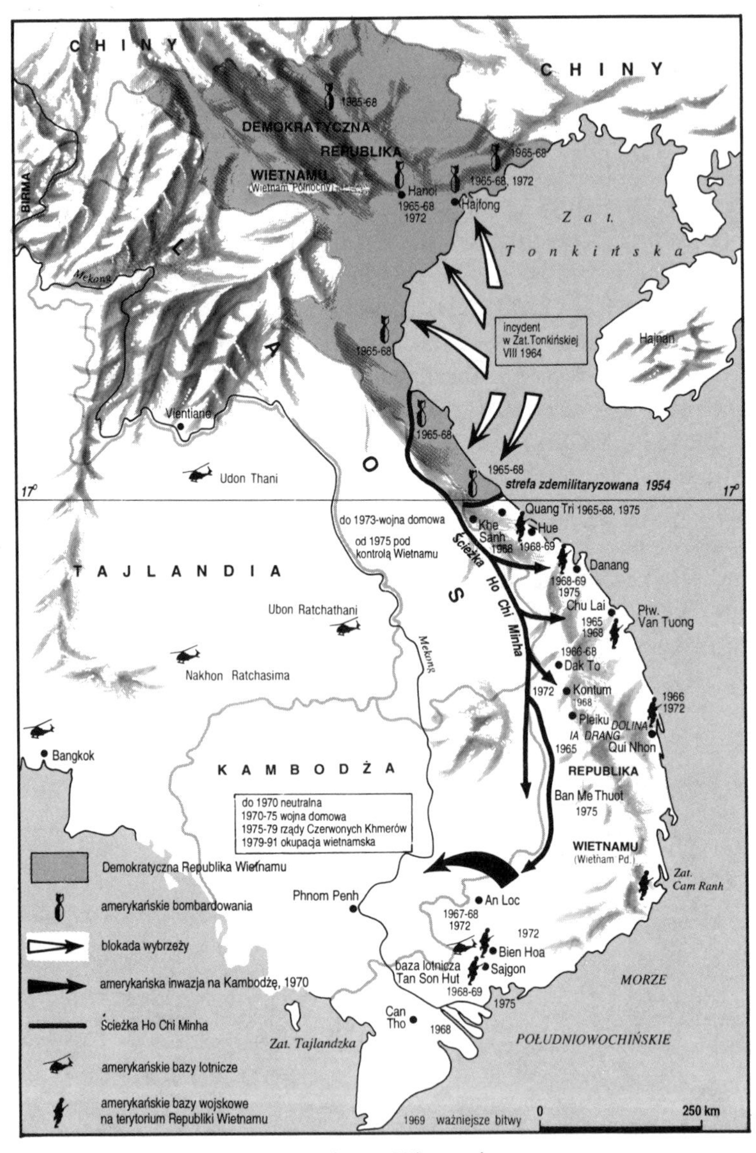

11. Wojna w Wietnamie

retarz obrony McNamara i Połączone Kolegium Szefów Sztabu byli przekonani, że operacja bombardowania Wietnamu, „Rolling Thunder", pomoże ustabilizować chwiejne rządy junty wojskowej w Republice Wietnamu i skłoni Wietnamczyków z Północy do ograniczenia kampanii skierowanej przeciwko rządowi w Sajgonie. Johnson odrzucił propozycje Pentagonu dotyczące ataku lądowego przeciwko Demokratycznej Republice Wietnamu, obawiając się wywołania chińskiej interwencji, podobnie jak w 1950 r. w Korei. Jednakże postępujący upadek Wietnamu Południowego skłonił prezydenta Johnsona w lipcu 1965 r. do wysłania dodatkowych 100 tys. żołnierzy i wyrażenia zgody na walkę lądową na południu kraju. Wraz ze zwiększeniem poboru do armii szerzyły się protesty i demonstracje w kampusach uniwersyteckich jesienią 1965 r.

W lutym 1966 r. senator William Fulbright, członek senackiej Komisji Spraw Zagranicznych, rozpoczął serię transmitowanych przez telewizję debat poświęconych wojnie w Wietnamie. Przed Komisją Senacką wypowiadały się powszechnie szanowane osobistości, jak George F. Kennan, główny pomysłodawca polityki powstrzymywania w późnych latach czterdziestych, czy gen. James Gavin, bohater lotnictwa z czasów II wojny światowej. Krytykowali oni militarne zaangażowanie się Stanów Zjednoczonych w wojnę domową w Wietnamie, tak bardzo odległą od żywotnych interesów amerykańskich. Wiosną 1967 r. Martin Luther King dołączył do grona antywojennych krytyków, a rosnący w siłę ruch pokojowy zorganizował masowe demonstracje w Nowym Jorku i San Francisco. W październiku 1967 r. ponad 200 tys. osób manifestowało swój protest przeciwko wojnie pod pomnikiem Lincolna w Waszyngtonie, a badania opinii publicznej wykazały, że 46% Amerykanów uważa, że zaangażowanie wojskowe Stanów Zjednoczonych jest błędem.

Bardziej radykalni przeciwnicy wojny z tzw. „nowej lewicy" pod wodzą Studentów na Rzecz Demokratycznego Społeczeństwa (Students for Democratic Society, SDS) nie zgadzali się z krytykami z establishmentu, jak senator Fulbright, którzy uważali wojnę za błąd strategiczny dla narodowych interesów Stanów Zjednoczonych, ani z liberalnymi krytykami, jak pastor King, którzy krytykowali wojnę za zużywanie amerykańskich rezerw i stwarzanie podziałów wśród koalicji opowiadającej się za reformą wewnętrzną. Radykałowie atakowali raczej wojnę jako akt imperializmu typowy dla skorumpowanego, kapitalistycznego mocarstwa, jakim stała się „Amierika". Jednak, jak wykazały badania opinii publicznej, zaledwie niewielki ułamek społeczeństwa podzielał taką opinię.

W 1968 r. takie czynniki, jak eskalacja działań wojennych w Wietnamie, zwiększony pobór do armii, inflacja i deficyt budżetowy, protesty antywojenne, chaos w kampusach uniwersyteckich, zabójstwa polityczne, zamieszki w gettach oraz polityka zorientowana na zbliżające się wybory, połączyły się i dokonały głębokiej przemiany amerykańskiego społeczeństwa. W styczniu siły Demokratycznej Republiki Wietnamu i Narodowego Frontu Wyzwolenia Południowego Wietnamu rozpoczęły wielką ofensywę. Partyzantka komunistyczna zaatakowała jednocześnie pięć czy sześć głównych miast Wietnamu Południowego, 35 stolic prowincji i 64 stolice okręgów. Przez sześć tygodni siły komunistyczne kontrolowały Hue, dawną stolicę cesarstwa. Ostatecznie wojska Stanów Zjednoczonych i Wietnamu Południowego odparły nieprzyjaciela, który odniósł poważne straty. Ale amerykańska opinia publiczna była przerażona krwawą rozgrywką w Wietnamie. Antywojenni demokraci rzucili Lyndonowi Johnsonowi energiczne wyzwanie we wczesnej kampanii przedwyborczej, a 31 marca Johnson wstrząsnął krajem i zdziwił świat rezygnacją z udziału w wyścigu do Białego Domu.

W kwietniu 1968 r. radykalni studenci sparaliżowali na cztery dni kampus Columbia University w Nowym Jorku. Antywojenne protesty rozszerzyły się na dziesiątki uniwersytetów w całych Stanach Zjednoczonych. Również w kwietniu pastor King, który pojechał do Memphis w stanie Tennessee, by poprzeć strajk czarnoskórych pracowników zakładów oczyszczania, zginął w zamachu. Reakcją na jego śmierć były masowe zamieszki protestacyjne, jakie wybuchły w Waszyngtonie, Baltimore i wielu innych amerykańskich miastach. W czerwcu kula innego zamachowca dosięgła senatora Roberta Kennedy'ego, który prowadził w kampanii wyborczej jako antywojenny kandydat do nominacji z ramienia Partii Demokratycznej. W sierpniu silnie podzielona Partia Demokratyczna zgromadzona na Krajowej Konwencji w samym centrum radykalnych demonstracji pokojowych w Chicago, nominowała na swojego kandydata wiceprezydenta Humphreya.

W 1968 r. dochodziło do rozruchów na całym świecie. W Paryżu z trudnością stłumiono gwałtowne zamieszki radykalnej koalicji studentów i robotników. W Europie Wschodniej wojska ZSRR i Paktu Warszawskiego zmiażdżyły radykalny rząd Aleksandra Dubczeka w Czechosłowacji. W Stanach Zjednoczonych badania opinii publicznej wskazywały, że chociaż większość obywateli sprzeciwia się wojnie w Wietnamie, to przeciwnicy podzieleni są pomiędzy pokojowe ruchy z lewicy i neoizolacjonistów z prawicy, którzy domagali się albo szybkiego zwycięstwa, albo wycofania wojsk.

Pośród tych zmiennych nastrojów kraj był świadkiem niezwykłej, bo prowadzonej równolegle przez trzech kandydatów, kampanii prezydenckiej. Wiceprezydentowi Humphreyowi czoło stawił republikanin Richard Nixon, elastyczny polityk, którego kariera pozornie zakończyła się w rezultacie kilku porażek: przegranej z Kennedym w 1960 r. i klęski w 1962 r. w kampanii o fotel gubernatora Kalifornii. Trzecim kandydatem był gubernator Alabamy George Wallace, dawny demokrata, którego nowo powstała Amerykańska Partia Niezależnych (American Independent Party) była skupiona na Południu. Większość zwolenników Wallace'a stanowili biali ze środowisk robotniczych, przeciwni murzyńskim zamieszkom i szybkiemu tempu radykalnych przemian, rosnącej liczbie przestępstw, bojkotującym pobór do armii studentom, długowłosym radykałom oraz ogólnie duchowi „przyzwolenia" rewolucji młodzieżowej. Jak sam gubernator Wallace, większość jego zwolenników pochodziła z rodzin demokratów i wychowała się na tradycji Nowego Ładu – tradycji pomocy gospodarczej dla klasy robotniczej. Jednakże ich lojalność dla Partii Demokratycznej kruszyła się w rezultacie „kwestii społecznej", jak dziennikarze nazywali zjawisko nowych związków Partii Demokratycznej i administracji Johnsona–Humphreya z takimi grupami społecznymi, jak organizujący zamieszki Murzyni, osoby korzystające z pomocy społecznej, nie wykazujący nadmiernego patriotyzmu studenci czy lewicowi ekstremiści.

W miarę zbliżania się listopadowych wyborów poparcie dla Wallace'a malało. Jego kandydat na wiceprezydenta, emerytowany gen. Curtis LeMay, odstraszył wielu potencjalnych wyborców proponując „zbombardowanie Wietnamu Północnego do stanu z ery kamienia łupanego". Z kolei Humphrey zdobywał coraz większe poparcie. Wysunięta przez niego we wrześniu propozycja zaprzestania nalotów bombowych na Wietnam zyskała mu zwolenników wśród liberalnych demokratów, którzy od dawna pogardzali Nixonem. Nixon przywdział strój doświadczonego męża stanu mającego tajny plan zakończenia wojny z honorem. Odmawiając przedstawienia swego planu, by zagwarantować bezpieczną przyszłość negocjacji, Nixon kandydował z poparciem spójnej partii, opierając się głównie na niejasnych ogólnikach. Po podliczeniu głosów okazało się, że Nixon wygrał skąpą przewagą 510 tys. głosów, otrzymując zaledwie 43,6% z ponad 73 mln oddanych głosów. Humphrey otrzymał 42,9% głosów, a Wallace ze swoimi 13,5% miał przewagę tylko w pięciu stanach głębokiego Południa.

Amerykański elektorat, który w 1968 r. oddał Richardowi Nixonowi fotel w Białym Domu, głosował jednocześnie w większości za utrzymaniem kontroli demokratów w Kongresie. Po raz pierwszy od ponad 100 lat naród wybrał prezydenta z jednej partii i Kongres, w którym obie izby znajdowały się pod kontrolą drugiej partii. Koalicja sił Nowego Ładu, która tak niedawno wybrała Johna F. Kennedy'ego i pokonała Barry'ego Goldwatera pod transparentami Lyndona Johnsona, była teraz podzielona. Miliony demokratów z klasy robotniczej, przede wszystkim południowych białych i miejskich mniejszości etnicznych, odstraszyła polityka protestu i rewolucji kulturowej, którą kojarzyli oni z erą Kennedy'ego–Johnsona, zwłaszcza po 1965 r. Prezydent Nixon był zdecydowany dokończyć demontażu koalicji Nowego Ładu (i zyskać dla siebie poparcie dawnych zwolenników Wallace'a) poprzez ukazanie demokratów jako partii popierającej murzyńskie rozruchy, łagodne traktowanie przestępców kryminalnych, palenie flagi narodowej i rozwiązły tryb życia. Ta szeroko zakrojona strategia wyborcza, o ile byłaby konsekwentnie prowadzona przez kilka lat, zapewniała nową erę dominacji republikanów w Białym Domu – a jednocześnie, z biegiem czasu, również w Sądzie Najwyższym i sądownictwie federalnym. Wydaje się, że Barry Goldwater, mimo swej ogólnokrajowej porażki w 1964 r., zdołał mimo wszystko osłabić lojalność dla demokratów, żywioną przez miliony białych z Południa, którzy w 1968 r. głosowali na Wallace'a. Dla tych wyborców oddanie głosów na Wallace'a stało się etapem w procesie zwrócenia swej lojalności ku republikańskiemu prezydentowi. Nixon zbierze plon tego procesu w 1972 r., podobnie jak Ronald Reagan w 1980 r.

Niemniej jednak spuścizna legislacyjna lat prezydentury Kennedy'ego–Johnsona jest ogromnym i trwałym osiągnięciem. Legalizacja praw obywatelskich w latach 1964–1965 przełamała ekstremalny system kastowy amerykańskiego Południa. Dyskryminacja na tle rasy, przynależności etnicznej, płci czy wieku została prawnie zakazana w całym kraju. Program „Medicare" rozpoczęty w 1965 r. zapewnił dotąd najuboższym osobom starszym bezpieczeństwo socjalne. Nowe programy ochrony konsumentów, pracowników i środowiska naturalnego puściły w ruch proces, który zyskał administracyjną dojrzałość i moc prawną za prezydentury Nixona. Dwóch poprzednich prezydentów demokratów, Woodrow Wilson i Franklin Roosevelt, pozostawiło podobne spuścizny znaczących reform. Ich reformatorskie ery również zakończyły się wojną i usztywnieniem stanowiska republikanów przejmujących ster władzy. Po miodowym miesiącu z „Camelotem", którym rozpoczęła się dekada lat sześćdziesiątych, rok 1968 stanowi dziwne stadium przejściowe. Przeżywający je Amerykanie z pokolenia wyżu demograficznego będą wspominać niezwykłe lata sześćdziesiąte z goryczą, ale i ze wzruszeniem.

Tłumaczyli *Tomasz Basiuk*,
Marcin Łakomski

BIBLIOGRAFIA

Califano Joseph A., Jr., *The Triumph and the Tragedy of Lyndon Johnson: The White House Years*, Simon & Schuster, New York 1991

Chalmers David, *And the Crooked Places Made Straight: The Sruggle for Social Change in the 1960s*, Johns Hopkins University Press, Baltimore 1991

Conkin Paul K., *Big Daddy from the Pedernales: Lyndon Baines Johnson*, Twayne, Boston 1986

Giglio James N., *The Presidency of John F. Kennedy*, University Press of Kansas, Lawrence, Kans. 1991

Graham Hugh Davis, *Civil Rights and the Presidency: Race and Gender in American Politics, 1960–1972*, Oxford University Press, New York 1992

Matusow Allen J., *The Unraveling of America: A History of Liberalism in the 1960s*, Harper & Row, New York 1984

Parmet Herbert, *JFK: The Presidency of John F. Kennedy*, Dial Press, New York 1983

Reeves Thomas C., *A Question of Character: A Life of John F. Kennedy*, Free Press, New York 1991

Schlesinger Arthur, Jr., *Robert Kennedy and His Times*, Houghton Mifflin, New York 1978

Schwartz Bernard, *Super Chief: Earl Warren and His Supreme Court*, New York University Press, New York 1983

LATA

NIXONA, FORDA I CARTERA

1968–1980

DONALD T. CRITCHLOW

Rok 1968 to rok wojny w Wietnamie i aktów przemocy na „froncie wewnętrznym". Wiosną tego roku zabito Martina Luthera Kinga w Memphis, w następstwie czego wybuchły zamieszki w wielu miastach. Zabito również Roberta F. Kennedy'ego w trakcie jego kampanii prezydenckiej. Gdy latem tego roku w Chicago demokraci wybierali na swego kandydata Huberta H. Humphreya, na zewnątrz budynku, w którym odbywała się konwencja, rozgorzały bitwy między policją a demonstrantami. Listopadowe wybory wygrał republikanin, Richard Nixon, który obiecał przywrócić ład i porządek oraz położyć kres wojnie.

Richard Nixon starał się wywrzeć na Wietnamczykach presję w celu zawarcia z nimi porozumienia. W ramach tego planu prowadził politykę „pokojowego współistnienia" (detente) ze Związkiem Radzieckim oraz dokonał dyplomatycznego otwarcia na Chiny. Co do polityki wewnętrznej, to podjął się on zreformowania systemu opieki społecznej, redystrybucji funduszy federalnych poprzez stworzenie programu („nowy federalizm") oraz zdławienia inflacji. Nixon z łatwością wygrał powtórne wybory w 1972 r., lecz następnie zmuszony został do rezygnacji z urzędu, na skutek skandalu, znanego jako afera „Watergate", związanego z dokonaniem włamania do kwatery głównej demokratów w 1972 r. Z nastaniem 1980 r. wielu Amerykanów nabrało przekonania, iż „stulecie Ameryki", a więc nadzieja na trwały dobrobyt i przywództwo Stanów Zjednoczonych w świecie – skończyło się dotkliwą porażką.

Rok 1968 to rok niebywałego wybuchu przemocy, która była niemal na porządku dziennym; stał on pod znakiem zamachów politycznych, zamieszek na tle rasowym oraz gwałtownych protestów. W reakcji na wzrost napięcia społecznego i ekstremizm studenckich radykałów, biała klasa średnia oraz klasa robotnicza porzuciły Partię Demokratyczną, głosując na Richarda Nixona. Nixon obiecywał „pokój z zachowaniem honoru" w Wietnamie oraz zaprowadzenie rządów „ładu i porządku" w kraju.

W marcu 1968 r. Krajowa Komisja Doradcza ds. Porządku Publicznego (National Advisory Commission on Civil Disorder) ogłosiła raport na temat zamieszek rasowych, jakie miały miejsce w ciągu ostatnich trzech lat. Obciążając za to odpowiedzialnością „białych rasistów", komisja wezwała do realizacji zakrojonego na szeroką skalę programu odnowy gospodarczej slumsów, w celu rozładowania napięć istniejących w środowiskach murzyńskich. W niecały miesiąc później, 4 kwietnia 1968 r., nastąpił dalszy wybuch zamieszek, w wyniku zabójstwa Martina Luthera Kinga w Memphis, w stanie Tennessee. W 125 miastach dla przywrócenia porządku wzywana była policja i Gwardia Narodowa.

King udał się do Memphis, aby dać wyraz poparciu dla pracowników oczyszczania miasta, strajkujących tam od nieomal miesiąca. Wieczorem w przeddzień swej śmierci, King w proroczych słowach powiedział, iż walcząc o prawa dla czarnych ryzykuje swoim własnym życiem. „Chcę jedynie wypełnić wolę Bożą – mówił z przejęciem – Bóg zabrał mnie na wierzchołek góry i kiedy spojrzałem z niej w dół, dostrzegłem Ziemię Obiecaną. Może nie dojdę tam razem z wami. Ale chcę wam powiedzieć, że wy – naród – na pewno odnajdziecie Ziemię Obiecaną".

Natychmiast po rozejściu się wieści o zabójstwie, w miastach amerykańskich wybuchły rozruchy. W Waszyngtonie płomienie pożerały budynki, położone zaledwie o trzy ulice od Białego Domu. W Chicago burmistrz tego miasta, Richard Daley, rozkazał policji strzelać ostrymi nabojami do rabujących sklepy. Do końca tygodnia zginęło 46 osób. W sumie, na skutek zamieszek od 1964 do 1968 r., wyrządzono straty obliczane na 200 mln dolarów; zginęło 200 osób, 7 tys. odniosło obrażenia, 40 tys. zaś zostało aresztowanych.

Śmierć Kinga była poważnym ciosem dla walczącej o prawa obywatelskie ludności kolorowej. Wielu aktywistów tego ruchu odrzuciło taktykę Kinga, polegającą na nieużywaniu przemocy, i potępiło go za brak ducha walki. Z kolei przywódcy Partii Demokratycznej wyrażali oburzenie na Kinga, z powodu jego opozycji wobec wojny w Wietnamie. Brak sukcesu Kinga w kampanii o desegregację dzielnic mieszkaniowych w Chicago w 1967 r. osłabił, zresztą już wcześniej, jego pozycję w ruchu o równouprawnienie Murzynów.

Organizator marszu biednych na Waszyngton, wielebny Ralph Abernathy, usiłował przejąć rolę Kinga, lecz wyraźny brak sukcesu tej akcji był sygnałem, iż ruch praw obywatelskich, głoszący bezsiłowe rozwiązanie konfliktu społecznego, znalazł się w defensywie. W niektórych kręgach pokojowe przesłanie Kinga zostało zastąpione retoryką rewolucyjnej przemocy. H. Ralph Brown, lider Czarnych Panter, oświadczył dla przykładu, iż przemoc jest równie „amerykańska", co „placek z wiśniami". W złowieszczy sposób stawiał on równanie między rabunkiem, gwałtem i rewolucją.

Przemoc dochodziła do głosu również i w innych sprawach. Na skutek frustacji, spowodowanej niemożnością położenia kresu wojnie poprzez pokojowe protesty, niektórzy studenci uznali, iż jedynym sposobem na zapobieżenie przelewowi krwi w Wietnamie jest kontrprzemoc. Postępując w ten sposób, odrzucali oni świadomie pokojowe przesłanie Kinga.

Po ofensywie Tet pod koniec stycznia 1968 r., ruch antywojenny stał się jeszcze bardziej wojowniczy. Studenci na Rzecz Demokratycznego Społeczeństwa (SDS) – główna organizacja radykałów studenckich, podzieliła się na wojujące ze sobą frakcje, z których każda rościła sobie prawo do „prawdziwej rewolucyjności". Postępowa Partia Pracy (Progressive Labor Party, PLP) była frakcją zainspirowaną maoizmem, wzywającą do sojuszu robotników i studentów. Frakcja weathermenów (która wzięła nazwę od piosenki Boba Dylana) nawoływała studentów do organizowania się w małe komórki rewolucyjne dla dokonywania aktów terrorystycznych. Dyskusji podlegała strategia, a nie taktyka. Obie organizacje podżegały do użycia siły w celu pokonania imperialistycznej „Amieriki".

Na wiosnę 1968 r. protestujący studenci uciekali się do przemocy. Znaczna część tych wydarzeń była inspirowana przez nieliczną grupę studentów elitarnych uniwersytetów, takich jak Cornell, Harvard, Columbia Berkeley, Michigan i Stanford. W kwietniu 1968 r. studenccy radykałowie przejęli kontrolę nad budynkiem administracji uniwersytetu Columbia, w celu zaprotestowania przeciwko budowie hali sportowej na terenie parku w sąsiednim Harlemie. Przywódca SDS Mark Rudd zasiadł za biurkiem rektora, popijając jego brandy i częstując się rektorskimi cygarami. Niemal tysiąc studentów zajęło inne gmachy w campusie, zakładając w nich „komuny rewolucyjne". Gdy policja po brutalnym ataku odbiła budynki, pozostali studenci ogłosili strajk ogólnouniwersytecki.

Wybory prezydenckie 1968 r. skoncentrowały się wokół wojny wietnamskiej. Po sukcesie Eugene'a McCarthy'ego, będącego przeciwnikiem wojny, który uzyskał zaskakująco duże poparcie w prawyborach w New Hampshire, do kampanii wyborczej włączył się Robert Kennedy. Prezydent Johnson wycofał swoją kandydaturę. McCarthy i Kennedy walczyli zawzięcie o głosy zwolenników pokoju, konkurując jednocześnie z trzecim kandydatem – wiceprezydentem Hubertem Humphreyem.

McCarthy uosabiał pasję moralną i idealizm ruchu pokojowego. Nabożny katolik, oddający się lekturze książek filozoficznych i piszący wiersze, zdawał się dystansować od uprawiania polityki. Robert Kennedy także mówił o pokoju, lecz adresował swe przemówienia do mniejszości etnicznych i klasy robotniczej. W rezultacie McCarthy okazał się bardziej monotematyczny (główną podnoszoną przezeń kwestią był pokój), podczas gdy Kennedy spotkał się z entuzjastycznym przyjęciem również wśród czarnych w Nowym Jorku, Latynosów w Phoenix, ubogich białych z Appalachów oraz Amerykanów irlandzkiego pochodzenia z Chicago. Został on zabity po zwycięstwie w prawyborach w Kalifornii, które odniósł 5 czerwca.

Śmierć drugiego z braci Kennedych, po niespełna pięciu latach od zamachu na Johna Kennedy'ego, oraz zastrzelenie Kinga w tym samym roku wstrząsnęły narodem amerykańskim. Gdy głównym kandydatem do nominacji na prezydenta z ramienia Partii Demokratycznej został Hubert Humphrey, studenci, udzielający się w ruchu antywojennym, poczuli zawód i rozgoryczenie demokracją, czego sygnałem była rosnąca fala demonstracji. W trakcie obrad konwencji demokratów w Chicago, protestujący przeciw wojnie zbierali się na zewnątrz hoteli, w których mieszkali delegaci, w celu doprowadzenia do konfrontacji z policją. W tym samym czasie, gdy wewnątrz budynku burmistrz Chicago, Richard Daley, obrażał w wulgarny sposób delegatów zgromadzonych na konwencji, jego policjanci „zajęli się" demonstrującymi, z furią, która przeraziła widzów telewizyjnych oglądających transmisję z obrad. Okrwawieni uczestnicy protestu śpiewali: „cały świat na to patrzy". Transmisje, ukazujące eksplozję przemocy w Chicago, odegrały rolę podobną do szokujących reportaży z Wietnamu. Po tej konwencji nominacja Humphreya wydała się mało obiecująca.

Chaos, jaki zapanował w Partii Demokratycznej, otworzył szanse przed kandydatem spoza obydwu głównych partii, a mianowicie przed konserwatywnym gubernatorem stanu Alabama, George'em Wallace'em. Wprawdzie piastował on to stanowisko z ramienia Partii Demokratycznej, niemniej w wyborach wystartował jako kandydat niezależny (American Independent). Wallace oddziaływał szczególnie na wyborców białych i mniej wykształconych, wśród których zdobywał poklask atakami na „jajogłowych intelektualistów i biurokratów", radykalnych Murzynów, hipisów, matki korzystające z zasiłków oraz na „brodatych anarchistów". Wallace obiecywał przejechać każdego demonstranta, który stanąłby na drodze jego samochodu. Jego kandydat na wiceprezydenta, emerytowany gen. lotnictwa Curtis LeMay, wzbudził powszechne przerażenie, gdy zaczął grozić zrzucaniem „atomówek" na Wietnam. Mimo to, we wrześniu ankiety popularności szacowały wielkość udzielanego mu poparcia na 20% wyborców, przy 28% dla Humphreya.

Republikanie, nominując na swego kandydata wiceprezydenta Richarda Nixona, dokonali wyboru centrowej orientacji politycznej. Wiele osób uważało, iż kariera polityczna Nixona dobiegła końca po porażce wyborczej w 1960 r., jak również po klęsce w wyborach na gubernatora Kalifornii w 1962 r. Nixon jednakże przeprowadził się do Nowego Jorku, gdzie podjął bardzo dobrze płatną pracę jako prawnik, świadczący usługi dla wielkiego biznesu. Podejmował się on wielokrotnie zbierania pieniędzy na kampanię republikanów. W 1964 r. poparł Goldwatera, zacieśniwszy w ten sposób więzy z konserwatystami w łonie partii, jednocześnie jednak starał się nie tracić kontaktu z liberalnymi republikanami. W 1968 r. Nixon bez trudności zapewnił sobie nominację swej partii już w pierwszym głosowaniu. Fakt, iż Humphrey zdecydował się odciąć od polityki Johnsona w Wietnamie, dopiero w późnej fazie tej kampanii kosztował go wielu zwolenników. Jego poglądy, żywcem wzięte z epoki Nowego Ładu, wydawały się tracić aktualność w kontekście wojny wietnamskiej oraz napięć rasowych. Nixon liczył na odbicie demokratom białych z Południa, robotników pochodzenia europejskiego i klasy średniej, zamieszkującej przedmieścia. Ta strategia kazała Nixonowi wyrazić poparcie dla rządów ładu i prawa oraz dla „zrobienia porządku z zasiłkami", a także skłoniła go do złożenia obietnicy zakończenia wojny w Wietnamie.

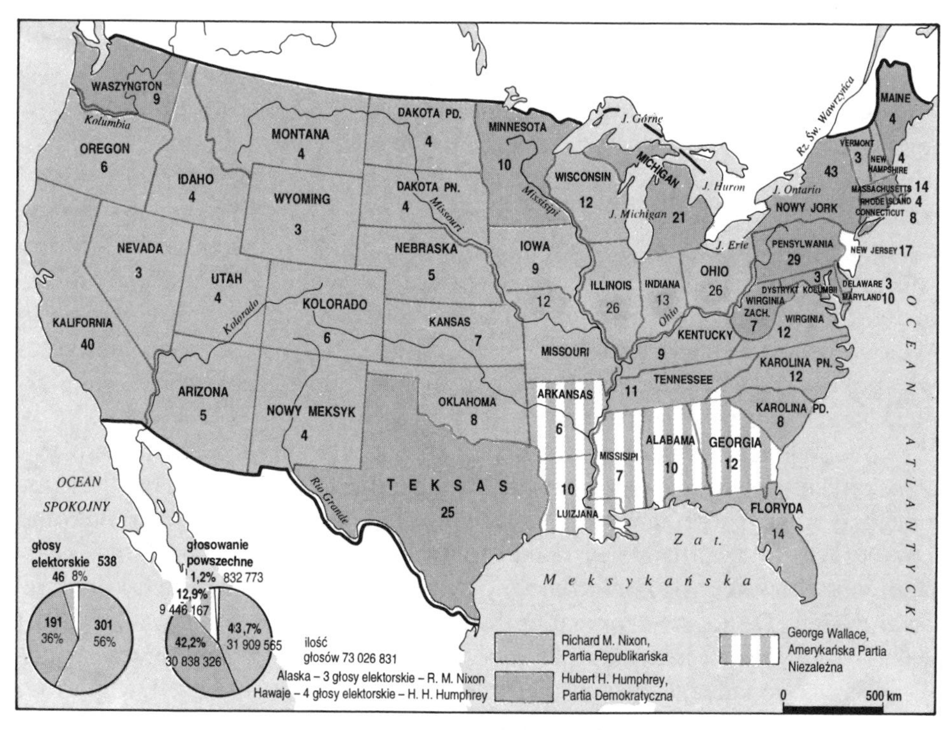

12. Wybory prezydenckie 1968 r.

Wyniki wyborów prezydenckich 1968 r.

Kandydat	Procent głosów	Głosy elektorskie
Richard M. Nixon (republikanie)	43,7	301
Hubert H. Humphrey (demokraci)	42,2	191
George C. Wallace (niezależny)	12,9	46

Proporcje oddanych głosów wykazały wyraźne zniechęcenie białych Amerykanów do programu „wielkiego społeczeństwa", sformułowanego przez Lyndona Johnsona. W 1968 r. biali robotnicy, podobnie jak ubodzy biali, utożsamiali program „wielkiego społeczeństwa" z wojującym czarnym radykalizmem oraz zamieszkami rasowymi. Humphrey uzyskał zaledwie 38% głosów ludności białej, gdyż wielu uprzednich zwolenników Partii Demokratycznej, takich jak biali mieszkańcy Południa, katolicy z grup etnicznych oraz członkowie związków zawodowych, dało swe poparcie republikanom. Tym razem na republikanów głosowali również mieszkańcy tzw. „słonecznego Pasa" (the Sunbelt), łącznie z Południem, umożliwiając tej partii stworzenie większości, która miała zdominować wybory prezydenckie w ciągu następnych dwudziestu lat.

Dyplomacja Nixona odzwierciedlała jego instynkt polityczny, silne przekonanie o sobie jako o „self-made manie" oraz szeroką wiedzę o świecie i stosunkach międzynarodowych, nieporównanie większą niż ta, którą dysponowali pozostali prezydenci amerykańscy w XX w.

Nixon wychował się w miejscowości Whittier w Kalifornii, będącej przedmieściem Los Angeles, w której jego rodzice prowadzili sklepik spożywczy oraz stację benzynową. Nixon uczęszczał do szkoły średniej i Whittier College, następnie ukończył wydział prawa w Duke University, z drugą lokatą. Po odbyciu służby w marynarce podczas II wojny światowej wrócił do Whittier, rozpoczynając tam karierę polityczną. Jego pierwszym sukcesem było pokonanie w wyborach do Kongresu liberalnego demokraty, kongresmana Jerry Voorhisa w 1946 r.

W Kongresie Nixon dał się poznać jako zaciekły antykomunista, wspierając oskarżenia rzucane przez Whittakera Chambersa na Algera Hissa, oskarżonego o szpiegostwo na rzecz „czerwonych". W 1950 r. Nixon pokonał w wyborach do Senatu Helen Gahagan Douglas, po bardzo brutalnej kampanii, w której oskarżał konkurentkę o sympatię do amerykańskich komunistów. „Helen Douglas – oświadczył Nixon – jest tak «różowa», jak jej bielizna". Po zwycięstwie nad Douglas, Nixon uznany został przez republikanów za człowieka z dużą przyszłością, co skłoniło w 1952 r. Dwighta D. Eisenhowera do zaoferowania mu wiceprezydentury.

Nixon był osobą skrytą, z obsesją na punkcie polityki i pragnieniem wyciśnięcia swego piętna na historii, szczególnie w domenie dyplomacji. Widział siebie jako „twardziela", umiejącego „po męsku" rozmawiać z Wietnamczykami z Północy. Na stanowisko sekretarza stanu wybrał Williama Rogersa, Henry Kissinger zaś – uprzednio doradca Nelsona Rockefellera – stanął na czele Rady Bezpieczeństwa Narodowego. Rogers i Kissinger toczyli między sobą ustawiczne boje, co było zapewne na rękę Nixonowi, nie zamierzającemu wypuścić z rąk steru polityki zagranicznej.

Do czasu, gdy Nixon objął władzę, konflikt wietnamski stał się wielką kwestią moralną w polityce amerykańskiej. Jednak nowy prezydent był osobą zbyt pragmatyczną, aby patrzeć na wojnę pod tym kątem. Usiłował po prostu doprowadzić do wycofania się z Wietnamu na najkorzystniejszych warunkach i, w miarę możliwości, bez szwanku dla amerykańskiego prestiżu. Aby tego dokonać, musiał wpierw zwiększyć południowowietnamski potencjał wojskowy, co miało zostać osiągnięte na drodze „wietnamizacji". Pojęcie to oznaczało stopniowe wycofywanie się wojsk amerykańskich, któremu miało towarzyszyć zwiększone bombardowanie Wietnamu Północnego, w celu zmuszenia Ho Chi Minha do podjęcia negocjacji.

Nixon ogłosił „wietnamizację" podczas podróży po krajach azjatyckich w sierpniu 1969 r. Misją w Azji miało być, w jego przekonaniu, pozostanie tam w roli pomocnego partnera, nie zaś opiekuna wojskowego. „To Azjaci własnymi rękami powinni kształtować przyszłość Azji", oświadczył Nixon. Owa zmiana w polityce wobec Azji nazwana została doktryną Nixona. Do 1972 r. Nixon zredukował siły amerykańskie w Wietnamie z 500 tys. żołnierzy do poziomu poniżej 30 tys.

Nixon wydał rozkaz zwiększenia bombardowań Demokratycznej Republiki Wietnamu, mimo iż zdawał sobie sprawę, że ofensywa powietrzna przeprowadzona przez Lyndona Johnsona pod kryptonimem „Toczący się grzmot" (Rolling Thunder) nie osiągnęła zamierzonego skutku w postaci „skręcenia karku" Wietnamowi Północnemu. Z tego powodu Nixon podjął decyzję uderzenia na „szlak Ho Chi Minha" w Kambodży. Kissinger poinformował go, iż komuniści używali tego szlaku, wiodącego poprzez terytorium Kambodży, do ciągłego przerzucania sił i środków do Wietnamu. Wywiad wojskowy doniósł również o istnieniu tajnego ośrodka dowodzenia w Kambodży, poprzez który komuniści przygotowywali ofensywę w Republice Wietnamu (Wietnam Południowy). Nixon wydał rozkaz zbombardowania kryjówek Vietcongu w Kambodży na skutek północnowietnamskiej ofensywy, podjętej na wiosnę 1969 r.

30 kwietnia 1970 r. Nixon obwieścił podjęcie wielkiej ofensywy lądowej w Kambodży, wspartej atakami lotniczymi. Inwazja ta rozpętała burzę protestów w campusach uczelni amerykańskich. Podczas gdy najbardziej wojowniczy radykałowie wybijali okna i dokonywali ataków na policję, przywódcy studenccy ogłosili ogólnokrajowy strajk na uczelniach.

W stanie Ohio gubernator James Rhodes rozkazał 3 tys. członków Gwardii Narodowej zaprowadzić porządek na uniwersytecie Kent State. 4 maja oddział niedoświadczonych i wyprowadzonych z równowagi członków Gwardii Narodowej ostrzelał z wściekłością rzucających w nich kamieniami studentów, zabijając dwóch demonstrantów i dwóch postronnych świadków. Doniesienia o zabójstwach na uniwersytecie Kent State podsyciły konflikty w campusach. Jedenaście dni później policja stanowa zabiła dwóch czarnych studentów i raniła 11 osób na uczelni Jackson State College, w stanie Missisipi. W większości demonstracji studenckich nie doszło do użycia siły, jednak inwazja na Kambodżę zachęciła skrajnych radykałów do aktów terrorystycznych. W co najmniej 10 campusach odnotowano wybuchy bombowe, a w 16 stanach gubernatorzy wzywali Gwardię Narodową do tłumienia zamieszek na 21 uczelniach. W Kalifornii gubernator Ronald Reagan zamknął wszystkie 28 campusów uczelni stanowych.

Nie było widać kresu wojny. W lutym 1971 r. armia południowowietnamska zaatakowała Laos w celu odcięcia drogi dostawom dla partyzantki na Południu. Inwazja została z łatwością odparta przez armię północnowietnamską, a wojska z Południa zmuszono do bezładnego odwrotu.

Tymczasem rokowania z Wietnamem Północnym (DRW) przewlekały się. Nixon wysłał do Paryża Kissingera, aby ten podjął tajne negocjacje z ministrem spraw zagranicznych Demokratycznej Republiki Wietnamu, Le Duc Tho. Jednak postawa Wietnamu była nieprzejednana. Le Duc odrzucał kolejne propozycje Kissingera, a jesienią 1971 r. Wietnam Północny podjął na Południu ofensywę, która doprowadziła do upadku Quang Tri, stolicy jednej z prowincji. Miasto wprawdzie zostało odbite przez kontrofensywę amerykańską, lecz rokowania w Paryżu toczyły się w ospałym tempie.

Wojna weszła w końcową fazę w 1972 r. Negocjacje pomiędzy Kissingerem a Le Duc Tho posunęły się nieznacznie naprzód i w październiku 1972 r., u progu wyborów prezydenckich w Stanach Zjednoczonych, osiągnięte zostało tajne porozumienie. Przewidywało ono zawieszenie walk, sformowanie rządu koalicyjnego, przeprowadzenie wolnych wyborów, wycofanie pozostałych oddziałów amerykańskich oraz uwolnienie wszystkich więźniów. Gdy jednak Sajgon odmówił zgody na ten plan pokojowy, odpowiedzią Wietnamu Północnego było zerwanie dalszych pertraktacji. Po powtórnym wyborze na urząd prezydencki w listopadzie, Nixon zwiększył presję na Wietnam Północny, przeprowadzając bombardowania Północy w okresie między 18 i 29 grudnia. Strategia „bombek na Boże Narodzenie" zmusiła Le Duc Tho do ponownych negocjacji. Wreszcie, 23 stycznia 1973 r. – w dniu, w którym Lyndon Johnson zmarł na atak serca na swoim rancho w Teksasie – Nixon oznajmił, iż zawarte zostało porozumienie. Kissinger wraz z Le Duc Tho za swe wysiłki nagrodzeni zostali pokojową nagrodą Nobla. Nixonowi udało się wyprowadzić Amerykanów z Wietnamu, jednak koszty wojny były ogromne. Zginęło niemal 60 tys. żołnierzy amerykańskich, z czego przeszło połowa za kadencji Nixona; 300 tys. osób odniosło rany i obrażenia, a w sumie na prowadzenie tej wojny wydano 146 mld dolarów. W kwietniu 1975 r. komuniści północnowietnamscy zdobyli Sajgon, który został nazwany miastem Ho Chi Minha, wkrótce zaś, po likwidacji Wietnamu Południowego, utworzono jedno państwo wietnamskie – Socjalistyczną Republikę Wietnamu (SRW).

W trakcie pertraktacji z Wietnamem Nixon dokonał zmian w amerykańskiej polityce wobec Związku Radzieckiego, używając pojęcia **détente**, co oznacza „pokojowe współistnienie"; jednocześnie doprowadził również do uznania komunistycznych Chin. Uważał on, iż w polityce ideologia musi zostać podporządkowana celom pragmatycznym i że w związku z tym zarówno Stany Zjednoczone, jak i kraje komunistyczne powinny być zainteresowane utrzymywaniem równowagi sił na świecie.

Polityka ta pociągała również za sobą, w przekonaniu Nixona, konieczność naprawy stosunków z komunistycznymi Chinami. Od czasów prezydenta Trumana, Stany Zjednoczone odmawiały dyplomatycznego uznania Chińskiej Republiki Ludowej, zresztą politykę tę „ułatwiał" Ameryce chiński przywódca, Mao Zedong (Mao Tse-tung), zarówno swoją rewolucyjną ideologią, jak i agresywną, antyamerykańską propagandą. Jednak narastający konflikt chińsko-radziecki stworzył Nixonowi dogodną okazję do ustanowienia stosunków z Pekinem. Stosunki amerykańsko-chińskie otrzymały również dodatkowy impuls na skutek starć zbrojnych na granicy radziecko-chińskiej w 1969 r.

Nixon zainicjował otwarcie na Chiny. Zdradził on chęć złożenia wizyty w komunistycznych Chinach podczas pobytu w Polsce. W wyniku wielokrotnych kontaktów Kissinger udał się z tajną misją do Pekinu w czerwcu 1971 r., gdzie spotkał się z chińskim kierownictwem. Niedługo potem, bo w połowie 1971 r., Nixon oświadczył (była to zapewne najbardziej spektakularna deklaracja za jego kadencji), iż planuje odbyć podróż do Chińskiej Republiki Ludowej w celu „normalizacji stosunków".

Nixon, będący do tej pory zaciekłym antykomunistą, udał się w podróż do Chin 22 lutego 1972 r. Telewizja amerykańska pokazywała go w trakcie zwiedzania Chińskiego Muru, a także gdy trącał się kieliszkami z Mao Zedongiem i premierem Zhou Enlaiem (Czou En-lajem). Mimo iż oficjalne stosunki dypolmatyczne ustanowione zostały dopiero za kadencji prezydenta Cartera w 1979 r., wizyta Nixona w Chinach stanowiła ważny kamień milowy w dziejach zimnej wojny. Wyobrażenie o komunizmie jako monolitycznym, ogólnoświatowym systemie, ustąpiło miejsca przekonaniu, iż Związek Radziecki i Chiny stanowią parę rywali, którzy mogą być wykorzystywani do walki przeciwko sobie.

Opinia amerykańskiego społeczeństwa na temat Chin zmieniła się niemal z dnia na dzień. Wkrótce po wizycie Nixona aktorka Candice Bergen oświadczyła, iż w Chinach ogromne wrażenie wywarł na niej szacunek dla życia ludzkiego. Przez następne kilka lat, do tej bezkrytycznej pochwały komunistycznych Chin dołączali się zgodnie dziennikarze i urzędnicy, powracający z licznych podróży służbowych do tego kraju.

Nixon z Kissingerem sądzili, że zbliżenie z Chinami wywrze presję na Związek Radziecki w kierunku stabilizacji stosunków ze Stanami Zjednoczonymi. Chińsko-radziecki konflikt nabrał szczególnie niebezpiecznego charakteru w wyniku stworzenia przez Chiny własnego arsenału nuklearnego. (Przy kilku okazjach radzieccy urzędnicy wskazywali w rozmowach ze swymi amerykańskimi partnerami na rzekomo niezbędną potrzebę przeprowadzenia ataku „prewencyjnego" na chińskie urządzenia nuklearne). Jednak złe stosunki chińsko-radzieckie nie oznaczały automatycznie dobrych stosunków radziecko-amerykańskich. Droga do „pokojowego współistnienia" była usłana kamieniami.

W 1968 r. stosunki pomiędzy Stanami Zjednoczonymi a Związkiem Radzieckim pogorszyły się po tym, gdy radzieckie czołgi wjechały do Pragi, aby stłumić próbę demokratyzacji tego kraju. Radziecki przywódca Leonid Breżniew sformułował doktrynę Breżniewa, mówiącą o radzieckim prawie do interwencji w każdym z „socjalistycznych" krajów Europy Wschodniej. Napięcia między Stanami Zjednoczonym a Związkiem Radzieckim nie osłabły, gdy wywiad amerykański odkrył, iż Rosjanie budują na Kubie bazę morską dla swych atomowych okrętów podwodnych. Budowa bazy przerwana została dopiero w wyniku silnego protestu ze strony Amerykanów.

Związek Radziecki prowadził również agresywną politykę na Bliskim Wschodzie, gdzie zmierzał do wyizolowania Stanów Zjednoczonych oraz Izraela. W latach siedemdziesiątych Bliski Wschód dostarczał Europie przeszło 80% ropy, jak również z górą połowę ropy importowanej przez Japonię. W latach sześćdziesiątych Rosjanie zaopatrzyli rządy arabskie w dużą ilość broni. W 1967 r. prezydent Egiptu Gamal Abdel Naser sformował arabską koalicję w celu zniszczenia Izraela poprzez „świętą wojnę". Izrael przeprowadził nie zapowiedziany kontratak i serią błyskawicznych posunięć pokonał w 6 dni Egipt, Jordanię i Syrię. Zajął on w rezultacie strategiczne wzgórza Golan uprzednio należące do Syrii, arabską część Jerozolimy, jordańskie terytoria położone na Zachodnim Brzegu Jordanu oraz egipski półwysep Synaj, aż po Kanał Sueski.

Ta sześciodniowa wojna upokorzyła Arabów oraz wywołała silne nastroje antyamerykańskie na Bliskim Wschodzie. Związek Radziecki wykorzystał tę sytuację, wchodząc w bliskie stosunki z Syrią. Latem 1972 r. prezydentem Egiptu został Anwar As-Sadat, który usunął radzieckich doradców wojskowych z Egiptu, ale kontynuował współpracę wojskową ze Związkiem Radzieckim.

Ponieważ próby osiągnięcia stabilizacji w stosunkach amerykańsko-radzieckich nie przynosiły oczekiwanych rezultatów, Nixon postanowił wyłożyć najważniejszą kartę, zawierając w 1972 r. umowę na sprzedaż do Związku Radzieckiego amerykańskiego zboża i technologii. Wkrótce potem podpisał on z Breżniewem pierwsze porozumienie SALT I (o ograniczeniu zbrojeń strategicznych). Umowa ta ustalała dla każdego z obydwu państw pułap 200 rakiet antybalistystycznych (ABM) oraz dwóch systemów ABM. W osobnym porozumieniu zamrożona została, na okres pięciu lat, liczba międzykontynentalnych rakiet balistycznych (ICBM) oraz rakiet zamontowanych na okrętach podwodnych. Traktaty te stanowiły formalny wyraz strategii wzajemnego odstraszania – będącej poglądem, wyrażanym przez obie strony, iż najlepszą gwarancją uniknięcia ataku jądrowego jest równowaga sił nuklearnych.

Negocjując umowę SALT, Nixon jednocześnie wywierał presję na liberałów w Kongresie, aby poparli wydatki na nowe systemy broni. Nakazał on rozpocząć budowę pocisków wielogłowicowych (MIRV), co stwarzało możliwości zainstalowania na każdej rakiecie strategicznej od trzech do dziesięciu głowic samonaprowadzających; w ten sposób mniejsza liczba rakiet była w stanie przenieść więcej głowic.

Przekonanie o potrzebie realizmu w amerykańskiej polityce zagranicznej prowadziło nieraz Nixona do popierania represyjnych reżimów, uznanych za ważne dla Stanów Zjednoczonych ze strategicznego bądź ekonomicznego punktu widzenia. Z tego względu udzielono poparcia brutalnemu rządowi irańskiemu z szachem Mohammadem Rezą Pahlawim na czele, jak również skorumpowanemu Ferdynandowi Marcosowi na Filipinach oraz represyjnym rządom białych w Republice Południowej Afryki. Podobnie postępowano wobec reżimów w Argentynie, Korei Południowej, Brazylii oraz Nigerii. Polityka zagraniczna Nixona dostała się pod ostrzał krytyki w 1973 r., gdy użył on CIA w celu obalenia komunistycznego prezydenta Chile, Salvadora Allende, wybranego na to stanowisko w 1970 r.

Mimo iż sprawy polityki wewnętrznej interesowały Nixona w mniejszym stopniu, podjął on inicjatywę w dziedzinie reform związanych z systemem zasiłków, opieką medyczną, redystrybucją funduszy federalnych na użytek stanów oraz administracją państwową. Liczył na to, iż republikanom uda się stworzyć polityczną większość, próbując uzyskać poparcie białych mieszkańców Południa i robotników do tej pory oddających swe głosy demokratom. W tym celu podkreślał potrzebę zaprowadzenia „rządów prawa i porządku", popierał kandydatury konserwatywnych sędziów, włącznie z kandydaturami do Sądu Najwyższego, oraz przeciwstawiał się akcji dowożenia uczniów autobusami do szkół, podjętej w celu osiągnięcia integracji rasowej.

W trakcie kampanii 1968 r. Nixon mówił, iż trzeba skończyć z „całym bałaganem wokół zasiłków". Zdawał on sobie sprawę z tego, iż wielu jego rodaków uznało zasady przyznawania zasiłków, sformułowane przez plan „wielkiego społeczeństwa", za chybione. Dla przykładu w 1958 r. w Nowym Jorku otrzymywało zasiłki około 150 tys. mieszkańców, podczas gdy 10 lat później opieką społeczną objętych było już 1,5 mln mieszkańców tego miasta, co pociągało za sobą wydatki w skali rocznej rzędu 1 mld dolarów. Nixon spróbował podejść do problemu nabrzmiewających list beneficjantów tych zasiłków z nowego punktu widzenia, w dodatku postanowił pobić liberałów ich własną bronią.

Gdy więc jego doradca ds. problemów miejskich, profesor uniwersytetu Harvarda Daniel Patrick Moynihan, przedstawił mu propozycję zmiany systemu zasiłków, polegającej na bezpośrednich wypłatach w ramach Planu Pomocy Rodzinie (Family Assistance Plan, FAP), Nixon chwycił się tego pomysłu. Plan ten, pierwotnie zaproponowany przez konserwatywnego ekonomistę Miltona Friedmana, wykraczał poza zakres dotychczasowej pomocy federalnej dla stanowych systemów opieki społecznej i przewidywał dodatkowe wypłacenie 14 mln rodzin zasiłków, by uzyskać mogli dochód minimum 4 tys. dolarów rocznie. Projektowana ustawa przeznaczała również fundusze na kursy przysposobienia zawodowego oraz opiekę nad dziećmi.

Plan Pomocy Rodzinie ściągnął gromy zarówno od liberałów, jak i finansowych konserwatystów. Liberałowie uznali minimalną stawkę wypłaty za zbyt niską. W rozpętanej z tego powodu kampanii Krajowa Organizacja na Rzecz Praw do Opieki Społecznej (National Welfare Rights Organization) okrzyknęła plan Nixona „aktem represji", zawarty zaś w nim wymóg podjęcia pracy za „ludobójstwo". W Senacie liberalni demokraci, w tym George McGovern z Dakoty Południowej, Fred Harris z Oklahomy i Eugene McCarthy z Minnesoty, połączyli siły z konserwatystami z Południa w celu obalenia proponowanej ustawy, co zostało przez nich osiągnięte w 1971 r.

Nixonowi udało się za to przeforsować program bonów żywnościowych dla otrzymujących zasiłki, zainicjowany przez senatorów ze stanów rolniczych pod wodzą George'a McGoverna. Jego administracja udzieliła również poparcia zmianom w ustalaniu podatku federalnego, polegającym na wyłączeniu z opodatkowania osób najuboższych. Decyzja ta kosztowała rząd federalny 2 mld dolarów, czyli sumę nieomal równą wszystkim wydatkom na Biuro Szansy Ekonomicznej (Office of Economic Opportunity), jakie zostały poniesione przez prezydenta Johnsona. W październiku 1972 r. Nixon podpisał ustawę o dodatkowym zabezpieczeniu socjalnym (Supplemental Security Income Act), zobowiązującej rząd do udzielenia pomocy osobom w podeszłym wieku, niewidomym oraz niepełnosprawnym. Zwiększono wypłaty z funduszu rent (social security), subsydia na budownictwo oraz program restrukturyzacji zawodowej (Job Corps Program).

Administracja Nixona zwiększyła również rolę rządu w ochronie środowiska. Olbrzymi wyciek ropy naftowej u wybrzeży Oceanu Spokojnego w pobliżu miasta Santa Barbara w 1969 r. stworzył impuls do poszukiwania przez zwolenników ochrony środowiska nowych rozwiązań prawnych. Demokraci w Kongresie pod wodzą senatora Edmunda Muskie z Maine oraz senatora Henry'ego Jacksona ze stanu Waszyngton przeforsowali uchwalenie ustawy o ochronie środowiska naturalnego (Environmental Policy Act) w 1969 r. Ustawa ta, która miała znaczenie historyczne, nakładała na państwo obowiązek ochrony i zabezpieczenia środowiska naturalnego, ustanawiała niezależną Radę Ochrony Środowiska (Council on Environmental Quality) oraz nakazywała, aby wszystkie projekty budowlane podejmowane przez państwo były poprzedzane badaniami nad ich potencjalnym wpływem na środowisko.

Niedługo po uchwaleniu tej ustawy Nixon powołał Agencję Ochrony Środowiska (Environmental Protection Agency, EPA) dla koordynacji wszystkich planów zwalczania zanieczyszczenia środowiska. Pod kierownictwem Williama Rucklehausa agencja ta rozwinęła bardzo ożywioną działalność, skierowując na drogę sądową wiele pozwów przeciwko firmom zanieczyszczającym środowisko. Nixon domagał się również ustanowienia przepisów odnośnie do wody pitnej, komunikacji publicznej, wykorzystania ziemi, ochrony nadmorskich terenów podmokłych oraz opieki nad zagrożonymi gatunkami zwierząt. Badania naukowe nad stanem środowiska koordynowała nowo powołana Krajowa Agencja ds. Oceanów i Atmosfery. Ustawa o czystym powietrzu (Clean Air Act) z 1970 r. wprowadziła standardy określające emisję wydzielania spalin dla samochodów i zakładów przemysłowych, z kolei zaś Urząd Zdrowia i Bezpieczeństwa Pracy (Occupational Safety and Health Administration, OSHA) zajął się stanem bezpieczeństwa pracy.

Kongres podążał dalej tym torem, uchwalając, mimo weta Nixona, ustawy o funduszach na potrzeby oczyszczenia krajowych szlaków wodnych. W sumie, w trakcie kadencji Nixona, uchwalono bezprecedensową liczbę ustaw dotyczących ochrony środowiska.

Po wyborach do Kongresu w 1970 r. Nixon zaczął zmierzać w kierunku redukcji wydatków federalnych, zgłaszając prezydenckie weto wobec wielu ustaw, uchwalanych w kontrolowanym przez demokratów Kongresie. Nawet gdy jego weto zostawało oddalone, odmawiał zagospodarowania przeznaczonych na jakiś cel funduszy (impoundment). Jednak w końcu legalność tej taktyki została podważona przez Sąd Najwyższy. Nixon ogłosił program „nowego federalizmu", obiecując przekazanie większej władzy stanom oraz samorządom lokalnym. Aby cel ten osiągnąć, przeprowadził przez Kongres w październiku 1972 r. ustawę o podziale dochodów federalnych, na mocy której dokonano redystrybucji niektórych funduszy federalnych na rzecz stanów. Stany otrzymały te fundusze bez żadnych warunków, jednocześnie jednak rząd federalny skorzystał z tej sposobności dla skonsolidowania 130 programów, obejmujących poprawę warunków bytu ludności miejskiej, edukację, egzekwowanie praw oraz szkolenie zawodowe.

Nixon zdawał sobie sprawę z tego, iż klasy średnie w Stanach Zjednoczonych żywiły obawę przed załamaniem się porządku prawnego. Rewolucjoniści spod znaku „nowej lewicy", hipisi, pornografia, przestępczość w wielkich miastach, wszystko to wydawało się w jakiś sposób połączone. Toteż, mimo iż odbywał swą kampanię w 1968 r. pod hasłem „znalezienia tego, co nas łączy", po objęciu fotela prezydenckiego potraktował demonstrantów na równi z przestępcami, głosząc zapożyczony od George'a Wallace'a slogan o „prawie i porządku". Było to częścią jego strategii pozyskania dla Partii Republikańskiej mieszkańców Południa oraz przedmieść.

Nixon zachęcał prokuratora generalnego Johna Mitchella do „wypowiedzenia wojny przestępczości" oraz do zajęcia twardej postawy wobec problemu narkotyków. Również Departament Sprawiedliwości poczynał sobie bardziej stanowczo z radykałami, stosując podsłuch bez nakazu sądowego; metody te zostały jednak odrzucone przez Sąd Najwyższy w 1971 r. Jednocześnie Departamentowi Sprawiedliwości udało się postawić przed sądem kilka grup ekstremistów, oskarżonych o działalność spiskową. W ścisłej współpracy z lokalną policją oraz FBI, Departament Sprawiedliwości dokonywał również akcji policyjnych, wymierzonych w sięgającą po przemoc organizację Czarnych Panter. Potyczki strzeleckie między policją a ekstremistami były przyczyną ponad czterdziestu ofiar śmiertelnych po stronie Czarnych Panter.

Centralnej Agencji Wywiadowczej (CIA) polecono kompletować teczki tysięcy amerykańskich dysydentów. W 1970 r. Nixon postanowił zintensyfikować walkę z radykałami za pomocą tzw. planu Hustona, który przewidywał posłużenie się przez CIA i FBI w tym celu podsłuchem, włamaniami oraz innymi formami tajnych działań. Mimo to jednak wyroki skazujące należały do rzadkości.

Stawianie radykałów przed sądem było częścią szeroko zakrojonej kampanii zastraszania, infiltracji oraz sabotowania organizacji dysydenckich, nazwanej COINTELPRO (od: counter-intelligence program, czyli program kontrwywiadowczy). Nigdy przedtem w tym stopniu nie naruszano praw obywatelskich. W ramach tej działalności niszczono mienie prywatne, podrzucano prasie kłamliwe informacje, mające zniszczyć reputację niektórych osób oraz kontrolowano proces nominacji politycznych. Nigdy zresztą nie ujawniono pełnego rejestru tej nielegalnej działalności.

Gdy szef FBI Edgar Hoover odmówił współpracy w tej akcji, Nixon założył tajną grupę pracowników, zwanych „hydraulikami", której zadaniem było wykrywanie „przecieków" z Białego Domu. „Hydraulicy" z byłym agentem FBI G. Gordonem Liddym na czele oraz eks-agentem CIA, Howardem E. Huntem, rozpoczęli działalność, mającą na celu zdyskredytowanie radykałów. Pierwszym obiektem ich zainteresowania stał się Daniel Ellsberg – były ekspert Departamentu Obrony, który przekazał prasie tajne dokumenty Pentagonu, związane z historią wojny w Wietnamie. Gdy dokumenty te, znane jako Pentagon Papers, zaczęły być latem 1971 r. publikowane w dzienniku „New York Times", administracja Nixona uzyskała sądowy nakaz wstrzymania ich druku. Sąd Najwyższy unieważnił nakaz, powołując się na I poprawkę do Konstytucji, na co Nixon zareagował wydaniem rozkazu Departamentowi Sprawiedliwości do postawienia Ellsberga przed sądem. W sierpniu 1971 r. „hydraulicy" dokonali włamania do biura psychiatry, u którego leczył się Ellsberg, w poszukiwaniu informacji mogących zdyskredytować nowego bohatera w oczach ruchu antywojennego.

Nixon pozwolił również swemu wiceprezydentowi, Spiro T. Agnew, przypuścić atak na opozycję antywojenną, na dziennikarzy, media oraz liberalnych intelektualistów. Agnew nazwał uczestników demonstracji antywojennych „zbieraniną mięczaków i aroganckich snobów, mieniących się intelektualistami", oskarżył również sieci telewizyjne o brak obiektywizmu wobec poczynań administracji. Twierdził zarazem, iż czołowe dzienniki, szczególnie zaś „New York Times" i „Washington Post", przedstawiają rząd w krzywym zwierciadle.

Atakując krytyków wojny oraz radykalnych studentów, administracja Nixona chciała jednocześnie wytrącić im broń z ręki, wprowadzając od dawna zapowiadaną reformę selektywnego poboru do wojska. Został w tym celu zaplanowany system oparty na loterii, w której data urodzin była podstawą do wcielenia do armii. Ostatecznym celem była jednak armia w stu procentach ochotnicza i cel ten został zrealizowany w 1972 r. Redukcja, a wreszcie koniec przymusowego poboru do wojska skutecznie przyczyniły się do osłabienia ruchu antywojennego.

Istotną częścią strategii wyborczej Nixona na Południu było pominięcie kwestii praw obywatelskich. Republikanie wyrażali sprzeciw wobec akcji dowożenia dzieci autobusami do szkół, podjętej w celu osiągnięcia integracji rasowej. Odmawiali pozbawienia funduszy federalnych tych dystryktów szkolnych, które opierały się desegregacji, przez co utrudniali działalność Komisji ds. Równouprawnienia w Zatrudnieniu (Equal Employment Opportunity Commission, EEOC).

Jednak ocena dokonań Nixona w dziedzinie praw obywatelskich nie mogła opierać się tylko na stosowanej przez niego retoryce. Wprawdzie jego administracja przeciwstawiała się dowożeniu uczniów „na siłę" do szkół, lecz jednocześnie Departament Sprawiedliwości konsekwentnie nadzorował postępującą desegregację szkół na Południu, w wyniku której odsetek czarnych dzieci uczęszczających do szkół przeznaczonych tylko dla Murzynów spadł z 68% w 1968 r. do 8% w 1972 r. Równocześnie w okresie prezydentury Nixona Komisja ds. Równouprawnienia w Zatrudnieniu ustaliła docelowe kwoty zatrudnienia na posadach rządowych dla tzw. mniejszości, a więc Afroamerykanów, osób z latynoskimi nazwiskami, Kubańczyków, Azjatów i kobiet. W 1972 r. Kongres uchwalił ustawę o przestrzeganiu równouprawnienia w zatrudnieniu, obowiązującą wszystkie urzędy federalne, stanowe i miejskie, instytucje oświatowe oraz zakłady pracy i związki zatrudniające bądź zrzeszające powyżej ośmiu pracowników.

Włączenie do rozporządzeń Komisji ds. Równouprawnienia w Zatrudnieniu klauzul o kobietach było wynikiem ustawodawstwa o prawach obywatelskich z czasów prezydenta Johnsona. W 1968 r. kobiety stanowiły zaledwie 8% naukowców, 7% lekarzy, 3% prawników oraz 1% inżynierów. Postęp w tej materii był pod wieloma względami nader powolny, aczkolwiek znacznie wzrosła liczba kobiet w szkolnictwie wojskowym, korpusie dyplomatycznym oraz sądownictwie federalnym.

W 1970 r. Kongres zaproponował poprawkę do Konstytucji o zrównaniu praw obu płci (Equal Rights Amendment, ERA), nawiązując do podobnej inicjatywy Alice Paul z lat dwudziestych. Poprawka została ratyfikowana przez 34 stany, lecz dla jej zatwierdzenia wymagana była zgoda dwóch trzecich (czyli trzydziestu ośmiu) stanów. Inicjatywa ta napotkała szczególnie silną opozycję w stanach „słonecznego pasa" (the Sunbelt). Wielu fundamentalistycznych chrześcijan prowadziło przeciw niej kampanię, dla przykładu Phyllis Schlafly, która twierdziła, iż poprawka ta zniszczy amerykańskie rodziny. Organizowali się również zwolennicy poprawki, lecz w końcu przeważyły konserwatywne przekonania elektoratu.

W trakcie kampanii 1968 r. Nixon obiecał wypełnić ławy Sądu Najwyższego konserwatystami. Na początku 1968 r. Earl Warren oznajmił swą decyzję rezygnacji z funkcji przewodniczącego Sądu Najwyższego. Jego następca, nominowany przez Johnsona, nie został zatwierdzony, wobec czego wypełnienie tego wakatu dostało się w gestię Richarda Nixona. Pod koniec maja 1969 r. Nixon nominował na to stanowisko Warrena E. Burgera, sędziego federalnego, który został szybko zatwierdzony przez Senat. Obsada kolejnych wakatów nie poszła już Nixonowi tak gładko, ponieważ dwóch jego kandydatów zostało odrzuconych przez Senat. Kandydatami, którzy przeszli przez senackie „sito" i zasiedli w Sądzie Najwyższym, byli: Harry Blackmun, Lewis F. Powell i William H. Rehnquist. Spośród tych sędziów jednak tylko Rehnquist zaprezentował się jako konsekwentny konserwatysta.

Sąd Najwyższy za czasów Nixona wydał jedno ze swych najsłynniejszych orzeczeń. Była to decyzja w sprawie Roe kontra Wade z 1973 r., na mocy której obalone zostało prawo stanu Teksas, uznające usuwanie ciąży za przestępstwo, z wyjątkiem sytuacji, w których istniało zagrożenie życia matki. W latach sześćdziesiątych wiele stanów, włączając w to Kalifornię, podczas kadencji gubernatora Ronalda Reagana, zalegalizowało aborcję. W sprawie Roe kontra Wade sędzia Harry Blackmun przychylił się do opinii większości Sądu, uznającej przeprowadzanie aborcji w pierwszych trzech miesiącach ciąży za prawo konstytucyjne. Późniejsze orzeczenia sądowe ograniczyły tę zasadę, jednak sprawa Roe kontra Wade stanowiła istotny punkt zwrotny w historii amerykańskiego prawa konstytucyjnego.

Nixon wygrał wybory prezydenckie w 1972 r. dzięki podróży do Chin, rozpoczęciu wycofywania wojsk amerykańskich z Wietnamu, odważnym posunięciom antyinflacyjnym oraz dzięki słabości swego demokratycznego rywala – George'a McGoverna. Dopiero po wyborach wyszła na jaw prawda o stosowanych przezeń w kampanii wyborczej „brudnych sztuczkach": o włamaniu do kwatery wyborczej demokratów w budynku „Watergate" w Waszyngtonie, o machinacjach podatkowych, o praniu brudnych pieniędzy oraz politycznych manipulacjach względem demokratów. W 1974 r. skandal „Watergate" zmusił Nixona, jako pierwszego prezydenta w historii, do rezygnacji z zajmowanego urzędu.

14

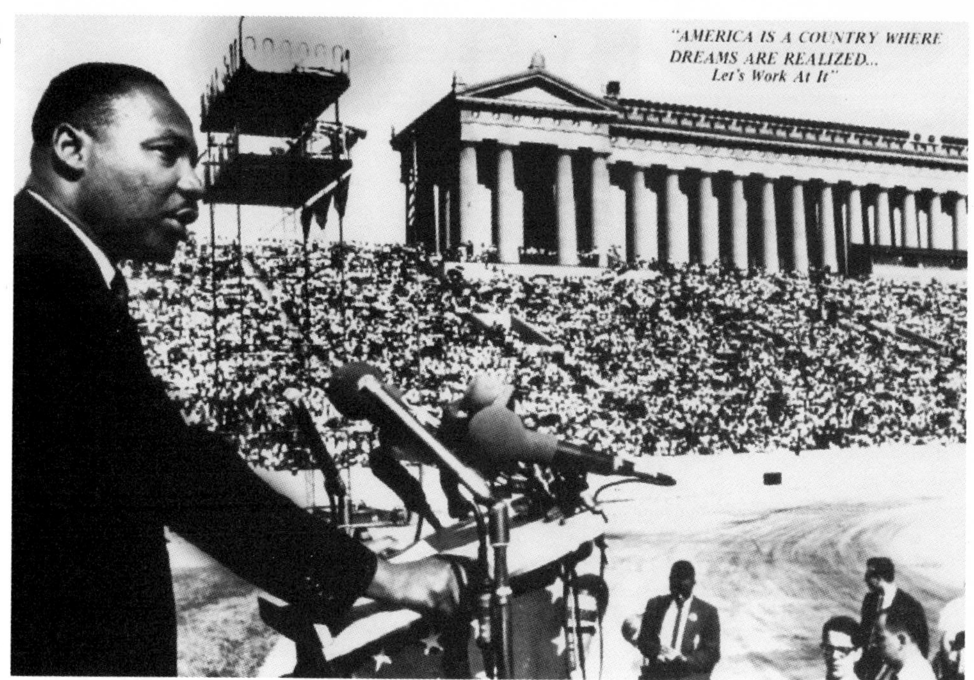

Wystąpienie Martina L. Kinga w Waszyngtonie

„Marsz biednych" w Waszyngtonie, 1968 r.

15

16

Policja ochrania budynek Pentagonu w czasie demonstracji przeciwników wojny wietnamskiej, październik 1967 r.

Jedna z typowych scenek z okresu buntu studenckiego z lat sześćdziesiątych . Studenci Columbia University bojkotują zajęcia uniwersyteckie, kwiecień 1968 r.

17

18

Elvis Presley, jeden z idoli muzyki młodzieżowej z końca lat pięćdziesiątych – symbol narodzin subkultury młodzieżowej

Marylin Monroe, popularna aktorka z lat pięćdziesiątych – symbol seksu w tym czasie

19

20

Earl Warren, sędzia Sądu Najwyższego

21

Robert McNamara, sekretarz obrony w gabinecie prezydenta J.F. Kennedy'ego i L.B. Johnsona, 1961–1968

John Foster Dulles, sekretarz stanu w administracji D.D. Eisenhowera, 1953–1959

22

23

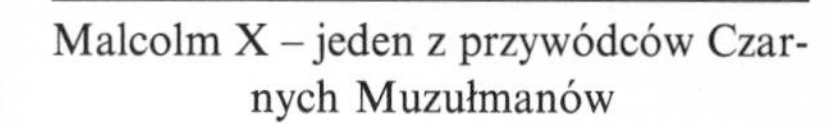

Malcolm X – jeden z przywódców Czarnych Muzułmanów

Vivian Malone – pierwsza czarna studentka przyjęta do University of Alabama. Jej przyjęcie stało się jednym z symbolicznych aktów desegregacji szkolnictwa na Południu

24

John F. Kennedy, prezydent Stanów Zjednoczonych, 1961–1963

26

Astronauta John Glenn

Gen. Alexander Haig, sekretarz stanu w gabinecie R. Reagana

27

Henry Kissinger, doradca ds. bezpieczeństwa w administracji R. Nixona oraz sekretarz stanu w gabinecie R. Nixona i G. Forda (1973–1977)

28

Planując kampanię 1972 r. Nixon rozumiał, iż może przegrać jedynie w wyniku złej sytuacji gospodarczej. Wojna w Azji Południowo-Wschodniej doprowadziła do powstania spirali inflacyjnej, która wydawała się niemożliwa do opanowania. W 1970 r. inflacja osiągnęła poziom przeszło 5% w skali rocznej i nadal rosła, podczas gdy bezrobocie, wywołane częściowo zmniejszeniem zamówień przez armię, wyniosło 6%. Nixon był atakowany przez demokratów za spowodowanie „najgorszej rzeczy z możliwych – stagflacji", czyli stagnacji na rynku pracy w połączeniu z wysoką inflacją.

Stan gospodarki pogarszał się nieustannie przez cały 1971 r. Na skutek wywieranych nacisków Nixon ogłosił w telewizji, 15 sierpnia 1971 r., poważną decyzję gospodarczą o tym, że Stany Zjednoczone rezygnują z wymienialności dolara na złoto. W latach trzydziestych Roosevelt wyznaczył cenę dolara w złocie na 35 dolarów za uncję, w wyniku zaś decyzji Nixona miał przestać obowiązywać parytet dolara w stosunku do złota. Krok ten spowodował zwiększoną emisję pieniądza w połączeniu z dużą presją inflacyjną, która trwała przez całą dekadę lat siedemdziesiątych. Nixon wprowadził również płynność kursu dolara wobec innych walut, co nastąpiło po raz pierwszy od końca lat czterdziestych. Posunięcie to wywarło wielki wpływ na światowe ceny i handel. Nixon zamroził również na 90 dni zarobki i ceny, wyjaśniając osłupiałym dziennikarzom, iż „nawrócił" się na doktrynę Johna Maynarda Keynesa – angielskiego ekonomisty, który nauczał o niezbędności interwencjonizmu państwowego w gospodarce.

W listopadzie 1972 r. Nixon ogłosił „drugi etap" akcji kontroli cen i zarobków, formułując federalne „wskazówki" co do zakresu wzrostu płac, cen oraz stopy procentowej. (Wśród biznesmenów panowało przekonanie, iż w zamian za hojną pomoc w kampanii można było uzyskać znaczne ulgi. Późniejsze kłopoty Nixona były w dużej mierze związane z owymi sztywnymi i na dłuższą metę niepraktycznymi metodami). Jednak, mimo iż sytuacja gospodarcza uległa jedynie nieznacznej poprawie (w rzeczy samej inflacja w 1972 r. urosła do 9%), Nixonowi udało się na pewien czas rozwiać niepokój wyborców.

U progu wyborów 1972 r. w obozie demokratów panował nadal chaos. Swym kandydatem ogłosili oni liberalnego senatora z Dakoty Południowej, George'a McGoverna, który zbił kapitał na dominujących w partii odczuciach antywojennych. Nowy regulamin partyjny faworyzował aktywistów, co spowodowało, iż konwencja nie była całkiem reprezentatywna dla elektoratu demokratów: zbyt duży poklask zdobyły tam hasła lewicowe. Regulamin przewidywał, iż reprezentacja każdego stanu winna zawierać właściwe proporcje mniejszości rasowych i etnicznych, kobiet oraz osób młodych, toteż widzowie telewizyjni, którzy przywykli oglądać na konwencjach osoby starsze, zamożne, o białym kolorze skóry oraz płci męskiej, przeżyli spore zaskoczenie. McGovern okazał się wdzięcznym celem dla ataków Nixona. Zamach wiosną

1972 r. na kandydata z ramienia partii „trzeciej", George'a Wallace'a, który na skutek paraliżu po postrzale zmuszony został do wycofania się z wyścigu, przyniósł Nixonowi głosy wyborców opowiadających się za „prawem i porządkiem". McGovern wzywał do redystrybucji dochodów, cięć w wydatkach na zbrojenia, natychmiastowego wycofania wojsk z Wietnamu oraz amnestii dla poborowych, którzy uciekli przed służbą wojskową do Kanady. Nixon przypuścił atak na McGoverna za rzekomy brak kompetencji, przedstawiając go jako ekstremistę, żądającego „aborcji, narkotyków i amnestii" (abortion, acid [LSD], and amnesty). Obraz kandydata demokratów jako osoby niekompetentnej utrwalił się na skutek skandalu z kandydatem na wiceprezydenta, senatorem Thomasem Eagletonem z Missouri. McGovern początkowo dawał mu swe „1000-procentowe" poparcie, jednak pozbył się go pospiesznie po wyjściu na jaw faktu, iż polityk ten cierpiał na depresję i leczył się metodą elektrowstrząsów.

W tej sytuacji reelekcja Nixona wydawała się zapewniona. Nie zostawiał on zresztą niczego własnemu losowi. Jego Komitet Reelekcji Prezydenta (Committee to Re-elect the President, CREEP) funkcjonował niezależnie od Partii Republikańskiej, zbierając miliony dolarów od firm i korporacji liczących na kontrakty rządowe. Często dla zatarcia śladów pieniądze te były dostarczane gotówką w walizkach. Przewodniczący CREEPu, prokurator generalny John Mitchell, zaaprobował taktykę stosowania „brudnych chwytów" wobec demokratów. Najskuteczniejszym z tych chwytów poniżej pasa było podrobienie listu, który przekreślił szanse na nominację przez demokratów Edmunda Muskiego, polityka mającego wielkie szanse na pokonanie Nixona. Zakres stosowania tych metod wyszedł na jaw przy okazji aresztowania członków republikańskiej „grupy wywiadowczej", kierowanej przez G. Gordona Liddy'ego oraz Howarda E. Hunta. Osoby te schwytano na gorącym uczynku, w chwili gdy dokonywały włamania do głównej kwatery wyborczej Narodowego Komitetu Partii Demokratycznej w hotelu „Watergate", w celu założenia tam podsłuchu telefonicznego. Wkrótce policja dokonała aresztowania Jamesa McCorda, koordynatora w CREEP, odpowiedzialnego za akcję.

Biały Dom zaczął pospiesznie usuwać ślady swojego współuczestnictwa we włamaniu, wydając oświadczenie, iż „nikt z personelu ani rządu w Białym Domu nie brał udziału w tym żenującym incydencie". Nixon nakazał, aby nazwisko Hunta wymazane zostało ze spisu abonentów telefonicznych w Białym Domu, przeznaczył również potajemnie kwotę 400 tys. dolarów na „zamknięcie ust" osobom aresztowanym. Na część tej gotówki natrafiono przypadkowo, w wyniku śmierci żony Hunta w katastrofie lotniczej. Administracja naciskała również na FBI, aby wstrzymano dochodzenie w aferze Watergate pod pretekstem ochrony bezpieczeństwa narodowego.

Na skutek tych wysiłków afera „Watergate" na jakiś czas przycichła. W dodatku kampania McGoverna zorganizowana była tak nieudolnie, że

demokratom nie udało się zbić kapitału na tej sprawie. Poza „Washington Post", tylko nieliczne gazety zdobywały się na umieszczenie wzmianki o „Watergate". Nixon uzyskał ponad 60% głosów wyborców, a w kolegium elektorskim osiągnął miażdżącą przewagę nad McGovernem 520 głosami do 17. McGovernowi udało się zwyciężyć jedynie w Massachusetts i Dystrykcie Kolumbii (w Waszyngtonie).

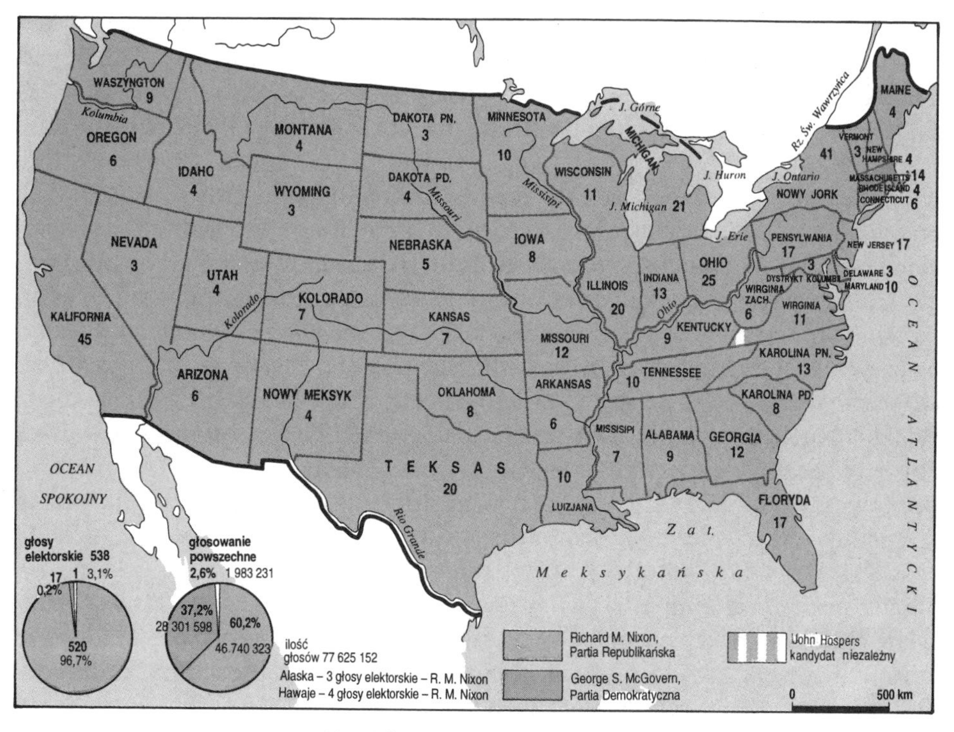

13. Wybory prezydenckie 1972 r.

Jednak skandal „Watergate" spędzał sen z powiek Nixona. W trakcie rozprawy przeciwko sprawcom włamania, jaka odbyła się w marcu 1973 r., sędzia federalny John Sirica nakłonił Jamesa McCorda do złożenia oświadczenia, iż o włamaniu wiedziały wysoko postawione osoby w administracji Białego Domu. Wkrótce potem dwóch młodych i energicznych reporterów gazety „Washington Post", Bob Woodward i Carl Berstein, opublikowało serię artykułów zamieszczonych na pierwszej stronie tego dziennika, w których Biały Dom został powiązany z włamaniem. Posługując się nie wymienionym z nazwiska informatorem z administracji Nixona (obrał on pseudonim „głębokie gardło" – „Deep Throat" – od tytułu znanego filmu pornograficznego), Woodward i Bernstein nie pozwolili, aby afera „Watergate" uległa zapomnieniu.

W lutym 1973 r. Senat powołał Specjalny Komitet ds. Prezydenckiej Kampanii Wyborczej (Special Committee on Presidential Campaign Activities) pod kierownictwem senatora Sama Ervina z Karoliny Północnej, w celu przeprowadzenia dochodzenia w tej sprawie. Czując, że ziemia pali mu się pod stopami, Nixon zmusił do rezygnacji swych głównych doradców – Johna Ehrlichmana i H. R. Haldemana, oraz zwolnił z pracy Johna Deana, specjalnego doradcę prezydenta, który podjął pierwsze działania zatuszowania tej afery. Zaklinając się, iż wyjaśni tę cała sprawę, Nixon powołał nowego prokuratora generalnego, Elliota Richardsona, i powierzył mu nadzór nad dochodzeniem, a na specjalnego prokuratora w tej sprawie mianował Archibalda Coxa – demokratę, profesora na wydziale prawa w uniwersytecie Harvarda.

W maju 1973 r. komisja Ervina rozpoczęła transmitowane przez telewizję przesłuchania. Gdy komisja oraz specjalny prokurator dowiedzieli się o istnieniu w gabinecie prezydenta magnetofonu, rejestrującego wszystkie odbywane tam rozmowy, zażądano od prezydenta udostępnienia nagrań. Nixon odmówił, powołując się na „bezpieczeństwo narodowe", a po uzyskaniu nieprzychylnej decyzji w sądzie nakazał Richardsonowi zwolnić z pracy Coxa. Gdy jednak zarówno prokurator generalny Richardson, jak i jego zastępca William Ruckelhaus odmówili mu posłuszeństwa, Nixon zdymisjonował ich obu i nakazał federalnemu radcy prawnemu (Solicitor General), Robertowi Borkowi, zwolnić Coxa. Decyzja o dymisjach, która podjęta została późno w sobotę i stąd nie poinformowano o niej w niedzielnej prasie, została nazwana „masakrą sobotniej nocy" (Saturday Night Massacre – aluzja do popularnego programu rozrywkowego, *Saturday Night Live*). Tysiące nadsyłanych telegramów zmusiły wówczas Komisję ds. Wymiaru Sprawiedliwości Izby Reprezentantów do podjęcia decyzji o rozpoczęciu procedury „impeachmentu", tj. złożenia prezydenta z urzędu.

W październiku wiceprezydent Spiro Agnew został zmuszony do ustąpienia po tym, gdy oskarżono go o uchylanie się od płacenia podatków oraz o przyjmowanie łapówek na stanowisku gubernatora stanu Maryland. Członkowie Kongresu z obu partii zmusili Nixona do zastąpienia skompromitowanego Spiro Agnew posłem z ramienia Partii Republikańskiej, Geraldem Fordem.

W kwietniu 1974 r. Nixon udostępnił przeredagowany przez siebie zapis swoich rozmów, sporządzony na podstawie nagrań magnetofonowych. Jednak zamiast przywrócić zaufanie do prezydenta, dokumenty te ukazały Nixona jako osobnika wulgarnego, mściwego, pokrętnego, cynicznego oraz jako antysemitę. Zaufanie do niego zmniejszyło się w sposób dramatyczny. Nixon nie udostępnił całego materiału, lecz kiedy nowy prokurator, Leon Jaworski, a następnie Sąd Najwyższy jednomyślnie zażądali ujawnienia dodatkowych taśm, gra była właściwie skończona. Nixon został „przyłapany z dymiącym rewolwerem w ręku", gdyż ujawniona została jego rola w operacjach mających zatrzeć ślady oraz udowodniono mu próbę utrudniania śledztwa. Koniec był już łatwy do przewidzenia, gdy delegacja republikanów z Kongresu, z Barrym Goldwaterem na czele, powiadomiła Nixona o tym, iż w wyniku procedury „impeachmentu" otrzyma on wyrok skazujący. 9 sierpnia 1974 r. Nixon podał się do dysmisji.

9 sierpnia 1974 r. przysięgę prezydencką złożył Gerald Ford – pierwszy polityk, który nie został wybrany na to najwyższe stanowisko ani też nie został wybrany na stanowisko wiceprezydenta. Jego dwuletnie urzędowanie ostatecznie pogrzebało szanse na sukces Partii Republikańskiej. Amerykę trapiła w tym czasie „stagflacja", na scenie dyplomatycznej zaś Stany Zjednoczone kontynuowały linię Nixona.

Ford przywrócił Białemu Domowi spokój i pewność siebie, jak również wiarę w tradycyjne wartości. Był pechowcem w sporcie (kiedy grał w drużynie futbolowej uniwersytetu stanu Michigan, nie odniosła ona ani jednego zwycięstwa), lecz za to miał więcej szczęścia w polityce, osiągnąwszy z czasem stanowisko przywódcy republikańskiej mniejszości w Kongresie. Potrafił być bardzo stronniczy i uparty, jak np. w sprawie liberalnego sędziego, Williama O. Douglasa, członka Sądu Najwyższego, którego chciał postawić w stan oskarżenia za opublikowanie artykułu w magazynie erotycznym. Jego skłonność do uporu sprowokowała komentarz ze strony Lyndona Johnsona, iż „Ford za długo grał w futbol bez hełmu". Ford jako futbolista grał w środku pola i stąd, jak twierdzili jego przeciwnicy, stale widział świat do góry nogami. Jako prezydent usiłował on za wszelką cenę doprowadzić do zawieszenia broni na arenie politycznej. Jednym z jego pierwszych kroków było ułaskawienie Richarda Nixona za „wszelkie możliwe przestępstwa" popełnione w trakcie urzędowania. Postępek ten nie pozwolił bynajmniej na odbudowanie zaufania do Białego Domu i poważnie zaszkodził Fordowi, mimo iż bronił on swej decyzji, którą w dużej mierze podjął samodzielnie, jako najbardziej korzystnej dla kraju.

Ford pozostawał w głębokiej opozycji do liberałów, stawiając weto wobec projektów ochrony środowiska, jak np. wobec planu rekultywacji terenów kopalni odkrywkowych; sprzeciwił się też ustawie, przewidującej większy dostęp obywateli do archiwów rządowych. W sumie jednak zdominowany przez demokratów Kongres nie miał kłopotów z pokonywaniem jego sprzeciwów.

Decyzje gospodarcze Forda, które były jego najpoważniejszym sprawdzianem, utrwaliły przekonanie o niekompetencji prezydenta. Nałożenie przez Arabów, na początku 1973 r., embarga naftowego na Stany Zjednoczone oraz zwyżki cen światowych, spowodowane polityką kartelu OPEC, doprowadziły do raptownego skoku cen ropy w Ameryce, a w następstwie tego do niekontrolowanej inflacji. Ford usiłował zdławić ją za pomocą perswazji, ogłaszając program dobrowolnych zamrożeń cen i płac pod nazwą Whip Inflation Now (zduśmy inflację już dziś), którego skrót od pierwszych liter brzmiał WIN (czyli: zwyciężyć). Prezydent często nosił w klapie znaczek z tym napisem. Zarząd Federalnego Systemu Rezerw podniósł stopę dyskontową pożyczek bankowych w nadziei powstrzymania inflacji, lecz wysokie stopy oprocentowania doprowadziły do pogłębienia recesji w latach 1974–1975.

W 1974 r. stopa bezrobocia sięgnęła niemal 11%, co było najgorszym wynikiem od czasów Wielkiego Kryzysu w latach trzydziestych. W wyniku spadku sprzedaży samochodów, koncerny General Motors, Ford i Chrysler zmuszone zostały do zwolnienia z pracy ponad 200 tys. pracowników. Droga benzyna spowodowała, iż coraz częściej kupowano oszczędne samochody zagraniczne, których udział na rynku amerykańskim stale się powiększał. Producenci krajowi zbyt wolno reagowali na zmieniający się popyt wypuszczaniem na rynek nowych, konkurencyjnych modeli.

W polityce zagranicznej Ford kontynuował ofensywną politykę Nixona, dzięki zatrzymaniu na stanowisku sekretarza stanu Henry'ego Kissingera (Kissinger objął je po wyborach 1972 r.). W pierwszym roku urzędowania Forda nastąpiło ostateczne załamanie oporu przeciw komunistom w Indochinach. W kwietniu 1975 r. komuniści kambodżańscy spod znaku Czerwonych Khmerów obalili proamerykański rząd Lon Nola, po czym zorganizowali masową akcję przesiedlania ludzi z miast do wsi. W jej wyniku spowodowali oni śmierć przeszło miliona ludzi – było to ludobójstwo na skalę porównywalną z wyczynami nazistów. Wiosną 1975 r. Wietnam Północny jednostronnie złamał warunki rozejmu, dokonując inwazji na Wietnam Południowy. Skorumpowana armia i rząd gen. Thieu nie stawiły oporu i w marcu komuniści z Demokratycznej Republiki Wietnamu wkroczyli do Sajgonu, zaprowadzając rządy żelaznej ręki.

W tym czasie już większość społeczeństwa amerykańskiego nie wyrażała ochoty na dalszą ingerencję w Azji Południowo-Wschodniej; był to fakt, który mocno ograniczał możliwość zareagowania przez Forda na przejęcie w tym regionie władzy przez komunistów. Dowodem na to, wkrótce po upadku Sajgonu, był incydent ze schwytaniem przez kambodżańskich komunistów amerykańskiego statku handlowego Mayaguez. W odpowiedzi Ford zorganizował akcję odbicia trzydziestodziewięcioosobowej załogi, podczas której poniosło śmierć 41 amerykańskich Marines. Epizod ten potwierdził w oczach opinii publicznej wizerunek prezydenta jako osoby niekompetentnej.

Biały Dom był również krytykowany przez prawe skrzydło Partii Republikańskiej za politykę prowadzoną wobec Związku Radzieckiego. Podczas spotkania pod koniec 1974 r. we Władywostoku z radzieckim przywódcą Leonidem Breżniewem, Ford uczynił znaczny krok w kierunku osiągnięcia nowego porozumienia w dziedzinie kontroli zbrojeń. W następnym roku Ford, Breżniew oraz przedstawiciele 31 państw podpisali umowę sankcjonującą granice w powojennej Europie oraz zobowiązali się do przestrzegania praw człowieka. Umowa helsińska była atakowana przez konserwatystów, którzy uznali, iż Ford mimo ustępstw niewiele od Rosjan uzyskał; swe wątpliwości co do rzekomego sukcesu umów helsińskich wyraził nawet Henry Kissinger.

Poparcie Forda wśród konserwatystów zostało uszczuplone na skutek udziału w wyborach wstępnych byłego gubernatora stanu Kalifornia, Ronalda Reagana. Fordowi z ledwością udało się Reagana pokonać, rywalizacja zaś między dwoma politykami podzieliła szeregi Partii Republikańskiej.

Wietnam oraz Watergate podkopały zaufanie społeczne do polityków związanych z Waszyngtonem. W rezultacie demokraci postawili na „czarnego konia", Jimmy Cartera – inżyniera, wychowanka Akademii Marynarki w Annapolis, byłego oficera na atomowej łodzi podwodnej, byłego gubernatora stanu Georgia oraz zamożnego plantatora orzeszków ziemnych. Carter kandydował w wyborach wstępnych jako polityk z Południa, mający szansę na pokonanie w walce o nominację Wallace'a. Będąc outsiderem, wypowiadającym się przeciwko tzw. pragmatyzmowi politycznemu, Carter obiecywał przywrócić polityce moralność, a wraz z nią zaufanie społeczeństwa. Mówił on o stworzeniu rządu „tak dobrego jak naród amerykański", aczkolwiek sceptycy podawali tę „dobroć" w wątpliwość. Dzięki pomocy kościołów murzyńskich Carterowi udało się skłonić do głosowania na siebie Afroamerykanów. Wprawdzie związki zawodowe poparły Huberta Humphreya, lecz ten zmuszony został do wycofania swej kandydatury na skutek złego stanu zdrowia. Aby przyciągnąć do siebie liberałów, Carter zaproponował na wiceprezydenta protegowanego Humphreya, senatora Waltera Mondale'a z Minnesoty. Wyniki ankiet dowodziły rosnącej popularności Cartera, przez co wróżono mu łatwe zwycięstwo. Popełniał on jednak wiele gaf, które częściowo zburzyły przekonanie o przywódczych umiejętnościach kaznodziei z Kościoła baptystów. Bodajże największą z nich było jego wyznanie, iż „w skrytości ducha pożąda kobiet".

Carter wygrał jednak wybory z małą przewagą nad Fordem, zdobywając 49,9% głosów (Ford uzyskał 47,9%). Będąc kandydatem z Georgii, zwyciężył na całym Południu, mimo to jednak zdobył tylko 297 głosów elektorskich, przy 240 oddanych na Forda. W konsekwencji Carter po wprowadzeniu się do Białego Domu nie posiadał dostatecznego poparcia w Waszyngtonie ani nawet we własnej partii.

W 1977 r. Jimmy Carter obejmując urząd prezydenta ogłosił się populistą, który głęboko wierzy w „zwykłych ludzi". Chciał on przywrócić zaufanie do rządu, jednocześnie wprowadzając zasady gospodarności i większej wydajności. Jeśli chodzi o politykę zagraniczną, to miał on idealistyczną wizję pokojowej koegzystencji ze Związkiem Radzieckim, a także popierał prawa człowieka. W sumie jednak nie udało mu się sformułować spójnej filozofii politycznej. Administracja Cartera borykała się z kolejnymi kryzysami w kraju, jak i za granicą, przy czym na jego niepowodzenia złożyły się zarówno niedostatek politycznego talentu, jak i zwyczajny brak szczęścia.

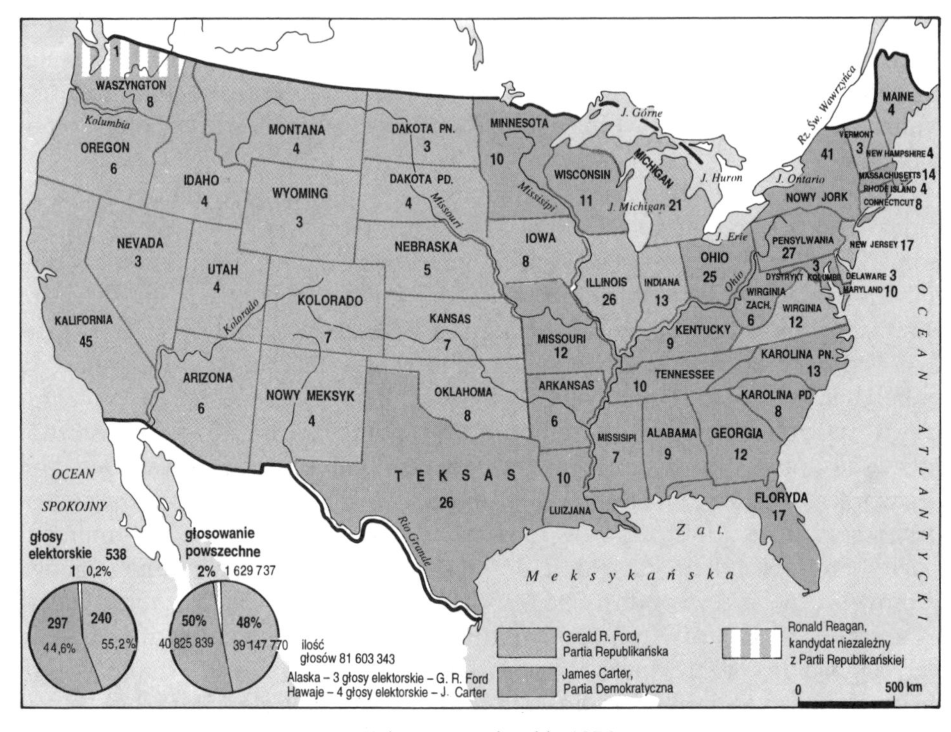

14. Wybory prezydenckie 1976 r.

Carter objął Biały Dom jako outsider, który obiecywał zerwać z „imperialną" prezydenturą okresu Johnsona i Nixona. Wprowadził on nowy styl, nacechowany skromnością, która miała charakteryzować jego „rządy dla ludzi". Stylowi temu dał wyraz już w dniu inauguracji, kiedy to wraz z żoną, Rosalyn, przemaszerował trasę długości ponad jednej mili, dzielącą Biały Dom od Kapitolu. Carter miał w zwyczaju pokazywać się publicznie w nieformalnym stroju, kiedyś nawet przemawiał przed kamerami telewizji w swetrze, kiedy zaś udawał sie w podróż, sam dźwigał własną walizkę. Dla podkreślenia swej „zwykłości" kazał nazywać się Jimmy Carterem, zamiast „Jamesem Earlem Carterem juniorem". Sprowadził on do Białego Domu grupę młodych doradców z Georgii, którzy szczycili się brakiem „waszyngtońskiej" przeszłości.

Na początku społeczeństwo ciepło odebrało ten „swojski" styl Cartera, któremu towarzyszyło zwiększone zainteresowanie muzyką country. Jednak nieumiejętność Cartera ułożenia sobie stosunków z liberalnym Kongresem zdradzała w nim człowieka o ograniczonych horyzontach. Wydawał się zbyt zaprzątnięty drobiazgami, jak np. osobistym planowaniem rozkładu godzin na kortach tenisowych w Białym Domu, tymczasem brakowało mu szerszej wizji, która ułatwiałaby mu sformułowanie listy priorytetów oraz działanie w sposób zaplanowany. W rezultacie Amerykanie poczęli odbierać jego bezpretensjonalność jako sztuczną oraz jako odzwierciedlenie braku talentów przywódczych ze strony prezydenta.

W 1977 r. administracji udało się przekonać Kongres o konieczności uchwalenia obniżki podatków oraz ustanowienia programu robót publicznych, który doprowadził do spadku bezrobocia do 5% pod koniec 1978 r. Carter zaproponował również zmiany w strukturze urzędów państwowych i na posadach rządowych. Za to jego wysiłki w celu dokonania reformy systemu opieki społecznej za pomocą reanimacji projektu Nixona o FAP (Family Assistance Plan, czyli Plan Pomocy Rodzinie) spełzły na niczym, podobnie jak nie doszła do skutku jego propozycja stworzenia nowego systemu ubezpieczeń zdrowotnych, która „ugrzęzła" w Kongresie. Ofiarą „grup nacisku" w Kongresie padła również jego propozycja zmian w federalnym podatku dochodowym.

Inflacja gnębiła rząd w jeszcze bardziej dotkliwym stopniu niż za czasów Nixona i Forda, szczególnie ze względu na dokonywane przez OPEC podwyżki cen ropy naftowej. Cena benzyny skoczyła z 30 centów do ponad dolara za galon, jednak Carter nie zdecydował się na zniesienie kontroli cen paliwa oraz na wprowadzenie jego przydziałów poszczególnym regionom. Spowodowało to w wielu stanach tworzenie się długich kolejek po benzynę, mimo iż paliwa nigdy – o dziwo – nie brakowało w Georgii. W 1979 r. inflacja wzrosła do ponad 13% w skali rocznej.

Carter, podobnie jak Ford, liczył na efekt dobrowolnej rezygnacji z podwyższania cen i płac. Jego Rada ds. Stabilności Płac i Cen (Council of Wage and Price Stability) usiłowała przemówić do producentów i pracowników, aby zrzekli się podwyżek, jednak nie odniosło to skutku. Tymczasem OPEC lokował dochody z ropy naftowej w europejskich i amerykańskich bankach, w ogromny sposób zwiększając ich kapitał pożyczkowy. Nieproporcjonalny do rzeczywistej produktywności gospodarki wzrost podaży pieniądza powodował dalszą inflację. W celu „wystudzenia" gospodarki Federalny System Rezerw podniósł wyżej stopę dyskontową, w rezultacie czego stopa procentowa i oprocentowanie pożyczek na działalność gospodarczą osiągnęły w 1980 r. zawrotną wysokość 20%. Jednak ze względu na rosnącą inflację nie brak było chętnych i na tak wysoko oprocentowane kredyty. Kwitła spekulacja, szczególnie w zakresie obrotu nieruchomościami. Jeden z chicagowskich przedsiębiorców zainwestował 100 mln dolarów (w tym 90 mln uzyskanych z pożyczki) w nieruchomości, które sprzedał za 800 mln dolarów. Inflacja była manną z nieba dla spekulantów i dłużników, jednak ucierpiała na tym gospodarka jako całość.

Carter utworzył nowy Departament ds. Energetyki aby rozwiązać problem nadmiernego zużycia energii. Zaproponował on również śmiałą ustawę, zwiększającą podatki na ropę i benzynę, kredyty podatkowe dla oszczędzających zużycie energii oraz fundusze na badania nad alternatywnymi źródłami energii. Jednak z powodu złych stosunków z Kongresem jego inicjatywa została zrealizowana zaledwie w okrojonej postaci w 1978 r. W 1979 r. procent społeczeństwa aprobujący rządy Cartera spadł poniżej notowań Nixona w okresie afery „Watergate".

W obliczu raptownie pogarszających się prognoz politycznych Carter zaszył się w Camp David ze stu trzydziestoma doradcami, aby na koniec wygłosić przed kamerami telewizyjnymi dobitne przemówienie o „złym samopoczuciu narodu" (malaise), a także o „kryzysie zaufania". Zwolnił on z posady pięciu członków gabinetu, w tym kilka osób kompetentnych. Oskarżone one zostały, zapewne nie bez podstaw, o brak lojalności. W 1979 r. większość Amerykanów doszła do wniosku, iż problem tkwił w samym prezydencie, nie zaś w „złym samopoczuciu narodu".

Dyplomacja Cartera odniosła kilka sukcesów. Główny nacisk kładł on na prawa człowieka, toteż jego sekretarz stanu, Cyrus Vance, wywierał presję na rządy w Chile, Argentynie, Etiopii, RPA i na Filipinach, aby zaprzestały łamania tych praw.

Carterowi udało się, mimo kłopotów, nakłonić Kongres do ratyfikacji układu, na mocy którego miało nastąpić stopniowe przekazanie Kanału Panamskiego oraz strefy kanału rządowi Panamy. Carter odniósł rzadko odnotowywany za swej kadencji triumf, pokonując konserwatywną opozycję w Senacie stosunkiem głosów 68 do 32, aczkolwiek omal nie zabrakło mu jednego głosu do uzyskania niezbędnej przewagi dwóch trzecich. Carter nawiązał również, na początku 1979 r., pełne stosunki dyplomatyczne z rządem Chińskiej Republiki Ludowej.

Jego największym osiągnięciem było zaproszenie we wrześniu 1978 r. na negocjacje pokojowe do Camp David premiera izraelskiego Menachema Begina i prezydenta Egiptu Anwara As-Sadata, gdzie po trzynastu dniach przeciągających się negocjacji uzgodnili oni w ogólnych zarysach plan traktatu pokojowego. Zapał Cartera wynikający z faktu, iż chodziło tu o biblijną Ziemię Świętą, przekonał go o konieczności posłużenia się osobistą perswazją. Wierzył on, iż jego plany powieść się mogą nie z powodu wyrachowania politycznego, lecz jedynie ze względu na przejawianą przezeń wspaniałomyślność oraz silną wolę. W rezultacie w marcu 1979 r. Begin i Sadat podpisali w Białym Domu formalny traktat pokojowy, ustanawiając między swoimi krajami stosunki dyplomatyczne.

Zawarcie pokoju na Bliskim Wschodzie było największym osiągnięciem administracji Cartera. Wydawało się, iż jego pozycja jako „budowniczego pokoju" jest niezagrożona, tymczasem stało się inaczej. W czerwcu 1979 r.

Carter spotkał się z Breżniewem, aby podpisać nowy układ o kontroli zbrojeń – SALT II. Jednak kiedy układ ten został przesłany do ratyfikacji w Kongresie, napotkał on tam silną opozycję ze strony konserwatystów, ostrzegających iż ZSRR nie tylko nie przestrzega układu SALT I, ale i umów helsińskich. Grożąc, iż nowy traktat zapewni Związkowi Radzieckiemu przewagę nuklearną, konserwatywni senatorzy, popierani przez producentów broni, nie dopuścili do ratyfikacji SALT II.

Gdy Związek Radziecki zaatakował sąsiedni Afganistan w celu utrzymania tam proradzieckiego reżimu, Carter został zmuszony do wycofania umowy SALT II z Senatu. Zmusił on również sportowców amerykańskich do zbojkotowania igrzysk olimpijskich w Moskwie w 1980 r. Za namową swego doradcy ds. bezpieczeństwa narodowego, Zbigniewa Brzezińskiego, Carter poparł prace nad budową kosztownego systemu rakiet jądrowych MX, zwiększał także systematycznie wydatki na nowe zbrojenia.

Ta polityka zraziła do niego liberałów własnej partii i jednocześnie nie przysporzyła mu zwolenników wśród konserwatystów, którzy nie mogli mu przebaczyć umowy z Panamą, podkreślania praw człowieka (mimo iż w tym względzie coraz częściej krytykował Związek Radziecki) oraz poparcia dla SALT II. Stany Zjednoczone i ZSRR zobowiązały się nieformalnie do przestrzegania postanowień tego traktatu, mimo jego niezatwierdzenia.

W miarę zbliżania się wyborów 1980 r. mnożyły się coraz liczniejsze kłopoty. Dalsze pogorszenie sytuacji nastąpiło w styczniu 1979 r., gdy wieloletni sojusznik Stanów Zjednoczonych, szach Iranu Reza Pahlawi, został obalony w wyniku rewolucji pod przywództwem wojowniczego fundamentalisty irańskiego, ajatollaha Ruhollaha Chomejniego. W listopadzie irańscy ekstremiści wtargnęli do budynku ambasady amerykańskiej w Teheranie, biorąc na zakładników przeszło 50 Amerykanów. Przez następne 444 dni amerykańscy telewidzowie stali się świadkami demonstracji, podczas których zakładnikom z zawiązanymi oczyma kazano paradować po ulicach wśród rozwścieczonych tłumów muzułmanów. Będąc w trakcie kampanii prezydenckiej, Carter usiłował za wszelką cenę doprowadzić do uwolnienia zakładników na drodze dyplomatycznej, zamroził też wszystkie aktywa Iranu w bankach amerykańskich. Wreszcie, w kwietniu 1980 r., wydał rozkaz przeprowadzenia tajnej operacji wojskowej w celu odbicia zakładników. Misja ta skończyła się jednak kompletną porażką, gdy w wyniku katastrofy nad pustynią w Iranie zderzyły się ze sobą amerykański helikopter i samolot transportowy, powodując śmierć ośmiu amerykańskich żołnierzy. Notowania społecznej aprobaty dla prezydenta osiągnęły na skutek tego najniższy poziom w historii od czasu wprowadzenia ich w latach trzydziestych.

Do 1980 r. większość obserwatorów politycznych nabrała przekonania, iż prezydentura Cartera znalazła się w głębokim kryzysie. Wprawdzie Carterowi udało się w prawyborach odeprzeć atak ze strony Teda Kennedy'ego – najmłodszego brata Johna i Roberta, i uzyskać niechętną nominację swej partii, lecz odniósł on nieoczekiwanie dotkliwę porażkę w konfrontacji z republikaninem Ronaldem Reaganem – byłym aktorem hollywoodzkim, eks-gubernatorem Kalifornii oraz wieloletnim pretendentem do fotela prezydenckiego. W jedynym bezpośrednim pojedynku pretendentów przed kamerami telewizyjnymi Reagan zwrócił się do wyborców z zapytaniem: „Czy powodzi ci się lepiej, niż cztery lata temu?" W większości przypadków odpowiedź brzmiała: „Nie". W dniu elekcji wyborcy sprawili administracji Cartera tęgie lanie. Reagan otrzymał prawie 51% głosów z porównaniu z 42% Cartera. John Anderson – umiarkowany republikanin, startujący jako kandydat niezależny, uzyskał 7%. Na Reagana głosowało 489 elektorów, podczas gdy na Cartera zaledwie 49. Po raz pierwszy od lat dwudziestych XX w. do Białego Domu wprowadził się polityk, określający się jako konserwatysta.

Gdy Jimmy Carter opuszczał swój urząd, był on piątym prezydentem od czasów Eisenhowera, któremu nie udało się odbyć pełnych dwóch kadencji. Lata siedemdziesiąte wydawały się kończyć porażką zarówno polityczną, jak i gospodarczą. Początkowe zaufanie, jakim Amerykanie obdarzyli Nixona, zostało przez niego zaprzepaszczone. Prezydentury Forda i Cartera przyniosły jedynie krótką chwilę oddechu w procesie staczania się w dół. Urząd prezydencki uległ osłabieniu, jego prestiż został podkopany. Nigdy jeszcze przedtem Stany Zjednoczone, zarówno we własnym odczuciu, jak i w opinii innych krajów, nie wydawały się tak mało witalne, tak mało pewne siebie oraz swego miejsca w historii.

Tłumaczył *Piotr Skurowski*

BIBLIOGRAFIA

Berry Mary Frances, *Why ERA Failed*, Indiana University Press, Bloomington 1986

Cott Nancy, *The Grounding of Modern Feminism*, Yale University Press, New Haven 1987

Graham Hugh, *The Civil Rights Era*, Oxford University Press, New York 1992

Graham Otis L., Jr., *Losing Time: The Industrial Policy Debate*, Harvard University Press, Cambridge 1992

Hodgson Godfrey, *America in Our Time*, Vintage, New York 1976

Matusow Allen J., *The Unraveling of America*, Harper and Row, New York 1984

Yankelovich Daniel, *The New Morality: A Profile of American Youth in the 1970s*, Macmillan, New York 1974

„REWOLUCJA” RONALDA REAGANA I JEJ POKŁOSIE

DONALD T. CRITCHLOW

Sytuacja w Stanach Zjednoczonych w latach osiemdziesiątych obfitowała w wiele sprzeczności. W dekadzie tej, którą cechował konserwatyzm polityczny, a także (w mniejszym stopniu) konserwatyzm kulturowy, zachodziły jednocześnie ogromne przemiany technologiczne i społeczne. Ponad tymi paradoksami górowała postać prezydenta Ronalda Reagana (1981–1989), który pod względem wpływu na życie polityczne kraju prześcignął wszystkich swoich poprzedników od czasów Franklina Delano Roosevelta. Poddając zasadniczej korekcie dotychczasowy ton i zakres w dyskusjach polityków, prezydent Reagan podkreślał, iż rynek sam w sobie powinien korygować „odchylenia" natury ekonomicznej czy społecznej, rozwiązywanie zaś wszelkich problemów winno znaleźć się w gestii administracji lokalnej oraz osób prywatnych, w niewielkim tylko stopniu wspieranych przez władze federalne. Środek ciężkości w polityce przesunął się na prawo.

Podczas swej pierwszej kadencji Reagan zainicjował szybką rozbudowę sił zbrojnych, jednoznaczną z zakwestionowaniem roli polityki „pokojowego współistnienia" ze Związkiem Radzieckim (détente), a także podającą w wątpliwość kontrolę zbrojeń i zasadę wzajemnego zagrożenia nuklearnego. W trakcie swej drugiej kadencji Reagan posłużył się wzmocnioną pozycją militarną Ameryki w celu wznowienia negocjacji ze Związkiem Radzieckim. Pertraktacje te zbiegły się w czasie z rozpadem Związku Radzieckiego i upadkiem komunizmu w Rosji i Europie Wschodniej. Jednocześnie Reagan posługiwał się agresywną taktyką na Bliskim Wschodzie, w Ameryce Środkowej oraz na wyspach Morza Karaibskiego. Rezultatem handlu bronią z Iranem w zamian za amerykańskich zakładników oraz „tajnej" wojny w Nikaragui był skandal, określany jako „Iran-Contra Affair", który wstrząsnął w posadach Białym Domem w latach 1986–1987.

Dzięki powodzeniu, jakim cieszył się Reagan, prezydentowi udało się wyjść z tej opresji obronną ręką: w chwili, gdy opuszczał swój urząd, był on mimo wszystko najpopularniejszym prezydentem od czasów Dwighta Eisenhowera. Jego popularność była tak wielka, że udało mu sie również przekazać swój urząd wiceprezydentowi George'owi Bushowi (1989–1993). Większość obserwatorów uznała zasługi Reagana dla położenia kresu zimnej wojnie, aczkolwiek jego krytycy oskarżali go o sztuczne spowodowanie krótkotrwałej prosperity, mającej swe podłoże w chwiejnym deficycie budżetowym, w wygórowanych zamówieniach na cele wojskowe oraz w faworyzowaniu najbogatszych na niekorzyść klasy średniej i uboższych warstw ludności. Zwolennicy Reagana natomiast wskazywali na fakt, iż w trakcie jego prezydentury Stany Zjednoczone doświadczyły największego wzrostu gospodarczego w swej najnowszej historii. Debata ta, podsycana przedłużającą się recesją, kontynuowana była w 1992 r., kiedy to demokrata Clinton pokonał George'a Busha w walce o prezydenturę.

Nic tak nie zmieniło życia Amerykanów w latach osiemdziesiątych, jak nowa technologia komputerowa. Firmy takie, jak Apple czy Microsoft dołączyły w trakcie tej dekady do grona 500 największych kompanii na liście dwutygodnika „Fortune". Dolina Krzemowa (Silicon Valley), położona na południe od San Francisco, stała się jednym z głównych ośrodków zaawansowanej technologii. Liczba osób zatrudnionych przy produkcji komputerów (400 tys. stanowisk pracy) przerosła łączną sumę pracowników w przemyśle stalowym i samochodowym. Wielka kariera przemysłu komputerowego przyspieszyła odpływ miejsc pracy, zysków, bogactwa i elit władzy na Południe i Zachód – do rejonów tzw. „słonecznego pasa" (Sunbelt).

Komputery zmieniły sposób prowadzenia biznesu. Dla przykładu, przemysł prasowy przestał posługiwać się staromodną czcionką metalową, wyeliminowano również zecerów oraz ich związki zawodowe. Zecerów zastąpiły komputery, umożliwiając dziennikarzom natychmiastowy wydruk elektroniczny artykułów, wpisywanych bezpośrednio do komputera. Wielkie korporacje, towarzystwa ubezpieczeniowe, banki oraz handel detaliczny pozbywały się w tym czasie tysięcy osób zatrudnionych na stanowiskach kierowniczych średniego szczebla. Decyzje podejmowane być mogły przez menażerów wyższego szczebla bądź personel sklepów, na podstawie danych dostępnych na ekranie komputera. Największy sukces handlowy w dekadzie lat osiemdziesiątych odniósł Walmart, który prześcignął domy handlowe Searsa i K-Mart w walce o pozycję największego detalisty. Walmartem kierował mały zarząd z siedzibą w Bentonville w Teksasie, który wprowadził komunikację satelitarną w celu stworzenia potężnego systemu danych komputerowych. Dostęp do systemów informacyjnych o zasięgu światowym stał się równie łatwy, jak sięgnięcie po słuchawkę.

Dekada lat osiemdziesiątych była bardzo złożona – obok rozwoju zaawansowanej techniki i częściowej poprawy warunków społecznych, wystąpiły również zjawiska negatywne. Na przykład rewolucja w technikach przekazu, spowodowana przez telewizję kablową, satelity oraz komputery, umożliwiła w niespotykanym dotąd stopniu dostęp do informacji, lecz w tym samym czasie rekordowy poziom osiągnęła liczba analfabetów.

Wzrósł udział kobiet na rynku pracy, a także podniosły się ich zarobki, lecz jednocześnie powiększył się ich procentowy udział w grupie osób najuboższych – to ostatnie zjawisko nazwane zostało „feminizacją nędzy". W 1988 r. około 60% kobiet pracowało poza domem, mimo iż znaczna część ich pracy odbywała się w niepełnym wymiarze czasowym. Co najistotniejsze, kobiety stanowiły już przeszło jedną trzecią pracowników na stanowiskach kierowniczych w gospodarce, a także niemal jedną czwartą lekarzy i prawników. Połowa studentów na wydziałach prawa oraz niemal 40% adiunktów i profesorów wyższych uczelni było również płci żeńskiej.

W efekcie tego awansu ekonomicznego, kobiety w latach osiemdziesiątych odniosły wielkie zwycięstwo. Podczas gdy średnia roczna pensja mężczyzn spadła w tej dekadzie o 8%, analogiczna pensja kobiet wzrosła o 10%, mimo iż kobiety nadal zarabiały mniej od mężczyzn. W odróżnieniu od tymczasowych podwyżek płac kobiet w latach II wojny światowej, wzrost ich dochodów w latach osiemdziesiątych i dziewięćdziesiątych odzwierciedlał trwałe i nieodwracalne tendencje. Kobiety decydowały się na dłuższą naukę w celu przygotowania się do objęcia lepiej płatnych posad. Od połowy lat osiemdziesiątych stopień licencjata w naukach humanistycznych (B.A.) przyznawany był częściej kobietom niż mężczyznom. W dodatku kobiety uzyskały dostęp do zawodów do tej pory zdominowanych przez mężczyzn, w dziedzinach takich, jak medycyna, prawo, budownictwo czy ściganie przestępczości. Mimo to płace kobiet oscylowały nadal na poziomie 70% zarobków mężczyzn.

W 1992 r. niemal 50% małżeństw kończyło się rozwodem. Wiązało się z tym zjawisko wzrastającej liczby gospodarstw domowych utrzymywanych przez samotne kobiety. W 1990 r. niemal połowa kobiet pracujących była samotna, ze względu na fakt niewstąpienia w związek małżeński bądź na rozwód. Jednocześnie niemal co czwarte dziecko wychowywało się w domu prowadzonym przez samotną matkę lub ojca.

Dekada lat osiemdziesiątych była również okresem, w którym nastąpił awans Murzynów. W latach tych klasy średnie powiększyły się o dużą liczbę murzyńskich „białych kołnierzyków". Do tej ostatniej klasy należało w latach osiemdziesiątych ponad 40% Murzynów, a niemal połowa z nich była posiadaczami domów i mieszkań. Co więcej, wzrósł średni dochód rodzin murzyńskich, przy jednoczesnym spadku liczby osób żyjących poniżej granicy ubóstwa.

Jednak mimo ogólnej poprawy warunków bytowania, wielu Murzynów nadal stawić musiało czoła ubóstwu i bezrobociu, a także licznym przejawom przemocy. Ponad jedna trzecia czarnoskórych Amerykanów żyła w ubóstwie, podczas gdy dla białych stosunek ten wynosił jeden do dziesięciu. W dodatku getta miejskie stworzyły otoczenie pogłębiające izolację Murzynów. Śródmiejskie rejony nędzy opuszczone zostały przez członków murzyńskiej klasy średniej, którzy salwowali się ucieczką na przedmieścia. Wskutek tych procesów bezrobocie w gettach miejskich sięgało nierzadko ponad 60%, a niemal połowa mieszkańców tych dzielnic nie zdołała ukończyć szkoły średniej. W takim otoczeniu powstawały patologie, jakie cechują tzw. doły społeczne, zdemoralizowane bezrobociem i bezprawiem.

Świat getta został zdominowany przez przemoc, a morderstwo stało się najpowszechniejszą przyczyną zgonów wśród młodych Murzynów. Około połowy przestępstw z użyciem przemocy zostało dokonanych przez czarnych Amerykanów. Rozprzestrzenienie się murzyńskich gangów, takich jak „Bloods" czy „Crips", dodatkowo zaostrzyło problemy związane z przemocą w wielkich miastach.

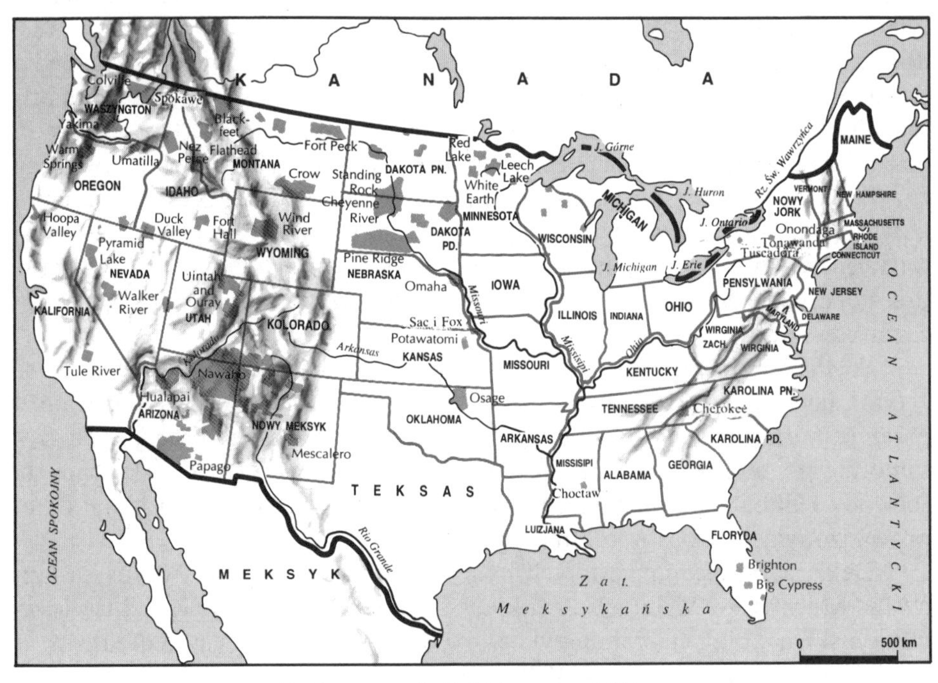

15. Rezerwaty indiańskie, stan z 1984 r.

Lata osiemdziesiąte przyniosły wzrost własnego poczucia wartości u prawie 1 400 tys. Indian amerykańskich (określających się, w odróżnieniu od białych i czarnych przybyszy, jako „rdzenni Amerykanie" – Native Americans). Niektóre z plemion prowadziły w swoich rezerwatach działalność zarobkową, między innymi zakładając kurorty i ośrodki wypoczynkowe. Podjęli oni również kroki prawne w celu odzyskania zagrabionej im w przeszłości ziemi. Eskimosi, mieszkańcy Wysp Aleuckich oraz inni rdzenni mieszkańcy Alaski uzyskali w ten sposób niemal miliard dolarów odszkodowania. W odróżnieniu od przeszłości, tym razem pieniądze zostały im przyznane nie w gotówce, lecz w formie inwestycji na rzecz poszczególnych plemion. W następstwie tego orzeczenia, sądy podjęły również korzystne decyzje dla plemienia Siuksów w Dakocie Południowej, plemienia Penobscot, w stanie Maine, oraz plemienia Puyallup, w stanie Waszyngton. Sądy federalne przyznały plemionom z Północnego Zachodu prawa do połowy odłowu pstrąga w tym rejonie, co zapewniło Indianom znaczne dochody.

Mimo tego postępu, ludność indiańska nadal zmaga się z wieloma problemami, takimi jak najwyższa w kraju stopa bezrobocia, alkoholizm, wysoka umieralność niemowląt, brak odpowiedniego wykształcenia i analfabetyzm. Wydaje się, iż trzydzieści lat interwencjonizmu państwowego w tym zakresie nie przyniosło rewelacyjnych skutków.

W latach osiemdziesiątych Stany Zjednoczone przeżyły inwazję ludności latynoamerykańskiej i azjatyckiej. Latynosi stali się najszybciej rosnącą grupą ludności. Meksykanie osiadali przeważnie na Południowym Zachodzie i Zachodzie Stanów Zjednoczonych, Portorykańczycy i emigranci z Dominikany na Wschodnim Wybrzeżu, Kubańczycy zaś na Florydzie. Przybysze z Wietnamu, Tajlandii, Korei Południowej, Hongkongu, Tajwanu oraz Filipin zakładali nowe społeczności głównie w Kalifornii. Demografowie przewidują, iż do roku dwutysięcznego ludność pochodzenia europejskiego stanowić będzie w Kalifornii mniejszość.

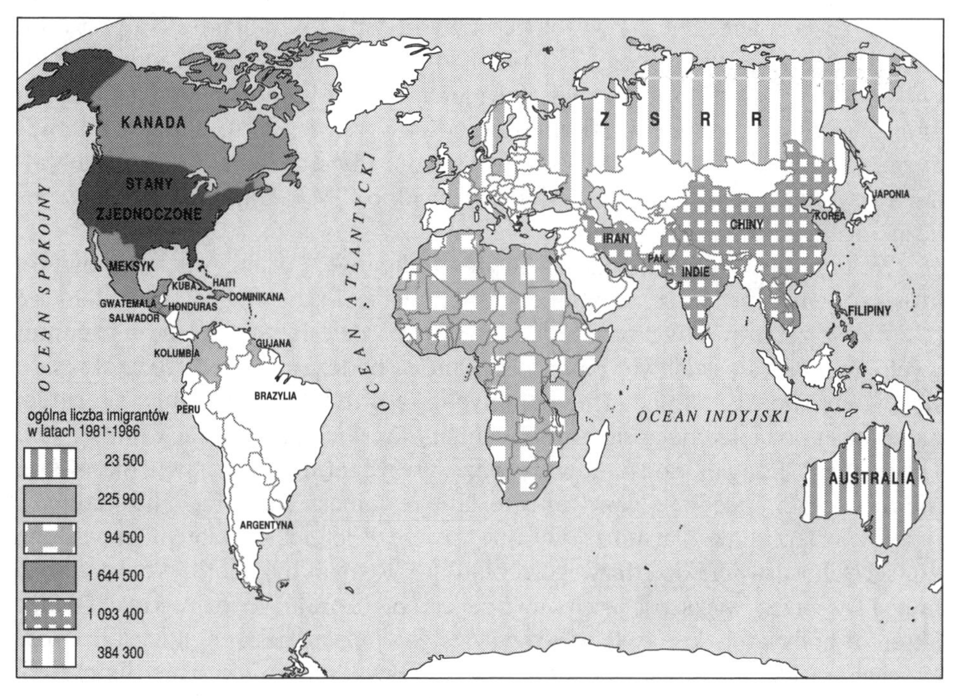

16. Imigracja do Stanów Zjednoczonych w latach 1981–1986

Życie religijne Stanów Zjednoczonych odzwierciedlało tę rosnącą różnorodność etniczną społeczeństwa amerykańskiego. Podczas gdy większość Amerykanów nadal pozostawała w kręgu tradycji judeochrześcijańskiej, tradycja ta przejawiła większe niż do tej pory zróżnicowanie. W 1990 r. rzesza wiernych Kościoła rzymskokatolickiego, niewątpliwie na skutek imigracji latynoskiej, stanowiła już 29% społeczeństwa amerykańskiego. Jednocześnie, wraz ze wzrostem liczby sekt ewangelicznych (evangelical sects), wzbogaciła się mozaika Kościołów protestanckich. Powstały w tym czasie nowe odłamy protestantyzmu, jak Kościoły: Drogi (Way), Dzieci Bożych (Children of God), Armii Fundamentalistów (Fundamentalist Army) czy Chrześcijański Front Wyzwolenia Świata (Christian World Liberation Front). Dużym zainteresowaniem cieszyły się sekty quasi-chrześcijańskie, jak wywodzący się z Półwyspu Koreańskiego Kościół Zjednoczenia (Unification Church, albo tzw. Moonies) pod przywództwem Sun Myung Moona.

Lata osiemdziesiąte przynoszą również, na skutek imigracji, rozwój azjatyckich i bliskowschodnich tradycji religijnych. W 1990 r. islam stał się ósmym pod względem liczby wyznawców Kościołem w Stanach Zjednoczonych, wyprzedzając Kościół Episkopalny, Prezbiteriański i Zgromadzenia Boże (Assemblies of God). Ponad połowa muzułmanów amerykańskich przybyła z takich krajów, jak Pakistan, Indie, Turcja, Egipt czy Iran. Natomiast druga połowa to Czarni Muzułmanie, sekta która powstała w Ameryce.

Wzrosła również liczba wyznawców buddyzmu i hinduizmu. Na początku lat dziewięćdziesiątych około 750 tys. osób w Stanach Zjednoczonych identyfikowało się z hinduizmem. Na Hawajach, z kolei, buddyzm stał się drugim najliczniejszym wyznaniem. Niezależnie od powyższych faktów, zarówno buddyzm, jak i hinduizm inspirowały nowe sekty i obrządki, jak Transcendentalna Medytacja (Transcendental Meditation albo TM), Hare Krishna czy też liczne grupy jogi.

W tym okresie dywersyfikacji ruchów religijnych, wielu Amerykanów, do których zwrócono się z zapytaniem o przynależność religijną, określało się jako bezwyznaniowi. We wczesnych latach sześćdziesiątych za „bezwyznaniowych" uważało się zaledwie 2% Amerykanów, podczas gdy w 1990 r. określiło się w ten sposób około 11% badanych – osoby bez wyznania są zatem najszybciej powiększającą się grupą w amerykańskich statystykach religijnych.

Ronald Reagan podsumował swoją prezydenturę w typowy dla siebie, moralizatorski sposób: „Nazywano te lata rewolucją Reagana. Nie mam nic przeciwko temu, ale dla mnie były one zawsze Wielkim Powrotem: powrotem do naszych wartości i do zdrowego rozsądku". Reagan był neofitą konserwatyzmu, gdyż przez większość życia uważał się za liberalnego demokratę. Będąc aktorem hollywoodzkim w latach trzydziestych i czterdziestych, udzielał poparcia ruchom liberalnym i należał do związku zawodowego aktorów filmowych. Dopiero po II wojnie światowej jego poglądy zaczęły ciążyć ku prawicy.

Wybory 1964 r., kiedy to stanął on po stronie konserwatywnego przywódcy republikanów, Barry Goldwatera, okazały się punktem zwrotnym w karierze politycznej Ronalda Reagana. Reagan wystąpił z tej okazji w telewizji, podbijając serca widzów swą aparycją. Ten obiecujący debiut polityczny został dostrzeżony przez grupę konserwatystów z południowej Kalifornii, którym przewodził Henry Salvatori, właściciel spółki poszukującej złóż ropy naftowej. Grupa ta poparła Reagana, kiedy postanowił ubiegać się o urząd gubernatora Kalifornii w 1966 r. Reagan wygrał wybory, i w trakcie dwóch kolejnych kadencji dokonał cięć w budżecie na wydatki związane z oświatą i służbą zdrowia, mimo iż wydatki stanowe w tym czasie wcale nie zmalały. Podczas swej drugiej kadencji Reagan nawiązał współpracę w demokratami, wdrażając reformę systemu zasiłków, który stał się modelem dla pozostałych stanów.

Reagan od początku swej kariery politycznej przymierzał się do fotela prezydenckiego. Jego nadzieje ożyły po porażce Geralda Forda w 1976 r. (w tym właśnie roku Reagan przegrał bardzo nieznacznie z Fordem batalię o nominację Partii Republikańskiej). Podczas konwencji w 1980 r. Partia Republikańska zjednoczyła się jednak wokół Reagana. Nie docenili wtedy jego talentów politycznych ani prezydent Carter, ani jego współpracownicy. Reagan zdobył ogromne poparcie wyborców dzięki skoncentrowaniu się na sprawach gospodarczych. Oprócz poparcia ze strony kół biznesu, tradycyjnie głosujących na republikanów, Reagan przyciągnął również wyborców spośród konserwatywnych białych demokratów z Południa, katolików zamieszkujących przedmieścia miast północnej części Stanów Zjednoczonych oraz konserwatywnych protestantów (evangelicals). Koalicję tę scementował przede wszystkim charyzmat Reagana. Swoje mistrzostwo przejawił zwłaszcza w jednej z debat, w trakcie której zwrócił się do wyborców: „Czy powodzi wam się lepiej niż cztery lata temu?". Tylko nieliczni udzielili odpowiedzi twierdzącej. W dniu wyborów Reagan odniósł miażdżące zwycięstwo nad Carterem, zdobywając 489 głosów elektorskich (przy zaledwie 49 głosach oddanych na Cartera). W dodatku republikanie zdobyli 12 dodatkowych miejsc w Senacie, zapewniając sobie w tej izbie przewagę po raz pierwszy od 1954 r.

Reagan wywierał magnetyzujący wpływ na Amerykanów. Jego popularność wzrosła jeszcze po 30 marca 1981 r., kiedy to został postrzelony przez niepoczytalnego zamachowca. Otrzymał postrzał w klatkę piersiową i został odwieziony do szpitala. Kiedy wieziono go na salę operacyjną, zapytał lekarzy: „Prawda, że wy też jesteście republikanami?". Jego dziarski styl bycia, który manifestował się w umiejętności mówienia dowcipów w trudnych sytuacjach, zjednywał mu wielu ludzi. Reagan posiadał naturalny dar komunikowania się z narodem amerykańskim. Opozycja nazwała go „teflonowym prezydentem", gdyż nie chciała do niego przylgnąć żadna krytyka. Zwolennicy natomiast mówili o nim: „geniusz perswazji" (great communicator).

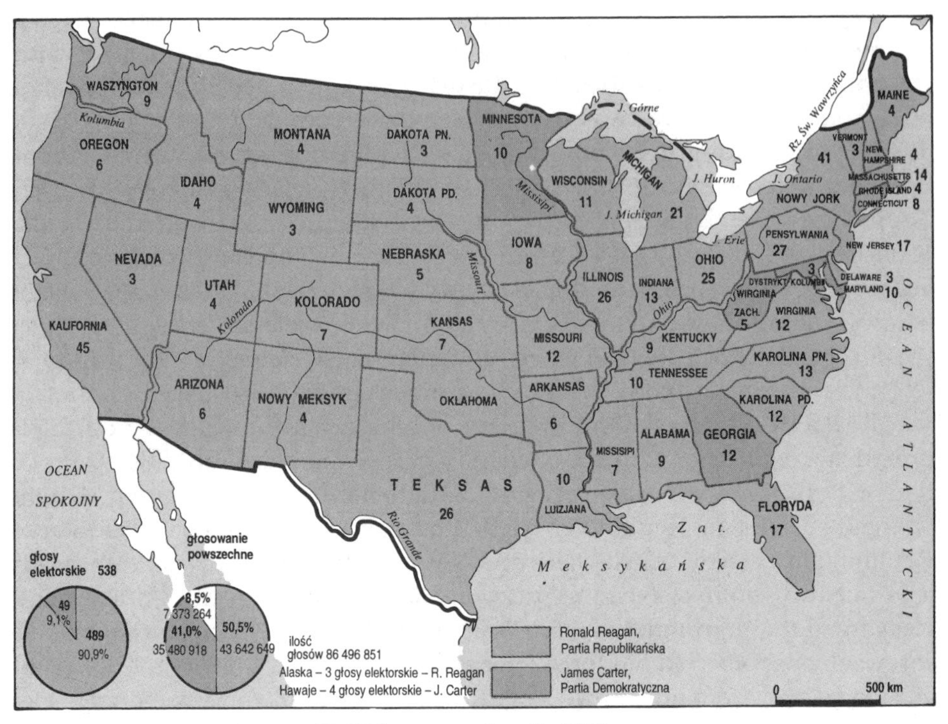

17. Wybory prezydenckie 1980 r.

Reagan obiecywał uzdrowić kapitalizm za pomocą obcięcia podatków i zniesienia państwowej kontroli nad działalnością gospodarczą. Za jego rządów spadła inflacja i bezrobocie, a gospodarka przeżyła najdłuższy okres wzrostu w czasach pokoju. Za to rząd bił w tym samym czasie rekordy zadłużenia. Do 1986 r. liczne ulgi podatkowe przysporzyły dochodu najzamożniejszym poprzez redukcję podatku dochodowego do 28% oraz zmniejszenie podatków od zysków kapitałowych, spadków oraz darowizn.

Aby zrekompensować zmniejszone wpływy do budżetu, Reagan zaproponował znaczne redukcje wydatków. Konserwatyści twierdzili, iż naród nie był w stanie łożyć na kosztowne programy opieki społecznej, rozpoczęte w latach sześćdziesiątych. Konserwatywni demokraci z Południa, zwani „boll weevils" (kwiaciak bawełniany – nazwa głównego szkodnika pustoszącego plony farmerów na Południu, przyp. tłum.), poparli republikański projekt wprowadzenia cięć na sumę 40 mld dolarów w budżecie krajowym na rok 1981. Reaganowska ustawa o budżecie na rok 1981 wraz z tzw. aktem ugody była kamieniem milowym w dziedzinie polityki społecznej. Przenosiła ona główny ciężar odpowiedzialności za politykę społeczną z władz federalnych na stanowe i lokalne. W latach budżetowych 1981–1984 Reagan dokonał drastycznych cięć w wydatkach na oświatę, na dopłaty do dożywiania dzieci, na kupony żywnościowe dla najuboższych, na profilaktykę zdrowotną oraz na pomoc dla rodzin z dziećmi upośledzonymi.

Reagan wraz z doradcami sądzili, iż cięcia w podatkach i deregulacja spowodują szybki wzrost gospodarczy. Twierdzono, iż wzrost ten doprowadzi do zrekompensowania zmniejszonych wpływów do budżetu z racji podatków. Co prawda, obcinanie podatków dla osiągnięcia zwiększonych wpływów do budżetu mogło się wydawać paradoksalne, niemniej tę samą politykę stosowała administracja Kennedy'ego. Podatkowa strategia Reagana, zwana „supply-side economics", wzywała do podjęcia decyzji o bezprecedensowych obniżkach podatków. Głównym założeniem tej teorii było to, iż konsumenci po uwolnieniu od nadmiernych podatków będą zarazem więcej wydawać i oszczędzać, a przedsiębiorstwa zwiększą działalność produkcyjną i inwestycyjną, co w sumie doprowadzi do zwiększonych wpływów podatkowych. Reagan usiłował również przenieść wydatki z celów społecznych na wojskowe. Powiększył się znacznie przez to budżet obronny, mimo iż Kongres nie przystał na równoległe cięcia w polityce społecznej. W rezultacie deficyt budżetowy przekroczył 200 mld dolarów.

Najwięcej krytyki wzbudzała polityka dotycząca ochrony środowiska. W trakcie swej kampanii Reagan uzyskał duże poparcie ze strony sił skierowanych przeciwko polityce ekologicznej: właścicieli ranch z Zachodu, górników, oraz przedsiębiorstw wydobycia surowców i przemysłu drzewnego. James Watt, sekretarz zasobów wewnętrznych w gabinecie Reagana, zaproponował wyprzedaż terenów publicznych. Zapowiedział on również zniesienie ograniczeń na poszukiwanie ropy i gazu u wybrzeży Kalifornii oraz wprowadził moratorium na zakupy ziemi przez rząd federalny.

Stronnictwa ekologiczne wytaczały agencjom federalnym dziesiątki procesów za łamanie przepisów i praw ekologicznych. Groźniejsze jednak okazały się słowa krytyki, płynące na temat polityki Watta z ust konserwatystów. Właściciele ranch byli zainteresowani uzyskaniem praw wypasu, a nie wykupem ziem federalnych na aukcjach, gdzie sprostać musieliby konkurencji bogatych towarzystw naftowych i wydobywczych. Konserwatyści zaatakowali program wyprzedaży ziemi, zaproponowany przez Watta, jako ekonomicznie nieuzasadniony i szkodliwy dla środowiska.

Powyższa krytyka poważnie podkopała pozycję Watta. W dodatku w 1983 r. podała się do dymisji mianowana przezeń dyrektorka Agencji Ochrony Środowiska, Anne Gorsuch Burford, na skutek skandalu związanego z nadużyciami w dysponowaniu funduszem specjalnym w wysokości 1,6 mld dolarów, przeznaczonym na oczyszczenie składowisk substancji toksycznych. Na stanowisku tym zastąpił ją nastawiony proekologicznie William Ruckelhaus. Gwoździem do trumny Watta okazała się jedna z jego wypowiedzi o charakterze rasistowskim, na skutek której zmuszony został do ustąpienia.

Aktywiści proekologiczni wystawili Reaganowi i Wattowi jednoznacznie negatywną opinię, aczkolwiek przyznać należy, iż administracja Reagana mogła pochwalić się paroma sukcesami w dziedzinie ochrony środowiska. W 1982 r. przedłużono i rozszerzono zakres ustawy o zagrożonych gatunkach. W 1984 r. Kongres uchwalił kilkadziesiąt ustaw dotyczących ochrony środowiska, z których wszystkie zostały podpisane przez prezydenta. Jak na ironię, to właśnie zwolennicy ochrony środowiska podzielali poglądy Reagana na temat użycia funduszy federalnych do budowy dróg, mostów, zapór, sieci elektrycznej dla obszarów pozamiejskich oraz na rolnictwo, ze względu na szkody, jakie przedsięwzięcia te przynoszą środowisku naturalnemu. Na tym jednak kończyła się zbieżność ich poglądów: ruchy proekologiczne były bardzo rozczarowane działaniami na forum międzynarodowym Reagana, który m. in. zredukował pomoc dla programów ekologicznych i dla programu kontroli demograficznej, organizowanych pod egidą Narodów Zjednoczonych. Sprzeciwiał się on również traktatom międzynarodowym, ustanawiającym współpracę na rzecz ochrony mórz i atmosfery.

Reagan szybko zaczął realizować program deregulacji gospodarki. W rzeczywistości proces ten zaczął się za kadencji Cartera, od deregulacji lotnictwa cywilnego, niemniej jednak Reagan znacznie go przyspieszył, ograniczając interwencję państwa w takich dziedzinach, jak nadawanie programów radiowych i telewizyjnych, transport, bezpieczeństwo pracy i opieka zdrowotna. Już na początku prezydentury Reagana, sekretarz ds. transportu, Drew Lewis, zredukował liczbę federalnych restrykcji w dziedzinie bezpieczeństwa na drogach oraz zanieczyszczenia powietrza.

Latem 1981 r. Lewis doprowadził do konfrontacji ze związkiem zawodowym kontrolerów lotów (PATCO), po ogłoszeniu przez tych pracowników nielegalnego strajku. Reagan złamał strajk, zwalniając wszystkich jego uczestników w liczbie 11,5 tys. osób i zatrudniając na ich miejsce nowych pracowników. To zwycięstwo nadało ton stosunkom ze związkami do końca kadencji Reagana, będąc jednocześnie druzgocącą porażką organizacji związkowych.

Administracja Reagana starała się jednocześnie zmienić politykę władz federalnych w sprawie praw obywatelskich (civil rights). Konserwatywni republikanie byli przekonani, iż wielu białych potępia programy popierające awans i stwarzające preferencyjne warunki zatrudnienia dla mniejszości. W rezultacie Departament Sprawiedliwości przeciwstawiał się akcji dowożenia dzieci do szkół i usiłował znieść zakaz dotowania nie zintegrowanych rasowo szkół wyznaniowych. Wprowadzono cięcia w budżecie Komisji ds. Praw Obywatelskich w Departamencie Sprawiedliwości, zmniejszyła się też liczba Murzynów mianowanych na wyższe stanowiska państwowe.

Nieco lepszym wynikiem mogła pochwalić się administracja Reagana w polityce mianowań kobiet na stanowiska rządowe. Kobiety obejmowały stanowiska w gabinecie i Partii Republikańskiej, a ambasadorem Stanów

Zjednoczonych przy ONZ mianowana została przez Reagana Jeane Kirkpatrick. Na największą uwagę zasługiwała jednak nominacja Sandry O'Connor na pierwszą kobietę-członka Sądu Najwyższego.

W 1981 r. program Reagana był już jasno określony. Prezydent przejął w swe ręce inicjatywę i skonstruował hierarchię zadań. Jednak pod koniec 1981 r. najważniejszym problemem podczas pierwszej swej kadencji prezydentury, której musiał sprostać, była dotkliwa recesja. Zarząd Rezerw Federalnych (Federal Reserve Board), podejmując walkę z nękającą kraj kilkunastoprocentową inflacją, zezwolił na znaczny skok w górę stóp procentowych. Oprocentowanie kredytów, w tym pożyczek pod budowę domów, wzrosło do kilkunastu procent, co pociągnęło za sobą gwałtowną zapaść gospodarczą. Pod koniec 1982 r. bezrobocie wzrosło do 10%. Spadek eksportu prowadził do pogarszającego się salda wymiany towarowej, do czego przyczynił się w znacznej mierze import japońskich telewizorów, sprzętu stereo oraz samochodów. Deficyt handlowy wzrósł z poziomu 31 mld dolarów w 1981 r. do 111 mld w 1984 r.

Najpoważniejsze straty w wyniku recesji poniósł przemysł Środkowego Zachodu. Przestarzałe huty, zakłady przemysłu gumowego i fabryki samochodów nie były w stanie sprostać konkurencji narzuconej przez gospodarkę światową. W wyniku zamykania fabryk i masowych zwolnień w latach 1979–1983 straciło pracę 11,5 mln robotników amerykańskich. Region Środkowego Zachodu został na skutek tego nazwany „pasem rdzy".

Zanosiło się na klęskę programu Reagana. W wyborach do Kongresu, które nastąpiły w połowie jego prezydentury, demokraci zdobyli 26 nowych miejsc w Izbie Reprezentantów, mimo iż republikanom udało się zachować nieznaczną przewagę w Senacie. Jednak rozpadnięcie się kartelu OPEC i załamanie na rynku cen ropy naftowej stały się bodźcami do odnowy gospodarczej. Inflacja spadła do poziomu 4%, a narodowy produkt brutto wzrósł o nieomal 10%. Producenci samochodów bili rekordy sprzedaży swych pojazdów. Ten boom finansowy potrwał do 1990 r.

W 1984 r. Reagan jako prezydent mógł się pochwalić największą popularnością od czasów Eisenhowera. Kampania o reelekcję toczyła się w atmosferze prosperity gospodarczej. Zgodnie ze swymi obietnicami, Reagan ożywił gospodarkę, zdusił inflację, odbudował siły zbrojne i przywrócił Stanom Zjednoczonym pozycję niekwestionowanego lidera. Reagan twierdził, że w Ameryce „zaświtała jutrzenka". To niejasne, acz optymistyczne stwierdzenie wiernie odzwierciedlało nastrój zarówno samego prezydenta, jak i całego kraju. Ten siedemdziesięciotrzyletni polityk, najstarszy w historii na tym stanowisku, cieszył się olbrzymim poparciem wyborców w wieku od lat 18 do 30.

Demokraci nominowali na swego kandydata Waltera Mondale – umiarkowanego, acz dość bezbarwnego wiceprezydenta z czasów Cartera, który wygrał w konkurencji z politykiem bardziej radykalnym i oryginalniejszym (dla wielu jednak o wiele bardziej niebezpiecznym), a mianowicie wielebnym

Jesse Jacksonem – czarnoskórym duchownym, który niegdyś był prawą ręką Martina Luthera Kinga. Jackson wezwał Partię Demokratyczną do wyjścia poza dotychczasową koalicję swych zwolenników, rekrutujących się spośród członków związków zawodowych, przedstawicieli mniejszości etnicznych oraz poszczególnych grup interesów. W trakcie swej kampanii Jackson zbudował „tęczową koalicję", złożoną z czarnych, Latynosów, Indian, Azjatów oraz warstw niezamożnych. Mimo iż Jackson potrafił wzbudzić wśród swych zwolenników ogromny entuzjazm i cieszył się dużym uznaniem wśród demokratów, Mondale utrzymał swe wpływy w partii.

Mondale przyrzekł zlikwidować deficyt budżetowy poprzez podniesienie podatków, co nie było dobrze rokującą strategią podczas kampanii wyborczej. Zdecydował się również wystawić jako kandydatkę na wiceprezydenta pierwszą kobietę, jakiej przyszło ubiegać się o to stanowisko z ramienia jednej z dwóch głównych partii – Geraldine Ferraro, deputowaną do Izby Reprezentantów. Reagan znokautował jednak swego przeciwnika w wyborach, zdobywając 525 z 535 głosów elektorskich oraz 59% głosów w głosowaniu powszechnym (Mondale uzyskał 41% głosów).

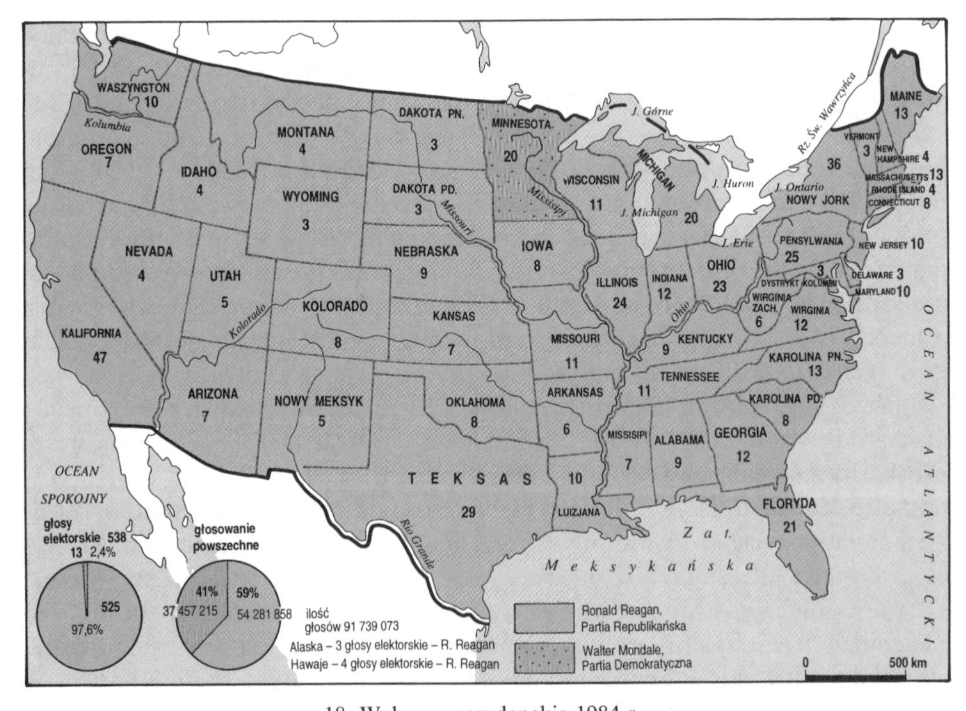

18. Wybory prezydenckie 1984 r.

Reagan rozpoczął drugą kadencję z zamiarem dokonania gruntownych korekt w systemie podatkowym. Jego głównym celem było zmniejszenie opodatkowania wysokich dochodów. Cel ten został osiągnięty w postaci ustawy o reformie podatkowej z 1986 r. Ustawa ta stanowiła pierwszą fundamentalną reformę federalnego podatku dochodowego od czasu II wojny światowej. Przyniosła ona obniżki podatków oraz upraszczała przepisy podatkowe, eliminując wiele kruczków prawnych i wybiegów. W dodatku zwolniła ona 6 mln ubogich Amerykanów od płacenia podatku federalnego. Zmniejszony został ciężar opodatkowania dla większości Amerykanów, chociaż najwięcej skorzystały osoby najlepiej zarabiające. Część ciężaru opodatkowania została przesunięta na korporacje, poprzez zniesienie niektórych odpisów i zwolnień.

Reagan obiecał, że reforma podatków, przeprowadzona w związku z prawem podaży („supply side"), stworzy prosperity i zapewni kontrolę nad powiększającym się deficytem federalnym. Okazało się to jedynie w połowie prawdziwe. Gospodarka przeżywała boom, przy stopie wzrostu od 3 do 4% w skali rocznej. Korporacje biły rekordy sprzedaży i zysków, akcje na giełdzie osiągały zawrotne ceny, a zaufanie do gospodarki, podobnie jak wydatki na konsumpcję, utrzymywały się na wysokim poziomie. Mimo to, powiększał się szybko deficyt budżetowy, który osiągnął 200 mld dolarów w 1986 r., aby ustabilizować się na wysokości 150 mld w 1988 r. Kongres usiłował zrównoważyć budżet za pomocą ustawy Gramma–Rudmana (1985), której celem było sukcesywne ograniczenie wydatków. Ustawa ta jednak nie mogła sprostać oczekiwaniom w sytuacji, gdy Kongres odnajdywał tysiące sposobów na jej omijanie, a Sąd Najwyższy uznał jej główne postanowienia za niezgodne z Konstytucją.

Reagan był przekonany, że obok reformy podatków, największym z jego dokonań będą nominacje konserwatystów do Sądu Najwyższego. Kierunek zmian wskazany został już przez nominację umiarkowanej Sandry O'Connor w 1981 r. W następstwie zakończenia kariery przez przewodniczącego Sądu Najwyższego, Warrena Burgera, w 1986 r., Reagan mianował na to stanowisko Williama Rehnquista oraz wyznaczył na jego następcę równie konserwatywnego Anthony'ego Scalię. W 1987 r., gdy nadarzył się kolejny wakat, Reagan nominował budzącego kontrowersje Roberta Borka – jednego z głównych sojuszników Nixona w czasie afery „Watergate", bynajmniej nie kryjącego się z konserwatywnymi poglądami. Kandydatura ta została jednak odrzucona, po zażartej walce w Senackiej Komisji ds. Sprawiedliwości. Drugi kandydat Reagana, Douglas Ginsberg, wycofał swą kandydaturę po wyjściu na jaw faktu, iż palił marihuanę, będąc profesorem prawa w uniwersytecie Harvarda. Dopiero trzeci kandydat Reagana – Anthony Scalia, sędzia federalny z Kalifornii, został szybko zatwierdzony w 1988 r.

Konserwatywne „odchylenie" Sądu Najwyższego z czasów Reagana dało się odczuć w momencie, kiedy Sąd ograniczył ustawę o prawach obywatelskich, która miała chronić prawo do zatrudnienia kobiet i mniejszości narodowych. Pomimo to Sąd Najwyższy zaskoczył wielu obserwatorów nie zgadzając się na proponowane przez administrację Reagana zniesienie funkcji niezależnego, specjalnego prokuratora.

Reagan podjął się również rozwiązania trudnego problemu nielegalnej imigracji. Jego starania uwieńczone zostały sukcesem, gdy Kongres zatwierdził w październiku 1986 r. mającą kluczowe znaczenie ustawę imigracyjną. Amnestionowała ona nielegalnych imigrantów aktualnie przebywających w Stanach Zjednoczonych, lecz równocześnie wprowadziła bardziej surowe przepisy odnośnie do dalszego napływu imigrantów, zobowiązując pracodawców do niezatrudniania pracowników nie posiadających obywatelstwa amerykańskiego. Ustawa, która usiłowała zapobiec dalszemu napływowi imigrantów, a w szczególności tysięcy nielegalnych przybyszów z Meksyku i Ameryki Środkowej, poprzez uniemożliwienie im podejmowania pracy, nie osiągnęła zamierzonego celu. Pracodawcy często zaniedbywali istniejące przepisy, a nielegalni imigranci byli w stanie z łatwością wejść w posiadanie podrobionych dokumentów.

Mimo obietnic Reagana, iż wyeliminuje on korupcję w rządzie, jego druga kadencja upłynęła pod znakiem całej serii skandali. W wyniku dwuletniego dochodzenia w lipcu 1988 r., Departament Sprawiedliwości ujawnił, iż Pentagon przyjmował łapówki od producentów uzbrojenia. Śledztwa prowadzono również w sprawach, w które zamieszani byli inni urzędnicy. W lipcu 1988 r. zrezygnował z urzędu bliski przyjaciel Reagana, prokurator generalny Edwin Meese, na skutek pogłosek, iż używał on swego wpływu, aby zapewnić miliardowy kontrakt „zaprzyjaźnionej" firmie na budowę ropociągu w Iraku. Wprawdzie Meese twierdził, iż padł ofiarą politycznych manipulacji, jednak jego odejście rzuciło cień na administrację Reagana. Również inni członkowie rządu oskarżani byli o wykorzystywanie swych wpływów po rezygnacji z urzędu. Jeden z najbardziej niemiłych skandali wydarzył się w Departamencie ds. Budownictwa i Planowania Miejskiego, gdzie firmy budowlane, ubiegające się o intratne kontrakty federalne, wypłaciły setki tysięcy dolarów w postaci łapówek.

Mimo iż sam Reagan pozostał poza wszelkimi podejrzeniami o nieuczciwość, jego krytycy utrzymywali, iż wytwarzany przez jego administrację klimat pazerności wywarł wpływ na malwersacje i przekupstwo w sferach rządowych.

Reagan oraz jego współpracownicy uznali, iż polityka „pokojowego współistnienia" nie przyniosła efektów. Byli oni przekonani, iż Związek Radziecki czerpał korzyści z dobrej woli i chęci współpracy przejawianej przez Stany Zjednoczone, sam nie dając nic w zamian. Wręcz przeciwnie – ZSRR napadł na Afganistan, a radzieccy i enerdowscy generałowie dowodzili kubańskimi oddziałami w Etiopii; w dodatku Związek Radziecki popierał i finansował antyamerykańskie rządy w Nikaragui. Reagan potępił ZSRR jako „imperium zła", zmierzające do podkopania pozycji Stanów Zjednoczonych w świecie.

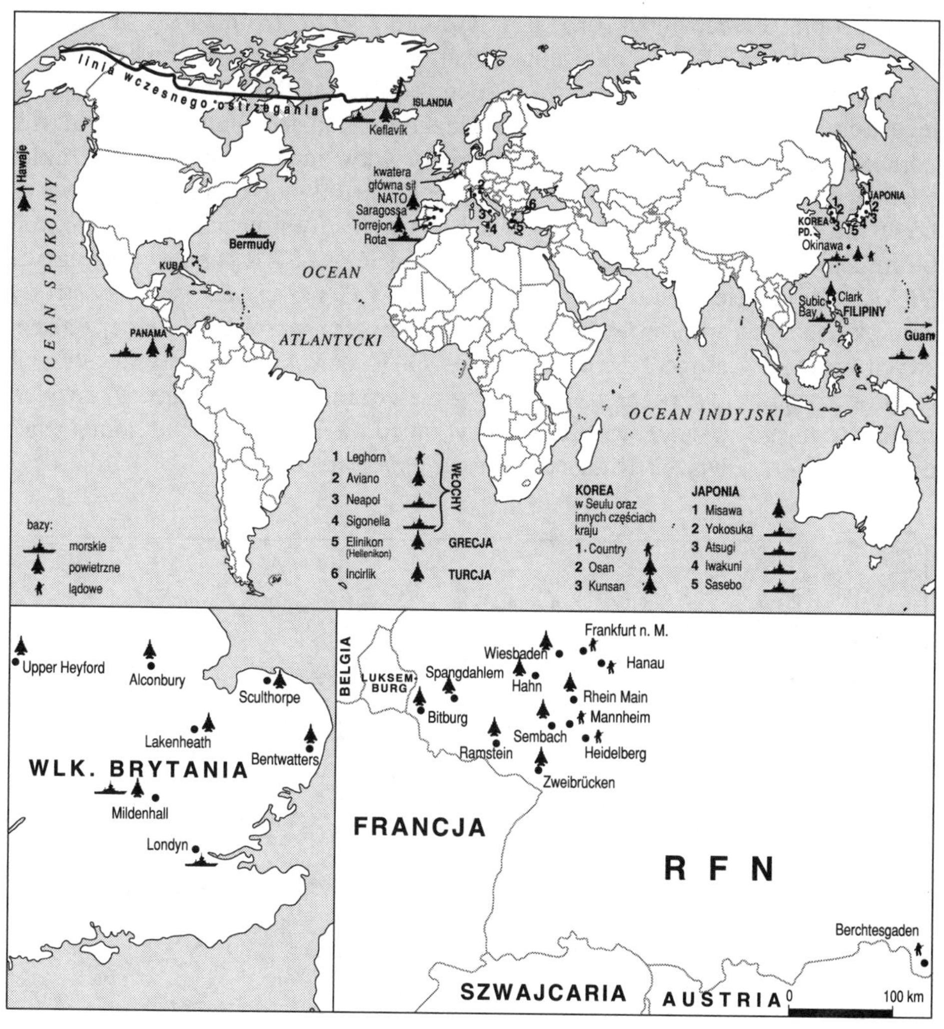

19. Amerykańskie bazy wojskowe poza obszarem Stanów Zjednoczonych, stan z 1984 r.

Za czasów Reagana budżet Pentagonu „spęczniał" do 300 mld dolarów w 1985 r. (wzrost ze 117 mld w 1981 r.). Sekretarz obrony, Caspar Weinberger, ostrzegł, iż Związek Radziecki jest w stanie zadać Stanom Zjednoczonym „pierwszy cios" w wojnie nuklearnej. Na skutek tego rodzaju informacji Kongres zatwierdził sfinansowanie systemu głowic MX, nowego bombowca strategicznego oraz rozbudowanie floty do stanu 600 jednostek. W 1983 r. Stany Zjednoczone umieściły w Europie ponad 500 pocisków typu Cruise oraz Pershing 2, które miały być przeciwwagą dla radzieckich rakiet średniego zasięgu, rozmieszczonych w Europie Wschodniej. Zainstalowanie tych pocisków spowodowało demostracje zarówno w Stanach Zjednoczonych, jak i w Europie. Przeciwnicy zbrojeń wzywali do jednostronnego „zamrożenia zbrojeń nuklearnych" dla położenia kresu nowemu wyścigowi zbrojeń.

Reagan nie darzył zbytnim zaufaniem kontroli nad zbrojeniami, mimo to jego administracja zaproponowała Związkowi Radzieckiemu spektakularną „opcję zerową", która miała doprowadzić do likwidacji amerykańskich rakiet średniego zasięgu w Europie Zachodniej, pod warunkiem analogicznego wycofania radzieckich rakiet z Europy Wschodniej. Po odrzuceniu tej propozycji Stany Zjednoczone podjęły na nowo negocjacje z ZSRR, znane pod nazwą START. W trakcie rozmów odbywających się w Genewie, negocjatorzy strony amerykańskiej zaproponowali, aby obie strony zrezygnowały z jednej trzeciej swych arsenałów głowic jądrowych. Związek Radziecki bez namysłu odrzucił tę propozycję. Gdy rozpoczęło się rozmieszczanie nowych amerykańskich rakiet średniego zasięgu w Wielkiej Brytanii oraz Republice Federalnej Niemiec w 1983 r., Związek Radziecki zerwał dalsze negocjacje.

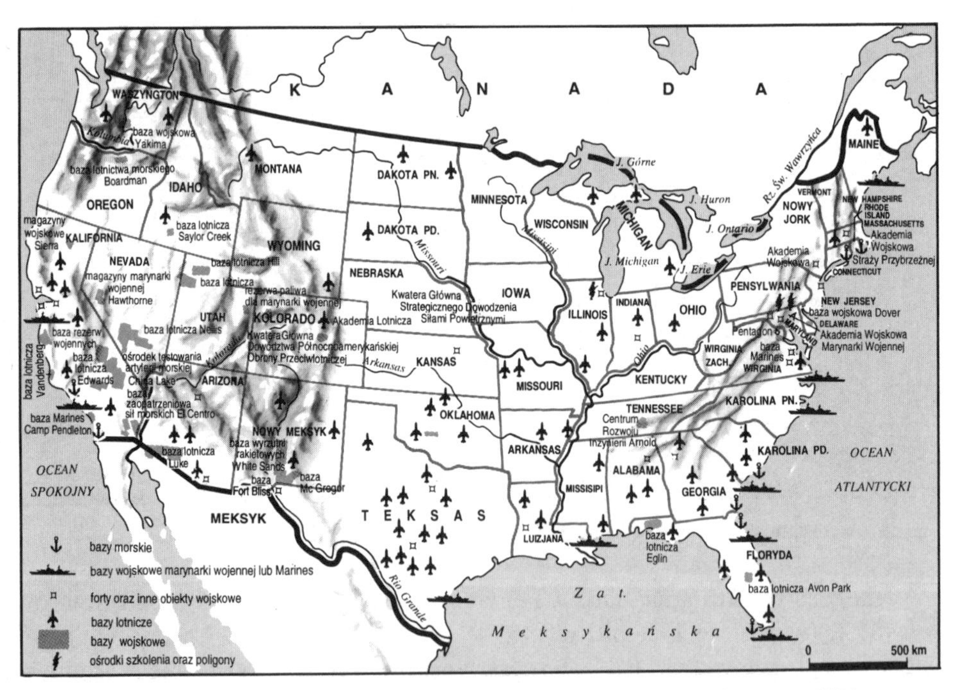

20. Największe bazy wojskowe na terytorium Stanów Zjednoczonych, stan z 1984 r.

Po zerwaniu pertraktacji nad START, Reagan zaaprobował tzw. Inicjatywę Obrony Strategicznej (Strategic Defence Initiative, SDI) – skomplikowany system obrony przeciwrakietowej, którego zadaniem było niszczenie w kosmosie, za pomocą promieni laserowych, radzieckich pocisków wystrzelonych w kierunku Stanów Zjednoczonych. Plan ten został szybko wykpiony przez przeciwników jako „wojny gwiezdne", ze względu na rzekomą niepraktyczność. Upatrywano w nim czynnik destabilizujący, który pociągnie za sobą olbrzymie koszty, a zarazem zwiększy wyścig zbrojeń oraz możliwość radzieckiego ataku „prewencyjnego".

Postawa Reagana nie wydawała się zbytnio wpływać na postępowanie Związku Radzieckiego. Pod koniec 1981 r. ZSRR nakazał siłowe rozprawienie się z „Solidarnością". Po wprowadzeniu w 1981 r. stanu wojennego w Polsce przez rząd komunistyczny, Reagan usiłował doprowadzić do izolacji Związku Radzieckiego ogłaszając bojkot gospodarczy wobec Polski. W 1982 r. Reagan próbował również nie dopuścić do budowy gazociągu, łączącego Związek Radziecki z Europą Zachodnią, lecz jego wysiłki spełzły na niczym, ze względu na postawę przywódców zachodnioeuropejskich.

Bardziej natomiast skuteczne okazały się wysiłki, mające na celu wsparcie finansowe i techniczne organizacji partyzanckich w okupowanym przez Związek Radziecki Afganistanie. Centralna Agencja Wywiadowcza poprzez bazy w Pakistanie zorganizowała na dużą skalę tajne przerzuty nowoczesnego sprzętu wojskowego dla partyzantów, którym udało się wciągnąć żołnierzy radzieckich w wojnę partyzancką, żywo przypominającą konflikt wietnamski.

Administracja Reagana pracowała również nad rozszerzeniem kontaktów handlowych z Azją. Chiny, których ludność przekroczyła 1 mld, jawiły się jako potencjalnie potężny rynek zbytu dla amerykańskich produktów. W dodatku, gospodarki takich krajów jak Japonia, Korea Południowa, Tajwan, Malezja i Singapur przeżywały okres boomu, w dużym stopniu spowodowanego handlem ze Stanami Zjednoczonymi.

Stosunki z Chinami na początku prezydentury Reagana były chłodne, z powodu tradycyjnego poparcia udzielanego przez konserwatywnych republikanów dla Tajwanu. W pierwszym roku sprawowania urzędu prezydenckiego Reagan zawarł wiele transakcji wojskowych z Tajwanem, w celu wzmocnienia jego obronności. Lecz stosunki z Chinami znacznie się poprawiły w wyniku wizyty w Stanach Zjednoczonych w 1984 r. chińskiego przywódcy komunistycznego, Deng Xiaopinga (Teng Siao-pinga), który podpisał w Waszyngtonie kilka umów handlowych. Niedługo potem w podróż do Chin udał się prezydent Reagan, który zobowiązał się do rozszerzenia współpracy z Chinami na drodze wymiany kulturalnej, naukowej i technicznej.

W tym samym czasie, gdy Stany Zjednoczone dążyły do stworzenia nowych rynków zbytu w Chinach, administracja Reagana sprostać musiała innemu wyzwaniu: była nim inwazja na rynku amerykańskim wysokich jakościowo i tanich produktów japońskich. Japończycy prowadzili protekcjonistyczną politykę wobec własnego rynku, utrudniając dostęp produktom amerykańskim, w tym szczególnie amerykańskim produktom spożywczym, za pomocą restrykcji handlowych. Deficyt Stanów Zjednoczonych w handlu z Japonią powiększył się z 10 mld dolarów w 1980 r. do 35 mld dolarów w 1984 r. Był on w znacznej mierze spowodowany importem samochodów z Japonii. W latach siedemdziesiątych amerykańscy producenci samochodowi utracili jedną czwartą rynku na rzecz konkurencji japońskiej. Na skutek wywieranych na nich presji Japończycy zgodzili się na „dobrowolne" ograniczenie dostaw samochodów do Stanów Zjednoczonych.

Administracja Reagana musiała również sprostać protestom, organizowanym przez Afrykański Kongres Narodowy (African National Congress, ANC) w Republice Południowej Afryki przeciwko rządom apartheidu (apartheid w języku Afrykanerów oznacza „bycie osobno"). W połowie lat osiemdziesiątych organy bezpieczeństwa RPA postanowiły rozprawić się siłą z protestującymi członkami ANC. Na skutek rozpętanej fali przemocy, amerykańskie organizacje na rzecz równouprawnienia Murzynów wezwały wszystkie amerykańskie korporacje i instytucje do wycofania się z RPA. Czternaście stanów oraz dziesiątki miast zabroniły inwestowania w RPA, a w całym kraju studenci demonstrowali przeciwko inwestycjom ich uczelni w tym kraju.

Administracja Reagana prowadziła politykę, którą nazywała „konstruktywnym zangażowaniem". Polegała ona na wywieraniu presji dyplomatycznej przez Departament Stanu, przy jednoczesnym unikaniu otwartego krytykowania apartheidu. Pod rosnącą presją opinii publicznej Kongres w 1986 r. przełamał weto prezydenckie i ogłosił bojkot gospodarczy RPA.

Wiele uwagi Reagana pochłonęła sytuacja na Filipinach, gdy Corazon Aquino przeciwstawiła się reżimowi Ferdinanda Marcosa. Stany Zjednoczone w obawie przed komunistycznym przewrotem popierały rząd Marcosa do chwili wyzwania, jakie rzuciła tej „kleptokracji" (rządowi złodziei) Corazon Aquino. Stany Zjednoczone wywarły nacisk na Marcosa, który zgodził się na przeprowadzenie demokratycznych wyborów w 1986 r. Jednak mimo oficjalnej wygranej Marcosa dyktator zmuszony został do ucieczki z kraju, w obliczu powszechnego przekonania o sfałszowaniu wyborów. Nowy, demokratyczny, rząd pani Aquino musiał sprostać licznym wyzwaniom, takim jak nieustająca groźba przewrotu komunistycznego, zastój gospodarczy oraz presja ze strony wojskowych.

Na Bliskim Wschodzie administracja Reagana starała się kontynuować negocjacje pokojowe rozpoczęte przez rząd Cartera. Tymczasem jednak sekretarz stanu Alexander Haig zdawał się zachęcać Izrael do stopniowego przejmowania kontroli nad Zachodnim Brzegiem Jordanu, uważanym przez Palestyńczyków za ich ojczyznę. W 1982 r. Izrael dokonał inwazji na Liban w celu zniszczenia obozów dla uchodźców, kontrolowanych przez Organizację Wyzwolenia Palestyny (OWP), będącą we wrogich stosunkach z Izraelem. Reagan skierował tam swego specjalnego wysłannika – Philipa Habiba. Dyplomata ten, będąc sam libańskiego pochodzenia, usiłował doprowadzić do bezpiecznego wycofania się OWP oraz uchodźców palestyńskich spod ostrzału armii izraelskiej. Walki w zachodniej części Bejrutu nie ustawały jednak, a 17 września 1982 r. doszło tam w dwóch obozach przesiedleńczych do masakry setek nie uzbrojonych Palestyńczyków, popełnionej przez sprzymierzonych z Izraelem libańskich chrześcijan.

Habibowi udało się doprowadzić do ewakuacji OWP z Bejrutu, a Stany Zjednoczone wysłały do tego miasta 1500 żołnierzy w celu przywrócenia pokoju. Siły syryjskie, popierane przez Związek Radziecki, zajęły wschodni Liban, podczas gdy Izrael sprawował kontrolę nad południowym Libanem. Wojujący odłam muzułmanów nie chciał pogodzić się z obecnością wojsk amerykańskich, które izolowane znalazły się w defensywie. Wczesnym rankiem, 23 października 1983 r., muzułmański terrorysta wjechał ciężarówką wypełnioną materiałami wybuchowymi na teren bazy amerykańskiej piechoty morskiej. W wyniku eksplozji zginęło 241 śpiących marines – była to najtragiczniejsza katastrofa wojskowa od czasu wojny wietnamskiej. Na początku 1984 r. Reagan wycofał pozostałych marines z Libanu – jego polityka poniosła porażkę.

Widmo terroryzmu prześladowało administrację Reagana. Departament Stanu obliczył, iż w samym tylko roku 1985 na świecie dokonano 700 ataków terrorystycznych. Większość z nich popełniona została przez ekstremistów arabskich, którzy poprzysięgli sobie zniszczyć państwo żydowskie. Ataki ich osiągnęły swój punkt kulminacyjny w połowie lat osiemdziesiątych. W 1986 r. członkowie OWP porwali włoski statek wycieczkowy *Achille Lauro*, dokonując w okrutny sposób egzekucji mężczyzny w podeszłym wieku, przykutego do wózka inwalidzkiego, który okazał się być obywatelem amerykańskim.

W tym samym roku terroryści prolibijscy dokonali zamachów bombowych na amerykańskie instalacje wojskowe w Niemczech Zachodnich. W odwecie Reagan nakazał przeprowadzenie ataku lotniczego na Libię. Opinia publiczna poparła tę operację, aczkolwiek dały się słyszeć głosy, iż była ona nieskuteczna ze względu na nikłe znaczenie wojskowe.

Sytuacja na Bliskim Wschodzie stała się szczególnie zapalna w 1987 r., gdy wydawało się, iż Stany Zjednoczone mogą zostać wciągnięte w wojnę iracko-irańską. Ta wyjątkowo ponura wojna, która wybuchła w 1981 r., trwała przez 6 lat i pochłonęła około 600 tys. ofiar. Gdy flota irańska przystąpiła do ataków na kuwejckie tankowce zmierzające do Stanów Zjednoczonych, Europy Zachodniej i Japonii, Reagan wysłał w rejon Zatoki Perskiej eskadrę okrętów wojennych. Napięcie pomiędzy Iranem a Stanami Zjednoczonymi uległo dalszemu zaostrzeniu na skutek przypadkowego zestrzelenia przez amerykański niszczyciel USS *Vincennes* irańskiego odrzutowca pasażerskiego z 290 osobami na pokładzie. W następstwie wybuchła cała seria starć pomiędzy okrętami irańskimi i amerykańskimi. Wojna irańsko-iracka zakończyła się latem 1988 r., kiedy to po negocjacjach zawieszone zostały działania wojenne. Przyczyniło się to do osłabienia napięć pomiędzy Iranem a Stanami Zjednoczonymi.

Dwa małe kraje – Nikaragua i Salwador – w latach osiemdziesiątych stały się głównymi obiektami polityki amerykańskiej wobec Ameryki Łacińskiej. Administracja waszyngtońska była zdecydowana dać odpór socjalizmowi w Nikaragui oraz położyć kres ruchom partyzanckim w Salwadorze. Polityka Stanów Zjednoczonych wobec Ameryki Łacińskiej kładła nacisk na aktywne zwalczanie wpływów marksistowskich, w odróżnieniu od polityki Cartera, zaabsorbowanego prawami człowieka.

Solą w oku Reagana był popierany przez Związek Radziecki rząd Fidela Castro na Kubie. Zamiast jednak bezpośredniej konfrontacji z Castro szef CIA William J. Casey zalecał strategię osłabiania głównego sojusznika Kuby w regionie, tj. sandinistowskiego rządu w Nikaragui.

Dowody zebrane przez Centralną Agencję Wywiadowczą wskazywały na to, iż nikaraguańscy sandiniści wspomagali poza granicami kraju komunistycznych partyzantów w Salwadorze. Prezydent Carter odciął pomoc finansową dla Salwadoru po zamordowaniu tam trzech amerykańskich zakonnic przez siły rządowe. W 1984 r. wybrano w Salwadorze na prezydenta Jose Napoleona Duarte, który rozpoczął reformy z zamiarem okiełznania prawicowych „szwadronów śmierci", mających na sumieniu śmierć tysięcy cywilów. Jednak armia Duarte nie była w stanie tego dokonać ani też pokonać lewicowej partyzantki lub też zmusić jej do rozpoczęcia negocjacji.

W czasie gdy w Salwadorze toczyła się wojna domowa, Reagan przeznaczył 19 mln dolarów pod koniec 1981 r. na uzbrojenie 500 rebeliantów w Nikaragui. Na tych kontrrewolucyjnych oddziałach, zwanych contras, zogniskowało się gros uwagi, jaką administracja Reagana poświęcała tej części świata. Contras – dokonujący licznych aktów napadu oraz sabotażu na terenie Nikaragui – składali się z Nikaraguańczyków, którzy opowiedzieli się przeciwko sandinistom, w ich szeregach znaleźli się również zwolennicy odsuniętego od władzy dyktatora Anastasio Somozy Jr. Kongres wyrażał sceptycyzm wobec poparcia udzielanego contras przez Reagana, czego wynikiem była poprawka Bolanda z grudnia 1982 r., zakazująca CIA oraz Pentagonowi bezpośredniego finansowania antykomunistycznej partyzantki.

Mimo iż administracja zaangażowana była w prowadzenie wojny w Nikaragui i Salwadorze za pomocą „pośredników", Reagan gotów był również interweniować bezpośrednio. W 1983 r. wysłał on marines na Grenadę w celu obalenia dyktatury marksistowskiej na tej małej wysepce położonej na Morzu Karaibskim. Powodem oficjalnym tej operacji było zapewnienie bezpieczeństwa przebywającym w tym kraju obywatelom amerykańskim. Jednostki piechoty morskiej przybyłej tam niedługo po katastrofie w Libanie, w krótkim czasie opanowały wyspę, biorąc do niewoli kilkuset kubańskich doradców wojskowych pracujących przy budowie bazy dla lotnictwa radzieckiego. Stany Zjednoczone ustanowiły na wyspie zaprzyjaźniony rząd, któremu przyznały 30 mln dolarów pomocy finansowej. Mimo potępienia tej akcji zarówno przez

Kongres, jak i Organizację Państw Amerykańskich, badania opinii publicznej w Stanach Zjednoczonych i na Grenadzie wykazały szerokie poparcie dla Reagana.

Stosunki z Iranem były natomiast bardziej enigmatyczne niż mogło się to wydawać na pierwszy rzut oka. Na początku listopada 1986 r. jeden z magazynów bejruckich doniósł, iż w 1985 r. Stany Zjednoczone dostarczyły Iranowi ponad 500 rakiet przeciwpancernych. Artykuł ten wywołał olbrzymi skandal. Reagan oświadczył, iż rakiety te zostały sprzedane Iranowi w zamian za wypuszczenie zakładników amerykańskich, więzionych przez irańskich ekstremistów.

Pojawiły się jednak nowe, bardziej osobliwe okoliczności, m. in. doniesienia o tym, iż płk Oliver North, doradca w Radzie Bezpieczeństwa Narodowego, posłużył się pieniędzmi ze sprzedaży pocisków dla wsparcia contras w Nikaragui. Użycie funduszy w tym celu stało w jaskrawej sprzeczności z poprawką Bolanda. Dochodzenie Kongresu ujawniło w dodatku, iż North zaaranżował transakcję z Arabią Saudyjską, w ramach której USA sprzedały Arabom 400 rakiet przeciwlotniczych typu Stinger, pod warunkiem wypłacenia przez ten kraj 10 mln dolarów dla contras. North namawiał również Izrael oraz prywatne osoby do udzielenia poparcia rebeliantom. Tuż przed nadejściem funkcjonariuszy Federalnego Biura Śledczego (Federal Bureau of Investigation, FBI), którzy przybyli, aby zapieczętować biuro Northa dla potrzeb śledztwa, North wraz z sekretarką zniszczyli dokumenty mogące obciążyć innych wysokich urzędników Białego Domu.

Dla zbadania afery Iran–Contra, Senat i Izba Reprezentantów powołały latem 1987 r. wspólną komisję, która zajęła się dochodzeniem. Przesłuchania, jakie nastąpiły przed tą komisją (zeznania trwały ponad 250 godzin), były transmitowane przez telewizję. Komisja w swym końcowym raporcie otwarcie skrytykowała administrację Reagana za jaskrawe przypadki łamania prawa. Niezależny prokurator prowadził w tej sprawie dochodzenie do 1993 r., usiłując ustalić, „kto, kiedy i o czym wiedział”. W 1993 r., na krótko przed opuszczeniem Białego Domu, prezydent Bush ułaskawił głównych urzędników Reagana wraz z podejrzanym w sprawie Casparem Weinbergerem – byłym sekretarzem ds. obrony.

Podczas swej drugiej kadencji Reagan w wyraźny sposób przeniósł nacisk w swej polityce zagranicznej na pertraktacje ze Związkiem Radzieckim. Wkrótce po elekcji 1984 r. zaskoczył on czołowych doradców, jak również swych krytyków, podejmując na nowo negocjacje ze Związkiem Radzieckim. Pod koniec 1985 r. odbył podróż do Genewy w celu odbycia trzydniowego spotkania na szczycie z nowym radzieckim przywódcą – Michaiłem Gorbaczowem. W trakcie tego szczytu, który był pierwszym amerykańsko-rosyjskim spotkaniem na tym szczeblu od czasów rozmów między Carterem i Breżniewem w 1979 r., Reagan domagał się uznania prawa Ameryki do zbudowania Systemu Obrony Strategicznej (SDI). Na skutek tak twardego stanowiska nie udało się osiągnąć poważniejszych uzgodnień, niemniej Reagan i Gorbaczow zobowiązali się na zakończenie, iż przyspieszą negocjacje na temat kontroli zbrojeń.

W końcu, w 1987 r. Gorbaczow poleciał do Stanów Zjednoczonych, aby podpisać historyczny traktat o likwidacji rakiet średniego zasięgu (IFN) – pierwsze porozumienie tego rodzaju, które zawierało apel o zniszczenie w przyszłości arsenałów nuklearnych. Umowa ta przewidywała wzajemny nadzór nad niszczeniem rakiet średniego zasięgu. Przywódcy Stanów Zjednoczonych oraz ZSRR oznajmili również o swojej intencji kontynuowania procesu rozbrojenia poprzez dalsze negocjacje nad planem START (Strategic Arms Reduction Treaty). Gorbaczow rozpoczął również ewakuację wojsk radzieckich z Afganistanu, zmniejszył pomoc dla sandinistów w Nikaragui oraz dla Kuby i Wietnamu. W dodatku nakłaniał on rządy w krajach satelickich w Europie Wschodniej do podejmowania reform politycznych i ekonomicznych.

Sukcesy Reagana w kontaktach ze Związkiem Radzieckim zrekompensowały porażki, jakie poniósł on w wyniku afery Iran–Contra. Udane negocjacje z ZSRR, które przeprowadzono wkrótce po kompromitacji z Iran–Contra, odegrały kluczową rolę w przywróceniu publicznego prestiżu Reaganowi jako niezłomnemu antykomuniście.

W momencie gdy Reagan opuszczał Biały Dom, zimna wojna wydawała się należeć do przeszłości. Negocjacje ze Związkiem Radzieckim były jednym z największych sukcesów amerykańskiej dyplomacji od czasów II wojny światowej.

W 1988 r. republikanie wybrali wiceprzydenta George'a Walkera Busha na swego kandydata w prezydenckiej kampanii wyborczej. Bush, który był synem senatora ze stanu Connecticut, zdobył medal za odwagę w czasie II wojny światowej, ukończył uniwersytet Yale, wreszcie zbił majątek na ropie naftowej w Teksasie, aby w końcu oddać się polityce. Został deputowanym do Kongresu, po czym mianowano go ambasadorem Stanów Zjednoczonych przy ONZ, dyrektorem Centralnej Agencji Wywiadowczej oraz przewodniczącym Partii Republikańskiej.

Bush zdawał się nie posiadać własnej ideologicznej wizji, spodziewano się więc, iż będzie on kontynuował program Reagana. Na konwencji republikanów w 1988 r. uczynił on następującą obietnicę wyborczą: „Umówmy się: nie będzie żadnych nowych podatków"; wybrał również na swego partnera – kandydata na wiceprezydenta – senatora z Indiany, J. Danfortha Quayle'a. Tymczasem demokraci toczyli między sobą boje o nominację prezydencką. Początkowa grupa siedmiu konkurentów skurczyła się do Jesse Jacksona i gubernatora stanu Massachusetts, Michaela Dukakisa. Jackson, podobnie jak w 1984 r., prowadził kampanię pod hasłem pomocy dla ubogich i dla slumsów oraz walki z narkotykami. Jednak nominację partii zapewnił sobie Dukakis, po zwycięstwach w wyborach wstępnych w stanie Nowy Jork i w Kalifornii. Dla zachowania politycznej „równowagi" wybrał on na swego zastępcę senatora z Teksasu – konserwatywnego Lloyda Bentsena.

Kampania okazała się nadspodziewanie brutalna. W jej trakcie demokraci przedstawiali Busha jako osobę bez charakteru, wymawiali mu jego zamożność oraz podkreślali talent do popełniania gaf. Jak ujął to jeden z demokratów podczas konwencji: „Biedny George, jego gafy są tak wielkie, jak jego fortuna". Atakowano również Dana Quayle'a za wykorzystanie znajomości politycznych dla uchylenia się od służby wojskowej w Wietnamie w 1969 r. Z kolei republikanie zaatakowali Dukakisa za sprzeciw wobec ustawy nakazującej dzieciom składanie przysięgi na wierność Stanom Zjednoczonym, za brak sukcesu w oczyszczaniu wody w porcie bostońskim oraz za udzielenie terminowego urlopu z więzienia pewnemu gwałcicielowi i mordercy, który będąc na przepustce dopuścił się kolejnych poważnych przestępstw.

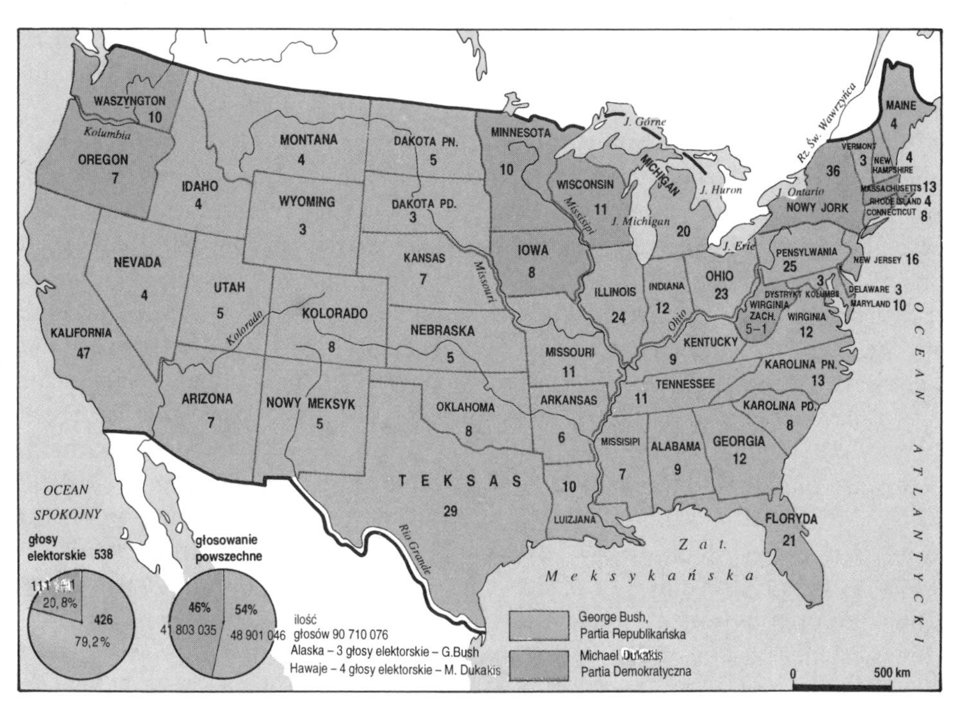

21. Wybory prezydenckie 1988 r.

Bush wygrał wybory dzięki 54% oddanych głosów i 426 głosom elektorskim, podczas gdy Dukakis uzyskał 46% oddanych głosów i 112 głosów elektorskich. W sumie jednak wynik Dukakisa był najlepszym rezultatem uzyskanym przez demokratów od 1980 r.

Bush obiecał uczynić z Amerykanów „łagodniejszy, spokojniejszy naród". Skrytykował w nieco zawoalowany sposób administrację Reagana, podkreślając, iż jako prezydent zamierza przez cały czas trzymać „rękę na pulsie" i dobrze współpracować z Kongresem. Mimo iż nie zaproponował wielu inicjatyw związanych z polityką wewnętrzną, Bush podkreślał swoją intencję zrównoważenia deficytu budżetowego. W chwili gdy obejmował urząd prezydencki, dług narodowy osiągnął nieomal 3 bln dolarów.

Bush zaproponował ostre cięcia w budżecie wojskowym w celu zaoszczędzenia 2,7 mld dolarów w porównaniu z budżetem obronnym Reagana, przy czym redukcje te miały również obejmować Inicjatywę Obrony Strategicznej (SDI), czyli tzw. wojny gwiezdne. Mimo złożenia wyborczej obietnicy, iż będzie popierał szkolnictwo, wydatki na edukację wyniosły o 3 mld dolarów mniej niż w ostatnim roku kadencji Ronalda Reagana. Równocześnie Bush był inicjatorem dodatkowych funduszy na opiekę nad dziećmi, walkę z zanieczyszczeniem atmosfery oraz badaniami nad AIDS. Wypowiedziawszy wojnę narkotykom, wezwał on również do zwiększenia wydatków na egzekwowanie prawa. W celu skoordynowania wysiłków w walce z narkotykami powołał on na „narkotykowego cara" byłego sekretarza Reagana ds. oświaty, Williama Bennetta.

Rosnący deficyt budżetowy nie dał się okiełznać. W 1991 r. wzrósł on do sumy 268 mld dolarów – najwyższy w historii Stanów Zjednoczonych. Wreszcie, na skutek nacisków ze strony Kongresu, w lipcu 1990 r. Bush zdecydował wycofać się z wyborczych obietnic niepodnoszenia podatków. Reakcja ze strony konserwatystów oraz robotników, do niedawna sympatyzujących z Reaganem, była gwałtowna. Konserwatyści oskarżyli Busha o sprzeniewierzenie się wyraźnym obietnicom niepodnoszenia podatków. W tej sytuacji nieuchronne okazało się zerwanie Busha z konserwatystami w łonie własnej partii.

Prezydent usiłował jeszcze zachować wpływy wśród konserwatystów poprzez kontynuację przebudowy Sądu Najwyższego, zaczętej przez Ronalda Reagana. Nominacje Reagana szły w kierunku popchnięcia Sądu w bardziej konserwatywnym kierunku. W sprawie Webster kontra Reproduction Health Care Services (system opieki zdrowotnej w zakresie planowania rodziny) z 1989 r. sąd podtrzymał ustawodawstwo stanu Missouri, ograniczające prawa kobiet do dokonywania aborcji. Równocześnie jednak Sąd Najwyższy udowodnił swą niezależność od konserwatywnego dogmatyzmu w sprawie Teksas kontra Johnson (1989), w której orzekł, iż I poprawka do Konstytucji chroni prawa tych, którzy palą flagę amerykańską.

Odejście w 1990 r. i następnym na emeryturę liberalnych sędziów Williama Brennana i Thurgooda Marshalla otwarło przed Bushem możliwość wzmocnienia konserwatywnego skrzydła w Sądzie. Na pierwszy z wakatów – po Brennanie – Bush powołał Davida Soutera, sędziego federalnego ze stanu New Hampshire, który został bez przeszkód zatwierdzony przez Senat. Druga kandydatura Busha – konserwatywnego Murzyna Clarence'a Thomasa, napotkała poważne kłopoty na skutek oskarżenia Thomasa przez Anitę Hill, jego czarnoskórą podwładną, o „seksualne molestowanie" w trakcie jej pracy w dwóch urzędach federalnych w latach 1982–1983. Transmitowane przez telewizję przesłuchania przed Senatem przykuły uwagę całego kraju. W końcu jednak kandydatura Thomasa została zatwierdzona przez Senat, mimo iż wynik głosowania tylko nieznacznie przemawiał na jego korzyść. Wprawdzie badania opinii publicznej wskazały, że niemal trzy czwarte społeczeństwa, w tym przeszło 60% ankietowanych kobiet, było przekonane o niewinności Thomasa, to jednak jego reputacja niewątpliwie doznała szwanku, powodując negatywne reakcje wyborców. W trakcie kampanii o nominację Thomasa, Bush podpisał Ustawę o Prawach Obywatelskich (Civil Rights Bill) z 1991 r., którą uprzednio potępił za wprowadzanie systemu kwot mniejszościowych przy zatrudnianiu. Ustawa ta pogłębiła jedynie przekonanie o „zdradzie" Busha wśród konserwatystów i „reaganowskich demokratów".

Upadek Związku Radzieckiego, zainicjowany klęską komunistycznych rządów w Polsce w 1989 r., wywarł wpływ na pozostałe kraje środkowej i wschodniej Europy, gdzie kolejne reżimy komunistyczne upadały zgodnie z zasadą domina. Republikanie domagali się przyznania zasług za rozpad imperium radzieckiego Ronaldowi Reaganowi i jego ożywionej polityce zagranicznej. Wielu przywódców radzieckich przyznało, iż była to jedna z przyczyn, natomiast każda rzetelna analiza powodów upadku komunizmu musi wziąć pod uwagę rolę, jaką odegrała porażka radzieckiego modelu zarządzania gospodarką.

W trakcie prezydentury Reagana rządy w Związku Radzieckim objął Michaił Gorbaczow. Gorbaczow wezwał do dokonania przebudowy gospodarczej, tzw. „pieriestrojki" oraz do politycznego otwarcia („głasnost'"). Mimo to jednak stan gospodarki radzieckiej ulegał ciągłemu pogorszeniu, potwierdzając tym samym przekonanie Gorbaczowa o niemożności sprostania przez Rosjan dalszemu wyścigowi zbrojeń.

Kryzys gospodarczy w Związku Radzieckim zmusił Gorbaczowa do zaakceptowania reform politycznych w Europie Wschodniej. Upadły pozbawione sowieckiego wsparcia reżimy komunistyczne w Polsce, Czechosłowacji, na Węgrzech, w Bułgarii i Rumunii. Najbardziej dramatycznym momentem było runięcie Muru Berlińskiego, oddzielającego NRD od RFN, co nastąpiło 9 listopada 1989 r. W niedługi czas potem Niemiecka Republika Demokratyczna i Republika Federalna Niemiec połączyły się ponownie w jedno państwo. Zimna wojna dobiegła końca.

Rząd chiński zareagował gwałtownie na ruchy demokratyczne, rozpętane wydarzeniami w Związku Radzieckim. Tysiące chińskich studentów oraz ich sympatyków, zainspirowanych reformami w Europie Wschodniej, zgromadziło się na placu Tian'anmen w Pekinie, na potężnej demonstracji, domagając się reform politycznych. Rankiem, 4 czerwca 1989 r., chiński przywódca Deng Xiaoping wezwał armię do stłumienia ruchu dysydenckiego. Co najmniej tysiąc demonstrantów poległo w wyniku brutalnego ataku chińskiej Czerwonej Armii na bezbronnych studentów. Bush potępił ten atak, lecz odmówił zerwania stosunków dyplomatycznych z Chinami.

Kryzys w ZSRR wkrótce odbił się echem w Ameryce Łacińskiej. Niedługo po sowieckim oświadczeniu o wstrzymaniu pomocy finansowej dla rządu sandinistowskiego w Nikaragui, sandiniści zgodzili się na zorganizowanie pierwszych demokratycznych wyborów w tym kraju od 60 lat. Ku ich zaskoczeniu, do władzy doszła w ten sposób koalicja sił antysandinistowskich.

Również rząd Fidela Castro na Kubie odczuł skutki sowieckiego odwrotu z Ameryki Łacińskiej. Rząd ZSRR wspierał Castro corocznie sumą 5 mld dolarów. Castro utrzymał się u władzy mimo wycofania tych zasiłków, za to zagrożony reżim komunistyczny na Kubie wzmógł jeszcze represjonowanie swoich obywateli.

Zmierzch Związku Radzieckiego uczynił Stany Zjednoczone jedynym supermocarstwem. Bush zdecydowanie dążył do utwierdzenia potęgi Stanów Zjednoczonych poprzez „nowy porządek światowy". W celu obalenia dyktatury Manuela Noriegi w Panamie, wydał on armii rozkaz dokonania inwazji w tym kraju. Większość mieszkańców Panamy przywitała z ulgą ingerencję amerykańskich wojsk, które niedługo potem aresztowały Noriegę, podejrzanego o handel narkotykami. Noriegę przewieziono do Stanów Zjednoczonych, gdzie został osądzony i skazany za udział w międzynarodowym handlu narkotykami.

Nie zważając na protesty przeciwko amerykańskiemu interwencjonizmowi, większość Amerykanów z entuzjazmem poparła twardą postawę Busha wobec Noriegi. Zdecydowana postawa prezydenta w Panamie przygotowała grunt dla kolejnej akcji amerykańskiej, która nastąpiła w wyniku inwazji na Kuwejt, dokonanej w sierpniu 1990 r. przez Irak. W obawie przed irackim napadem na Arabię Saudyjską, co doprowadziłoby do zagrożenia amerykańskich interesów naftowych, prezydent Bush sformował międzynarodową koalicję pod egidą Narodów Zjednoczonych, w celu zmuszenia Iraku do wycofania się z Kuwejtu. Gdy nałożone embargo zdawało się nie wywierać wpływu na irackiego przywódcę Saddama Husajna, Bush wydał rozkaz przeprowadzenia olbrzymiej operacji powietrznej i lądowej, wymierzonej w iracką okupację Kuwejtu oraz południowego Iraku. W operacji tej ostatecznie wzięło udział 700 tys. żołnierzy krajów sprzymierzonych.

W trakcie sześciotygodniowej kampanii, pod nazwą „Pustynna Burza" (Desert Storm), wojska pod dowództwem amerykańskiego gen. Normana Schwarzkopfa pokonały armię Saddama. Liczbę poległych Irakijczyków szacuje się na 50 do 100 tys. Kuwejt został wyswobodzony, lecz Saddam mimo to pozostał u władzy. Popularność Busha sięgnęła tymczasem zenitu, osiągając 91%.

Dopiero później krytycy mieli oskarżać Busha o zaopatrywanie represyjnego reżimu irackiego w przededniu wojny o Kuwejt w broń i pieniądze. Lecz jesienią 1991 r. pozycja Busha przed ponownymi wyborami prezydenckimi wydawała się absolutnie pewna.

Wyjątkowo długi okres dobrej koniunktury gospodarczej, który rozpoczął się w 1983 r., dobiegł końca w 1990 r., kiedy to Stany Zjednoczone weszły w okres recesji, trwającej do połowy 1991 r. Mimo pojawienia się ponownych symptomów poprawy sytuacji, gospodarka nadal wahała się między recesją a ożywieniem. Wzrosło też bezrobocie, do 7,5% w 1992 r. Wraz ze spadającą wydajnością gospodarki zmniejszała się popularność George'a Busha. W przekonaniu o łatwym triumfie wyborczym posłuchał on swych doradców, odmawiając zainicjowania ustawodawstwa, które mogłoby pomóc zwalczyć recesję.

Trwająca recesja oraz narastające niezadowolenie wśród wyborców spowodowało wybuchową atmosferę polityczną na progu kampanii wyborczej 1992 r. Podczas gdy republikanie za Reagana potrafili zdobyć sobie klientelę wśród wyborców głosujących tradycyjnie na demokratów – białych mieszkańców Południa, katolików i „niebieskich kołnierzyków" – teraz zaledwie 29% wyborców wyrażało jasno określone preferencje dla którejkolwiek z partii politycznych, a potężny odłam elektoratu, bo całe 26%, uważało się za „niezależnych". Badania opinii ujawniły głęboki cynizm wśród wyborców w kwestii oceny zawodowych polityków.

W tej sytuacji demokraci sięgnęli po gubernatora stanu Arkansas, Billa Clintona, który prowadził kampanię jako centrysta, mający na celu poprowadzenie partii z powrotem na łono klasy średniej. Zrywając z uświęconym tradycją zwyczajem, Clinton nie usiłował nawet „zbalansować" swej kandydatury wiceprezydenckim partnerem z innego rejonu geograficznego; zamiast tego wybrał na swego zastępcę kolejnego reprezentanta Południa – senatora Alberta Gore z Tennessee, silnie zaangażowanego po stronie ruchu ekologicznego.

Pewny swej reelekcji, Bush musiał jednak spojrzeć w oczy prawdzie o kulejącej gospodarce oraz wielu palącym problemom społecznym. Dług narodowy uległ w latach prezydentury Reagana i Busha podwojeniu do 4 bln dolarów. Sektor bankowy, szczególnie system kas oszczędnościowo-pożyczkowych (savings and loans) znajdował się w stanie chaosu, spowodowanego olbrzymim długiem. Stopa bezrobocia nieubłaganie wahała się w okolicach 7%, co dziesiąty Amerykanin otrzymywał kupony żywnościowe, co ósmy zaś żył w ubóstwie.

Sytuacja społeczna dojrzała do wybuchu. Nastąpił on 29 kwietnia 1992 r., gdy ława przysięgłych w Simi Valley w Kalifornii uniewinniła czterech policjantów z Los Angeles, oskarżonych o pobicie młodego Murzyna o nazwisku Rodney King. Scena pobicia została uwieczniona przez przygodnego świadka, co dostarczyło, jak się zdawało, „żelaznego" dowodu na winę policjantów.

Burmistrz Los Angeles, Tom Bradley, potępił werdykt słowami: „Dzisiaj zawiedliśmy się na naszym systemie", lecz jednocześnie wezwał do zachowania spokoju. Jednak w ciągu zaledwie półtorej godziny od ogłoszenia werdyktu południowo-środkowe Los Angeles spowite było kłębami dymu. Zamieszki rozszerzyły się na Beverly Hills na północy oraz w kierunku południowym, na Long Beach. Przez cztery następne dni Los Angeles przeżywało najgorsze rozruchy w swojej historii. Protestujący obrali sobie za cel południowe i środkowe rejony miasta, zwane „Koreantown", zamieszkałe przez 200 tys. Koreańczyków. W pewnej chwili dymy znad Los Angeles zmusiły obsługę lotniska do zamknięcia, z jednym wyjątkiem, wszystkich pasów startowych. W piątek akty grabieży i przemocy rozszerzyły się na Atlantę, Las Vegas, Minneapolis, Miami, San Francisco oraz New Rochelle.

W końcu porządek został przywrócony przez Gwardię Narodową, jednak straty materialne, jakie ponieśli właściciele sklepów i nieruchomości, sięgnęły kwoty od 750 mln do 1 mld dolarów. Zamieszki pochłonęły również 50 ofiar śmiertelnych. Po dwóch dekadach, uważanych za okres postępu w stosunkach rasowych, okazało się, iż napięcia na tym tle nie zmniejszyły się zbytnio w porównaniu z latami sześćdziesiątymi. Wielu komentatorów uznało rozruchy w Los Angeles za rezultat wadliwej polityki administracji Reagana i Busha wobec ludności zamieszkującej slumsy.

Sytuacja polityczna uległa dalszemu pogorszeniu, gdy teksaski miliarder, Ross Perot, ogłosił przystąpienie do wyścigu o fotel w Białym Domu z pozycji kandydata niezależnego. Według badań opinii społecznej miało na niego głosować 30% wyborców, jednak w lipcu Perot wycofał swą kandydaturę. Tymczasem tandem Clinton–Gore zadawał Bushowi miażdżące ciosy, krytykując jego politykę ekonomiczną oraz dowodząc, iż republikanie nie orientują się w rzeczywistych potrzebach klasy średniej. Republikanie kontrowali podważając uczciwość Clintona, wskazując na fakt, iż „wykręcił się" od służby wojskowej w Wietnamie. W dodatku Bush przedstawiał swego konkurenta jako niebezpiecznego radykała, który podniósłby podatki, zwiększył wydatki na cele socjalne oraz podjął inne kontrowersyjne kroki w dziedzinie polityki społecznej i kulturalnej. W połowie października Perot dokonał kolejnej wolty, ponownie przystępując do wyścigu. Jego kampania była prowadzona prawie wyłącznie za pomocą reklam telewizyjnych, gdyż Perot na ogół unikał bezpośredniego kontaktu z reporterami i publicznością.

W wyniku wyborów Clinton uzyskał dużą przewagę w kolegium elektorskim, zdobywając 357 głosów elektorskich i 43% głosów wyborców. Bush uzyskał 168 głosów elektorskich i 38% głosów wyborców. Perot nie wygrał w żadnym ze stanów, ale głosowało na niego 19% wyborców, co stanowiło największy procent głosów oddanych na jakąkolwiek partię spoza „wielkiej dwójki" demokratów i republikanów, od czasu gdy Teodor Roosevelt kandydował z ramienia Partii Postępowej (Progressive Party) w 1912 r.

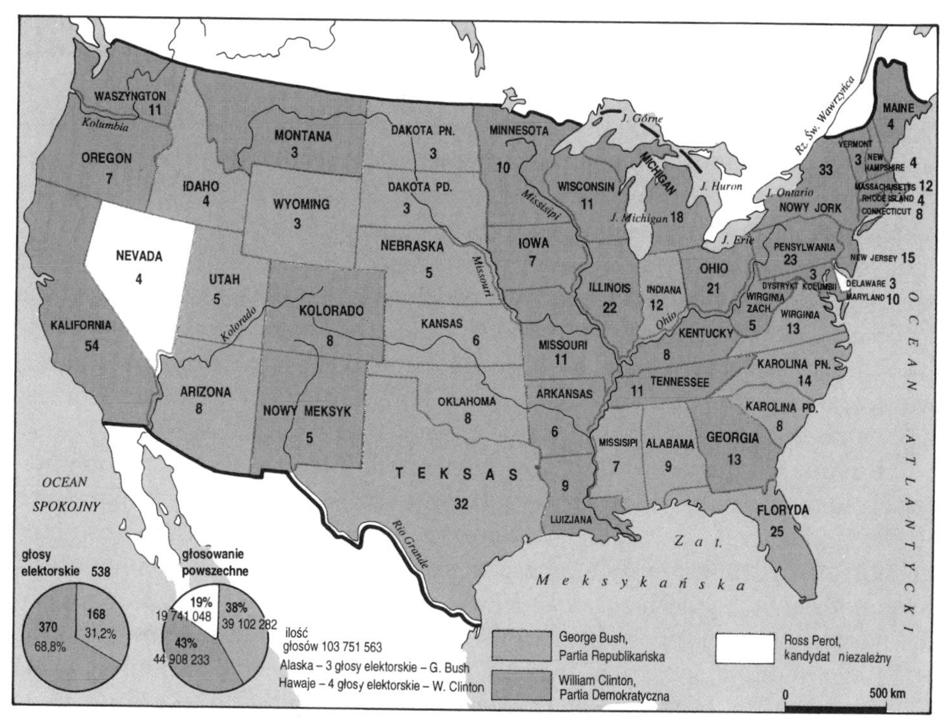

22. Wybory prezydenckie w 1992 r.

Wybory prezydenckie 1992 r.

Kandydat	Liczba głosów	Głosy elektorskie
Bill Clinton	43 726 375 (43%)	357
George Bush	38 167 416 (38%)	168
Ross Perot	19 237 247 (19%)	–

Demokraci wygrali wyścig do Białego Domu po raz pierwszy od 12 lat. Wybór Billa Clintona stworzył nadzieję na dokonanie historycznych zmian. Będąc pierwszym prezydentem urodzonym po II wojnie światowej, 46-letni Bill Clinton stanowił zapowiedź pokoleniowej zmiany warty na górnych szczeblach władzy. Uzyskał on szczególnie silne poparcie wśród czarnej mniejszości, najuboższych oraz niektórych grup kobiecych.

Wybory 1992 r. były przełomowe dla kobiet oraz mniejszości. Pięć z jedenastu kobiet ubiegających się o miejsce w Senacie wygrało wybory. Demokratka Carol Moseley Braun została pierwszą Murzynką wybraną do Senatu. Na skutek zwycięstw wyborczych Barbary Boxer i Diane Feinstein, Kalifornia stała się pierwszym stanem, którego reprezentacja w Senacie składała się wyłącznie z kobiet. Zwycięstwo demokraty Bena Nighthorse'a Campbella w Colorado spowodowało również, że po raz pierwszy od sześćdziesięciu lat w Senacie zasiadł przedstawiciel Indian amerykańskich.

Społeczeństwo amerykańskie, jako społeczeństwo powstałe na bazie imigracji, stało się najbardziej różnorodnym z narodów świata, domem dla obywateli o pochodzeniu europejskim, azjatyckim, latynoamerykańskim oraz afrykańskim. Znaleźli się w nim obok protestantów i katolików muzułmanie, buddyści, hinduiści, a także osoby niewierzące. Rodziny niepełne stały się bardziej powszechnym modelem życia rodzinnego, a kobiety w większym niż dotychczas stopniu zostały zatrudnione na stanowiskach, które niegdyś były dla nich niedostępne. Zmieniały się również role odgrywane przez poszczególne płcie, jako że do głosu często dochodzili homoseksualiści i lesbijki, domagający się akceptacji i szacunku.

Rewolucja komputerowa przekształciła świat pracy i rozrywki. Komputeryzacja unowocześniła pracę biurową, doprowadziła do automatyzacji procesu produkcji, ułatwiła zbieranie i dostęp do informacji. W obliczu rewolucji technologicznej społeczeństwo amerykańskie wydawało się bardziej niż do tej pory podzielone etnicznie i kulturowo; kontrastem na tle postępującego zróżnicowania kulturowego był zuniformizowany świat komputerów.

Różnorodność społeczna znalazła swój wyraz w amerykańskim systemie politycznym, który spowodował, iż w wyborach częściej niż do tej pory święciły triumfy kobiety, Murzyni, Latynosi oraz przedstawiciele innych mniejszości. Jednocześnie podkopane zostało zaufanie do demokracji i systemu dwupartyjnego, co przejawiło się w mniejszym udziale społeczeństwa w głosowaniu oraz zaznaczyło się w często wyrażanym przez elektorat rozczarowaniu „polityką jak zwykle". Mimo iż po zakończeniu zimnej wojny Stany Zjednoczone stanowiły główną potęgę wojskową i gospodarczą świata, sceptycy zastanawiali się, czy aby cywilizacja amerykańska nie znajduje się w stadium schyłku. Amerykanie, jako naród, niewątpliwie pozostali optymistami, jednak optymizm ten łączył się, jak zwykle, ze szczyptą niepokoju co do dalszych losów szlachetnego eksperymentu, jakim jest demokracja amerykańska.

Tłumaczył *Piotr Skurowski*

BIBLIOGRAFIA

Berman William C., *America's Right Turn: From Nixon to Bush*, Johns Hopkins University Press, Baltimore 1994

Edsall Thomas, *Chain Reaction*, Norton, New York 1991

Gottfried Paul and Fleming Thomas, *The Conservative Movement*, Twayne, Boston 1988

Hixon William B., *Search for the American Right Wing: An Analysis of the Social Science Record, 1955–1987*, Princeton University Press, Princeton 1992

Noonan Peggy, *What I Saw at the Revolution: A Political Life in the Reagan Era*, Random House, New York 1990

AMERYKAŃSKA MYŚL
PO 1945 R.

BRUCE KUKLICK

W wyniku II wojny światowej Stany Zjednoczone stały się najpotężniejszym narodem na kuli ziemskiej. Armia amerykańska odniosła zwycięstwo w Europie i Azji. Wśród wielkich mocarstw Stany Zjednoczone były jedynym, które nie poniosło strat w swym potencjale przemysłowym – w rzeczy samej, powiększył się on podczas wojny, w wyniku tego, iż gospodarka Stanów Zjednoczonych zaopatrywała nie tylko armię amerykańską, lecz także wojska sojusznicze, włącznie z radzieckimi.

Życie intelektualne kraju było w pewnym sensie niezależne od polityki i dyplomacji, mimo wojny zachowało ono w dużej mierze ciągłość. A jednak zwycięstwa odniesione podczas wojny nadały myśli amerykańskiej jakby pewność siebie, jeśli nie wręcz arogancję. Panował pogląd, iż Amerykanie nie muszą już czuć kompleksu wobec Europy: że nauka i technika w Stanach Zjednoczonych, jak również myśl amerykańska, stały się modelami, do których przymierzać się powinien cały świat. To poczucie wyższości intelektualnej było nierozerwalnie związane z przekonaniem o wyższości moralnej idei amerykańskich. Myśl, wykreowana przez najpotężniejsze militarnie i gospodarczo państwo demokratyczne na świecie, miała prawo aspirować wyżej niż produkty intelektu krajów pomniejszych. Ten ton pewności siebie, odłożenie do lamusa poczucia kulturalnej niższości, stanowią podstawową różnicę między latami powojennymi a poprzednimi okresami w historii myśli amerykańskiej.

„Historia idei" w USA, obejmująca takie zagadnienia, jak nowe środki wyrazu w pisarstwie i sztuce czy wielkie odkrycia w fizyce, jest tematem zbyt obszernym dla tego eseju. Koncentrując się na tym, co nazywam historią intelektualną, zmuszony byłem do dokonania selekcji oraz skoncentrowania się na tych osobach, które usiłowały zmienić Stany Zjednoczone, oraz na tych, którzy wywarli wpływ w kręgach reformatorskich. Filozofowie często zajmowali jednoznaczne stanowisko – albo za, albo przeciw zwyczajom swej epoki lub politykom. Wprawdzie uczeni starają się zachować postawę neutralną lub „niewartościującą", mimo to jednak krytykowani są często za to, iż ich poglądy dają wyraz jakimś sympatiom. W latach po II wojnie światowej myśl amerykańska obejmowała szerokie spektrum opinii, od gloryfikacji status quo do ostrego sprzeciwu wobec uprawianej polityki. Mimo iż opinie te wyrażane bywały na ogół w dobrej wierze, dzisiaj badacze często „dekodują" je jako zamaskowaną aprobatę dla establishmentu. Z drugiej strony udowadnia się, iż niektóre poglądy, ustrojone w naukowe piórka, nieraz były zawoalowanym atakiem na Stany Zjednoczone. Amerykańska historia intelektualna jest więc historią tych idei, które łączą się z polityką, stając się przez to orężem w walce o autorytet społeczny. Te, o których mowa w niniejszym rozdziale, są klamrami spinającymi okres przedwojenny z latami po II wojnie światowej; z drugiej strony, pomagają „uporządkować" półwiecze powojenne. Mają one kluczowe znaczenie dla zrozumienia pluralizmu światopoglądowego w kraju o amorficznych tradycjach, jakim są Stany Zjednoczone.

Głównym i najważniejszym miejscem odbywających się debat intelektualnych były uniwersytety amerykańskie. Proces „profesjonalizacji" wiedzy w Stanach Zjednoczonych rozpoczął się pod koniec XIX w. i zakończył przed wybuchem I wojny światowej. Lecz po wybuchu II wojny amerykański system szkolnictwa wyższego niepomiernie się rozrósł. Duży napływ funduszy, prywatnych i rządowych, wywarł ogromny wpływ na tę ekspansję, w wyniku której nastąpiło ostateczne usankcjonowanie profesjonalizmu.

Profesjonalizm dokonał się w kilku wymiarach. Wiele dziedzin wiedzy oddzieliło się od starszych gałęzi nauki. Nowe dyscypliny naukowe odznaczały się specyficznym żargonem i metodologiami. Powstawały nowe wydziały. Spójność i granice danej dyscypliny mierzone były liczbą przyznawanych jej przez uniwersytet etatów. Wykładowcy i naukowcy przygotowywani byli zawodowo poprzez intensywny tok studiów, prowadzący do uzyskania doktoratu. Powstawały nowe uniwersytety, rozbudowywała się potężna i skomplikowana struktura szkolnictwa wyższego. Składały się na nią: wielkie ośrodki naukowe, na ogół – aczkolwiek nie zawsze – zarządzane prywatnie i uzależnione od zamożnych sponsorów; olbrzymie uniwersytety stanowe, nadające niższe stopnie naukowe setkom tysięcy absolwentów; małe kolegia, oferujące najzamożniejszym klasyczne wykształcenie uniwersyteckie; oraz wiele szkół o słabszej reputacji, na ogół utrzymywanych przez stany, kształcących mniej zamożnych i często słabszych studentów w podstawowych dyscyplinach „praktycznych". Na samym wierzchołku tej struktury znajdowały się stare uczelnie z Północnego Wschodu, szczególnie z tzw. Ivy League („ligi bluszczowej" – od faktu, iż ich stare gmachy porośnięte są często bluszczem; przyp. tłum.), na czele z Yale, Harvardem i Princeton – aczkolwiek wysoko liczyły się również inne szkoły, jak Uniwersytet Chicagowski oraz uniwersytet stanu Michigan na Środkowym Zachodzie. Jednak w drugiej połowie wieku nastąpiło przesunięcie się środka ciężkości tej struktury w kierunkach południowym i zachodnim. Powstawały tam nowe ośrodki myśli technicznej, konkurujące o prestiż ze starszymi uczelniami. Należał do nich Uniwersytet Teksaski, który pod koniec wieku stał się jednym z głównych ośrodków naukowych, jak również Uniwersytet Kalifornijski w Berkeley i Uniwersytet Stanford, które od dawna uważano za w niczym nie ustępujące Harvardowi. Massachusetts Institute of Technology (MIT) oraz California Institute of Technology (Cal Tech) – dwie najsłynniejsze uczelnie techniczne – rywalizowały z wymienioną wyżej grupą uniwersytetów o pozyskanie największych talentów.

Mnożąca się liczba uniwersytetów oraz rozrost edukacyjnej biurokracji po II wojnie światowej przyczyniły się do powstania sytuacji, w której duża liczba osób ubiegała się o różne w nich stanowiska akademickie, od asystenta aż po profesora. Akademicka hierarchia oscylowała wokół pojęcia „tenure", oznaczającego zatrudnienie etatowego profesora aż do emerytury.

W powszechne użycie weszło posługiwanie się profesjonalnym żargonem, członkostwo w profesjonalnych organizacjach, rozmnożyły się periodyki naukowe. Poczęto zatrudniać naukowców jako konsultantów agend rządowych, zbierano pieniądze na badania. Niejeden znany uczony spędzał znaczną część życia w różnych ośrodkach naukowych, afiliowanych przy uniwersytetach, w których tworzyły się subkultury ekspertów. Po II wojnie światowej takie „think tanks" (instytuty ekspertów) odnotowały niebywały wzrost liczebny i potencjałowy, a także zyskały na prestiżu. Mimo iż odegrały one największą rolę w naukach społecznych, instytucje te pod koniec XX w. miały duże znaczenie dla wszystkich dyscyplin. Podobnie miała się sprawa z wielkimi fundacjami, których część należała do władz federalnych, wiele jednak zostało założonych przez multimilionerów. Fundacje te wspomagały „think tanks", ale często również sponsorowały poszczególnych uczonych oraz zespołowe projekty badań.

Podczas gdy uniwersytety stawały się głównymi ośrodkami kreowania i rozpowszechniania wiedzy, zanikała rola intelektualistów, którzy nie posiadali takiej bazy instytucjonalnej. Ludzie intelektu przedkładali wąskie grona specjalistów nad bliżej nieokreśloną „szeroką publiczność" w celu dzielenia się swymi ideami. Wyjątkiem w tym względzie było prężne środowisko intelektualistów nowojorskich, składające się z profesorów, dziennikarzy oraz dobrze sytuowanych literatów. Szerzone przez nich idee wykraczały poza bramy uniwersytetów.

Profesjonalizacja, wraz z właściwą jej logiką, wywarła na życie intelektualne wielki wpływ – zarówno w sensie pozytywnym, jak i negatywnym. Pieniądze, rodzina i dobre wychowanie nie stanowiły już o sukcesie w świecie literatury czy kultury. Ocena czyjejś wartości intelektualnej zależała teraz od opinii ekspertów, ta zaś z kolei opierała się na ilości i jakości publikacji, jakimi dana osoba mogła się pochwalić. Edukacja religijna przestała być wymogiem sine qua non dla tych, którzy wypowiadali się na temat problemów moralnych czy społecznych. Niezależni, wysoko kwalifikowani badacze poddawali szczegółowej eksploracji nie zbadane dotychczas obszary ich dyscyplin. Cóż, skoro ich podejście było często bardzo ograniczone. Mówiąc innymi słowy, rewolucja w szkolnictwie wyższym oraz w nauce dała, i to nie całkiem bezpodstawnie, powody do stwierdzenia, iż ludzie intelektu w Ameryce wiedzieli wprawdzie coraz więcej, ale ich zainteresowania stawały się coraz węższe. Aby jednak w pełni zrozumieć istotę i znaczenie życia umysłowego tego okresu, należy zapoznać się z pewnymi aspektami historii społecznej, takimi jak: baza instytucjonalna życia umysłowego, biurokracja akademicka, mechanizmy finansowania badań i inne „prozaiczne" czynniki.

Drugi z głównych motywów przewodnich w historii intelektualnej Stanów Zjednoczonych po II wojnie światowej to nie słabnące zainteresowanie ideami europejskimi. Przed 1939 r. myśl amerykańska często była wtórna wobec europejskiej. Pragmatyzm – nieraz piętnowany przez Europejczyków – uważany był za jedyny czysto amerykański wkład do skarbnicy idei Zachodu. Po 1945 r. myśl amerykańska nie była już w rzeczy samej wtórna ani uzależniona od europejskiej, jednak trwał nadal bliski dialog między Amerykanami a Europą Zachodnią. Sprzyjał mu niewątpliwie proces dojrzewania intelektualistów, którzy wyemigrowali do Stanów Zjednoczonych w latach trzydziestych i czterdziestych w wyniku prześladowań ze strony faszystów. Ich obecność niepomiernie zwiększyła zasób wzorców, dostępnych amerykańskim intelektualistom. Przed wojną największym powodzeniem cieszyły się w Stanach Zjednoczonych teorie brytyjskie i niemieckie. Po wojnie myśl brytyjska i niemiecka nadal odgrywały istotną rolę, niemniej olbrzymie znaczenie miał również dorobek intelektualny Francji.

Trzeci z głównych tematów leży w pewnym sensie u podstaw niniejszego eseju. Otóż od początku XX w. w życiu intelektualnym Stanów Zjednoczonych następowała częsta zmiana autorytetów. Zawsze dominowały jakieś dyscypliny bądź dziedziny, pewne style rozumowania i argumentacji, królowały określone kwestie i przekonania. Wokół nich następowała koncentracja energii intelektualnej, na ich kanwie powstawały kluczowe dzieła, zaprzątnięci byli nimi twórcy, nagradzało je społeczeństwo. Natomiast obalenie każdego z tych autorytetów zawsze odbijało się głośnych echem w świecie idei. Pod koniec XIX w., po publikacji dzieł Charlesa Darwina, teolodzy w Stanach Zjednoczonych stracili prymat intelektualny na rzecz filozofów. Ci ostatni, uzbrojeni w teorię pragmatyzmu, usiłowali rozwiązać problemy duchowe społeczeństwa, pomijając tradycje chrześcijańskie, za to powołując się na naturalne potrzeby religijne. Jeszcze przed wybuchem II wojny światowej nadmierny akademizm teoretyków pragmatyzmu doprowadził do utracenia wiodącej roli filozofii na rzecz nauk społecznych. Jednak rywalizacja o autorytet znów dała o sobie znać w latach osiemdziesiątych XX w., gdy do głosu doszli teoretycy literatury. Owa nieustająca rywalizacja między filozofami, przedstawicielami nauk społecznych oraz krytykami literatury jest kluczowym motywem w intelektualnej historii dwudziestowiecznej Ameryki.

Najwybitniejszym z myślicieli amerykańskich XX w. był filozof-pragmatyk, John Dewey z uniwersytetu Columbia w Nowym Jorku. Dewey nazwał swoją odmianę pragmatyzmu „instrumentalizmem". Utrzymywał on, iż umysł ludzki jest funkcją relacji między aktywnym organizmem a problemami, jakie nasuwa środowisko, wymiarem naszej skłonności do czynu. Ludzka świadomość składa się ze znaków wydarzeń – obecnych, przeszłych i przyszłych; znakami posługujemy się do czynnego rozwiązywania problemów. Ideacja (ideation) – więc odbicie przeszłości i przyszłości w teraźniejszości – umożliwia człowiekowi zaspokojenie potrzeb w sposób bardziej owocny aniżeli poprzez działania przypadkowe. Idee zatem są instrumentami, jakimi posługuje się organizm. Nadając znaczenie przeszłości, idee stanowią udokumentowaną wiedzę. Są one prawdziwe, jeśli umożliwiły przetrwanie i funkcjonowanie w świecie ludziom; prawdziwe idee harmonijnie łączą organizm ze środowiskiem. Prawda jest nazwą, nadaną działaniu w oparciu o znaki przeszłości i przyszłości, którego celem jest metodyczne i skuteczne rozwiązywanie problemów. Inteligencja to wyraz umiejętności osiągania pożądanych celów w przyszłości za pomocą zrozumienia przeszłości.

Według Deweya każdy organizm poddany jest procesowi mniej lub bardziej udanej interakcji w ramach swojego środowiska; przy czym celem takich interakcji jest osiągnięcie stabilności oraz pełniejszej harmonii. Dewey nazywał ten proces „doświadczaniem behawioralnej interakcji". Po osiągnięciu przez nią pewnego poziomu bądź jakości, stawała się ona przejawem działalności umysłu. Z upływem stuleci nasz gatunek wykształcał coraz efektywniejsze techniki interakcji. Wielkim krokiem do przodu stały się dociekania systemowe, właściwe nauce. Badając wnikliwie procesy tworzenia się zjawisk, ludzie czerpali z doświadczenia, manipulowali nim. Tak więc rozumienie, które oparte jest na doświadczeniu, zaowocowało w postaci doświadczenia przetworzonego. Znajomość przeszłości i teraźniejszości umożliwiła człowiekowi manipulowanie przyszłością.

Dewey często mówił o etycznych i politycznych implikacjach swych prac. Metoda naukowa objęła panowanie nad światem natury, a ponieważ świat ten współistnieje ze światem społecznym, badania naukowe – twierdził Dewey – muszą zostać zastosowane do rozwiązywania problemów ludzkich. Człowiek XX w. musi posłużyć się metodą naukową, aby kształtować swe doświadczenie moralne i społeczne, aby nadać kierunek swemu postępowaniu. Dewey stał się intelektualnym przywódcą Amerykanów, chcących polepszyć byt społeczeństwa za pomocą metody naukowej (w określeniu Deweya – „method of intelligence"), stosowanej w naukach społecznych.

W 1945 r. Dewey miał już jednak 85 lat. Mimo iż nadal pisał i zmarł dopiero w 1952 r., zainteresowania powojennej filozofii zwróciły się w stronę bardziej akademickiej postaci pragmatyzmu, posiadającej mniej implikacji dla życia społecznego.

W 1946 r. harwardzki profesor, C. I. Lewis, opublikował pracę *Analiza wiedzy i wartości* (*An Analysis of Knowledge and Valuation*), która wywarła ogromny wpływ na filozofię. Lewis, wywodzący się ze szkoły pragmatycznej, nazwał się pragmatykiem konceptualnym. W latach trzydziestych i czterdziestych prowadził on obszerne studia nad austriackim i angielskim empiryzmem logicznym, czym tłumaczy się w jego pracach obecność elementów pozytywistycznych. Lewis twierdził, iż rozwinięcie przez człowieka aparatu konceptualnego nastąpiło pod presją zagadnień praktycznych. Nasz światopogląd został zatem ukształtowany w formie mechanizmu, niezbędnego do przeżycia w dość nieprzyjaznym środowisku. Jednocześnie Lewis podkreślał element wiedzy empirycznej, poddając analizie rozwój jej głównych struktur i koncepcji. Badania naukowe były wedle niego procedurą, w ramach której podlegały (bądź też nie podlegały) weryfikacji konkurencyjne schematy konceptualne, oceniane na podstawie ich przydatności w przewidywaniu przyszłych wydarzeń lub uwarunkowań. Lewis poddał korekcie pragmatyczny nacisk na użyteczność, twierdząc, iż może ona być zweryfikowana jedynie poprzez doświadczenie.

Lewis wierzył, iż tak pojęte badania naukowe umożliwią określenie wartości tego, co stanowi dobro. Uważał jednak, iż ludzki impuls działania w imię dobra – uzasadnienia porzeby dokonania czegoś – nie może być wyjaśniony na drodze pojmowania empirycznego. Jego tok rozumowania kontynuowany był przez C. L. Stevensona, pracującego w Yale, a później na Uniwersytecie Michigan. Pod koniec lat trzydziestych Stevenson opublikował serię artykułów poświęconych etyce, po których w 1934 r. przyszła rozprawa pt. *Etyka i język* (*Ethics and Language*). Będąc zarazem adeptem angielskiego i austriackiego pozytywizmu, Stevenson dokonał zupełnego oddzielenia faktów od wartości, wierzeń od postaw i nauki od moralności. Język nauki jest kognitywny, twierdził filozof, natomiast język moralności – nie kognitywny, a emotywny. Sądy moralne były według niego środkami perswazji, natomiast rozsądek (reason) i inteligencja nie odgrywały głównej roli w rozwiązywaniu ludzkich problemów.

Dla następnego pokolenia prace Lewisa i Stevensona posłużyły jako inspiracja do zajęcia się głównie problemami logiki oraz filozofii nauki. Etyka filozoficzna szybko przerodziła się w studia nad językiem koncepcji etycznych. Filozofowie moralności dumnie oznajmili swą naukową neutralność oraz dystans wobec uprzednich kontrowersji. Młodzi adepci filozofii, którzy uczyli się od swych mistrzów, iż przedmiotem ich badań winna stać się sama nauka, sięgnęli w celu jej lepszego zrozumienia po wyrafinowane narzędzia logiki i epistemologii. Odcięli się oni od prób łączenia różnych form spekulacji i, jakby po namyśle, odrzucili również pojęcie swej misji społecznej, o jakiej mówił Dewey. W krótkim czasie dyscyplina filozofii niemal kompletnie utraciła swój wpływ na debatę intelektualistów w Stanach Zjednoczonych. Dewey swe słowa o publicznej funkcji filozofii kierował wszak nie do profesjonalnych filozofów, lecz do wszystkich przedstawicieli nauk społecznych.

Pod koniec wojny tendencje te nie były jeszcze całkiem jasne. Gdy jednak filozofowie wycofali się w zacisze gabinetów, aby podjąć wyspecjalizowane studia nad abstrakcyjną i „prawdziwą" wiedzą, i zostawili sprawy społeczne domenie „niekognitywnej", wyzwanie o prymat w kulturze „wysokiej" rzucili im intelektualiści. Przedmiotem najgorętszych debat stały się decyzje, które uczyniły ze Stanów Zjednoczonych „światowego policjanta", określając zarazem podstawowe wartości Ameryki na czas zimnej wojny. Po okresie wyalienowania z „burżuazyjnej" kultury w latach dwudziestych i trzydziestych, intelektualiści, częściowo ku własnemu zaskoczeniu, dokonali wolty, udzielając poparcia rządowi. Ten stan rzeczy utrzymywał się od zakończenia wojny aż do połowy lat sześćdziesiątych.

Głównym rzecznikiem odpowiedzialnego użycia siły przez Amerykanów w polityce światowej był George Kennan, dyplomata, a później członek Institute for Advanced Study w Princeton. Kennan wypowiedział po raz pierwszy swe poglądy w 1947 r., w eseju *Źródła polityki sowieckiej*, zamieszczonym w czasopiśmie „Foreign Affairs". Wzywał w nim Amerykanów do podjęcia historycznego zobowiązania, nałożonego na Amerykę przez opatrzność, w szczególności do przeciwstawienia się ekspansji sowieckiej i komunistycznej ideologii. Poglądom tym przeciwstawił się niebawem Walter Lippmann – najwybitniejszy z dwudziestowiecznych amerykańskich publicystów politycznych. Lippmann od dawna zastanawiał się nad istotą doświadczeń amerykańskich i nad charakterem amerykańskiej demokracji. W książce pt. *Zimna wojna* (*The Cold War*, 1947) odciął się on od idei interwencjonizmu amerykańskiego na świecie i od obciążania odpowiedzialnością za wszystkie problemy na świecie, jak to robił Kennan, „złej", „rosyjskiej" ideologii. Przeważył jednak punkt widzenia Kennana, i wkrótce wojna z komunizmem została przeniesiona do Stanów Zjednoczonych, gdzie pod tym hasłem zaczęto rozprawiać się z rodzimymi radykałami. Dynamiczna, społecznie zaangażowana i pod wieloma względami przypominająca socjalizm, liberalna polityka Franklina Roosevelta z okresu Nowego Ładu, otrzymała kształt doktryny bardziej umiarkowanej i ugodowej. Arthur Schlesinger, Jr., profesor historii w Harvardzie, później doradca polityków z Partii Demokratycznej, ubolewał nad szkodliwym wpływem sztywnej ideologii radykałów na politykę amerykańską. W 1949 r. opublikował on książkę *Zalety centryzmu* (*The Vital Center*), w której z jednej strony podkreślał istotę odideologizowanego liberalizmu, a z drugiej potrzebę zwalczania Związku Radzieckiego. Wielu uczestników tej debaty znalazło się pod wpływem Reinholda Niebuhra – teologa protestanckiego, wykładającego w Union Theological Seminary w Nowym Jorku. W wielu swych pracach, a najdobitniej w *Ironia historii amerykańskiej* (*The Irony of American History*, 1952), Niebuhr odrzucał komunizm, a wraz z nim laicki millenaryzm, jednocześnie wzywając Amerykanów do walki o ciągłe udoskonalanie demokracji. Ten ostatni teolog, który wywarł znaczny wpływ na amerykańskie życie intelektualne, apelował do Stanów Zjednoczonych o ostrożne postępowanie z Rosjanami i o zrozumienie złożoności spraw wiążących się z amerykańską „świętą wojną".

W połowie XX w. wszyscy wpływowi intelektualiści amerykańscy odrzucali światopogląd marksistowski, podpisując się, mimo pewnych zastrzeżeń, pod obroną idei demokracji przemysłowej przed totalitaryzmem. Intelektualiści nowojorscy, którzy w latach trzydziestych mieli poglądy lewicowe, teraz pośpieszyli na odsiecz amerykańskim instytucjom. Wielu z nich, jak np. Philip Rahv, William Phillips czy Sidney Hook, związanych było z pismami literackimi i kulturalnymi, jak „Commentary" czy „Partisan Review". W 1952 r. to ostatnie opublikowało materiały ze słynnego sympozjum, odzwierciedlające ducha czasów. W ramach tej dyskusji, zatytułowanej „Nasz kraj i nasza kultura", wielu byłych radykałów piało peany pochwalne na temat Stanów Zjednoczonych, które na tle horroru stalinizmu czy hitleryzmu jawiły się teraz jako nie tyle banalne, co wielkoduszne. Krytyk literacki zatrudniony w Uniwersytecie Columbia, Lionel Trilling, był autorem najbardziej znanego z tekstów napisanych przez nowojorskich intelektualistów – zbioru esejów pt. *Liberalna wyobraźnia* (*The Liberal Imagination*, 1950). Trilling przekonywał liberałów, iż należy pogodzić się ze złożonością życia i zerwać z moralizowaniem na temat amerykańskich problemów społecznych. Wypowiadał się on, aczkolwiek nie do końca, za odsunięciem od tych spraw sztuki i literatury. Apelując do intelektualistów o nieocenianie sztuki na podstawie kryterium zaangażowania społecznego, Trilling chwalił sztukę odzwierciedlającą alienację oraz sztukę tragiczną. Liberalizm miał nie być już dydaktyczny, lecz miał nabrać umiaru i wyrozumiałości – z wyjątkiem bezkompromisowego odrzucenia marksizmu.

W 1951 r. inny z intelektualistów nowojorskich – Irving Kristol, redaktor magazynów publicystycznych, odegrał istotną rolę w założeniu Amerykańskiego Kongresu Na Rzecz Wolności W Kulturze (American Congress for Cultural Freedom, ACCF). ACCF było organizacją, w której znaleźli się antykomunistyczni intelektualiści, ostro atakujący liberałów, lewicowych intelektualistów oraz komunistów. Jak się później okazało, organizacja ta, która niezmiennie broniła amerykańskiej polityki zimnowojennej, była sponsorowana przez CIA.

Działalność zaangażowanych politycznie intelektualistów miała, na krótką metę, istotne znaczenie. Jednocześnie, bardziej wyspecjalizowani przedstawiciele nauk społecznych: socjologowie, ekonomiści, atropolodzy i psychologowie prowadzili badania, uzasadniające umiarkowaną reformę społeczną oraz wzrastającą zdolność społeczeństwa do kształtowania własnego losu. Uczeni ci często nie brali bezpośredniego udziału w polityce i nieraz uważali się za krytyków ustalonego porządku. Lecz swoją wolą działania poprzez amerykańskie instytucje oraz ogólnym przekonaniem o ich sensowności stwarzali konsensus w nauce amerykańskiej co do wiodącej roli Stanów Zjednoczonych w świecie. Wskazując drogę do udoskonalenia amerykańskiej demokracji, uczeni przyszli z pomocą proamerykańskim intelektualistom zarówno w kraju, jak i za granicą.

Uczeni głosili apoteozę nauki, jako panaceum na problemy społeczeństwa świeckiego. Domagali się zarazem dla poszczególnych dyscyplin nauk społecznych nie tylko statusu „prawdziwych" nauk, na równi z fizyką czy chemią, ale również uznania ich olbrzymiej użyteczności w zrozumieniu i ulepszaniu świata. Aczkolwiek przedstawiciele tych dyscyplin zazwyczaj widzieli różnice pomiędzy domeną natury a moralnością, sądzili równocześnie, iż nauka jest w stanie ustanowić i uzasadnić hierarchię wartości oraz skonstruować plan budowy „dobrego" społeczeństwa. Z jednej strony wielu naukowców twierdziło, że ich badania nie mają charakteru normatywnego oraz że zasady etyczne da się uzasadnić emotywizmem, opisanym przez Stevensona. „Jest" i „powinno być" zostały więc rozdzielone, jednak z drugiej strony posiadana wiedza uprawniała ekspertów, w ich przekonaniu, do zabierania głosu w sprawach polityki społecznej. „Jest" w jakimś więc sensie sugerowało „powinno być". Przedstawiciele nauk społecznych hołdowali wszechwładnej metodzie naukowej oraz mechanistycznej wizji stosunków społecznych, do których owa metoda miała się odnosić. Dziedzictwo Johna Deweya w umysłach tych badaczy z trzeciego ćwierćwiecza XX w. polegało na fuzji romantycznej wizji nauki i technokratycznego spojrzenia na moralność.

Najwybitniejsi z przedstawicieli nauk społecznych znaleźli się w najstarszych i najbardziej prestiżowych uniwersytetach, wśród których bodajże najistotniejszą rolę odgrywały Harvard, Columbia i Uniwersytet Chicagowski. Nie tyle jednak istotna była akademicka proweniencja samych naukowców, co fakt, iż w całym świecie nauki dokonało się podobne przesunięcie środka ciężkości w kierunku nauk społecznych. Prace o kluczowym znaczeniu powstawały w wielu ośrodkach, w dodatku uczonych wykształconych w Stanach Zjednoczonych wspomagali liczni emigranci z krajów europejskich. Również coraz mniej liczni nieprofesjonaliści oraz uczeni szukający słuchaczy poza murami uniwersyteckimi sięgali po styl zapożyczony od nauk społecznych.

W naukach społecznych doszło do wyłonienia się wielu szkół inspirujących praktyków do formułowania kierunków zmian porządku społecznego oraz uzasadniających konieczność tych zmian. Znani ekonomiści z głównych uniwersytetów, jak: Milton Friedman z Chicago, James Tobin z Yale i Paul Samuelson z MIT, zostali doradcami rządowymi. Ci z uczonych, którzy opierali swe badania na statystyce, jak członkowie Survey Research Institute przy Uniwersytecie Michigan, stworzyli metodologię badań sondażowych oraz dokonywali statystycznych analiz zachowań. Techniki te stały się podstawą reklamy, biznesu i polityki. Wśród wielu przedstawicieli nauk społecznych dużym wzięciem cieszyło się również pojęcie kultury. Kultura była definiowana jako wyuczony zbiór zachowań – zwyczajów, manier, konwencji, świadomych i nieświadomych wzorców aktywności, rytuałów – jakie określają plemienny czy narodowy styl życia. Mimo iż uczeni dysponowali innymi metodologiami, a pojęcie kultury było często poddawane krytyce, odgrywało ono wiodącą rolę.

Naukowcy zainteresowani pojęciem kultury dowodzili, iż społeczeństwa ludzkie można kształtować: wartości poszczególnych kultur mają charakter względny, stąd każdy porządek społeczny da się uformować. Idee te przeplatały się z odczuciem, iż faktyczna wolność człowieka umożliwia mu stworzenie dowolnego typu społeczeństwa i że bezstronne badania naukowe udowodnią potrzebę reform. Uznanie relatywizmu kulturowego prowadziło nauki społeczne do zaakceptowania różnic między ludźmi; relatywizm ten – mimo pewnych niepowodzeń – szedł zawsze w parze z poglądem, iż tolerancja jest wartością absolutną. Naukowcy podzielali przekonanie, że kultura amerykańska może być nakierowana ku większej tolerancji oraz liberalizmowi społecznemu.

Szczególnie dobitnym przykładem tego rozumowania była książka Gunnara Myrdala pt. *Amerykański dylemat: problem murzyński a współczesna demokracja* (*An American Dilemma: The Negro Problem and Modern Democracy*), opublikowana w 1944 r. Studium Myrdala umożliwiła pod koniec lat trzydziestych dotacja z nowojorskiej Carnegie Corporation – największej i najbardziej prestiżowej z fundacji. Myrdal był uczonym ze Szwecji, który wybrany został dlatego, że nie będąc Amerykaninem, mógł zachować więcej obiektywizmu. Spędził on wiele lat w Stanach Zjednoczonych, utrzymywał kontakty z uczonymi amerykańskimi oraz poznał ich prace. W końcu przyjął punkt widzenia słynnej „szkoły chicagowskiej", której zwolennicy jako jedni z pierwszych poświęcili uwagę koncepcji kultury. Tezą *Amerykańskiego dylematu...* było to, że rasizm wypływa z kultury amerykańskiej i że kultura ta jest w sprzeczności z amerykańskimi normami, które nie sprawdzają się w praktyce. Stany Zjednoczone mogły obrać właściwy kierunek moralny tylko dzięki „inżynierii społecznej", twierdził Myrdal. Jego studium było dowodem na wielkie znaczenie instytucji filantropijnych. Podkreślało ono znaczenie koncepcji kultury w naukach społecznych oraz w myśli reformatorskiej i stanowiło dalszy ciąg dialogu z Europą. Co więcej, książka była przejawem troski o stosunki rasowe, które stały się ważną dziedziną badań naukowych w latach powojennych. W 1954 r. na *Amerykański dylemat...* powoływał się Sąd Najwyższy w swym historycznym orzeczeniu w sprawie: Brown kontra Rada ds. Edukacji w Topeka, które potępiło segregację rasową w Ameryce.

Inną dziedziną badań, jaka przyciągnęła uczonych, posługujących się koncepcją kultury, była rola kobiet w społeczeństwie amerykańskim. W 1934 r.

Ruth Benedict z Uniwersytetu Columbia napisała znaną pracę o różnorodności kultur pt. *Wzorce kultury*. Mowa w niej była o wielu równorzędnych wartościach i o tolerancji wobec różnic kulturowych. Benedict podkreślała także niektóre cechy społeczeństwa amerykańskiego, które według niej powinny ulec zmianie. Autorka często nawiązywała, w zawoalowanej formie, do kulturowych stereotypów płci w Stanach Zjednoczonych. Miejsce kobiet w Ameryce nie było, w jej mniemaniu, uwarunkowane biologicznie, lecz wynikało z zasad, jakim kieruje się społeczeństwo zdominowane przez mężczyzn. Benedict zainspirowała wiele badań naukowych nad tą tematyką, jak np. prace: Ferdinanda Lundberga i Martyny Farnham, *Kobieta nowoczesna: zagubiona płeć* (*Modern Woman: The Lost Sex*, 1947); Margaret Mead, *Męskie, żeńskie* (*Male and Female*, 1949); oraz najbardziej prowokacyjną, *Tajemnica kobiecości* (*The Feminine Mystique*, 1963) autorstwa Betty Friedan.

Inni uczeni, równie zaabsorbowani studiami nad kulturą, poddali krytyce różne amerykańskie zwyczaje, wskazując nieraz sposoby przełamania narodowych wad. David Riesman w *Samotnym tłumie* (1950) dowodził, że Amerykanie zmienili się z „wewnątrz-" na „zewnątrzsterowanych"; narzekał przy tym na śmierć indywidualizmu i związanego z nim nastawienia na sukces, które wyparte zostały przez nowe wartości: umiejętność adaptacji oraz konformizm. Praca Williama Whyte'a, *Człowiek organizacji* (*Organization Man*, 1956), również krytykowała nową tendencję do „bycia razem" (togethernerss), pracy zespołowej (team work) oraz „grupowego myślenia" (group think). Ekonomista John Galbraith z kolei poddał ironicznej analizie „kulturę konsumpcji" w *Społeczeństwie dobrobytu* (*The Affluent Society*, 1958).

Socjolog C. Wright Mills z Uniwersytetu Columbia był mniej optymistyczny i proreformatorski – przeciwnicy oskarżali go nawet o sympatię do marksizmu. Jednak z innego punktu widzenia był on jednym z wielu, którzy próbowali określić, w jakim stopniu życie w Stanach Zjednoczonych kształtowane jest przez kulturę i co w społeczeństwie tym można by naprawić. W *Elicie władzy* (*Power Elite*, 1956) pisał on, iż Stany Zjednoczone zdominowane są przez sieć powiązań między wielkim biznesem, armią i rządem. Praca tego samego autora, *Białe kołnierzyki* (*White Collar*, 1951), poświęcona została jednej grupie – mężczyznom z klasy średniej, pracującym w sektorze usług. Ukazywała ona, w jakim stopniu ich życie było kontrolowane przez establishment.

Uczeni z Europy, którzy wyemigrowali do Stanów Zjednoczonych, także przejawiali krytycyzm, jednak często w optymistycznym opakowaniu. W pracy *Dziecko a społeczeństwo* (*Childhood and Society*, 1950) Erik H. Erikson uprzytomnił Amerykanom, iż osobowość jednostki nie jest „programowana" przez czynniki nieświadome. Przechodzi ona przez pewne fazy, ulegając modyfikacjom pod wpływem konfliktów lojalności lub sprzecznych aspiracji. Kolejny emigrant z Niemiec, Erich Fromm, wiązał problemy społeczne i uczucia zagrożenia z zespołem reformowalnych uwarunkowań ekonomicznych i klasowych. Jego *Ucieczka od wolności* (1948) była analizą autorytarnej kultury nazistowskiej, w swych późniejszych pracach zaś: *Zdrowe społeczeństwo* (*The Sane Society*, 1955) i *Sztuka miłości* (1956), Fromm zajął się udzielaniem Amerykanom porad, jak zachować porządek społeczny, nie rezygnując jednocześnie z uciech życia. Karen Horney, badaczka pochodzenia norwesko-holenderskiego, propagowała idee feministyczne w *Neurotycznej osobowości współczesnej* (1937) oraz w pośmiertnie wydanej *Psychologii kobiet* (*Feminine Psychology*, 1967). Zaatakowała ona w nich tezę Freuda, iż sytuacja społeczna kobiet jest uwarunkowana biologicznie, podkreślając swój pogląd, że zachowanie kobiet zależy od kultury.

Również ci z uczonych, którzy nie przejawiali zbytniego zainteresowania kulturą, wierzyli w zdolność Amerykanów zarówno do indywidualnej pracy nad sobą, jak i do naprawy społeczeństwa. Alfred Kinsey, z wykształcenia biolog i taksonom, zajął się studiami nad ludzką seksualnością w Instytucie Studiów nad Seksualizmem Uniwersytetu stanu Indiana. Jego badania, finansowane przez fundację Rockefellera, opublikowane zostały w pracach: *Zachowanie seksualne mężczyzn* (*Sexual Behavior in the Human Male*, 1948) oraz *Zachowanie seksualne kobiet* (*Sexual Behavior in the Human Female*, 1953). Prace te, znane jako „raporty Kinseya", na pierwszy rzut oka wyglądały na badania czysto biologiczne. Kinsey mierzył aktywność seksualną intensywnością orgazmu i przedstawiał rezultaty swych obserwacji za pomocą wykresów i diagramów. Twierdził on, iż zachowanie seksualne współczesnych Amerykanów znacznie odbiega od dawniejszych norm, które, jak sugerował, należało nieco rozluźnić; zwiększenie dawki seksu w życiu Amerykanów miało, według Kinseya, pozytywne znaczenie. Mimo iż nie zajmował się on bliżej kulturą, sądził, że można ją modelować i że motorami tych zmian powinni być naukowcy. Podzielał on także liberalne poglądy na miejsce kobiet w społeczeństwie.

Profesor B. F. Skinner rozwinął pokrewną wizję w pracach: *Walden dwa* (*Walden Two*, 1948) oraz *Poza wolnością i godnością* (*Beyond Freedom and Dignity*, 1971). Badacz ten – wykładowca Harvardu – który najpierw eksperymentował na gołębiach, twierdził, że wszystkie zachowania ludzkie mają źródło w bodźcach zewnętrznych, nie zaś w historii danego osobnika. Behawioryzm Skinnera, mówiący o tym, że zachowanie jest wyłącznie uzależnione od bodźców zewnętrznych, doprowadził go do sformułowania wizji utopijnej, w której rządy sprawowali uczeni.

Niezależnie od tego, z jakiej perspektywy przyglądali się społeczeństwu amerykańskiemu, uczeni byli niezmiennie przekonani, iż da się ono kształtować. Wierzyli, że Stany Zjednoczone mogą zmienić się na lepsze i że nauki społeczne dysponują odpowiednią wiedzą, aby transformacją tą pokierować. Lecz nie wszyscy eksperci patrzyli krytycznie na społeczeństwo. Ci, którzy znaleźli się blisko ośrodków władzy, skąd mogli wywierać wpływ na politykę społeczną, stawali się rzecznikami status quo oraz doradcami znanych polityków prowadzących „zimną wojnę".

W latach czterdziestych i pięćdziesiątych harwardzki socjolog, Talcott Parsons, sformułował teorię zwaną „funkcjonalizmem strukturalnym", nadającą większą rangę intelektualną uczonym o przekonaniach konserwatywnych. Według Parsonsa, wszystkie społeczeństwa ludzkie zbudowane są na pewnych niezbędnych zasadach. Społeczeństwo funkcjonuje jako pozytywny system, który łączy jednostki na wiele sposobów, często przez nie nie uświadomionych, a wszystkie instytucje mają prawdopodobnie jakiś użyteczny cel. Ta „teoria systemowa" wywarła wpływ na polityków poprzez działalność RAND Corporation (od „Research and Development", badania i wdrażanie) – znanego instytutu badawczego, początkowo powiązanego z firmą przemysłu lotniczego, Douglas Aircraft Corporation.

Uczeni pracujący dla RAND posługiwali się statystyką opartą na matematycznej teorii gier, według której mogli rozwiązywać takie problemy, jak obrona narodowa i strategia nuklearna. Głównym ich dezyderatem było uzależnienie procesu decyzyjnego od przeprowadzenia precyzyjnych kalkulacji opłacalności. Funkcjonalizm strukturalny dowodził, iż powiązania między instytucjami społecznymi mają charakter racjonalny. Naukowcy z RAND utrzymywali z kolei, że należy ujawnić sposób rozumowania kryjący się za polityką społeczną, szczególnie jeśli chodzi o kalkulację jej skutków, umiejętność oceny trudności oraz sposób posługiwania się danymi statystycznymi. W latach pięćdziesiątych dobrana grupa intelektualistów, wśród nich Bernard Brodie, Herman Kahn, Thomas Schelling oraz Albert Wohlstetter, podjęła pracę nad zagadnieniami obronności kraju. Wiele z ich pomysłów zostało zrealizowanych przez sekretarza ds. obrony, Roberta McNamarę, podczas konfliktu wietnamskiego.

Teoretycy systemowi różnili się w poglądach politycznych od tych przedstawicieli nauk społecznych, którzy opierali się na pojęciu kultury; ci ostatni mieli w zwyczaju zajmować bardziej krytyczne stanowisko wobec aktualnie dominujących poglądów. Lecz teoretyków systemowych łączyła z nimi inna, podstawowa kwestia: otóż panowało wśród nich ogólne przekonanie, iż rozwiązanie wszelkich problemów społecznych należy zostawić ekspertom. Jednak uczeni o nastawieniu bardziej konserwatywnym nie mogli zamknąć oczu na fakt, iż nieraz radykalna myśl reformatorska wybiegała o wiele dalej, niż mogliby sobie tego życzyć. Osoby takie, jak C. Wright Mills, które skądinąd cieszyły się dużym prestiżem, z tego właśnie powodu dostawały „cięgi" od kolegów hołdujących bardziej konserwatywnym poglądom.

Daniel Bell, podobnie jak Mills, często czytał Marksa, lecz w końcu od niego odszedł. W latach pięćdziesiątych napisał on serię artykułów, które później wydał jako książkę pt. *Koniec ideologii* (*The End of Ideology*, 1960).

Bell połączył swe siły z innym socjologiem harwardzkim – Seymourem Martinem Lipsetem, którego praca, *Człowiek, stworzenie polityczne: społeczne podstawy polityki* (*Political Man: The Social Bases of Politics*) również ukazała się w 1960 r. Bell i Lipset stworzyli intelektualne przesłanki dla umiarkowanej formy liberalizmu, zorientowanej na utrzymanie status quo. Dowodzili oni, iż katastroficzny scenariusz Marksa nie potrafił się obronić w świetle obiektywnej nauki społecznej. „Koniec ideologii" oznaczał, że intelektualiści mogą, a nawet muszą spoglądać na społeczeństwo bez uprzedzeń, bez oczekiwania na jakiś „koniec historii". Tego rodzaju rozumowanie prowadziło jedynie do bezproduktywnej utopii. Wreszcie, intelektualiści winni zdać sobie lepiej sprawę z tego, iż Stany Zjednoczone w latach pięćdziesiątych i sześćdziesiątych są pluralistyczną demokracją, dobrze wywiązującą się z takich zadań, jak dystrybucja towarów i usług. Niewątpliwie można było sobie wyobrazić jakieś pozytywne zmiany, niemniej powinny one być poprzedzone chłodną, empiryczną kalkulacją potrzeb, celów oraz kosztów. Na takie zmiany społeczne można było uzyskać niezbędne przyzwolenie ze strony narodu, udowadniając tym samym bezzasadność ideologii i myślenia apokaliptycznego w polityce. W pewnym sensie historia rzeczywiście dobiegnie końca, jeśli rozumieć przez nią bezproduktywny i nieukierunkowany ciąg wydarzeń, następujących w wyniku walki o władzę.

Przykładem takiego podejścia, wskazywanego przez Bella i Lipseta, był słynny „raport" Daniela Moynihana, *Rodzina murzyńska: problem, który należy rozwiązać* (*The Negro Family: The Case for National Action*, 1965). Moynihan, harwardzki socjolog oraz senator z Nowego Jorku, kontynuował tradycję ustanowioną przez Gunnara Myrdala. Podjął się on przeprowadzenia empirycznych badań nad położeniem rodzin murzyńskich, na których czele często stały kobiety. Stwierdziwszy ekonomiczne i polityczne upośledzenie tych rodzin, Moynihan przedstawił propozycje posunięć, które mogłyby poprawić sytuację.

Można jeszcze podać trzy kolejne przykłady uczonych, którzy zawędrowali wysoko w polityce. Jednym z nich był Richard Neustadt, harwardzki politolog, doradca prezydentów Trumana i Kennedy'ego. Jego praca z 1961 r., pt. *Władza prezydencka* (*Presidential Power*), była uważana przez polityków za lekturę obowiązkową i w przekonaniu wielu osób wywarła duży wpływ na prezydenta Kennedy'ego. W późniejszym okresie Neustadt odegrał rolę w założeniu przy Uniwersytecie Harvarda Kennedy School of Government (Szkoła Administracji Państwowej).

W 1959 r. Walt Whitman Rostow, ekonomista z MIT, późniejszy doradca prezydenta Lyndona Johnsona ds. bezpieczeństwa, napisał książkę, pt. *Etapy rozwoju gospodarczego: manifest niekomunistyczny* (*The Stages of Economic Growth: A Non Communist Manifesto*, 1959). Argumentując przeciwko teoriom Marksa, Rostow udowadniał, iż kapitalizm industrialny odblokowuje ludzką kreatywność i potencjał oraz że nie wszystkie kraje mogą podążać podobną drogą, prowadzącą do demokracji i wysokiego poziomu życia. Idee Rostowa dostarczyły intelektualnego pretekstu do poparcia dla amerykańskiego interwencjonizmu w świecie, również w Wietnamie. Kolejnym przykładem intelektualisty, który odegrał wielką rolę w polityce, był Henry Kissinger – w latach pięćdziesiątych i sześćdziesiątych historyk oraz politolog w Uniwersytecie Harvarda, a zarazem doradca rządowy. Kissinger, polityczny protegowany republikańskiego gubernatora stanu Nowy Jork, Nelsona Rockefellera, był autorem dwóch ważnych prac: *Broń nuklearna a polityka zagraniczna* (*Nuclear Weapons and Foreign Policy*, 1957) oraz *Konieczność dokonania wyboru: perspektywy amerykańskiej polityki zagranicznej* (*The Necessity for Choice: Prospects of American Foreign Policy*, 1961). Za prezydentury Nixona, tj. pod koniec lat sześćdziesiątych i na początku siedemdziesiątych, Kissinger służył jako doradca ds. bezpieczeństwa narodowego oraz jako sekretarz stanu. Jego przemyślenia na temat równowagi sił oraz geopolityki miały wielki wpływ na zmianę orientacji w amerykańskiej polityce zagranicznej pod koniec wojny wietnamskiej.

Wojna wietnamska stała się dla intelektualistów w latach sześćdziesiątych i siedemdziesiątych prawdziwą obsesją. W porównaniu z dwiema dekadami po II wojnie światowej, kiedy to intelektualiści stawali na ogół po stronie państwa, w późnych latach sześćdziesiątych i siedemdziesiątych nastąpiła dramatyczna zmiana klimatu politycznego. Intelektualiści wystąpili wówczas przeciwko kulturze, która, jak sądzili, ich zdradziła. Wraz z rosnącym nastawieniem antywojennym zaczęto kwestionować poglądy naukowców i intelektualistów, którzy powiązani byli z polityką. Podkopywało to mit eksperta, szerzony przez nauki społeczne, oraz wiarę w naukową nieomyślność doradców. W dodatku klimat ów sprzyjał agresywnym atakom na kapitalizm i na „fałszywą świadomość", prowadzonym przez różnych krytyków społeczeństwa. Warto w tym miejscu przyjrzeć się niektórym: socjalista Michael Harrington, europejscy emigranci intelektualni, przedstawiciele „rewizjonistycznej" historiografii z Wisconsin oraz filozof Noam Chomsky.

Harrington skrytykował pogląd, iż Stany Zjednoczone rozwiązały problem nędzy. W książce *Druga twarz Ameryki* (*The Other America*, 1963) opisał on „kulturę nędzy", istniejącą mimo systemu opieki społecznej oraz będącej nieodzownym elementem w kraju rządzonym przez wielkie korporacje. W przeciwieństwie do takiego eksperta jak Moynihan, Harrington potępił „kosmetyczne zabiegi" jako niemoralne i domagał się fundamentalnych zmian w podziale dochodu narodowego.

Theodore Adorno, Max Horkheimer oraz Herbert Marcuse pracowali uprzednio w Instytucie Badań nad Społeczeństwem we Frankfurcie nad

Menem, w latach trzydziestych jednak uciekli stamtąd przed nazistami do Ameryki. Na początku związali się oni z Uniwersytetem Columbia oraz New School for Social Research w Nowym Jorku, dając się poznać jako krytycy kultury masowej i popularnej. Jako marksiści dostrzegali oni w kulturze amerykańskiej zalążki faszyzmu, który wygnał ich z Europy. W latach sześćdziesiątych Marcuse, wykładający podówczas w uniwersytecie Brandeisa, stał się najpopularniejszym z tych teoretyków. Poddawał on ostrej krytyce Stany Zjednoczone za wojnę w Azji Południowo-Wschodniej. Jego *Człowiek jednowymiarowy* (1964) uczynił z niego prawdziwego guru dla „nowej lewicy". Łączył on niemiecką filozofię z krytyką społeczną, potępiając kulturę amerykańską za jej rzekomy bezwartościowy materializm, tłumiący wszelkie głosy protestu. Odrzucał on również akceptowaną w Stanach Zjednoczonych różnorodność wyrażanych postaw. Upatrywał w tym „represyjnej tolerancji", będącej środkiem na zagłuszenie krytyki poprzez zrównanie ze sobą wszystkich idei, niezależnie od tego, czy są one ważne, czy trywialne.

William Appleman Williams, założyciel szkoły radykalnych historyków w Uniwersytecie stanu Wisconsin, oraz Gabriel Kolko, który opuścił Stany Zjednoczone, aby podjąć pracę w York University w Kanadzie, dołączyli do tych ataków, posługując się argumentacją historyczną. Posługując się metodologią wywodzącą się z ekonomicznego determinizmu, historycy ci dowodzili, iż demokracja amerykańska została zdominowana przez kapitalistyczną dążność szukania rynków zbytu za granicą. Przywódcy amerykańscy, chcąc uniknąć protestów, posługiwali się propagandą i pomówieniami w obawie przed dokonaniem rzetelnej rewizji zasad kapitalizmu. Ekspansjonizm był stałym czynnikiem w XX-wiecznej historii amerykańskiej i jego należało winić za spowodowanie interwencji w Wietnamie. Historycy odrzucili książki Williamsa: *Zarys historii amerykańskiej* (*The Contours of American History*, 1961) oraz *Tragedia dyplomacji amerykańskiej* (*The Tragedy of American Diplomacy*, 1962) w momencie ich ukazania się, lecz dziesięć lat później, podczas największego rozkwitu „ruchu", uważano je za kanon.

Noam Chomsky z MIT był najwybitniejszym filozofem języka w Stanach Zjednoczonych w okresie powojennym. Pod wpływem swojego oburzenia na wojnę wietnamską zaczął on również pisywać na tematy polityczne. Jego esej, opublikowany w „New York Review of Books" w 1967 r., pt. *Odpowiedzialność intelektualistów* (*The Responsibility of Intellectuals*), potępiał atmosferę w świecie akademickim, prowadzącą do identyfikowania się uczonych z polityką państwową i w konsekwencji do uprawiania prorządowej propagandy. W następnych latach Chomsky zajął się problemami polityki zagranicznej, dając się poznać jako najbardziej konsekwentny i zajadły krytyk rządu amerykańskiego.

Tym, co zasługuje na uwagę w bogatej intelektualnie twórczości lat sześćdziesiątych, jest posługiwanie się terminologią nauk społecznych oraz przekonanie o zdolności kultury amerykańskiej do podjęcia zmian podyktowanych racjonalnością. Warto jednocześnie podkreślić, że mimo iż krytyka kultury i polityki emanowała ze świata akademickiego, nie stała się ona, w przypadku najlepszych uniwersytetów, częścią działalności naukowej. Na podwyższony stan świadomości krytycznej nie wywarły bynajmniej wpływu prace najwybitniejszych badaczy społeczeństwa, oni sami też niewiele z nim mieli wspólnego. Natomiast krytycy kultury i polityki często sięgali do nauk społecznych po modne terminy, zapominając jednocześnie o potrzebie zachowania naukowego obiektywizmu.

Po zakończeniu wojny wietnamskiej w 1975 r. coraz większą popularnością cieszyła się myśl konserwatywna. Podobnie jak radykałowie lat sześćdziesiątych, jej przedstawiciele na ogół nie byli powiązani z ośrodkami akademickimi ani też nie nawiązywali do głównych trendów naukowych. Mimo to, formułowane przez nich idee często posługiwały się językiem zapożyczonym z nauk społecznych. Okres od końca lat siedemdziesiątych do końca XX w. był w dodatku świadkiem powiększającej się alienacji intelektualistów – podobnie, jak miało to miejsce w latach międzywojennych, aczkolwiek alienacja ta przybierała inne formy. Niektórzy obserwatorzy uznali to zjawisko za nagłą „erupcję" młodego pokolenia lat sześćdziesiątych, sfrustrowanego konserwatywną atmosferą lat osiemdziesiątych i dziewięćdziesiątych.

William F. Buckley, od wielu lat redagujący konserwatywny periodyk „National Review", odrzucił szerzący się na uniwersytetach liberalizm już na początku lat pięćdziesiątych. Jego książka *Bóg i człowiek w Yale* (*God and Man at Yale*, 1951) w dowcipny sposób rozprawiała się z uprzedzeniami profesorów jego alma mater, szczególnie w dziedzinie ekonomii. Gdy prezydentem w 1980 r. został Reagan, Buckley urósł do roli patrona konserwatywnych intelektualistów, którzy chłonęli jego poglądy, wyrażane w powieściach oraz programach radiowych i telewizyjnych. Irving Kristol, jeden z najsłynniejszych intelektualistów nowojorskich, przebył drogę od radykała do konserwatysty. W latach sześćdziesiątych jego wpływ był ograniczony ze względu na niemodny konserwatyzm oraz związki ze sponsorowaną przez CIA organizacją ACCF. Zrehabilitowany w nowym klimacie politycznym lat osiemdziesiątych, Kristol został redaktorem naczelnym konserwatywnego magazynu „Public Interest". Prowadząc zajęcia w New York University, zebrał on również pieniądze na uruchomienie American Enterprise Institute – wpływowego instytutu badawczego („think tank'u"), promującego poglądy konserwatywne. Z Instytutu wywodziło się wielu doradców administracji Reagana i George'a Busha. Syn Kristola, politolog William Kristol, został głównym doradcą wiceprezydenta Daniela Quayle'a.

Wśród konserwatystów szczególną rolę odegrały dwie książki. Autorem pierwszej z nich, *Wielkie niepowodzenie: amerykańska polityka społeczna 1950–1980* (*Losing Ground: American Social Policy, 1950–1980*), wydanej w 1984 r., był Charles Murray. Twierdził on, iż liberałowie pomogli w wychowaniu kilku pokoleń Amerykanów, których duma i poczucie godności zostały zastąpione przez etos, uzależniający ich od pomocy rządowej. Z kolei książka Alana Blooma, *Zamknięcie się umysłowości amerykańskiej* (*Closing of the American Mind*, 1989) poddała krytyce liberalną kulturę intelektualną. Bloom twierdził, że liberałowie, którzy zdominowali uniwersytety, doprowadzili do upadku poziomu nauczania. Nadmierna tolerancja i pluralizm w wyższym szkolnictwie wyrosły, jego zdaniem, z ducha lat sześćdziesiątych i oznaczały erozję autorytetów, a także fakt zatracenia przez studentów poczucia najistotniejszych wartości cywilizacyjnych Zachodu.

Ani Bloom, ani Murray nie nawiązywali do konwencjonalnych trendów w naukach społecznych. Murray był członkiem Institute for Policy Research z Manhattanu (Nowy Jork), Bloom zaś profesorem filologii klasycznej w Uniwersytecie Chicagowskim. Podobnie jak intelektualiści z kręgu Buckleya i Kristola, Bloom i Murray nie należeli do głównego nurtu w naukach społecznych; mimo to posługiwali się językiem tych dyscyplin, uważając go również za język intelektualistów. W dodatku podzielali oni opinię uczonych, iż naukowa ekspertyza winna być jednym z motorów przemian w Stanach Zjednoczonych.

Niektóre wyspecjalizowane kierunki badań w naukach społecznych podczas lat osiemdziesiątych rozwijały się po myśli konserwatywnych intelektualistów. Od dawna uważano to za truizm, iż natura ludzka, odzwierciedlona w kulturze, jest dość plastyczna, aby móc ją kształtować. W latach osiemdziesiątych zaczęto jednak dochodzić do wniosku, iż biologia i dziedziczność w zasadniczy sposób ograniczają zarówno różnice między kulturami, jak i ich potencjał. Wprawdzie historycy dowiedli, iż idee te nie miały większego związku z triumfem konserwatyzmu za Reagana w latach osiemdziesiątych i dziewięćdziesiątych, jednak stanowiły dla konserwatystów użyteczne argumenty.

Edward Wilson w swej pracy *Socjologia: nowa synteza* (*Sociobiology: The New Synthesis*, 1975) twierdził, iż biologia, w tym badania nad zachowaniem niższych gatunków zwierząt, może przyczynić się do zrozumienia społeczeństwa. W latach siedemdziesiątych i osiemdziesiątych powstały periodyki naukowe, podejmujące ten wątek: „Ethology and Sociobiology: Jornal of Social and Biological Structures" oraz „Politics and the Life Sciences". Duży wpływ miała praca Josepha Lopreato z Uniwersytetu Teksaskiego pt. *Natura człowieka a ewolucja biokulturalna* (*Human Nature and Biocultural Evolution*, 1984). Lopreato twierdził, iż istnienie hierarchii w społeczeństwach związane jest z czynnikami natury dziedzicznej, wobec czego ideały egalitaryzmu stoją w sprzeczności z biologią. Na podstawie badań nad zachowaniem zwierząt w ich środowisku naturalnym, czyniono, w mniej lub bardziej bezpośredni sposób, porównania ze światem ludzi. Robili to m. in. tacy prymatolodzy jak Jane Goodall, Diane Fossey czy Shirley Strum, snując analogie między społecznym porządkiem małp człekokształtnych a społeczeństwem ludzkim.

Powyższe prace stanowiły wyzwanie wobec wcześniejszych dogmatów w naukach społecznych. Według neodarwinistów biologia ograniczała ludzką wolność, kultura zaś uwarunkowana była zasadami dziedziczności; stąd środki uniwersalne, oferowane przez liberałów na bolączki Stanów Zjednoczonych, były sprzeczne z „wpisanymi" w mózg ludzki przeszkodami. Być może – dowodzili oni – różnice między klasami, rasami oraz płciami były czymś więcej niż sztucznie stwarzanymi przeszkodami dla osiągnięcia innego porządku społecznego. Tak więc, pod koniec wieku dwudziestego, odwieczna dyskusja na temat sprzeczności między naturą i cywilizacją nabrała nowych treści oraz odbiła się echem w myśli politycznej.

W 1950 r. młody harwardzki profesor, Willard Van Orman Quine, opublikował esej pt. *Dwa dogmaty empiryzmu* (*Two Dogmas of Empiricism*), który przypieczętował znaczenie tego filozofa dla myśli drugiej połowy XX w. Quine, uczeń C. I. Lewisa oraz europejskich neopozytywistów, przez z górą czterdzieści lat opublikował szereg prac, jak np. *Logika matematyczna* (*Mathematical Logic*, 1940); *Metody logiczne* (*Methods of Logic*, 1950); *Z punktu widzenia logiki* (*From a Logical Point of View*, 1953); *Słowo i przedmiot* (*Word and Object*, 1960); *Relatywizm ontologiczny* (*Ontological Relativity*, 1969); *Odnośniki* (*The Roots of Reference*, 1974) oraz *Teorie i rzeczy* (*Theories and Things*, 1981). Filozofię Quine'a tworzyły dwa rozbieżne, a nawet sprzeczne ze sobą nurty. Z jednej strony reprezentował on rygorystyczną szkołę filozoficzną; był utalentowanym logikiem, przekonanym o tym, iż rozumienie da się sprowadzić do prawd formułowanych przez nauki fizyczne. Z drugiej strony uważał się za pragmatyka, traktując teorie jako instrumenty, umożliwiające ludzkości przetrwanie. W ostatecznym rozrachunku właśnie fakt przetrwania decyduje o prawdziwości. Istnieją teorie alternatywne wobec naukowych, które cieszą się powodzeniem i nie da się do końca rozstrzygnąć debaty na temat różnych, konkurencyjnych, teorii; nie istnieje sposób udowadniający, iż teorie wymyślone przez jednostki są rzeczywiście wyznawane przez ogół społeczeństwa. W swoim znanym powiedzeniu, często cytowanym w dyskusjach, Quine stwierdził, iż jako empiryk wierzy w „przedmioty fizyczne, zamiast w bogów Homera", mimo iż „bogowie i rzeczy tylko w pewnym stopniu różnią się od siebie. W obu przypadkach mamy do czynienia z [...] tworami kulturowymi, [...] mitami lub zmyśleniami". Już na progu XX w. krytycy oskarżali pragmatyzm o subiektywizm; teraz, w drugiej tego wieku połowie, jeden z czołowych teoretyków pragmatyzmu przyznawał, że pragmatyzm oznacza relatywizm.

W 1962 r. Thomas Kuhn, historyk nauki w MIT i Institute of Advanced Study w Princeton, spopularyzował idee Quine'a, jak również nadał im wymiar historyczny. W swej niezwykle kontrowersyjnej pracy pt. *Struktura rewolucji naukowych* (*The Structure of Scientific Revolutions*) Kuhn dowodził, że dzieje nauki są czymś więcej, niż ewolucją teorii na skutek zmian w rozumowaniu logicznym oraz badań empirycznych. Czynnikiem o podstawowym znaczeniu były mianowicie społeczne, psychologiczne oraz kulturowe potrzeby, odczuwane przez społeczność uczonych. Konkurujących ze sobą naukowych „paradygmatów" nie sposób między sobą porównać. Stare teorie nigdy nie zostały obalone, nowe zaś nie są w żadnym sensie „prawdziwsze". Kuhn nie wykluczał, iż nauka uczyniła postęp w dążeniu do prawdy, niemniej jednak nie wypowiedział się wyraźnie na temat tego, co uważa za postęp.

Na polu profesjonalnie uprawianej filozofii wpływ Kuhna był głęboki, acz paradoksalny. Jak wiadomo, jego argumenty, podważające istotę wiedzy naukowej, a nawet, w gruncie rzeczy, wszelkiej wiedzy, powstały na podstawie tradycji empiryzmu naukowego. Skoro jednak ani fizyka, ani astronomia, ani też chemia – dziedziny, które przyciągnęły najwięcej uwagi Quine'a i Kuhna – nie mogły budzić zaufania wśród poszukiwaczy prawdy, co można było powiedzieć o mniej rygorystycznych naukach społecznych, a tym bardziej o humanistyce? Przed końcem wieku filozofowie amerykańscy odeszli od konwencjonalnego empiryzmu i w większości zajęli postawę sceptyczną wobec obiektywizmu. Mimo że filozofowie nie adresowali swych prac do szerszej publiczności, ich poglądy przyczyniły się do podważenia autorytetu nauk społecznych, który zresztą został już nadszarpnięty wojną w Wietnamie. W sumie filozofowie wywarli wpływ na wytworzenie się w kręgach akademickich sceptycyzmu co do rzetelności wiedzy posiadanej przez uczonych. Działalność naukowa, w oczach niektórych teoretyków, była w dużym stopniu tworzeniem mitów, rzekome „prawdy" zaś miały charakter subiektywny.

Z nastaniem lat osiemdziesiątych idee te bardzo ożywiły wymianę poglądów wśród filozofów. Relatywizm uczynił filozofię bardziej dostępną i pociągającą, z chwilą gdy zaczęto teoretyzować na temat subiektywizmu i uprzedzeń, zamiast dyskutować o zawiłościach logiki. Podkopana została pozycja nauk społecznych, dowodzących przez ostatnie czterdzieści lat własnej nieomylności. W dodatku na ratunek filozofom przyszli reprezentanci innej dyscypliny akademickiej: profesorowie anglistyki oraz innych filologii.

W latach powojennych największy wpływ ze szkół europejskich miał w Stanach Zjednoczonych brytyjski i austriacki neopozytywizm. Natomiast pierwsze kursy na temat egzystencjalizmu Sartre'a poprowadził pod koniec lat czterdziestych na wydziale romanistyki uniwersytetu Yale Henri Peyre. Amerykańscy intelektualiści, a już szczególnie filozofowie, byli zawsze podejrzliwi wobec myśli francuskiej. Uważali ją za romantyczną, irracjonalną, niedostatecznie precyzyjną oraz nieprzydatną w społeczeństwie takim, jak amerykańskie, które podejmuje jedynie stopniowe i dobrze skalkulowane reformy.

W następnych latach Sartre, a obok niego Edmund Husserl, Karl Jaspers oraz Martin Heidegger, uważani za poprzedników Sartre'a, stopniowo zdobyli sobie zwolenników na wydziałach filozofii; jednak największym powodzeniem cieszyli się oni na filologii romańskiej i niemieckiej (aczkolwiek nawet tam nie odgrywali oni jakiejś decydującej roli). Z czasem uniwersytety o mniejszym prestiżu, zabiegając o studentów, zaczęły tworzyć specjalizację: „filozofia kontynentalna", na otwarcie której nie mogły się nieraz zdecydować najbardziej renomowane uniwersytety, jak np. Harvard. Kobiety, które były dyskryminowane na wydziałach filozofii, stały się teraz ekspertami francuskiej myśli filozoficznej. William Barrett z Uniwersytetu Nowojorskiego napisał popularną pracę pt. *Człowiek irracjonalny: Studium o myśli egzystencjalnej* (*Irrational Man: A Study in Existentialist Thought*, 1958), Hazel Barnes zaś z University of Toledo, wykształcona w Yale, przetłumaczyła rozprawę Sartre'a *Byt i nicość* w 1956 r. Studia nad filozofią kontynentalną zdobyły sobie wielu zwolenników w kilku prestiżowych uniwersytetach, jak Yale, Northwestern oraz Emory. W 1960 r. filozof John Wild zdecydował się na bezprecedensowy krok, rezygnując z posady w Harvardzie ze względu na atmosferę stwarzaną tam przez Quine'a. Wild odszedł do Northwestern University, a stamtąd przeniósł się do Yale.

U Sartre'a Amerykanom spodobał się jego nacisk na przypadkowość rzeczy. Według filozofa francuskiego prawda była nieosiągalna, szczególnie zaś prawda o człowieku. Ludzie nadają sens swojemu życiu poprzez działanie, pisał Sartre. Nie istnieje żadna zewnętrzna miara, do której przykładać mogą oni własne postępki. Angst, czyli pełen obaw niepokój, odczuwany na skutek nieumiejętności odnalezienia się czy też nadania sensu życiu, jest stałym elementem kondycji ludzkiej.

W latach siedemdziesiątych i osiemdziesiątych idee te przybrały bardziej wyrafinowaną postać, która nazywała się „dekonstruktywizmem". Jej ojcem był inny Francuz – Jacques Derrida, który znalazł wielu zwolenników na wydziałach anglistyki. Według tego filozofa, rzeczywistość była tekstem, przez tekst zaś rozumiał on nie tyle książki, co właściwie cały świat. Powiększając znaczenie słowa „tekst", dekonstruktywiści mieli na myśli to, że dosłownie wszystko może być przedmiotem interpretacji. Dzieła z tradycyjnego kanonu literackiego, twierdzili krytycy, mogą być odczytywane na wiele sposobów. Poza tym, wedle Derridy, wszystkie teksty zawierają w sobie sprzeczne przekazy, w dodatku nie sposób powiedzieć, który z nich jest prawdziwy. Są one produktem skomplikowanych wpływów społecznych i politycznych. Teksty zostają bez końca poddawane zmiennym interpretacjom, bez przerwy poszukuje się w nich nowych znaczeń. Francuska teoria obalała również konwencjonalne roszczenia do racjonalności. Jednak mimo relatywizmu, dekonstruktywiści przemycali pewne wartości absolutne, które miały zabarwienie lewicowe. Zamierzali oni wypełnić próżnię po znaczeniach obalonych, tradycyjnych, znaczeniami nowymi, zwiększając prestiż kobiet, mniejszości i grup z pogranicza świata akademickiego. Niektórzy z dekonstuktywistów zamierzali użyć swych wpływów na uniwersytetach dla obalenia instytucji kapitalistycznych w Ameryce. Sądzili, iż „dekonstrukcja" świata akademickiego może doprowadzić do rewolucji poza nim.

Sentymenty owe szerzyły się w kręgach akademickich w latach osiemdziesiątych i dziewięćdziesiątych, a więc dokładnie w czasie prezydentury Reagana i Busha, kiedy to polityczni konserwatyści przeżywali swój największy triumf w historii Stanów Zjednoczonych. Ten kontrast dobrze oddawał rozdarcie między życiem realnym a kulturą akademicką, ukazując zarazem niemoc tej ostatniej. Na koniec okazało się, że jeden z czołowych autorytetów dekonstruktywizmu, „rzecznik" Derridy w Yale, Paul de Man, ukrywał kompromitującą, nazistowską przeszłość. Część lewicy odebrała ten fakt ze wstydem, inni czuli się zaskoczeni absurdalnością akademickiego politykowania.

De Man był krytykiem literackim urodzonym w Belgii, który nie dożył ujawnienia jego faszystowskiej przeszłości. Na początku lat osiemdziesiątych, wykładając na wydziale anglistyki w Yale, stał się on głównym propagatorem dekonstruktywizmu w USA. Założył swoją szkołę, do której należeli m.in. J. Hillis Miller, Geoffrey Hartman i Harold Bloom. Zdaniem tych profesorów, krytyka literacka miała prawo wyjść poza kanon literacki i sięgnąć po inne teksty, takie jak komiksy, reklamy, popularne powieści czy teksty naukowe. Wszystko mogło zostać „zdekonstruowane", a więc odczytane w sposób inny, niż „należało". Każdy tekst miał swoje tajemnice, które winny zostać wydobyte na światło dzienne przez krytyka.

W latach osiemdziesiątych na czoło głównego propagatora tych idei wysunął się filozof Richard Rorty. Po dogłębnych studiach nad pracami Deweya, Quine'a i Kuhna, Rorty odrzucił „naukowy" aspekt ich pragmatyzmu. Jednocześnie lektura pism Heideggera i Derridy uzmysłowiła mu powiązania między amerykańskim pragmatyzmem a europejską filozofią powojenną, jakie istniały na bazie relatywizmu. Opisał on swoje poglądy w trzech ważnych publikacjach: *Filozofia i zwierciadło natury* (*Philosophy and the Mirror of Nature*, 1979), *Konsekwencje pragmatyzmu* (*Consequences of Pragmatism*, 1982) oraz *Przypadek, ironia i solidarność* (*Contingency, Irony and Solidarity*, 1989). Rorty był bohaterem dla krytyków literackich, wykładających na wydziałach anglistyki, gdyż wzbogacił teorie europejskie o rygorystyczny, amerykański sposób myślenia. Wszedł on jednocześnie w przymierze z nieprofesjonalnymi filozofami dowodząc, iż skoro tradycyjnie filozofia zajmowała się nauczaniem prawd ostatecznych, to z chwilą, gdy uznano, że prawd takich nie ma, filozofia powinna przestać istnieć. Rorty podkreślał za to znaczenie literatury i jej umiejętność opisania świata „postmodernistycznego". W społeczeństwie postmodernistycznym, o którym marzył Rorty, literatura, ze swym unikalnym wglądem w subiektywną kondycję ludzką, miała zastąpić pseudoobiektywizm filozofów i uczonych.

Dla filozofów Rorty był renegatem, który doprowadził do wzmocnienia się wydziałów anglistyki kosztem wydziałów filozofii, które traciły popularność wśród studentów. Jakby potwierdzając te oskarżenia, Rorty porzucił swą pracę na wydziale filozofii w Princeton i przeniósł się do mniej prestiżowej uczelni – Uniwersytetu Wirginii, na mniej „zobowiązujące" stanowisko profesora nauk humanistycznych.

U progu XXI w. poczucie lojalności wobec dyscyplin naukowych było wśród intelektualistów dość niejasne. Filozofowie i krytycy literaccy walczyli o wpływy w humanistyce i o biurokratyczną kontrolę nad uniwersytetami. Filozofowie usiłowali powstrzymać zanik twórczego potencjału, który trapił ich środowisko od pięćdziesięciu lat. Krytycy literaccy z kolei próbowali po raz pierwszy sięgnąć po prymat intelektualny w Stanach Zjednoczonych.

Teoria literacka wycisnęła piętno na filozofii, popychając ją w stronę relatywizmu. Podkreślając – podobnie jak czyniły to przedtem nauki społeczne – twórczy i determinujący zarazem wpływ kultury, krytycy literaccy twierdzili, iż kultura dominuje nad naturą. Niemniej, owe postulaty, jak również debaty literacko-filozoficzne, nie brały pod uwagę sukcesów odniesionych przez nauki społeczne od czasu drugiej wojny światowej. Mimo negatywnego wpływu wojny wietnamskiej oraz relatywizmu, nauki społeczne zachowały swą atrakcyjność dla intelektualistów. Przedstawiciele tych dyscyplin nie ulegli wpływowi wysublimowanych francuskich teorii, nie rezygnując zarazem z prób zastosowania swych idei w realnym życiu Stanów Zjednoczonych. Działając w specyficznym, nie sprzyjającym innowacjom klimacie politycznym, zajęli oni odmienne stanowisko niż krytycy literaccy – doszli mianowicie do wniosku, iż kulturę należy złożyć na Prokrustowym łożu natury.

Tłumaczył *Piotr Skurowski*

BIBLIOGRAFIA

Degler Carl N., *In Search of Human Nature: The Decline and Revival of Darwinism in American Social Thought*, Oxford Uniwersity Press, New York 1991.

Diggins John Patrick, *The Proud Decades: America in War and Peace, 1941–1960*, W. W. Norton, New York 1988

Hoeveler J. David, Jr., *Watch on the Right: Conservative Intellectuals in the Reagan Era*, University of Wisconsin Press, Madison, Wisconsin 1991

Hollinger David A. and Capper Charles, eds., *The American Intellectual Tradition: A. Sourcebook*, 2 t., t. II: *1985 to the Present*, Oxford University Press, New York 1988

Lagemann Ellen Condliffe, *The Politics on Knowledge: the Carnegie Corporation, Philanthropy, and Public Policy,* Wesleyan University Press, Middletown, Connecticut 1991

Lehman David, *Signs of the Time: Deconstruction and the Fall of Paul de Man*, Poseidon Press, New York 1991

McQuaid Kim, *The Anxious Years: America in the Vietnam–Watergate Era*, Basic Books, New York 1987

Smith James A. *The Idea Brokers: Think Tanks and the Rise of the New Policy Elite*, Free Press, New York 1991

Tallack Douglas, *Twentieth-Century America: The Intellectual and Cultural Context,* Longman, New York 1991

AMERYKAŃSKA KULTURA MASOWA PO 1945 R.

PAUL BOYER

W 1954 r. historyk z Uniwersytetu Columbia, Jacques Borzun, napisał: „Ten, kto chce poznać duszę i serce Ameryki, niech się nauczy grać w baseball”. Rozwijając myśl Borzuna, można by zasugerować, że aby zrozumieć Stany Zjednoczone, trzeba ogarnąć ich kulturę masową jako całość. Wiele wątków amerykańskiego życia – społeczny, polityczny, ekonomiczny, psychologiczny – łączy się i przeplata na różne sposoby, kształtując formę i treść dzienników, czasopism, muzyki popularnej, programów telewizyjnych, tematycznych parków rozrywki i imprez sportowych, które dostarczają rozrywki, bawią i kształtują mentalność oraz ideologię Amerykanów. Wpływ ten nie ogranicza się do jednego kraju. W okresie po II wojnie światowej, gdy potęga militarna i ekonomiczna Stanów Zjednoczonych zapewniła im dominację na arenie międzynarodowej, amerykańska kultura masowa rozprzestrzeniła się na cały świat.

Oczywiście historia amerykańskiej kultury masowej rozpoczęła się na długo przed 1945 r. Mieszkańcy kolonialnej Nowej Anglii pisali doskonale sprzedające się apokaliptyczne poematy religijne oraz opowieści o wojnach i niewoli Indian. Swój folklor opisali w popularnych almanachach. Holenderscy osadnicy w Nowym Amsterdamie (obecnie Nowy Jork) organizowali wyścigi łódek oraz grali w kręgle i grę zwaną przez nich „kolven”, będącą poprzedniczką golfa. Niemieccy imigranci z Pensylwanii wytwarzali cudowne kołdry-narzuty zszywane z kawałków materiału oraz misterne malowidła („Fraktur”). W koloniach południowych wyścigi konne, hazard i przedstawienia teatralne dostarczały plantatorom rozrywki; emocjonalne wiece religijne kształtowały kulturę nowych terenów; przejmujące pieśni i tańce murzyńskie podtrzymywały na duchu zniewoloną część społeczeństwa.

Po uzyskaniu przez Stany Zjednoczone niepodległości ta żywa i wielowarstwowa kultura masowa w dalszym ciągu rozwijała się. Deklaracja swobód ogłosiła nienaruszalne prawo obywateli do „podążania za szczęściem”, a dziewiętnastowieczni Amerykanie z zapałem zdążali do tego celu. Tubylcy, imigranci z północnej Europy i z Wysp Brytyjskich, a później również z południowej i wschodniej Europy, podtrzymywali żywe tradycje kultury masowej.

We wczesnym okresie historii amerykańskiej kultura masowa miała regionalny, oddolny charakter. Była ona silnie zakorzeniona w folklorze poszczególnych nacji. Już w 1750 r. Russel Nye napisał: „Dobra kulturalne, będące przedmiotem sprzedaży, zaczęły być wytwarzane w ilościach, które mogły zaspokoić popyt mas z zyskiem dla producentów". Rodząca się kultura masowa zaczynała przybierać konkretne kształty.

Ta komercjalizacja kultury masowej zaczęła postępować jeszcze szybciej w XIX w. Podczas gdy nadal istniały kultury regionalne, równolegle powstawała kultura komercyjna, a zmiany ekonomiczne, postęp techniczny i usprawnienie transportu pociągnęły za sobą powstanie ogromnych aglomeracji miejskich oraz połączyły dotychczas odizolowane od siebie regiony kraju. Tanie gazety jak „New York Herald" Jamesa Gordona Bennetta serwowały mieszkańcom wielkich miast pikantną mieszankę zbrodni, skandali i historii z morałem. Drukowane tanim kosztem powieści sentymentalne oraz dzieła poetyckie miały szeroki krąg czytelników. Antykatolicka powieść Marii Monk *Okropne odkrycia* (*Awful Disclosures*, 1836) oraz protestująca przeciwko niewolnictwu *Chata wujna Toma* (*Uncle Tom's Cabin*, 1852) autorstwa Beecher Stowe stały się bestsellerami. „Powieści za 10 centów" dostarczały młodym czytelnikom historii o przygodach i przestępczości w miastach na Dzikim Zachodzie. Podnoszące na duchu opowieści dla dzieci Petera Parleya rozeszły się w 7 mln egzemplarzy przed wojną secesyjną. W miastach i miasteczkach objazdowe teatry wystawiały melodramaty takie jak *Chata Wuja Toma.* W 1842 r. w Nowym Jorku Phineas T. Barnum założył Muzeum Amerykańskie, które było „przodkiem" powstałych w XX w. Disneylandu i Disney Worlds.

Pod koniec XIX w. i na początku XX w., gdy postępowała urbanizacja, a społeczeństwo było coraz bardziej heterogeniczne, coraz szybciej rozwijała się kultura masowa nastawiona na zysk. Te lata charakteryzował postęp techniczny w zakresie drukarstwa i fotografii, nowych technologii elektronicznych, które z kolei kształtowały kulturę masową w XX w. W latach dziewięćdziesiątych XIX w. Tomasz Edison i inni wynaleźli technologię projekcji ruchomych obrazów. Pierwszy film z fabułą powstał w 1903 r. i nosił tytuł *Wielki napad na pociąg* (*The Great Train Robbery*). W 1908 r. krótkie filmy pokazywane były w około 8 tys. sal kinowych zwanych „nickelodeon" (kino za 5 centów), znajdujących się najczęściej w dzielnicach miast zamieszkiwanych przez imigrantów. W latach dwudziestych „klasa średnia" również dołączyła do grona miłośników kina. We wszystkich miastach Stanów Zjednoczonych powstały wtedy eleganckie sale kinowe.

W latach dwudziestych radio i elektryczny gramofon przeżywały swą pierwszą wielką popularność. Sprzedaż radioodbiorników wzrosła gwałtownie z 60 mln dolarów w 1922 r. do ponad 800 mln dolarów w 1929 r. W tym okresie również czasopisma, takie jak „McClure's", „Collier's" i „Saturday Evening Post" zyskały ogromną rzeszę czytelników w środowiskach średnio zamożnych i wśród klasy robotniczej. Henry Luce rozpoczął swą karierę wydawcy w 1923 r. od czasopisma „Time". Następnie w 1936 r. rozpoczął wydawanie ilustrowanego czasopisma „Life".

Pod koniec II wojny światowej zarys amerykańskiej współczesnej kultury masowej był już mocno zakorzeniony w społeczeństwie. Lata od 1945 r. do połowy lat dziewięćdziesiątych przyniosły ze sobą wiele zmian i innowacji w obrębie kultury masowej, z których najistotniejszą było pojawienie się telewizji, natomiast fundamenty tej kultury pozostały nie zmienione. Jej struktura opierała się na tym, że amerykańskie społeczeństwo było i jest społeczeństwem kapitalistycznym nastawionym na masową produkcję i dystrybucję dóbr konsumpcyjnych. Przemysł produkujący dobra kultury masowej jest integralnym składnikiem tego zorientowanego na zyski kapitalistycznego systemu ekonomicznego. Podczas gdy amerykańska kultura masowa pozostaje przedmiotem zainteresowania ze względu na swą bogatą treść oraz na sposób, w jaki odzwierciedla wartości społeczne, jej fundamentalna funkcja strukturalna ma charakter ekonomiczny. Być może przesadna jest wypowiedź pewnego uczonego, który niedawno określił „dostawców" kultury masowej jako „po prostu branżę uzupełniającą działalność wielkich korporacji amerykańskich", niemniej jednak w słowach tych należy upatrywać klucza do zrozumienia ich roli i funkcji. Filmy fabularne, czasopisma, nagrania oraz tanie powieści są produkowane z zamiarem sprzedaży z zyskiem; radio i telewizja są nie tylko same w sobie poważnymi przedsięwzięciami gospodarczymi, lecz także służą jako podstawowe narzędzia do reklamowania produktów w formie filmów reklamowych i ogłoszeń. Było to faktem w 1925 r. (oczywiście oprócz telewizji) i pozostało faktem przez siedem kolejnych dziesięcioleci.

Po 1945 r. nastąpiło ogromne rozszerzenie kręgu odbiorców kultury masowej oraz równoczesne zwiększenie rozmiarów i złożoności przemysłu, który zaspokajał ich potrzeby. Nie tylko nastąpił wzrost liczby ludności ze 140 mln w 1945 r. do prawie 250 mln w 1990 r., lecz było to także społeczeństwo zamożne, posiadające znaczne nie zagospodarowane środki finansowe, które potencjalnie mogły zostać wydane na konsumpcję dóbr kultury masowej. Dochód narodowy brutto w Stanach Zjednoczonych (całkowita wartość wszystkich dóbr i usług) liczony w dolarach z uwzględnieniem inflacji podwyższył się z 1,2 bln w 1950 r. do około 4,2 bln dolarów w 1990 r. Z całą pewnością te powojenne dekady przyniosły ze sobą kryzysy ekonomiczne i okresowe recesje, a amerykański dobrobyt nie był udziałem całego społeczeństwa w równym stopniu, jednakże, ogólnie rzecz biorąc, gospodarka nadal przeżywała wspaniały rozkwit.

W omawianym okresie obywatele mieli coraz więcej czasu wolnego. Od 1940 do 1960 r. przeciętny tygodniowy wymiar godzin pracy został skrócony z 44 do 40 godzin. Urlopy dwu- lub trzytygodniowe stały się standardem dla większości pracowników. Te dwa czynniki – rozkwit gospodarczy oraz zwiększenie czasu wolnego – stworzyły sprzyjające warunki do gwałtownego rozrostu przemysłu produkującego dobra kultury masowej.

Z jednej strony amerykańska kultura masowa funkcjonalnie i strukturalnie była kontynuacją przeszłości, z drugiej zaś uległa ogromnym przeobrażeniom w okresie powojennym.

Mimo iż prasa w dalszym ciągu odgrywała ogromną rolę, lata powojenne przyniosły znaczące zmiany. W okresie od 1940 do 1986 r. liczba wydawanych w Stanach Zjednoczonych gazet codziennych spadła z 1878 do 1657 tytułów. Jeszcze bardziej zaskakujący był spadek konkurencji w dziennikarstwie prasowym. We wczesnych dekadach powojennych wiele miast amerykańskich miało po kilkanaście zawzięcie konkurujących ze sobą dzienników, często o różnych orientacjach politycznych. W 1900 r., w Nowym Jorku działało np. 15 głównych dzienników. Przed I wojną światową rozwijała się aktywna i głośna prasa socjalistyczna i obcojęzyczna. Po 1920 r., a zwłaszcza po 1945 r., presja rynku, zmieniające się warunki demograficzne oraz rosnące koszty produkcji doprowadziły wiele z tych gazet do upadku lub konieczności połączenia się ze swoimi rywalami, którzy zwyciężyli w konkurencji. W 1970 r. Nowy Jork miał tylko trzy główne gazety codzienne. W 1986 r., włączając branżowy periodyk dla wydawców „Editor & Publisher", w 98% miast amerykańskich wychodził albo jeden dziennik, albo gazety codzienne należące do pojedynczych koncernów; dla porównania w 1920 r. odsetek ten wyniósł 57%. Ponieważ wiele powstających przedmieść miało własne gazety codzienne, ukazywały się one zwykle w małym nakładzie, a ich treść ograniczała się głównie do wydarzeń lokalnych.

Co więcej, krajowe gazety codzienne coraz częściej były własnością wielkich koncernów działających na terenie całego kraju, a nawet międzynarodowych, takich jak Gannett, Knight Ridder czy grupy Newhouse. W 1987 r. tylko koncern Gannett był właścicielem 90 dzienników. Największy i najbardziej złożony konglomerat koncernów w zakresie prasy został założony przez S. I. Newhouse Seniora i po jego śmierci w 1979 r. kierowany przez S. I. Newhouse Juniora. W 1990 r. Newhouse kontrolował nie tylko sieć złożoną z 75 gazet, lecz także stajnie Conde Nast, wiele modnych czasopism („Vanity Fair", „Vogue", „House and Garden"); szanowane czasopismo „New Yorker" oraz gigantyczne wydawnictwo książkowe „Random House" z podlegającymi mu wydawnictwami Alfreda A. Knopfa, Crowna, Pantheon, Ballantine Books, Vintage i innymi.

Koncerny te dawały swoim lokalnym kierownictwom autonomię wydawniczą pod warunkiem utrzymania dochodów na odpowiednim poziomie, jednakże ta długofalowa tendencja do konsolidacji i zarządzania przez osoby nie będące właścicielami doprowadziła – z nielicznymi wyjątkami – do spadku prężności, indywidualności oraz różnorodności dziennikarstwa amerykańskiego w tym okresie.

Symbolem tendencji do mdłej anonimowości gazet codziennych było pojawienie się dziennika „USA Today", gazety kolportowanej w całym kraju.

„USA Today" wykorzystywała dużą gamę kolorów w szacie graficznej i przedstawiała krótkie ogólnikowe wiadomości pozbawione charakteru lokalnego i indywidualności. Dla wielu czytelników gazeta ta sprawiała wrażenie, jakby była redagowana przez roboty.

Prasa była własnością wielkich koncernów i czerpała dochody z prenumerat oraz z reklam i ogłoszeń – w dużej mierze od lokalnych firm. W powojennej krytyce amerykańskiego dziennikarstwa powtarzały się zarzuty znane jeszcze z poprzednich dziesięcioleci: że wydawcy prasy przesadnie okazywali względy klientom, którzy zamieszczali u nich reklamy i ogłoszenia, unikali dziennikarstwa krytycznego informującego o działalności lokalnego biznesu, od którego w dużej mierze zależał ich dochód. Podobnie jak w poprzednich okresach, po 1945 r. kręgi czytelników dzieliły się według kryterium poziomu wykształcenia oraz przynależności do warstwy społecznej. Wśród gazet najwyższy poziom reprezentowała garstka dzienników, które w poważny i kompetentny sposób przekazywały wiadomości i opisy wydarzeń kulturalnych. Należały do nich „New York Times", „Boston Globe", „Baltimore Sun", „Los Angeles Times". Jednak większość gazet koncentrowała się głównie na lokalnych wydarzeniach i życiu towarzyskim, ze szczególnym naciskiem na ciekawostki. Wreszcie gazety bulwarowe, takie jak „National Enquirer", kolportowane poprzez supermarkety i tanie sklepy, wabiły sensacyjnymi nagłówkami, skandalami z życia gwiazd, historiami z dziedziny okultyzmu oraz opisami wybryków natury.

Wraz z powstaniem telewizji po II wojnie światowej prasa straciła pierwszeństwo jako główne źródło informacji. Telewizja szybciej przekazywała wiadomości i miała silniejsze oddziaływanie wizualne niż gazety. W sondażu z 1976 r. 51% Amerykanów uważało telewizję za „najbardziej wiarygodne" źródło informacji, a tylko 22% określiło tak prasę.

Lata powojenne charakteryzowały się szybkim spadkiem liczby popularnych tygodników, takich jak „Collier's" i sędziwy „Saturday Evening Post". Pierwszy z nich przestał wychodzić w 1956 r., drugi zaś w 1969 r. Upadały również czasopisma ilustrowane o dużym formacie. Ogromnie popularny w latach czterdziestych i pięćdziesiątych „Life" przestał się ukazywać w 1972 r. (Niektóre z tych periodyków reaktywowały się w okresie późniejszym w zmienionej formie; np. „Saturday Evening Post" pojawił się ponownie jako miesięcznik wspominający minione czasy i obyczaje). Te czasopisma padły ofiarą zmian demograficznych, innej atmosfery kulturalnej i przede wszystkim tego, że pieniądze na reklamę trafiały teraz głównie do telewizji. Jak na ironię najbardziej poczytnym czasopismem stał się „Przewodnik Telewizyjny" („TV Guide"), założony w 1952 r., informujący widzów o programie telewizyjnym.

Nieliczne popularne czasopisma rozwijały się w dalszym ciągu. Najbardziej jaskrawym przykładem był „Reader's Digest", miesięcznik wychodzący od 1922 r. jako kompendium skróconych artykułów zebranych z innych czasopism. Dzięki doskonale przemyślanej mieszance tematycznej – zdrowie, finanse osobiste, ciekawostki, wychowanie seksualne – oraz prawicowej orientacji politycznej, „Reader's Digest" prosperował kwitnąco w okresie powojennym i był wydawany również w językach obcych na całym świecie.

Także trzy najważniejsze nowe czasopisma informacyjne „Time", „Newsweek" i „US News and World Report" rozwijały się pomyślnie w okresie powojennym. W latach pięćdziesiątych „Time" nabrał ostrego tonu charakterystycznego dla zimnej wojny, koncentrując się szczególnie na zagrożeniu, jakie stworzyły „Czerwone Chiny". Było to odzwierciedleniem poglądów założyciela Henry'ego Luce'a, którego ojciec był katolickim misjonarzem w Chinach. Jednakże w latach sześćdziesiątych, a zwłaszcza po śmierci Luce'a w 1967 r., „Time" zajął bardziej umiarkowaną pozycję polityczną; złagodził swój specyficzny styl prozy i zaoferował więcej artykułów o tematyce kulturalnej. „US News and World Report", najbardziej konserwatywny z tych trzech, pozostając pod silnym wpływem Partii Republikańskiej również ewoluował w kierunku politycznego centrum i odzwierciedlał większą różnorodność poglądów, gdy rozszerzył się krąg jego czytelników i założyciel David L. Lawrence wycofał się z działalności. Podobnie jak we wszystkich dziedzinach kultury masowej, logika rynku nieuchronnie kierowała te periodyki w główne nurty życia politycznego i kulturalnego.

W okresie powojennym postępowała również specjalizacja rynku czasopism. W miejsce czasopism adresowanych do wszystkich posiadających nieodpartą siłę przyciągania czytelnika, pojawiły się setki publikacji przeznaczonych do obsługi specyficznych gałęzi rynku. Czasopisma miały na celu przyciągnięcie czytelnika zainteresowanego fotografią, wojną secesyjną, antykami, podróżami, komputerami, mechaniką samochodową, ogrodnictwem, szyciem, seksem itd. W tej ostatniej kategorii „Playboy" oraz jeszcze bardziej dosadny „Hustler" odzwierciedlały dużą swobodę obyczajową panującą w tych latach. Efektem dalszego podziału rynku było powstanie podobnych czasopism dla kobiet i mężczyzn o orientacji homoseksualnej. Typowym przykładem specjalizacji poszczególnych gazet było czasopismo „Essence", założone w 1970 r. i przeznaczone dla żyjących w miastach młodych Murzynek, które robiły karierę zawodową. Inne czasopisma pokrywały zapotrzebowanie czytelników podzielonych według kryterium geograficznego. Na przykład wszystkie większe miasta i wiele miast średniej wielkości miało swoje czasopisma, przeznaczone dla mieszkańców tej właśnie aglomeracji lub przyjezdnych. W całej swej różnorodności ta ogromna liczba ściśle wyspecjalizowanych publikacji okazała się bardzo atrakcyjna dla ogłoszeniodawców zainteresowanych dotarciem do specyficznego odbiorcy.

W dziedzinie popularnych książek wydania „w miękkich okładkach" („paperback") spowodowały rewolucję po II wojnie światowej. W czasie wojny tanie książki w miękkich okładkach były drukowane dla żołnierzy amerykańskich walczących za granicą. W latach powojennych większość dużych wydawnictw zaczęła wydawać serie książek broszurowanych. W latach pięćdziesiątych jedno z wydawnictw, „Pocketbooks", wypuszczało na rynek książki w śmiesznie niskiej cenie 25 centów. Sprzedaż książek podwoiła się w latach 1954–1963, a w 1970 r. przemysł wydawniczy miał obroty brutto wynoszące ponad 3 mln dolarów rocznie. W dużej mierze przyczyniły się do tego wydania w miękkich okładkach.

Format książek w miękkich okładkach był odpowiedni dla książek każdego rodzaju, od monografii akademickich oraz klasyki literatury pięknej po produkowane masowo pozycje przeznaczone dla jak najszerszego kręgu czytelników. Ta ostatnia kategoria obejmowała książki o tematyce religijnej, o okultyzmie, poradniki, książki satyryczne, kryminały, publicystykę na tematy bieżące, powieści przygodowe i szablonowe romanse oraz płomienne powieści historyczne (zwane czasem „rozpruwaczami gorsetów"). Odnoszące sukces filmy i programy telewizyjne nieuchronnie pociągały za sobą powstawanie książek na ich motywach.

Książki o tematyce religijnej cieszyły się niezmienną popularnością. W latach pięćdziesiątych bestsellerami stały się dwie książki: *Pokój w Bogu* (*Peace with God*) autorstwa popularnego kaznodziei ewangelickiego Billy'ego Grahama oraz *Potęga myślenia pozytywnego* (*The Power of Positive Thinking*) duchownego Normana Vincenta Peale. Ta druga była radosnym, optymistycznym poradnikiem, wydanym w okresie zimnej wojny, gdy społeczeństwo zaczęło obawiać się wojny atomowej. W latach siedemdziesiątych superbestsellerem w zakresie literatury faktu była pozycja *Świętej pamięci wielka planeta Ziemia* (*The Late Great Planet Earth*) Hala Lindseya, która dowodziła, że Biblia przepowiedziała zniszczenie Rosji.

Lata powojenne przyniosły również zmiany na rynku wydawniczym w dystrybucji i marketingu. Wcześniej książki były sprzedawane głównie przez domokrążców lub w prywatnych księgarniach. W latach dwudziestych opracowano metodę marketingu zwaną Klub Książki Miesiąca w celu bezpośredniej sprzedaży książek po obniżonej cenie. Klub Książki Miesiąca działał bardzo sprawnie i odnosił sukcesy w latach powojennych, a jego koncepcja była naśladowana przez inne, bardziej specjalistyczne przedsiębiorstwa marketingowe, takie jak Katolicki Klub Książki (Catholic Book Club), Klub Książki Sensacyjnej (Mystery Book Club), Klub Książki Historycznej (History Book Club) itd.

W latach siedemdziesiątych książki były rozprowadzane również przez ogólnokrajowe sieci sklepów, takie jak B. Dalton i Waldenbooks. Te były często usytuowane w centrach handlowych na przedmieściach, które rozmnożyły się w tych latach. Sieci sklepów specjalizowały się w sprzedaży bestsellerów i książek wysokonakładowych. Miały one często bardzo obniżone ceny. Większość dużych supermarketów oraz sieci tanich domów towarowych jak K-Mart również miała stoiska z książkami w miękkich okładkach. Wobec konkurencji w postaci klubów książkowych, punktów oferujących książki po obniżonych cenach i innych, tradycyjne księgarnie, często zakurzone, ciasne i prowadzone przez ekscentrycznych, ale za to posiadających dużą wiedzę miłośników książek, były coraz większą rzadkością.

Najdynamiczniejszy rozwój powojennej amerykańskiej kultury masowej nastąpił w zakresie elektronicznych mediów. W 1945 r. muzyka popularna była propagowana przez radio oraz nagrania płytowe odtwarzane na gramofonie z prędkością 78 obrotów na minutę. W latach pięćdziesiątych wprowadzono winylowe płyty długogrające (LP), przeznaczone do odtwarzania z prędkością 33 1/2 obr./min. Z kolei w latach siedemdziesiątych płyty długogrające zostały wyparte przez kasety magnetofonowe. Pod koniec lat osiemdziesiątych kasety magnetofonowe zastąpiły częściowo płyty kompaktowe (CD), których odtwarzanie polegało na „czytaniu" przez wiązkę laserową danych elektronicznych. Na początku lat dziewięćdziesiątych winylowe płyty gramofonowe, ostoja przemysłu muzycznego przez ponad 70 lat, niemal całkowicie zniknęły ze sklepów muzycznych. Płyty długogrające, kasety magnetofonowe i płyty kompaktowe były sprzedawane w tanich domach towarowych oraz w sklepach z płytami, z których wiele należało do ogólnokrajowych sieci sklepów.

Podobnie jak w przypadku książek w miękkich okładkach nowe technologie nagrywania i odtwarzania dźwięku nadawały się dla każdego rodzaju muzyki, od Haydna i Chopina po najnowsze grupy, grające muzykę popularną. W dziedzinie muzyki popularnej w latach powojennych odnotowano wiele chwilowych mód i trendów. Jeden z krytyków stwierdził gorzko w 1964 r., że: „nastoletnia Ameryka co kilka lat jest rzucana na kolana przez najnowszy szał mody w muzyce popularnej, a nadejście kolejnego szaleństwa można przewidzieć tak samo, jak następną plagę szarańczy". Wielomiliardowy przemysł fonograficzny w dużej mierze kształtował lub przynajmniej szybko przystosowywał się do zmieniających się masowych gustów, od rock'n rolla w latach pięćdziesiątych, poprzez takie gatunki jak: folk, rock w jego wielu odmianach, disco, soul (mający korzenie w muzyce murzyńskiej), senny „new age" czy wreszcie rap – forma rymowanego tekstu recytowanego w rytmie muzyki, popularna w latach dziewięćdziesiątych wśród czarnoskórej młodzieży mieszkającej w miastach. Pewne gatunki, a szczególnie muzyka religijna i country and western, cieszyły się niezmiennie popularnością przez cały czas.

W latach dziewięćdziesiątych muzyka popularna była coraz bardziej zdominowana przez zespoły i piosenkarzy, którzy nie tylko dokonywali nagrań, lecz także występowali w MTV („muzyczny" kanał telewizyjny) oraz odbywali trasy koncertowe z precyzyjnie opracowanymi widowiskami. Muzyka popularna w coraz większym stopniu była produkcją przy użyciu najnowocześniejszych technik, kreującą wyrafinowany image wykonawców. Michael Jackson, który zyskał fanów na całym świecie, stał się żyjącym w samotności multimilionerem, którego image kreowały muzyczne filmy video przedstawiające go jako istotę dwupłciową nieokreślonej rasy. Madonna (Madonna Louise Veronica Ciccione) wykreowała osobowość o silnym seksualizmie, kiedy oprócz działalności muzycznej zaczęła występować w filmach fabularnych i muzycznych filmach video oraz jeździć w trasy koncertowe.

We wczesnych latach powojennych zapanowała moda na musicale broadwayowskie, takie jak *Guys and Dolls*, 1949, *My Fair Lady*, 1956. Musicale lat sześćdziesiątych, takie jak charakteryzujący się z dużą swobodą seksualną *Hair* i *Oh, Calcutta!*, odzwierciedlały zmieniające się obyczaje. W latach osiemdziesiątych gatunek ten ewoluował w kierunku precyzyjnie przygotowanych ekstrawaganckich widowisk takich jak *Cats* i *Les Miserables*, w których skomplikowana technika produkcji była często bardziej godna uwagi niż sama warstwa muzyczna lub fabuła.

Filmy fabularne już po zakończeniu II wojny światowej zdominowały kulturę masową. W 1945 r. przemysł filmowy należał do kilku dużych koncernów hollywoodzkich, zwanych studiami, które produkowały filmy pełnometrażowe z udziałem takich gwiazd, jak Gary Cooper, John Wayne, Bette Davis i Loretta Young, którzy podpisywali z nimi kontrakty. Jeden z ważniejszych producentów filmowych, Louis B. Mayer, chwalił się w latach czterdziestych, że jego studio miało „więcej gwiazd, niż jest ich na niebie". Dystrybucja filmów odbywała się głównie poprzez duże kina w centralnych dzielnicach miast, mniejsze kina w innych dzielnicach oraz przez tzw. kina dla zmotoryzowanych, popularne szczególnie wśród aktywnych seksualnie nastolatków. Największe studia posiadały całe sieci kin, gdzie wyświetlały swoje filmy.

Po II wojnie światowej kino nadal cieszyło się popularnością, jednakże przemysł filmowy uległ gwałtownym zmianom. W latach pięćdziesiątych i sześćdziesiątych Hollywood było zagrożone przez zuchwałego nowego konkurenta, telewizję. W latach 1948–1960 tygodniowa liczba widzów w kinach spadła z 90 do 45 mln, a liczba produkowanych filmów fabularnych spadła z 400 do 154. Pomimo to przemysł filmowy przetrwał kryzys i stopniowo odzyskał dobrą kondycję, aby w końcu przystosować się do telewizji.

Wraz z powojenną migracją średnio zamożnych białych obywateli na przedmieścia, kina w starym stylu podupadły, kina dzielnicowe stopniowo zamykano, a „kina dla zmotoryzowanych" zniknęły całkowicie, padły bowiem ofiarą zmian zachodzących w kulturze oraz rosnących cen nieruchomości. W ich miejsce w błyskawicznym tempie powstawały nowe kompleksy kinowe przy podmiejskich centrach handlowych. W latach dziewięćdziesiątych w takich kompleksach znajdowało się 6 lub 8 sal kinowych, wyświetlających jednocześnie różne filmy.

Zmienił się również charakter produkcji filmowej. Coraz więcej filmów było produkowanych przez niezależnych reżyserów i aktorów, zanikała całkowita kontrola studiów filmowych nad procesem powstawania filmu, a ich rola coraz częściej ograniczała się do zapewnienia wsparcia finansowego. Sukces wyprodukowanego niezależnie w 1969 r. filmu *Easy Rider*, ukazującego konflikty kulturowe z końca lat sześćdziesiątych, przyśpieszyły ten proces. Podobnie zadziałała zainicjowana przez władze federalne akcja antymonopolowa, która zmusiła studia do pozbycia się sieci kin. Młodsza generacja gwiazd filmowych w dalszym ciągu cieszyła się popularnością w całym kraju, ale nie wiodły one już takiego bajkowego, na pół mitycznego życia jak gwiazdy poprzedniej generacji, takie jak Mary Pickford, Gloria Swanson czy Douglas Fairbanks.

W ekspansywnych latach osiemdziesiątych fala wykupywania firm przez inne firmy zaowocowała tym, że większość dużych przedsiębiorstw filmowych stała się filiami dużych koncernów. Na przykład Paramount Studio zostało „wchłonięte" przez gigantyczną Gulf & Western Corporation. Time Inc. wykupiła Warner Communications, koncern przemysłu rozrywkowego, którego udziały w filmach, nagraniach i telewizji osiągnęły w 1989 r. oszałamiającą wartość 13 mld dolarów.

Wyświetlane na całym świecie filmy amerykańskie kształtowały odbiór kultury amerykańskiej przez miliony widzów w innych krajach. Również niektóre filmy zagraniczne cieszyły się popularnością w Stanach Zjednoczonych. Były to filmy francuskie, włoskie i brytyjskie oraz filmy szwedzkiego reżysera Ingmara Bergmana. Filmy zagraniczne były szczególnie modne wśród studentów uniwersytetów i wyższych uczelni.

Treści zawarte w powojennych filmach amerykańskich odzwierciedlały zmieniające się mody, prądy kulturowe i sytuację polityczną. We wczesnych latach zimnej wojny powstało wiele filmów dosłownie lub symbolicznie przedstawiających niebezpieczeństwo komunizmu i działalności wywrotowej w kraju. W filmie fantastyczno-naukowym *Inwazja porywaczy ciał* (*Invasion of the Body Snatchers*, 1956), niebezpieczeństwo przewrotu przybrało symboliczną formę inwazji przybyszy z kosmosu, którzy wylęgali się z kokonów i do złudzenia przypominali istoty ludzkie. W latach pięćdziesiątych i we wczesnych latach sześćdziesiątych filmy o wojnie atomowej, takie jak *Na plaży* (*On the Beach*) i *Dr Stangelove*, oraz obrazy o mutantach, takie jak *Oni*! (*Them*!), opowiadający o gigantycznych mrówkach, które znaleziono na terenach, gdzie przeprowadzano doświadczalne wybuchy jądrowe, były odzwierciedleniem powszechnych obaw społeczeństwa przed zagładą nuklearną i skażeniem radioaktywnym. Do tego samego nurtu należał późniejszy *Chiński syndrom* (*China Syndrome*, 1979), który był wyrazem rosnącego niepokoju społeczeństwa, spowodowanego ryzykiem związanym z budową elektrowni atomowych. Na początku lat osiemdziesiątych, we wczesnych latach kadencji Reagana, powstało wiele podobnych filmów będących wyrazem rozbudzonych ponownie lęków przed wojną atomową, jak np. *Gry wojenne* (*War Games*), w którym błyskotliwy nastolatek i jego dziewczyna włamując się do sieci superkomputera uniemożliwiają wywołanie III wojny światowej.

Wraz z powstaniem ruchu na rzecz praw obywatelskich oraz ruchu czarnej mniejszości, czarnoskórzy aktorzy zaczęli coraz częściej pojawiać się w filmach w rolach innych niż stereotypowe. Film Stanleya Kramera *Zgadnij, kto dziś przyjdzie na obiad* (*Guess Who's Coming to Dinner*, 1967) delikatnie poruszył drażliwą kwestię małżeństw mieszanych. Przez jakiś czas w Hollywood produkowano wiele filmów o wyzyskiwaniu i niesprawiedliwym traktowaniu Murzynów, ale w latach osiemdziesiątych Spike Lee, utalentowany czarnoskóry reżyser, nakręcił takie filmy jak *Zrób to, co należy* (*Do the Right Thing*), które traktowały o konflikcie rasowym w sposób bezpośredni i dobitny. Film młodego czarnoskórego reżysera Johna Singeltona *Chłopaki z sąsiedztwa* (*Boyz'N the Hood*) z 1991 r. analizował destrukcyjny wpływ narkotyków oraz wpływ gangów ulicznych na społeczność murzyńską Los Angeles.

Zakorzenione w Hollywood gatunki przystosowywały się do zmieniających się obyczajów społecznych. Na przykład western, gatunek popularny przez dziesięciolecia, oparty na niezmiennych schematach: kowboje przeciw Indianom, dobro przeciwko złu, reprezentowany przez niezliczone filmy z Johnem Wayne'em, ustąpiły miejsca ambitniejszym obrazom, takim jak *W samo południe* (*High Noon*, 1952) i *Shane* (1953), w których dobro i zło przenikały się wzajemnie lub były ukazane bardzo przewrotnie. Przebój kasowy *Tańczący z Wilkami* (*Dances with Wolves*, 1990) przedstawiał Indian jako bohaterów i białych jako ekspansywnych i nikczemnych.

W filmach z lat pięćdziesiątych kobiety były przedstawiane głównie jako symbole seksu lub gospodynie domowe i matki. Wraz z powstaniem ruchu feministycznego w latach sześćdziesiątych i siedemdziesiątych, kobiety zaczęły pojawiać się w bardziej znaczących rolach. Na przykład w 1991 r. film *Thelma i Louise* (*Thelma and Louise*) był zaprzeczeniem tradycyjnego hollywoodzkiego gatunku filmu „kumplowskiego", ukazując beztroską i szaloną podróż dwóch kobiet po południowo-zachodniej części kraju, po tym jak jedna z nich zabija niedoszłego gwałciciela.

Największy sukces odnosiły filmy, które dostarczały masom rozrywki i wrażeń eskapistycznych, takie jak nakręcona w 1965 r. filmowa wersja *Dźwięk muzyki* (*The Sound of Music*). George Lucas dowiódł swego talentu hitem z 1977 r. *Gwiezdne wojny* (*Star Wars*), bajką o międzygalaktycznej wojnie, której akcja oparta jest na mitycznym schemacie. Stephen Spielberg dokonał tego samego swoim obrazem *E.T.* (1982), opowiadającym o przyjaźni pomiędzy chłopcem i zagubionym przybyszem z kosmosu. Zdaniem krytyka filmowego Gene'a Siskela sukces filmu *E.T.* pociągnął za sobą falę filmów „eskapistycznych i prezentujących bohaterów niedojrzałych emocjonalnie". Disneyowska wersja *Pięknej i bestii* (*Beauty and the Beast*) z 1991 r. odświeżyła gatunek długometrażowego filmu animowanego.

Hollywood wykazał się wyjątkową siłą przetrwania i zdolnością odradzania się w miarę upływu powojennych dziesięcioleci. Popularny film prawie zawsze przynosił kontynuację wątku w kolejnym filmie, a często całą serię stanowiącą jego ciąg dalszy. Dotyczyło to wielu gatunków, włączając horrory (*Koszmar z Elm Street – Nightmare on Elm Street*), filmy gangsterskie (*Ojciec chrzestny – Godfather*), filmy fantastyczno-naukowe (*Star Trek* i *Gwiezdne wojny – Star Wars*) oraz filmów przygodowych z bohaterami w typie macho (nie kończąca się seria *Rocky* z Sylwestrem Stallone w roli odważnego, aczkolwiek niezbyt inteligentnego pięściarza zawodowego).

Okazało się, że Hollywood jest również bardzo elastyczny w przystosowywaniu się do bardzo zróżnicowanych i często sprzecznych nurtów amerykańskiej ideologii politycznej i myśli społecznej. Podczas gdy np. Stallone brał udział i zwyciężał w wojnie w Wietnamie w filmie *Rambo*, inne filmy, jak *Łowca jeleni* (*The Deerhunter*), *Pluton* (*Platoon*) czy *Urodzony czwartego lipca* (*Born on the Fourth of July*) były ostrą krytyką tej wojny. W swoim ciągłym dążeniu do zysków Hollywood nie tyle starał się kontrolować umysły mas lub propagować konkretną ideologię, ile w atrakcyjnym „opakowaniu" „odsprzedawał" społeczeństwu amerykańskiemu jego własne, nie w pełni ukształtowane wartości, idee, nadzieje i obawy.

Wkrótce Hollywood nauczył się współistnieć z nowym środkiem masowego przekazu – telewizją, nie tracąc przy tym zysków. Popularne programy telewizyjne, takie jak *Star Trek* były przerabiane na filmy, a z filmów, które odniosły sukces na ekranach kin, powstawały seriale telewizyjne. Znane i lubiane postacie telewizyjne szybko pojawiały się również na ekranach kin. Na przykład Steve Martin i John Belushi z telewizyjnego programu satyrycznego *Saturday Night Live*, popularnego wśród ludzi młodych, z powodzeniem rozpoczęli karierę filmową. (Kariera Belushiego zakończyła się przedwcześnie w 1982 r. śmiercią artysty na skutek przedawkowania narkotyków). Należące do wiodących koncernów główne studia filmowe rozszerzały swą działalność na produkcję telewizyjną i zarabiały miliony sprzedając sieciom telewizyjnym swoje zalegające na półkach stare filmy. Disney Corporation nie tylko produkowała filmy, lecz również programy telewizyjne, miała w posiadaniu firmę fonograficzną i prowadziła dwa dochodowe ośrodki rozrywki (lub „tematyczne parki rozrywki") na Florydzie oraz w południowej Kalifornii. W latach dziewięćdziesiątych przemysł filmowy i inne sektory przemysłu produkującego dla potrzeb kultury masowej były tak powiązane ze sobą, że niemożliwe było zorientowanie się w ich związkach.

Kiedy zbliżały się setne „urodziny" kina, wszystko wskazywało na to, że proces adaptacji i ewolucji, który służył mu tak dobrze w latach powojennych, będzie postępował nadal i że filmy pozostaną podstawowym składnikiem amerykańskiej kultury masowej aż do XXI w. Ze wszystkich środków przekazu kultury masowej istniejących w 1945 r. radio przeszło najbardziej gruntowne przeobrażenia. W latach trzydziestych, nazywanych nieraz złotymi latami radia – popularne audycje komediowe przyciągały wielomilionową publiczność, a piętnastominutowe popołudniowe rodzinne słuchowiska zwane „mydlanymi operami" (ponieważ były sponsorowane przez producentów mydła) zyskały fanatycznie wierną publiczność. Radio zdominowane było przez 3 główne sieci, ABC, NBC i CBS, które dostarczały programów lokalnym stacjom. Program lokalny był dopasowany do struktury ogólnokrajowych programów.

Wraz z powstaniem telewizji w latach pięćdziesiątych radio utraciło na rzecz nowego konkurenta publiczność, gwiazdy oraz klientów na reklamę, i w konsekwencji radio o ogólnokrajowym zasięgu upadło. Wielu obserwatorów kultury przepowiadało powolną śmierć radia. Jednakże w rzeczywistości radio nie tylko przetrwało, ale w dodatku świetnie prosperowało. W 1967 r. „New York Times" doniósł, że liczba odbiorników radiowych w Stanach Zjednoczonych (263 mln) przekroczyła liczbę ludności tego kraju. Radio było teraz lokalnym środkiem masowego przekazu, który nie szukał jednolitej, ogólnokrajowej publiczności. W procesie zwanym „specjalizacją programów" lokalne stacje radiowe oferowały program skierowany do specyficznej grupy słuchaczy. Najbardziej popularne były stacje specjalizujące się wyłącznie w nadawaniu wiadomości, programy dyskusyjne z telefonicznym udziałem słuchaczy na żywo (tzw. talk shows) oraz stacje muzyczne. Z kolei programy muzyczne podzieliły się na takie, jak Lista Przebojów „Top 40", country and western, blues and soul, jazz, muzyka religijna, muzyka lekka, łatwa do słuchania itd. Na obszarach z dużą populacją mniejszości latynoskiej niektóre stacje radiowe nadawały programy w języku hiszpańskim. W większych miastach specjalizacja programów osiągnęła szczyty złożoności. Na przykład w latach sześćdziesiątych Nowy Jork miał aż 63 stacje radiowe skierowane do wszystkich możliwych grup potencjalnej publiczności.

W latach siedemdziesiątych na falach UKF przybyło publicznych rozgłośni radiowych i stacji nie nadających reklam. Radio Publiczne – National Public Radio (NPR), założone w 1969 r. – rozpoczęło nadawanie programów w 1971 r. Na początku lat dziewięćdziesiątych działało ogółem ponad 300 publicznych rozgłośni we wszystkich regionach kraju. Pomimo że publiczność tych rozgłośni była mniej liczna niż radia komercyjnego, była ona znaczna, szczególnie w dużych miastach oraz tam, gdzie znajdowały się uniwersytety i inne szkoły wyższe. Na poziomie ogólnokrajowym NPR dostarczało wiadomości oraz programów niekomercyjnych. Na poziomie lokalnym publiczne rozgłośnie nadawały muzykę klasyczną, jazz oraz programy dyskusyjne i niekomercyjne programy informacyjne. Publiczne radio było finansowane częściowo ze środków rządowych, dotacji firm i fundacji oraz z datków słuchaczy.

Podczas dorocznych zbiórek pieniędzy publiczne stacje radiowe i telewizyjne zachęcały ofiarodawców nagrodami w postaci koszulek bawełnianych czy kubków do kawy.

Reasumując, radio, podobnie jak kino, przetrwało i przystosowało się do telewizji. W latach dziewięćdziesiątych, mimo że nie było już dominującym środkiem masowego przekazu tak jak przed II wojną światową, pozostało kluczowym komponentem kultury masowej.

Nawet przy tak wielkim znaczeniu dzienników, czasopism, nagrań, filmów i radia, nie można mówić o amerykańskiej kulturze masowej po 1945 r. bez porównania jej z dominującym gigantem, jakim jest telewizja. Żadne z nich nie powstało w tak szybkim tempie ani nie odegrało bardziej dominującej roli w kulturze masowej. Podstawowa technologia telewizyjna została opracowana w latach dwudziestych i trzydziestych, a pierwsza komercyjna transmisja z otwarcia nowojorskich targów światowych przez prezydenta Franklina D. Roosevelta nastąpiła w 1939 r. Jednak II wojna światowa opóźniła rozprzestrzenienie się nowego środka przekazu. W 1946 r. tylko w ośmiu tysiącach gospodarstw domowych w nielicznych dużych miastach były odbiorniki telewizyjne. Natomiast lata pięćdziesiąte były latami dynamicznego rozwoju telewizji. W 1954 r. firma produkująca mrożonki wypuściła na rynek produkt o nazwie „Telewizyjny obiad", dzięki któremu widzowie nie musieli „odrywać się" od migającego ekranu telewizyjnego nawet w czasie posiłku. W latach siedemdziesiątych 60 mln gospodarstw domowych było w posiadaniu telewizora, ponad 600 lokalnych stacji telewizyjnych nadawało program, a roczne zyski przemysłu przekroczyły 2 mld dolarów. W 1967 r. „New York Times Magazine" w jednym z artykułów oszacował, że statystyczny osiemnastolatek przez całe życie spędził 17 tys. godzin przed telewizorem i tylko 12 tys. godzin na lekcjach.

Dominacja telewizji w świecie kultury masowej ostatecznie umocniła się w latach siedemdziesiątych i osiemdziesiątych. We wczesnych latach dziewięćdziesiątych niemal w każdym domu w kraju był co najmniej 1 telewizor, a w wielu było ich kilka. W 1970 r. przeciętny widz spędzał przed telewizorem średnio 6 godzin dziennie, a w 1990 r. czas ten wzrósł do około 7 godzin. Rekord wszechczasów w oglądalności padł 28 lutego 1983 r., gdy 50 mln Amerykanów oglądało ostatni odcinek serialu komediowego *M*A*S*H*, którego akcja toczyła się w nietypowej scenerii polowego szpitala podczas wojny koreańskiej.

Rozwój telewizji w dużej części przebiegał według schematu wytyczonego już uprzednio przez radio. Sieci radiowe – CBS, NBC i ABC – szybko przerzuciły się na telewizję i w połowie lat pięćdziesiątych przygotowywane przez nie programy dominowały w telewizji. Telewizja naśladowała radio również w tym, że jej dochody zależały od komercyjnych sponsorów. Rządowe przepisy dotyczące telewizji także powielały wzory przyjęte wcześniej dla radia. Ponieważ zarówno radio, jak i telewizja używały publicznych fal, rząd ustalił swoje prawo do określania przepisów. Federalna Komisja ds. Radia, powołana w 1927 r., przeobraziła się w 1934 r. w Federalną Komisję Masowego Przekazu (Federal Communications Commission, FCC) i rozszerzyła na radio i telewizję zakres swych kompetencji w sprawie wydawania licencji i ustalania przepisów. Pomimo to FCC odgrywała zadziwiająco niewielką rolę w kształtowaniu ewolucji telewizji. Wydawała licencje kanałom telewizyjnym i opracowywała wytyczne wyznaczające minimalną obowiązkową liczbę programów niekomercyjnych, określające górną granicę czasu antenowego wykorzystywanego na reklamy oraz wymagające przestrzegania społecznych norm obyczajowych. Jednakże jako instytucja regulująca działalność mediów, FCC postępowała bardzo ostrożnie. Wprawdzie od stacji telewizyjnych chcących przedłużyć licencję wymagano udowodnienia, że przestrzegają one wytycznych FCC, ale w praktyce odmowa przedłużenia licencji zdarzała się niesłychanie rzadko.

Podczas kadencji prezydenckiej Ronalda Reagana (1981–1989) dominowało podejście „laissez-faire" i FCC ograniczyła swą rolę regulatora działalności mediów, zaniechała wytycznych nakazujących nadawanie programów służących dobru publicznemu oraz zwiększyła dopuszczalny czas antenowy na reklamy. Grupy reformatorskie od czasu do czasu domagały się ostrzejszych przepisów dla stacji telewizyjnych dotyczących programów publicystycznych, bardziej rygorystycznych przepisów w sprawie reklam (szczególnie w programach dla dzieci) oraz ograniczeń dotyczących seksu i przemocy w telewizji. Jednak przemysł telewizyjny efektywnie stawił czoło większości takich kampanii, wysuwając jako argument samokontrolę widzów i wolną konkurencję. Twierdził, że indywidualni widzowie mają całkowitą kontrolę nad telewizją w sensie wolnego wyboru, czy włączyć, czy też wyłączyć telewizor. Pomimo to w 1990 r. aktywiści odnieśli zwycięstwo, gdy Kongres uchwalił ustawę o telewizji dziecięcej (Children's Television Act). Ustawa ta ograniczała liczbę reklam dozwolonych w czasie trwania programów dla dzieci i, jako warunek odnowienia licencji stacjom telewizyjnym, zaleciła, żeby nadawane przez stację programy dla dzieci „spełniały funkcje edukacyjne i informacyjne".

Ogromna widownia przyciągana przez telewizję i siła przekonywania reklam telewizyjnych spowodowały duże zainteresowanie amerykańskiego biznesu. W 1975 r. jedna minuta reklamy w programie popularnej sieci telewizyjnej mogła kosztować nawet 120 tys. dolarów. W latach osiemdziesiątych pojedyncza 30-sekundowa reklama w trakcie transmisji z rozgrywek futbolowych Super Bowl osiągnęła zawrotną cenę 675 tys. dolarów. W 1990 r. łączne obroty z reklam przekroczyły 26 mld dolarów. Potężne zaplecze technologiczne oraz utalentowani i kreatywni pracownicy uczestniczyli w produkcji reklam samochodów, lodówek, aspiryny, piwa, szamponów, dezodorantów, środków do prania, płatków świadaniowych, pokarmu dla zwierząt domowych, papieru toaletowego, płynów do płukania jamy ustnej, protez zębowych i środków na hemoroidy.

Od samego początku sponsorzy programów telewizyjnych, podobnie jak sponsorzy audycji radiowych oraz ogłoszeniodawcy w prasie, pragnęli dotrzeć do jak najszerszego grona potencjalnych klientów. W praktyce oznaczało to, że wybierali programy przeznaczone dla szerokiego kręgu widzów. W latach pięćdziesiątych telewizja była zdominowana przez błazeńskie komedie, takie jak te z udziałem Miltona Berle, pierwszej telewizyjnej supergwiazdy; programy rozrywkowe, takie jak *The Ed Sullivan Show*; dramaty policyjne jak *Dragnet* i westerny jak *Gunsmoke*. Radiowe opery mydlane szybko pojawiły się także w popołudniowej telewizji.

Pogoń za popularnością sprawiała, że telewizja od samego początku odzwierciedlała aktualne tendencje w kulturze. Na przykład dobrobyt i materializm lat pięćdziesiątych wyrażał się w teleturniejach, takich jak *Pytanie za 64 tysiące dolarów*, w którym zawodnicy walczyli o nagrody pieniężne, które były coraz wyższe, aby przyciągnąć jak najwięcej widzów. W jednym z podobnych programów zawodnicy ścigali się w supermarkecie, usiłując w ciągu kilku minut załadować jak największą ilość towarów do wózków sklepowych. W 1959 r. nastąpił spadek popularności teleturniejów, gdy niezadowoleni zawodnicy ujawnili, że niektórzy z nich jeszcze przed programem otrzymywali odpowiedzi na pytania.

Lata pięćdziesiąte charakteryzowały się wysokim wskaźnikiem urodzeń oraz rozkwitem gospodarstw domowych na przedmieściach, i to również znalazło odbicie w telewizji. W komediach sytuacyjnych, takich jak *Ojciec wie najlepiej* (*Father Knows Best*), *Ozzie i Harriet* (*Ozzie and Harriet*), *Zróbcie miejsce dla tatusia* (*Make Room for Daddy*) i *To w stylu Beavera* (*Leave it to Beaver*) mądrzy ojcowie, matki w fartuchach kuchennych i nad wiek rozwinięte dzieci z białych, średnio zamożnych klas mieszkających na przedmieściach borykali się z problemami możliwymi do rozwiązania w ciągu 30 minut. Podobnie jak w filmach kinowych, postaci kobiece w filmach telewizyjnych rzadko pojawiały się w rolach innych niż żony, matki i gospodyni domowej. Utalentowana aktorka komediowa Lucille Ball doprowadziła do skrajności konwencję komedii rodzinnej w swoim niezwykle popularnym i wielokrotnie emitowanym serialu *Kocham Lucy* (*I love Lucy*).

Tylko od czasu do czasu telewizja decydowała się na nadawanie bardziej ambitnych programów. Niektóre programy teatru telewizyjnego, takie jak *Studio Jeden* (*Studio One*) i *Playhouse 90* oraz magazyn *Omnibus*, zajmowały się aktualnymi sprawami w poważny i przemyślany sposób. Możliwość kształtowania nastrojów społecznych przez telewizję została zaprezentowana w 1953 r. przez ostry reportaż Edwarda R. Murrowa w sieci CBS na temat polującego na komunistów demagogicznego senatora Josepha McCarty'ego.

W rok później Amerykanie śledzili jak zahipnotyzowani transmisję z przesłuchania generała, którego McCarthy oskarżył o to, że w siłach zbrojnych Stanów Zjednoczonych roi się od komunistów. W szczególnie dramatycznym momencie prawnik reprezentujący siły zbrojne, Joseph Welch, zwrócił się do McCarthy'ego, który usiłował podważyć reputację współpracującego z nim młodego adwokata, i drżącym z gniewu głosem powiedział: „Senatorze, czy naprawdę nie wie pan, co to przyzwoitość?".

McCarthy poniósł porażkę i został zdyskredytowany, gdy Amerykanie na własne oczy ujrzeli jego gniewne spojrzenie, usłyszeli jego zaciekłe oskarżenia i dostrzegli jego taktykę. Jak skomentował jeden z obserwatorów, „McCarthy poniósł porażkę, ponieważ telewidzowie mogli mu się dobrze przyjrzeć... i nie podobało im się to, co zobaczyli i usłyszeli".

W latach sześćdziesiątych i później kontynuowano co prawda ograne formuły marketingu telewizyjnego, ale telewizja bardziej trafnie odzwierciedlała różnorodność amerykańskiego społeczeństwa i całego świata. Wraz z wysłaniem w kosmos w 1963 r. satelity Telestar II ogólnoświatowa sieć telewizyjna stała się rzeczywistością. Sieci telewizyjne inwestowały coraz więcej w przekazywanie wiadomości; Amerykanie mogli np. oglądać demonstracje na rzecz praw obywatelskich atakowane przez policję podczas przedwyborczej konwencji Partii Demokratycznej w 1968 r. w Chicago.

Byli także świadkami brutalnych scen z samej wojny w Wietnamie, oglądali dzieci palone przez napalm, wioski podpalane przez żołnierzy uzbrojonych w zapalniczki i młodego człowieka, któremu urzędnik z Wietnamu Południowego strzela w głowę na ulicy Sajgonu. Po wycofaniu się w 1968 r. z walki o prezydenturę, Lyndon Johnson gorzko obwiniał telewizję o brak poparcia dla wojny w Wietnamie. Pod koniec lat sześćdziesiątych telewizja stała się wpływowym czynnikiem w życiu politycznym Stanów Zjednoczonych.

Telewizja coraz wyraźniej kształtowała kampanie wyborcze, a kandydaci koncentrowali się na spektakularnych gestach, które wyglądałyby efektownie w telewizji, i kondensowali swe przesłania do chwytliwych sloganowych haseł („sound-bites"). Bardzo wyrównana prezydencka kampania wyborcza w 1960 r. była zdeterminowana przez telewizyjne debaty kandydatów, gdy elegancki i elokwentny John Kennedy zdawał się być o wiele bardziej „prezydencki" niż niezdarny i skrępowany Richard Nixon. Pewien dziennikarz napisał w 1967 r.: „Kiedy historycy oceniają Johna F. Kennedy'ego, niech nie ignorują jego występów telewizyjnych. Dopóki nie zobaczą charyzmy w jego telewizyjnych wystąpieniach, nie zrozumieją, dlaczego został idolem większości Amerykanów".

Ronald Reagan, zawodowy aktor, okazał się być mistrzem telewizji. Krytycy ubolewali nad płytkością oraz niewrażliwością „prywatnego" Reagana, ale w telewizji, gdy wygłaszał swoje starannie przygotowane kwestie, odbierany był jako rozważny, wyrozumiały i głęboko zaangażowany w daną sprawę. Jak napisał dziennikarz „Washington Post", Haynes Johnson: „Ronald Reagan i telewizja pasowali do amerykańskiego społeczeństwa jak wtyczka do kontaktu. ... Był Królem Słońce, kierującym z Białego Domu nowymi narodowymi uroczystościami. Pod jego rządami zacierały się granice pomiędzy wiadomościami i rozrywką, polityką i reklamą".

Znamiennym incydentem podczas kampanii wyborczej w 1984 r. było pokazanie przez Leslie Stahl, prezenterkę wiadomości w sieci ABC, filmu nakręconego podczas wizyty Reagana na Olimpiadzie Specjalnej (imprezie dla dzieci niepełnosprawnych) jako tła do jej komentarza na temat zmniejszenia dotacji budżetowych na programy na rzecz niepełnosprawnych. Ku jej zaskoczeniu po programie otrzymała telefon od doradcy Reagana do spraw mediów z podziękowaniem za wspaniały reportaż. Kiedy Stahl przypomniała mu o swoim negatywnym komentarzu, odpowiedział: „Nikt nie słuchał tego, co pani mówiła. Wszyscy oglądali baloniki, flagi, narodowe barwy: czerwony, biały i niebieski. Ludzie, czy wy jeszcze nie zrozumieliście, że obraz zawsze jest sugestywniejszy niż przekaz słowny?"

Podczas kampanii wyborczej w 1988 r. George Bush, który nie prezentował się publicznie tak naturalnie jak Reagan, swoją kampanię w telewizji prowadził inaczej. Bush pokazywał się w fabrykach produkujących flagi i w innych miejscach wywołujących patriotyczne skojarzenia, streszczał swoje przesłania w sloganach, które z sukcesem były prezentowane w wieczornych wiadomościach i dawał do emisji wyrafinowane negatywne reklamy skierowane przeciwko swojemu rywalowi, gubernatorowi stanu Massachusetts, Michaelowi Dukakisowi. Jedna z krytykowanych reklam ukazywała Murzyna, który popełnił morderstwo oraz gwałt, będąc na warunkowym zwoleniu dzięki programowi forsowanemu przez Dukakisa. Reklama ta została potępiona jako jawne odwołanie się do uprzedzeń i stereotypów rasowych.

Oprócz polityki telewizja miała wpływ niemal na każdą dziedzinę życia amerykańskiego społeczeństwa. Na przykład sport stawał się coraz bardziej komercyjny, gdy transmisje rozgrywek profesjonalnego baseballu, koszykówki i futbolu przyciągały szeroką widownię i przynosiły miliony dolarów za reklamy największych firm. W 1990 r. z dziesięciu programów, które przyciągnęły największą liczbę widzów w historii telewizji, osiem były to wydarzenia sportowe: doroczne mistrzostwa zawodowego futbolu lub rozgrywki baseballowe Super Bowl. Negocjacje kontraktowe pomiędzy zawodowymi ligami sportowymi i sieciami telewizyjnymi były wielkimi wydarzeniami dla dużych firm komercyjnych, gdzie w grę wchodziły miliony dolarów i w których zatrudniano całe armie prawników. Sieć NBC zapłaciła 300 mln dolarów za prawo do transmitowania Igrzysk Olimpijskich 1988 r. w Seoulu. Największe gwiazdy profesjonalnego sportu zarabiały dodatkowe miliony dolarów na reklamowaniu produktów (poważny kryzys dla wielkich firm nastąpił w 1991 r., gdy gwiazda koszykówki z Los Angeles, Magic Johnson, który reklamował wiele produktów, ogłosił, że jest nosicielem wirusa HIV).

Krytycy podnieśli lament, że wpływ telewizji niszczy tradycję sportu amatorskiego, powodując, że społeczeństwo stało się pasywnymi „kanapowymi kartoflami" („couch potatoes"). Mieli też za złe telewizji, że pokazuje nierealistyczne wzorce młodzieży amerykańskiej, a szczególnie czarnej młodzieży z miast. Ponieważ dochodowy sport zawodowy stał się wyłącznie domeną mężczyzn, telewizja intensywniej podkreślała przepaść pomiędzy płciami przez dofinansowywanie studenckich męskich drużyn sportowych, co wywołało gorzkie skargi w kręgach ruchu feministycznego.

Telewizja miała duży wpływ również na życie religijne Amerykanów. Telewizyjni kaznodzieje przyciągali szerokie rzesze widzów swoimi „błyskotliwymi" programami oraz płaczliwymi prośbami o pieniądze. Jeden z popularnych kaznodziejów telewizyjnych, Oral Roberts, ostrzegał swoich zwolenników, że Bóg „wezwie go do siebie", jeżeli nie ofiarują szybko 9 mln dolarów. Ewangelista Billy Graham (znacznie bardziej etyczny i mniej interesowny niż wielu innych) zbudował swą karierę dzięki telewizji. W 1979 r. inny kaznodzieja, Jerry Falwell, wykorzystując swoją popularność w mediach, założył organizację pod nazwą Moralna Większość (Moral Majority), której celem było wspieranie konserwatywnych kandydatów i ich poglądów, włącznie z Ronaldem Reaganem. Pod koniec lat osiemdziesiątych niektórzy obserwatorzy doszli do wniosku, że „elektroniczny kościół" odbiera lokalnym parafiom wiernych i płynące stąd pieniądze, przez co praktycznie „podkopuje" korzenie amerykańskiego życia religijnego.

Podobie jak filmy, komercyjna telewizja w swym dążeniu do zapewnienia reklamującym się w niej klientom jak najszerszego kręgu odbiorców gorliwie podążała za aktualnymi prądami zmian społecznych i kulturowych. Murzyni praktycznie nie pojawiali się w telewizji w latach pięćdziesiątych, ale wraz ze wzrostem aktywności czarnej mniejszości w latach sześćdziesiątych niektóre programy nieśmiało wprowadzały czarnoskóre postacie – Ossie Davis w komedii policyjnej *Wóz 54 – zgłoś się* (*Car 54 – where are you*?), Bill Cosby w *Ja szpieg* (*I Spy*), Diahann Carroll jako pielęgniarka w filmie *Julia*. Pod koniec lat osiemdziesiątych Cosby stał się jedną z najbardziej poszukiwanych gwiazd *The Cosby Show*. Serial komediowy o zamożnej rodzinie inteligenckiej zyskał ogromną popularność wśród widzów i był emitowany przez wiele lat.

Zmieniająca się rola kobiety w społeczeństwie również znalazła odbicie w świecie telewizji. W latach osiemdziesiątych w filmach telewizyjnych kobiety grały role lekarek, prawniczek i detektywów, a w wielu programach informacyjnych można było oglądać kobiety jako prezenterki wiadomości.

Podobnie jak kino, telewizja amerykańska była oglądana na całym świecie, kształtując obraz życia Stanów Zjednoczonych i nierzadko zniekształcając rzeczywistość. Już w latach sześćdziesiątych popularne seriale, takie jak western *Bonanza*, były oglądane w 80 krajach. Przebój telewizyjny lat osiemdziesiątych, serial *Dallas*, ukazujący burzliwe perypetie rodziny milionerów naftowych z Teksasu, zyskał szeroką międzynarodową widownię. W 1990 r. magazyn „Fortune" oszacował, że wartość rocznej sprzedaży programów telewizji amerykańskiej do samej tylko Europy wynosi 600 mln dolarów. Pewien jamajski dziennikarz powiedział o wpływie amerykańskiej telewizji: „Na podstawie tego, co mieszkańcy Jamajki oglądają w telewizji, wszyscy tutaj myślą, ... że wszystko w Ameryce jest wspaniałe. Filmy takie jak «Dallas» kreują obraz Stanów Zjednoczonych jako kraju mlekiem i miodem płynącego. Sugerują, że pieniądze i dobrobyt są jedyną wartością na tym świecie".

Telewizja publiczna, chociaż była tylko bladym cieniem swej komercyjnej kuzynki jeżeli chodzi o wielkość widowni oraz wpływy ekonomiczne, pomimo to zyskała na znaczeniu w drugiej połowie lat sześćdziesiątych. Podobnie jak radio publiczne, była wspierana finansowo z funduszy rządu federalnego, przez firmy prywatne i fundacje oraz z kieszeni telewidzów. W 1962 r. rząd przeznaczył 50% dotacji na publiczną telewizję edukacyjną w wysokości 32 mln dolarów na okres 5 lat. Ustawa o Publicznym Radiu i Telewizji (The Public Broadcasting Act) z 1967 r. powołała piętnastoosobowy Zarząd Publicznego Radia i Telewizji (Public Broadcasting Corporation), który miał przydzielać fundusze rządowe i prywatne na telewizję publiczną.

Pomimo niskiej oglądalności telewizji publicznej, odsetek widzów zamożnych i wykształconych był niewspółmierny w stosunku do telewizji komercyjnej. Jednakże nie nadająca reklam publiczna telewizja reklamowała swoich sponsorów, jak IBM, Mobil, Texaco, Pepsico i giganta ubezpieczeniowego Atena, ułatwiając im tym samym interesy, udowadniając ich dobre chęci oraz utrwalając ich znak firmowy w świadomości bogatych i wpływowych widzów.

Telewizja publiczna umożliwiała Amerykanom udział w specjalnych wydarzeniach muzycznych, dostarczała rozsądnych programów informacyjnych, takich jak McNeill–Lehrer News Hour i oferowała programy brytyjskie od komedii grupy Monty Python po bogato wystawione dramaty historyczne z produkowanej przez BBC serii „Teatr Arcydzieł" („Masterpiece Theatre").

Telewizja publiczna zapoczątkowała programy dla dzieci *Ulicą Sezamkową* (*Sesame Street*), programem, który za pomocą dowcipnych skeczów i krótkich filmów animowanych uczył podstaw czytania, rachowania i logicznego myślenia, a także tolerancji i umiejętności współżycia w społeczeństwie. (W telewizji komercyjnej niektóre programy dla dzieci, takie jak *Kapitan Kangur i sąsiedzi Pana Rogera – Capitain Kangaroo and Mister Rogers' Neighborhood* – były chwalone, ale pokazywane w sobotnie przedpołudnia smętne kreskówki zebrały wiele ostrych uwag krytycznych za swoją bezmyślność, mechaniczną fabułę i natrętne reklamy zabawek i płatków śniadaniowych, skierowane do chłonnej młodej widowni).

Powstanie nowych technologii nie pozostało bez wpływu na telewizję. W 1964 r. Kongres postawił wszystkim producentom sprzętu telewizyjnego wymaganie, aby odbiorniki mogły odbierać nie tylko fale o bardzo wysokiej częstotliwości (VHF), lecz również te o ultra wysokiej częstotliwości (UHF), umożliwiając tym samym odbiór ponad 80 kanałów. W 1967 r. wiele nowych kanałów rozpoczęło emisję. W latach siedemdziesiątych powstały firmy, które za opłatą instalowały telewizję kablową, umożliwiającą abonentom odbiór wielu kanałów za pośrednictwem kabli podłączonych do linii telefonicznych. Abonenci telewizji kablowej nie tylko mogli oglądać o wiele więcej programów, lecz także jakość odbioru była nieporównywalnie lepsza niż przy odbiorze za pośrednictwem anteny. Dzięki falom UHF oraz telewizji kablowej zaczęła wzrastać oglądalność kanałów należących do sieci telewizyjnych. Pod koniec lat osiemdziesiątych programy sieciowe przyciągały 75% całej widowni.

Podobnie jak w przypadku czasopism, innowacje technologiczne przyczyniły się do daleko idącego podziału widowni. Odbierając UHF i telewizję kablową widzowie mogli wybierać pomiędzy kanałami sportowymi, programami przeznaczonymi dla kolorowej mniejszości, charakteryzującym się swobodą obyczajową kanałem „Playboy", nadawanymi nonstop programami religijnymi, kanałami prezentującymi filmy klasyczne, całodobowymi wiadomościami z dziedziny biznesu i finansów, muzyczną telewizją MTV, prezentującą najnowsze teledyski, oraz innymi wyspecjalizowanymi programami. Na kanale HBO (Kino Domowe – Home Box Office) można było oglądać najnowsze filmy; całodobowe wiadomości CNN (Cable News Network) lub, dla prawdziwych masochistów, transmisje całości obrad Kongresu w sieci C-Span.

Inną nowością, która zasadniczo wpłynęła na kierunek rozwoju telewizji i odebrała widzów konwencjonalnej telewizji, było pojawienie się magnetowidów. Magnetowidy po raz pierwszy znalazły się w sprzedaży w latach sześćdziesiątych, ale gwałtowny wzrost podaży nastąpił w latach osiemdziesiątych. Wkrótce w 70% domów amerykańskich były magnetowidy. W połączeniu z magnetowidem telewizor mógł być wykorzystywany do gier wideo lub do odtwarzania wypożyczonych wideokaset. Na początku lat dziewięćdziesiątych można było wypożyczyć i obejrzeć w domu na własnym telewizorze setki filmów hollywoodzkich za niewygórowaną cenę (najczęściej około 2 dolarów). Często wydanie kasety z filmem następowało już kilka miesięcy po jego wprowadzeniu na ekrany kin. Każdego popołudnia setki tysięcy telewizorów w całej Ameryce odtwarzały wypożyczone filmy częściej niż programy telewizyjne.

Pojawienie się magnetowidów spowodowało zacieranie się granicy między telewizją i przemysłem filmowym, gdyż producenci filmów ciągnęli ogromne zyski z wypożyczania filmów w formie kaset wideo. W 1986 r. w Stanach Zjednoczonych było więcej wpożyczalni kaset wideo (24 tys.) niż kin (20 tys.). W 1990 r. tygodnik „Fortune" podał, że wypożyczanie i sprzedaż kaset wideo stanowiły największe źródło dochodów Hollywoodu.

U schyłku XX w. telewizja w dalszym ciągu jest dominującym „Mount Everestem" amerykańskiej kultury masowej. Jednakże podobnie jak przemysł kultury masowej jako całość i jak samo społeczeństwo amerykańskie, telewizja kontynuowała ewolucję w sposób, który trudno było przewidzieć, gdy ten nowy środek masowego przekazu po raz pierwszy zawojował Amerykę w latach pięćdziesiątych.

Przez te wszystkie lata przemysł kultury masowej, a w szczególności telewizja, wywołały ostrą krytykę z różnych stron. Niektórzy potępiali generalną tendencję mediów do rozpowszechniania i wspierania prostackiej propagandy zimnej wojny, uprawianej przez kolejne rządy w Waszyngtonie. Inni, posługując się obszernymi dowodami, wykazywali, w jaki sposób media umacniały kulturowe stereotypy kobiet, Murzynów, Indian, Latynosów, Azjatów i innych grup społecznych.

Religijni konserwatyści, jak Jerry Falwell, atakowali filmy, telewizję, muzykę rockową i czasopisma erotyczne, takie jak „Playboy" za propagowanie seksu i przemocy. W swojej książce *Domowi najeźdźcy* (*The Home Invaders*, 1987) pastor Doland E. Wildmon z Narodowego Ruchu na Rzecz Przyzwoitości (National Federation for Decency) potępiał większość programów telewizyjnych jako „falę zatruwającą umysły, która pochłonie nas wszystkich!" Jednak wysiłki Wildmona i innych w celu zorganizowania bojkotów sponsorów obrazoburczych programów spotkały się z niewielkim poparciem.

Inna linia krytyki skupiona była na manipulacyjnych technikach firm reklamujących się w środkach masowego przekazu. Vance Packard wzbudził duże zainteresowanie swoją polemiczną książką *Ukryta perswazja* (*The Hidden Persuaders*, 1957) uaktualnioną w 1980 r., obnażającą prawdę o amerykańskiej reklamie. Wielu innych krytyków podążyło śladem Packarda. Bill Moyers, krytyk literacki i dziennikarz, we wczesnych latach osiemdziesiątych, oskarżał przemysł telewizyjny o to, że: „widzi Amerykę jako wielką jednolitą społeczność konsumentów – jako rynek, nie jako państwo".

Inni krytycy zarzucali większości programów telewizyjnych banalność i bezbarwność. Jedną z pierwszych wypowiedzi na ten temat była pamiętna mowa przewodniczącego FCC Newtona Minowa. Zwracając się do Krajowego Stowarzyszenia Radia i Telewizji Minow wezwał słuchaczy do oglądania swoich własnych programów przez 24 godziny: „Zobaczycie paradę teleturniejów, przemoc, programy z udziałem publiczności, komedie o całkowicie niewiarygodnych rodzinach, krew i gromy, zniszczenie, przemoc, sadyzm, morderstwa, złych i dobych bohaterów Dzikiego Zachodu, prywatnych detektywów, gangsterów, jeszcze więcej przemocy i kreskówki. A w końcu reklamy – krzyczące, kuszące pochlebstwami i obraźliwe. A przede wszystkim zobaczycie nudę. Wprawdzie obejrzycie kilka rzeczy, które wam się spodobają, ale tylko kilka. Telewizja – wnioskował Minow w często cytowanej wypowiedzi

– stała się rozległym nieużytkiem". W kolejnych latach w książkach, czasopismach i gazetach wiele razy cytowano i rozwijano oskarżenie Minowa.

Widząc problem jako bardziej złożony, inni krytycy oskarżali media, a szczególnie telewizję, o kształtowanie społeczeństwa biernych, bezczynnych i apatycznych konsumentów, którzy zdobywają doświadczenia życiowe poprzez oglądanie doświadczeń innych, jak błyszczące fotografie, migające obrazy na ekranie lub dźwiękowe przesłania wydobywające się z magnetofonu bądź odtwarzacza kompaktowego. Z tej perspektywy, twierdzili krytycy, wszystkie doświadczenia zredukowane są do wspólnego poziomu przez media, które je przekazują. Na przykład sceny ukazujące eksplozję bomby podłożonej w samochodzie w Bejrucie, głodujące dzieci w Etiopii, wściekli klienci w moskiewskich sklepach, seria z karabinu maszynowego oddana z jadącego samochodu w opanowanym przez narkomanów wielkomiejskim getcie, pokaz mody w podmiejskim centrum handlowym i reklamy perfum lub środków odchudzających pojawiają się na ekranie telewizyjnym w pięciominutowych odstępach, tworząc kakofonię dysonansów i pozornie nie związanych ze sobą wrażeń zmysłowych. Jeden z pisarzy zakończył swój napisany w 1982 r. esej na temat wpływu telewizji ponurym obrazem Amerykanów „metaforycznie przykutych do swoich telewizorów i, podobnie jak mieszkańcy jaskini Platona, nie widzących znajdującej się za nimi rzeczywistości, niezdolnych do rozróżnienia pomiędzy cieniem i materią".

Jeszcze inni krytycy atakowali środki masowego przekazu za ich rzekomo zgubny wpływ na politykę. W tym duchu utrzymana była książka Joe McGinnisa *Sprzedanie Prezydenta* (*The Selling of the President*, 1970), demaskująca manipulacje środków masowego przekazu, stosowane przez doradców Richarda Nixona w czasie kampanii prezydenckiej 1968 r. W książce *Zabawić się na śmierć* (*Amusing Ourselves to Death*, 1985) Neil Postman zestawił niski poziom politycznych kampanii telewizyjnych z tym, co uważał za wyższy poziom debaty politycznej, której przykładem były dziewiętnastowieczne debaty pomiędzy Abrahamem Lincolnem i Stephenem A. Douglasem w ich senackiej kampanii w 1858 r.

W znanym filmie fantastyczno-naukowym *Fahrenheit 451* (1953) Ray Bradbury przedstawił obraz przyszłego społeczeństwa uzależnionego od państwowego systemu telewizji, która dostarcza nonstop banalnej rozrywki na gigantycznych ekranach pokrywających wszystkie cztery ściany pokoi w większości domów. W utopii Bradbury'ego państwo dowolnie manipuluje umysłami obywateli za pomocą absolutnej kontroli nad aparaturą telewizyjną. Dla niektórych krytyków kultury masowej w latach późniejszych koszmarna wizja Branbury'ego zdawała się być niepokojąco prorocza.

Nawet publiczna telewizja nie uniknęła krytyki. Niektórzy krytycy, powtarzając argumenty Dwighta Macdonalda z jego słynnego eseju z 1960 r. zatytułowanego *Masscult and Midcult*, zarzucali telewizji publicznej, że oferuje zdeprecjonowaną i rozwodnioną wersję kultury elitarnej i woli prezentować „intelektualne opery mydlane", niż ryzykować przedstawianie programów kontrowersyjnych bądź awangardowych. Fakt, że dotacje firm stanowiły znaczącą i rosnącą część funduszy telewizji publicznej, również wywoływał sceptyczne odczucia co do jej aspiracji bycia niezależną i autonomiczną. Nawet *Ulica Sezamkowa*, mawiali niektórzy, zbyt bezkrytycznie przyjęła konwencje telewizji komercyjnej. Główny efekt „reklamy" litery R czy cyfry 7 był taki, że dzieci bez zastanowienia akceptowały reklamy telewizyjne i konsumpcyjne podejście do życia, które się za nimi kryło.

Taka krytyka bez wątpienia dawała efekty i do pewnego stopnia mogła wpływać na media. Jednakże dla osób zarządzających wielkimi firmami i dających reklamy, odgrywających kluczową rolę w kształtowaniu kultury masowej, dotarcie do jak najszerszej widowni zwykle liczyło się bardziej niż uszczypliwe uwagi pojedynczych krytyków.

Kultura masowa miała zarówno swych przeciwników, jak i obrońców. Ci drudzy utrzymywali, że jest ona w najgorszym przypadku nieszkodliwym źródłem rozrywki dla wielu milionów ludzi, a w najlepszym przypadku przekaźnikiem wiedzy, szerszej świadomości kulturowej i informacji o świecie dla niezwykle dużej części ludności. Na temat telewizji pisał m.in. kanadyjski uczony Marshall McLuhan, którego poglądy cieszyły się dużą popularnością w latach sześćdziesiątych i siedemdziesiątych. W swoich publikacjach *Galaktyka Gutenberga* (*The Gutenberg Galaxy*, 1962) i *Zrozumieć media* (*Understanding Media*) McLuhan nie zajmował się specyficzną treścią programów telewizyjnych, interesowała go natomiast natura samego przeżycia, jakim jest oglądanie telewizji – przeżycia gruntownie odmiennego od tego, jakim jest czytanie symboli linearnych na zadrukowanej stronie. „Środek jest przekazem" („The medium is the message") brzmiał słynny aforyzm McLuhana. W najbardziej wizjonerskiej części książki McLuhan przewidział powstanie „globalnej wioski" połączonej przez telewizję więzami wspólnego doświadczenia i wzajemnej sympatii.

Co więc wynika z tej pobieżnej analizy amerykańskiej kultury masowej po 1945 r.? Analiza ta daje pojęcie o złożoności i wszechstronności przemysłu produkującego dobra kultury masowej w jej różnych przejawach. Pisząc historię XX w. uczeni mogą dojść do wniosku, że największym wkładem Stanów Zjednoczonych było wynalezienie i udoskonalenie machiny dostarczającej zabawy i rozrywki dla mas.

Znaczenie tego wkładu sugeruje pokaźna statystyka eksportu kultury masowej Stanów Zjednoczonych. W 1990 r. kultura masowa była drugim pod względem opłacalności „towarem" eksportowym, ustępując jedynie przemysłowi lotniczemu. W 1988 r. amerykański przemysł rozrywkowy zarobił na eksporcie 5,5 mld dolarów. W 1990 r. czasopismo „Fortune" poświęciło sporą część jednego z numerów „najbardziej opłacalnemu eksportowi Stanów Zjednoczonych: kulturze masowej". Wśród wielu zaskakujących danych „Fortune" podał, że amerykański przemysł muzyczny – głównie rock i inne gatunki muzyki popularnej – 70% swoich dochodów uzyskał ze sprzedaży za granicę.

Prymat Stanów Zjednoczonych w dziedzinie kultury masowej został uznany również przez wiele zagranicznych firm i międzynarodowych koncernów, które inwestowały olbrzymie sumy w amerykański przemysł rozrywkowy w latach osiemdziesiątych i dziewięćdziesiątych. W 1989 r. japoński koncern Sony Corporation nabył Columbia Pictures za 3,4 mld dolarów. Aby nie dać się prześcignąć, inna firma japońska Matsushita Corporation, wiodący producent magnetowidów, kupiła MCA–Universal, czołowy amerykański koncern rozrywkowy, za 7 mld dolarów. W tym samym czasie niemiecki koncern Bertelsmanna wykupił wytwórnię płytową RCA Records, a australijski potentat Rupert Murdoch zyskał kontrolę nad wytwórnią filmową 20-th Century Fox oraz nad „TV–Guide" („Przewodnik Telewizyjny"). W 1990 r. cztery z pięciu największych amerykańskich firm fonograficznych i cztery z ośmiu największych przedsiębiorstw filmowych miały zagranicznych właścicieli. Jeden z amerykańskich biznesmenów, który brał udział w transakcji sprzedaży wytwórni Columbia Pictures firmie SONY, skomentował: „Hollywood, w przeciwieństwie do Detroit, znalazł produkt, którego Japończycy nie są w stanie ulepszyć".

Podobny wzrost lokaty kapitału zagranicznego przeobraził rynek wydawniczy w latach osiemdziesiątych. Na początku lat dziewięćdziesiątych Bertelsmann był również właścicielem wielkich wydawnictw Bantam, Doubleday i Dell; Rupert Murdoch zawładnął wydawnictwem Harper Collins i podległymi mu wydawnictwami Basic Books oraz wydawnictwem religijnym Zondervan. Koncern Maxwell Communications, kierowany przez brytyjskiego potentata prasowego Roberta Maxwella (aż do jego śmierci w 1991 r.), kontrolował grupę wydawnictw Macmillan, łącznie z tak znanymi i szanowanymi wydawnictwami jak Scribner's, Atheneum, Collier's i Free Press, jak również dziennikiem „New York Daily News".

W latach dziewięćdziesiątych amerykańska kultura masowa była związana z niesłychanie skomplikowaną siecią międzynarodowych koncernów wielomiliardowymi transakcjami i zagmatwanymi związkami pomiędzy mediami drukowanymi i elektronicznymi, które poszerzały swój zakres obejmując tematyczne parki rozrywki, osiedla dla seniorów i ośrodki gier hazardowych w Las Vegas i Atlantic City. Jak napisał londyński „The Economist" w 1989 r. w studium na temat przemysłu rozrywkowego, „Ameryka jest dla rozrywki tym, czym Afryka Południowa dla złota i Arabia Saudyjska dla ropy naftowej". W ocenie światowego przemysłu rozrywkowego należy stale podkreślać jego bliski związek z konsumpcyjnym systemem kapitalistycznym. Bez wielomiliardowej sprzedaży kaset, płyt analogowych i kompaktowych przemysł muzyki popularnej nie istniałby. Bez reklam i konsumentów skłonnych do kupowania reklamowanych produktów nie istniałyby koncerny wydające wiele gazet w całym kraju i koncerny publikujące czasopisma ani radio komercyjne, nie byłoby wreszcie amerykańskiej telewizji w jej obecnej formie. Przez wiele dziesięcioleci amerykańska kultura masowa i amerykański kapitalizm konsumpcyjny współistniały ze sobą w ścisłej symbiozie. W 1971 r. ekonomista John Kenneth Galbraith zauważył, że przemysł kultury masowej, bez względu na to, czym jeszcze by się nie zajmował, funkcjonuje przede wszystkim jako silny i skuteczny instrument „do zarządzania popytem konsumentów".

Równocześnie najbardziej katastroficzne przewidywania krytyków kultury masowej nie sprawdziły się. Wizje jednolitej świadomości społecznej kształtowanej przez mroczne manipulacje mediów okazały się w dużym stopniu nieuzasadnione. Pod koniec zaskakująca okazała się nie tyle zdolność mediów do manipulowania społeczeństwem, ile ich bojaźliwość i ostrożność. Dążąc przede wszystkim do przyciągnięcia czytelników, słuchaczy i widzów, przemysł kultury masowej podążał za społecznymi i politycznymi nurtami, ale rzadko je zapoczątkowywał. Media odzwierciedlały zmiany wartości kulturowych i myśli społecznej; o wiele rzadziej przewodziły działaniom prowadzącym do tych zmian. Mimo że przemysł kultury masowej nie jest oknem, przez które widać amerykańską rzeczywistość, to jednak w każdym momencie z dokładnością rejestruje „społeczną i kulturową definicję" narodu, tworzoną przez sam naród.

Kultura masowa raczej nie była monolityczna; tendencja do postępującego podziału była coraz bardziej widoczna. Setki czasopism i stacji radiowych miały na celu dotarcie do konkretnych grup odbiorców. Producenci filmów starannie określali potencjalny rynek odbiorców specyficznych filmów. W latach dziewięćdziesiątych telewizja stała się niesłychanie wielowarstwowym i zróżnicowanym środkiem masowego przekazu, co do którego wszelkie uogólnienia były ryzykowne: była podzielona na telewizję publiczną i komercyjną, sieciową i kanały niezależne, a oprócz tego istniał podział na normalną telewizję oraz na gwałtownie rozwijający się rynek wideo. O ile poprzednia generacja obawiała się całkowitej standaryzacji społeczeństwa, to kwestią lat dziewięćdziesiątych stało się to, czy w narodzie podzielonym na coraz więcej grup konsumentów kultury masowej możliwa jest jeszcze ogólnonarodowa debata publiczna oraz wspólna kultura narodowa.

Niewątpliwie media znacząco wpłynęły na amerykańską kulturę, politykę i życie publiczne po II wojnie światowej. Jednak oczywiste jest również to, że dokładne sprecyzowanie natury tego wpływu, a szczególnie jego przyszłego rozwoju, nie jest możliwe za pomocą łatwych uogólnień. Ideologom i polemistom może się wydawać, że odpowiedzi są proste. Natomiast dla historyka kultury starającego się zachować obiektywizm i rozwagę, mogą się one okazać kłopotliwe i skomplikowane. Jeżeli amerykańska kultura masowa nie wykorzystała swej potencjalnej możliwości wzbogacania umysłu i ducha, być może odpowiedź kryje się w pamiętnej sentencji, którą Shakespeare włożył w usta Kasjusza w swym dramacie *Juliusz Cezar*: „Wina, drogi Brutusie, leży nie w naszych gwiazdach, lecz w nas samych".

Tłumaczyła *Agnieszka Kubiniec*

BIBLIOGRAFIA

America's Hottest Export, Pop Culture, „Fortune", 31 XII 1990, s. 50–60

Barnouw Erik, *Tube of Plenty: The Evolution of American Television*, Oxford University Press, N.Y. 1975

Busterna John L., *Trends in Daily Newspaper Ownership*, Journalism Quarterly, 65 (Winter 1988), s. 831–838

Fancy Free, A Survey of the [American] Entertainment Industry, „The Economist", 23 XII 1989, London, s. 3–18

Lazere Donald, ed., *American Media and Mass Culture: Left Perspectives*, University of California Press, Berkeley 1987

Newcomb Horace, ed., *Television: The Critical View*, Oxford University Press, N.Y. 1976

Rader Benjamin G., *American Sports: From the Age of Folk Games to the Age of Televised Sports*, 2nd edn. Englewood Cliffs, Prentice Hall, N.J. 1983

Rosenberg Bernard and White David M., eds., *Mass Culture*, Free Press, N.Y. 1965

Schudson Michael, *Discovering the News: A Social History of American Newspapers*, Basic Books, N.Y. 1978

Thompson David, *America in the Dark: The Impact of Hollywood Films on American Culture*, William Morrow, N.Y. 1977

Vogel Harold L., *Entertainment Industry Economics: A Guide for Financial Analysis*, Cambridge University Press, 2nd edn., Cambridge 1990

WALKA O RÓWNOUPRAWNIENIE MURZYNÓW

DAVID J. GARROW

Kiedy skończyła się II wojna światowa w 1945 r. czarni Amerykanie nadal czuli jarzmo segregacji rasowej. Dopiero w latach sześćdziesiątych XIX w., w rezultacie wojny secesyjnej, amerykańscy Murzyni po raz pierwszy uzyskali status pełnoprawnych obywateli. Zaczęli otrząsać się z niewolnictwa, które wiązało większość z nich z białymi posiadaczami w południowych stanach Stanów Zjednoczonych. Zwycięstwo Północy w wojnie secesyjnej spowodowało wprowadzenie do Konstytucji Stanów Zjednoczonych trzech poprawek – poprawki XIII, XIV i XV – które znosiły niewolnictwo, przyznawały Murzynom równe prawa i gwarantowały im prawo do głosowania. Niemniej jednak, po krótkim okresie, kiedy Murzyni z Południa odegrali aktywną rolę w polityce i sprawach publicznych, od lat osiemdziesiątych i dziewięćdziesiątych XIX w., te państwowe gwarancje praw dla Murzynów w niewielkim stopniu respektowano i rzadko kiedy wprowadzano w życie, a biali południowcy nie tylko wymuszali segregację rasową Murzynów w codziennym życiu, ale również zniechęcili prawie wszystkich Murzynów uprawnionych do głosowania do udziału w polityce państwowej i lokalnej. W 1896 r. Sąd Najwyższy Stanów Zjednoczonych, w niesławnej sprawie Plessy kontra Ferguson, w zasadzie potwierdził ten stan rzeczy przez uznanie polityki segregacyjnej „oddzielnych, lecz równych" wagonów kolejowych dla białych i czarnych. W rzeczywistości, „oddzielne" nigdy nie było naprawdę „równe". Polityka ta wyraźnie potwierdzała przekonanie większości białych o rasowej niższości Murzynów.

W latach 1896–1945 życie większości czarnych Amerykanów uległo stosunkowo niewielkiej poprawie, szczególnie tych w większości mieszkających na Południu. W niektórych miastach Północy, szczególnie w Nowym Jorku, nastąpił rozkwit w latach dwudziestych naszego stulecia życia kulturalnego Murzynów zwany Renesansem z Harlemu, ale nawet tam na różne państwowe urzędy wybierano bardzo niewielu Murzynów, a murzyńska reprezentacja w Kongresie Stanów Zjednoczonych z reguły sprowadzała się do pojedynczych przedstawicieli z Nowego Jorku i Chicago. Nawet jeżeli lata Nowego Ładu prezydentury Franklina D. Roosevelta przyczyniły się do tego, że duża liczba Murzynów z Północy przyłączyła się do Partii Demokratycznej i zerwała swe historyczne powiązania z Partią Republikańską z okresu wojny secesyjnej, uczestnictwo Murzynów w amerykańskim życiu publicznym nadal było ograniczone, a praktyki segregacyjne stosowano nagminnie nawet w dużych miastach na Północy.

Rosnąca obecność Murzynów w Partii Demokratycznej na Północy pomogła jednakże przekonać zarówno prezydenta Roosevelta, jak i jego następcę, Harry'ego Trumana, że dostęp Murzynów do równouprawnienia w zatrudnieniu w sektorze państwowym należało zapewnić dekretami prezydenckimi. Mimo iż środki te były z reguły bardziej symboliczne niż faktyczne, pomogły one w uzmysłowieniu ludziom, że dyskryminacja rasowa i segregacja są złem z punktu widzenia moralności. Ten sam pogląd został podkreślony w opublikowanym w 1944 r. klasycznym studium Gunnara Myrdala o rasach w Stanach Zjednoczonych zatytułowanym *Amerykański dylemat...*

Na klimat rasowy bezpośrednio po wojnie największy wpływ wywarł m. in. powrót tysięcy czarnych weteranów, którzy nawet w jednostkach wojskowych, w których istniała segregacja rasowa, spotykali się z bardziej liberalnym traktowaniem w innych krajach. Ci młodzi ludzie często przejawiali żywe zainteresowanie reformami w dziedzinie praw obywatelskich. Nawet na Południu wielu z nich przyczyniło się do lokalnej aktywnej działalności na rzecz czarnych obywateli. Podczas gdy w 1940 r. najwyższe wskaźniki wynosiły zaledwie 151 tys. zarejestrowanych Murzynów uprawnionych do głosowania, we wszystkich jedenastu stanach południowych (które w czasie wojny secesyjnej tworzyły Konfederację) do 1947 r. liczba ta wzrosła do 595 tys. i do 1952 r. osiągnęła 1008 tys. – co mimo wszystko ciągle jeszcze stanowiło zaledwie 20% czarnej ludności uprawnionej do głosowania.

Powrotowi Murzynów na arenę polityczną na Południu towarzyszyło wydanie w 1944 r. orzeczenia Sądu Najwyższego Stanów Zjednoczonych w sprawie Smith kontra Allwright, znoszącego to, co zwano „białymi prawyborami" – czyli wewnętrznymi prawyborami Partii Demokratycznej, w których mogli uczestniczyć tylko biali. Ponieważ w większości miast na Południu rywalizacja polityczna przebiegała jedynie w ramach Partii Demokratycznej, procedura ta zraziła zarejestrowanych nawet i uprawnionych do głosowania Murzynów. Mimo że niektórzy południowi demokraci usiłowali utrudnić wprowadzenie orzeczenia Sądu Najwyższego z 1944 r., do początku lat pięćdziesiątych Murzyni uprawnieni do głosowania mieli na Południu większy wpływ niż kiedykolwiek od lat osiemdziesiątych XVIII w. W miarę jak coraz więcej Murzynów z Południa w latach czterdziestych i pięćdziesiątych naszego wieku migrowało na Północ, w wyniku rozwoju mechanizacji rolnictwa na Południu i zmniejszenia zapotrzebowania na pracowników rolnych, wzrastało znaczenie siły czarnego elektoratu w polityce wyborczej. Zarówno demokraci, jak i republikanie starali się pozyskać tę rosnącą liczbę czarnych wyborców.

Sprawa Smith kontra Allwright nie była jedynym doniosłym zwycięstwem w Sądzie Najwyższym w dziedzinie praw obywatelskich. Cztery lata później, w 1948 r., Trybunał wydał orzeczenie w sprawie Shelly kontra Kraemer dotyczącej dyskryminacji wynajmu i kupna mieszkań, zabraniające sądom niższej instancji i instytucjom rządowym wprowadzania w życie umów mających na celu utrudnienie Murzynom nabywania własności w sąsiedztwie białych w całym kraju. I znów sprawa ta miała przede wszystkim znaczenie symboliczne. Była dalszym dowodem na to, że Sąd Najwyższy był bardziej skłonny reagować na żądania rasowej równości niż inne instancje lub instytucje rządowe. Prezydent Truman powołał Komisję do Badania Praw Obywatelskich, która przedstawiła mu potrzebę rozwoju praw obywatelskich dla Murzynów. Zlecił on również amerykańskiej armii wyeliminowanie praktyk dyskryminacyjnych. Nie miał on jednakże perspektyw na uzyskanie od Kongresu Stanów Zjednoczonych ustawodawstwa na rzecz praw obywatelskich. Było to spowodowane częściowo tym, że dużą liczbę starszych kongresmanów z Partii Demokratycznej stanowili zwolennicy segregacji z południowych stanów.

Jednakże przed 1948 r. wielu liczących się prawników w dziedzinie praw obywatelskich rozpoczęło poważną debatę, kierując się przekonaniem, że Sąd Najwyższy Stanów Zjednoczonych, w obliczu dowodów, do czego w praktyce doprowadził system „równe, lecz oddzielne", wyda wyrok przeciwko postępowaniu dyskryminacyjnemu niezależnie od tego, czy precedens Plessy'ego zostanie formalnie uznany, czy nie. Na początku należało skoncentrować wysiłki na instytucjach szkolnictwa wyższego stopnia, gdzie większość ważnych uniwersytetów stanowych na Południu – jak w zasadzie wszystkie szkoły publiczne w tym rejonie – były całkowicie poddane segregacji rasowej. Mimo że w każdym stanie istniały publiczne szkoły średnie dla Murzynów, w większości południowych i tzw. granicznych stanów czarni studenci zamierzający podejmować wyższe studia, również w szkołach prawniczych, musieli udawać się w inne rejony Stanów Zjednoczonych. W 1938 r. Sąd Najwyższy wydał decyzję w sprawie stanu Missouri, w którym jedyna szkoła prawnicza była wyłącznie dla białych, a następnie decyzję z 1948 r. w sprawie Oklahomy, gdzie jedyna szkoła prawnicza w całym stanie również nie przyjmowała Murzynów. Po tym orzeczeniu prawnicy działający w ramach Krajowego Stowarzyszenia na Rzecz Popierania Ludności Kolorowej (National Association for the Advancement of Colored People, NAACP) poczynili pierwsze kroki w kierunku udowodnienia Sądowi, że w dziedzinie edukacji „oddzielne" nigdy faktycznie nie mogło być „równe".

W dwóch dalszych przypadkach, w których Sąd Najwyższy wydał orzeczenie w 1950 r., ataki NAACP na dyskryminację edukacji nasiliły się. W jednym przypadku, dotyczącym szkoły prawniczej, stan Teksas argumentował, że mała, nowo utworzona i nie posiadająca odpowiedniej kadry szkoła prawnicza dla czarnych studentów powinna zrezygnować z konstytucyjnego obowiązku przyjmowania Murzynów na wydział prawa Uniwersytetu Teksas. Uniwersytet ten był wiodącą instytucją dydaktyczną w tym stanie. Uczęszczali doń wyłącznie biali studenci. W stanie Oklahoma uniwersytet stanowy, wprawdzie niechętnie, ale przyjmował czarnych absolwentów. Wymagał jednak od nich, żeby uczyli się i jadali oddzielnie oraz siadywali na specjalnie odgrodzonych miejscach podczas wykładów. Chociaż jednomyślne decyzje Sądu Najwyższego w obu przypadkach wyraźnie pozbawione były bezpośrednich komentarzy na temat Plessy'ego lub potępiania segregacji. Wynikało z tego jasno, że równy dostęp do edukacji po prostu nie mógł być zapewniony w systemie segregacji rasowej.

Początkowo prawnicy zrzeszeni w NAACP, pod przewodnictwem Thurgooda Marshalla (15 lat później on sam został pierwszym czarnym sędzią Sądu Najwyższego w historii Ameryki Północnej), twierdzili, że to szkolnictwo wyższe, bardziej niż podstawowe lub średnie, było odpowiednim celem antysegregacyjnym pozwów sądowych. Jednak w wielu okręgach na Południu, szczególnie w oddalonych od większych miast rejonach wiejskich, podlegające segregacji rasowej szkoły podstawowe i średnie były nie tylko upośledzone w porównaniu ze szkołami dla białych, ale także często mieściły się w tak nieodpowiednich budynkach i posiadały tak nieodpowiednią kadrę, że trudno było nawet się zorientować, że są to instytucje szkolne. W wielu miejscowościach czarni rodzice i księża zaczęli wywierać nacisk na zwiększenie funduszy i poprawę warunków szkolnych. Jednak biali w zarządach szkół, żywiąc przekonanie, że ulepszenia w szkołach dla czarnej mniejszości mogłyby spowodować uszczerbek środków dla białych uczniów, odrzucali te prośby.

Do Marshalla i jego współpracowników z NAACP jednak docierało wiele wniosków o wniesienie pozwów sądowych, pochodzących od zatroskanych czarnych rodziców. Jeden taki przypadek zaistniał w Wirginii, inny w małym granicznym stanie Delaware, jeszcze inny w mieście Topeka w stanie Kansas na Środkowym Zachodzie. Najbardziej przekonujący przypadek wystąpił jednak w pewnym, poddanym silnej segregacji rasowej rolniczym hrabstwie w stanie Karolina Południowa, gdzie dowody bardzo nierównego traktowania obywateli spowodowanego segregacją były rzeczywiście przytłaczające. Przy szczególnym poparciu ze strony jednego z trzech sędziów, adwokaci NAACP udowodnili, że to samej segregacji rasowej, a nie jej skutków powinno się zabronić w Konstytucji. Taki sam frontalny atak w naturalny sposób zaistniał również w innych przypadkach. Do jesieni 1952 r. te cztery sprawy wraz z piątą, która miała miejsce w stolicy kraju, trafiły do Sądu Najwyższego. Po pierwszym rozpatrzeniu sprawy pod koniec 1952 r. Trybunał, niezupełnie pewny, jak potraktować to bezpośrednie wyzwanie rzucone tak głęboko zakorzenionej na Południu praktyce segregacji rasowej w szkolnictwie, odłożył sprawy do ponownego rozpatrzenia jesienią 1953 r. Do tego czasu nowy prezes Sądu Najwyższego, Earl Warren, pełniący poprzednio funkcję republikańskiego gubernatora Kalifornii, postępując zgodnie z myślą przewodnią drugiego z tych rozpatrzeń, doprowadził do osiągnięcia jednomyślnej zgody dziewięciu sędziów co do wniosku, że segregacja rasowa w szkolnictwie jest zarówno niemoralna, jak i niezgodna z Konstytucją. Siedem miesięcy później, 17 maja 1954 r., przyjęto takie samo jednomyślne stanowisko w sprawie: Brown kontra Zarząd Szkół w Topeka w stanie Kansas.

Decyzja w sprawie Browna była krótka, zdecydowana i celowo niepełna. Utrzymując, że „w dziedzinie szkolnictwa państwowego doktryna «równe, lecz oddzielne» nie ma zastosowania", Sąd wyraźnie zadecydował, że „oddzielne instytucje szkolnictwa są z natury nierówne". Jednakże Sąd szczerze przyznał, że problem, jak dokonać desegregacji – jak zaradzić niezgodnej z Konstytucją dyskryminacji rasowej, którą przez dziesięciolecia praktykowano w szkołach – nie był ani prosty, ani całkiem jasny. Sprawy te przekazano do dalszego rozpatrzenia na kolejnym posiedzeniu sądu co do kwestii, jak wprowadzić wyroki sądu w życie. Ponad rok po wydaniu tego znamiennego wyroku, 31 maja 1955 r., Warren ogłosił inne jednomyślne stanowisko Sądu, że nadzorowanie eliminowania dyskryminacji rasowej w szkolnictwie państwowym najlepiej będzie powierzyć lokalnym okręgowym sądom państwowym, najbliższym tym okręgom szkolnym. Zalecił on również lokalnym sędziom baczenie, aby szkoły państwowe przestrzegały ustawy o zakazie segregacji.

Przypadek Browna stanowił bez wątpienia wydarzenie. Było to najważniejsze orzeczenie Sądu Najwyższego nieomal od wieku i najważniejsze w całej historii sądownictwa i życia kraju. Reakcja nań była cokolwiek przytłumiona. Podczas gdy wojujący zwolennicy segregacji rasowej na Południu wyrażali niezadowolenie i krytykowali sędziów za wskazywanie szkół zintegrowanych, których wiele ludzi na Południu nigdy by nie zaakceptowało, z początku nie manifestowano ostrego protestu. Sama decyzja sądu wywarła bezpośredni wpływ tylko na cztery zaangażowane w sprawie Browna regiony. Chcąc, żeby zasady wynikające ze sprawy Browna mogły być stosowane do setek innych przypadków segregacji rasowych w szkołach na Południu, murzyńscy powodowie musieliby za każdym razem oddawać sprawę do sądu. Czarna Ameryka, co zrozumiałe, z zadowoleniem przyjęła orzeczenie w sprawie Browna, jednak i tym razem jej reakcja była zaledwie umiarkowana. Większość czarnych bojowników o sprawę Browna w pełni pojmowała, że orzeczenie Sądu Najwyższego – nawet jednomyślne – nie spowoduje rasowej równości w szkolnictwie lub w szerszych stosunkach społecznych ani w krótkim czasie, ani nawet w najbliższej przyszłości.

Jednakże sprawa Browna bezsprzecznie wyznaczała prawdziwy początek amerykańskiej rewolucji w dziedzinie praw obywatelskich, nawet jeżeli jej przyszły kształt nie był jeszcze całkiem widoczny w pierwszych miesiącach od wydania decyzji. Dla czarnej Ameryki stanowiło to najwyraźniejszy i najmocniejszy sygnał, że przynajmniej jedna wymierzająca sprawiedliwość instytucja w społeczeństwie białych Amerykanów w sposób stanowczy i autorytatywny podchwyciła moralny wątek w argumentacji Murzynów. Nie było miejsca na rasową dyskryminację i segregację w amerykańskim prawie i życiu publicznym. Sygnał ten dawał poczucie siły i pewności. Bez wątpienia przyspieszał on rodzącą się aktywność na rzecz zmian rasowych, widoczną w wielu lokalnych wspólnotach murzyńskich w latach po II wojnie światowej.

Tak samo entuzjastycznie moralne przesłanie Sądu Najwyższego przyjęła czarna ludność Montgomery w Alabamie. W późniejszych latach rozpoczęcie przez Murzynów w Montgomery bojkotu segregacyjnych praktyk w miejskich autobusach w grudniu 1955 r. miało odegrać rolę podobną do orzeczenia w sprawie Browna, stanowiąc początek walki o zniesienie segregacji rasowej w latach pięćdziesiątych i sześćdziesiątych. Bojkot w Montgomery jednakże nie zaistniałby bez wcześniejszego podłoża. Jego związek z moralną stroną sprawy Browna stanowi wzorzec do dziś.

5 grudnia 1955 r. w Montgomery nastąpiło faktyczne rozpoczęcie przez czarną ludność bojkotu miejskiego transportu. Wywołało go aresztowanie 1 grudnia Rosy Parks, skromnej, lecz powszechnie szanowanej krawcowej, za odmowę ustąpienia miejsca w zatłoczonym autobusie białemu pasażerowi. Jednakże idea bojkotu w celu wyrażenia protestu przeciwko dyskryminacyjnemu traktowaniu czarnych w autobusach była przez wiele lat przedmiotem dyskusji aktywistek wywodzących się z klasy średniej czarnej mniejszości Montgomery. W maju 1954 r. wiadomość o decyzji w sprawie Browna zachęciła przywódczynię grupy Politycznej Rady Kobiet do napisania do burmistrza Montgomery, aby uprzedzić go o możliwości bojkotu w razie gdyby nie przystąpiono do rozwiązywania problemu segregacji rasowej w autobusach miejskich. „Trzy czwarte podróżujących tymi środkami komunikacji stanowią Murzyni", powiedziała burmistrzowi Jo Ann Robinson, przewodnicząca Politycznej Rady Kobiet, profesor języka angielskiego w stanowym college'u dla Murzynów w Alabamie. „Jeżeli Murzyni przestaną jeździć autobusami, przestaną one prawdopodobnie funkcjonować". Mimo że dyskusje trwały i mimo że kilka zadrażnień pomiędzy kierowcami a pasażerami wzbudziło chęć podjęcia takiego bojkotu, dopiero 1 grudnia 1955 r., kiedy rozpowszechniowo wśród Murzynów w Montgomery wiadomość o aresztowaniu Rosy Parks, Jo Ann Robinson wraz z innymi aktywistkami postanowiła, że czas do działania rzeczywiście nadszedł.

Jo Ann Robinson i jej koleżanki były przeważnie nauczycielkami, których praca i zarobki zależały od alabamskich urzędników. Do aktywistów w Montgomery należał również E. D. Nixon, pracownik kolei. Aby otrzymać poparcie i zachęcić czarnych obywateli do bojkotu, aktywistom potrzebne było wsparcie ze strony czarnego Kościoła. Księża pomagali, użyczając swych świątyń. Sprzyjającą okolicznością było także to, że opłacała ich całkowicie społeczność murzyńska. Oznaczało to, że znajdowali się poza zasięgiem ekonomicznych sankcji ze strony białych.

Stąd, kiedy miał nastąpić czas bojkotu, księża znaleźli się na pierwszym planie, usuwając w cień innych aktywistów. Dwaj młodzi pastorzy liczących się kościołów, znani jako porywający mówcy – wielebny Martin Luther King, Jr., i wielebny Ralph D. Abernathy, stali się głównymi rzecznikami nowo powstałej grupy bojkotujących – Stowarzyszenia Rozwoju Montgomery (Montgomery Improvement Association – MIA). Biali urzędnicy miasta i zarządcy przedsiębiorstwa autobusowego nie wykazywali poważnego zainteresowania negocjacjami. Czarni przywódcy byli tym mocno zdziwieni. Wkrótce czarna społeczność posiadała już niezwykle dobrze zorganizowany system przewozowy. Pomagało to im zrezygnować z transportu miejskiego w sposób stosunkowo mało dotkliwy. Poparcie bojkotu przez Murzynów było praktycznie stuprocentowe. W ciągu kilku tygodni brak pasażerów w transporcie miejskim spowodował, że ziściły się obawy Jo Ann Robinson, że przedsiębiorstwo autobusowe podniesie ceny biletów i ograniczy liczbę kursów autobusów.

Na początku 1956 r. czarni przywódcy zajęli wyraźne stanowisko w sprawie żądania pełnego zniesienia segregacji w autobusach. Jedność czarnego społeczeństwa zwróciła nań uwagę całego społeczeństwa. Biała ludność Montgomery pozostała jednak niewzruszona. W końcu stycznia biali zwolennicy segregacji dokonali zamachu bombowego na siedzibę przewodniczącego MIA, Martina Luthera Kinga Jr. Nikt nie został ranny, ale incydent ten zwrócił większą uwagę krajowej prasy na sytuację w Montgomery niż sam bojkot. Ponadto część prasy skupiła się na tym, co głosił Martin Luther King Jr., tj. na propagowaniu unikania przemocy. Zgromadzonemu po wybuchu bomby tłumowi Martin Luther King Jr. zalecał „miłość do wroga". Tak samo było i w poprzednich przypadkach, kiedy atakowano kościoły. Rosnący prestiż Kinga zarówno w Montgomery, jak i poza nim został jeszcze bardziej podniesiony przez białą ludność Montgomery w połowie lutego, kiedy to władze lokalne oskarżyły Kinga i licznych uczestników bojkotu o rzekome pogwałcenie niejasnego regulaminu pracy. Miał on zakazywać stosowania bojkotu w rozwiązywaniu sporów. Rozprawa sądowa w związku z tym oskarżeniem skupiła jeszcze większą uwagę na protest Kinga ludzi w kraju i za granicą. Tymczasem jednak system przewozowy czarnych funkcjonował dalej, podczas gdy biała społeczność Montgomery odrzucała wszelkie rozmowy mające na celu kompromisowe załatwienie sprawy segregacji.

Bezpośrednio po wybuchu bomby w siedzibie Kinga, MIA wniosła sprawę do Sądu Federalnego na podstawie zarzutu, że podtrzymywanie segregacyjnych praktyk w miejskich autobusach naruszało zasadę Browna. W czerwcu 1956 r. dwóch z trzech sędziów lokalnego Sądu Federalnego przyznało, że sprawa Browna miała zastosowanie do sponsorowanej przez rząd segregacji zarówno w transporcie, jak i w szkolnictwie. Jednak urzędnicy miasta Montgomery złożyli natychmiast odwołanie od tej decyzji do Sądu

Najwyższego. Tymczasem w autobusach miejskich nadal istniała segregacja, podczas gdy czarna ludność Montgomery w dalszym ciągu korzystała ze swego własnego ochotniczego systemu przewozowego.

Pięć miesięcy później, w listopadzie, Sąd Najwyższy utrzymał w mocy decyzję sądu niższej instancji. W kilka tygodni później jego decyzja formalna dotarła do Montgomery. Dopiero wtedy urzędnicy miasta i przedsiębiorstwa autobusowego ostatecznie dokonali desegregacji miejsc w transporcie. King i Abernathy wraz z Murzynami w Montgomery na nowo zaczęli korzystać z autobusów, a obrońcy praw obywatelskich w całym kraju świętowali odniesione zwycięstwo.

Podobnie jak sprawa Browna, zwycięski bojkot w Montgomery był przejawem dużego postępu działań na rzecz czarnych południowców. Także i tym razem widoczne zmiany miały stosunkowo mniejsze znaczenie niż szerokie polityczne przesłanie na rzecz zniesienia segregacji rasowej. Mimo że prawnicy NAACP podkreślali, że korzystne rozwiązanie sprawy bojkotu było, tak jak sprawa Browna, niezwykle istotne z punktu widzenia prawa, dla prawie wszystkich zwykłych obywateli znaczenie Montgomery polegało przede wszystkim na tym, że grupa zwykłych obywateli, nie posiadająca na początku żadnego poparcia z zewnątrz i żadnego doświadczenia w organizowaniu bojkotu, zdołała dzięki jedności i poświęceniu zademonstrować niemal rewolucyjne zaangażowanie czarnych działaczy politycznych i stawić czoło bezkompromisowej opozycji dominującej białej ludności.

King i Abernathy nie byli odosobnieni w rozumieniu, że zwycięstwo w Montgomery zapowiadało nowe rozwiązania polityczne, które śmiało mogły okazać się przydatne w innych miastach na Południu. Z pomocą innych czarnych duchownych z Południa i ze strony wąskiego kręgu doradców z Północy ogłosili oni utworzenie nowej organizacji w skali regionu – Konferencji Przywódców Chrześcijańskich Południa (Southern Christian Leadership Conference – SCLC). Mimo że liczni przywódcy NAACP nie ukrywali, że wystarczy jedna organizacja na rzecz praw obywatelskich Murzynów, King i jego duchowni współpracownicy wyrażali tym samym nadzieję na wyjście poza kampanię antysegregacyjną dotyczącą autobusów i na stymulowanie wzrostu liczebności czarnych wyborców na Południu. Zorganizowano marsz na Waszyngton dla upamiętnienia trzeciej rocznicy decyzji w sprawie Browna i w celu wywarcia nacisku na prezydenta Dwighta D. Eisenhowera o poparcie walki o prawa obywatelskie. King wygłosił wówczas swe pierwsze ważne przemówienie do narodu, w którym nazywał prawo do głosowania zasadniczym prawem, jakie czarni południowcy musieli uzyskać, aby wejść na drogę ku prawdziwej wolności i równości.

Większa część białego Południa, jak wykazały wydarzenia w Montgomery w 1956 r., nie miała zamiaru tak po prostu pozwolić na zniesienie segregacji w szkołach, autobusach i innych instytucjach. Mimo że Kongres wydał we wrześniu 1957 r. bardzo umiarkowaną i mającą ograniczone znaczenie Ustawę o Prawach Obywatelskich, pierwszy tego rodzaju dokument w XX w., prawdziwe wydarzenie w dziedzinie praw obywatelskich owego roku miało miejsce w Little Rock w stanie Arkansas. Tam też miejscowi zwolennicy segregacji z dużą pomocą gubernatora Orvala Faubusa, również popierającego segregację, utrudnili zniesienie segregacji w miejskiej szkole średniej, jednej z pierwszych szkół tego rodzaju, mającej faktycznie przekonać się o znaczeniu przypadku Browna. W końcu prezydent Eisenhower został zmuszony do wysłania oddziału żołnierzy federalnych do Little Rock w celu zapewnienia dziewięciu czarnym studentom spokojnego uczęszczania do formalnie przeznaczonej wyłącznie dla białych Central High School. W parę miesięcy później Sąd Najwyższy wykorzystał rozruchy w Little Rock do ponownego zdecydowanego potwierdzenia orzeczenia w sprawie Browna z 1954 r. Mimo tej deklaracji, w praktyce, w stosunkowo niewielu szkołach zniesiono lub znoszono segregację we wczesnych latach po wydaniu tej ważnej decyzji. W wielu wiejskich miejscowościach na Południu Murzyni zanadto byli uzależnieni od białej władzy, żeby wszczynać walkę o desegregację w lokalnych szkołach. Nawet w większości miast na Południu, gdzie czarni rodzice podjęli taką inicjatywę, składające się z białych zarządy szkół skutecznie opóźniały podejmowanie istotnych działań. Niektórzy lokalni sędziowie federalni, chcąc sprytnie uniknąć kolejnych potencjalnych aktów przemocy, takich jak w Little Rock, również woleli zwlekać, niż zalecać wprowadzanie w lokalnych szkołach systemu przestrzegającego postanowień w sprawie Browna.

Do końca lat pięćdziesiątych na Południu niemal wyglądało na to, że biali wobec przypadków, takich jak sprawa Browna, Montgomery i Little Rock wykazali postawę nieprzejednaną i do pewnego stopnia skutecznie walczyli z czarnymi aktywistami. Martin Luther King Jr. pojawił się jako nowy narodowy głos południowych aktywistów, ale ani SCLC, ani NAACP nie osiągnęły większego postępu na Południu w latach 1958–1959. Biała opozycja natomiast w znacznym stopniu hamowała tempo wzrostu liczebności czarnego elektoratu na Południu. King zdecydował przenieść się z Montgomery do Atlanty i poświęcić więcej czasu pracy nad prawami obywatelskimi. Jednak, bez jakichkolwiek wcześniejszych oznak, ruszyła fala działań na rzecz praw obywatelskich. Wśród czarnych uczniów college'ów na Południu w lutym 1960 r. wybuchły nowe protesty przeciwko segregacji rasowej.

Strajk okupacyjny, jak trafnie określono ruch studencki, rozpoczął się w Greensboro w Karolinie Północnej. Wtedy to czterech młodych studentów uznało, że należy coś zrobić z przeznaczonymi wyłącznie dla białych bufetami w domach towarowych, gdzie czarni klienci byli rzekomo mile widziani. Chociaż sklepy te często posiadały oddzielne toalety i przeznaczone tylko dla białych „wodopoje", bufety dawały się łatwo wykorzystać jako cel bezpośredniej, unikającej przemocy walki. Można było po prostu usiąść tam na wolnych miejscach i zajmować je, nie będąc obsłużonym. Czarni studenci mogli więc w ten sposób wyrażać cichy protest i dotkliwie zmniejszać dochód bufetów.

Strajk okupacyjny rozprzestrzenił się z zadziwiającą szybkością poza Greensboro, najpierw do innych miast Karoliny Północnej, gdzie istniały szkoły średnie dla Murzynów, a potem do innych czarnych miasteczek uniwersyteckich na Południowym Wschodzie. Na pierwsze oznaki strajku okupacyjnego kierownicy wielu sklepów zawieszali usługi gastronomiczne, podczas gdy w niektórych miastach chuligani popierający segregację rasową, przy aktywnym lub biernym poparciu policji, powstrzymywali protestujących wylewając na nich musztardę i ketchup lub używając siły. Jednakże niezależnie od reakcji białych szybko rozprzestrzeniające się strajki okupacyjne, w znacznie większym niż dotychczas stopniu, wprowadziły czarnych studentów na scenę walki o prawa obywatelskie. Organizacje, takie jak SCLC, NAACP i Kongres Równości Rasowej (Congress of Racial Equality – CORE) starały się pozyskać nowych studenckich aktywistów. Jednakże już zaledwie po kilku tygodniach ponad stu przedstawicieli studenckich strajków okupacyjnych z całego Południa spotkało się w Raleigh w Karolinie Północnej na zjeździe, który zapoczątkował powstanie Studenckiego Komitetu Koordynacyjnego Biernego Oporu (Student Nonviolent Coordinating Committee – SNCC).

Powstanie SNCC stanowiło nowy etap w walce o równouprawnienie Murzynów. Także strajki okupacyjne zapoczątkowały w latach sześćdziesiątych nowy etap doświadczeń Stanów Zjednoczonych. SNCC i strajki okupacyjne nie tylko przyłączyły nowe pokolenie do walki o prawa obywatelskie, ale wprowadziły również do niej zwolenników nie używających przemocy „bojowników". Ich młody wiek zapewniał im większą swobodę w poświęcaniu się pracy na rzecz praw obywatelskich w porównaniu z obarczonymi rodziną i pracą dorosłymi. King i inni działacze doceniali nową energię, jaką studenci wnieśli do ruchu, ale sami studenci nie chcieli podporządkować się starszym działaczom – czy to z NAACP, czy Kingowi. Napięcie pomiędzy dorosłymi a studentami wzrosło z powodu strajków okupacyjnych na jesieni 1960 r. w Atlancie. Wśród aresztowanych znalazł się również King. Wybory prezydenckie w 1960 r. i zwycięstwo Johna F. Kennedy'ego w jeszcze większym stopniu niż umiarkowane wewnętrzne spory utrudniały rozwiązywanie problemu praw obywatelskich.

Martin Luther King Jr. nie był odosobniony w nadziei, że prezydenckie poparcie dla ruchu na rzecz praw obywatelskich wraz z początkiem prezydentury Kennedy'ego przybierze nowy wymiar. Poza sprawą Little Rock prezydent Dwight Eisenhower starał się zabierać głos na ten temat najrzadziej, jak tylko to było możliwe. Tymczasem Kennedy w swej kampanii prezydenckiej wielokrotnie podkreślał, że zamierza być przyjacielem czarnych Amerykanów. Jednakże po objęciu urzędu prezydenta, szczególnie z powodu sprawowania kontroli nad dysproporcjami sił w obu izbach Kongresu przez demokratycz-

29

Pogrzeb prezydenta J.F. Kennedy'ego w listopadzie 1963 r.

Biblioteka im. J.F. Kennedy'ego w Bostonie

30

31

L.B. Johnson składa przysięgę prezydencką w styczniu 1965 r.

Spotkanie prezydenta L.B. Johnsona z M.L. Kingiem

32

33

Prezydent L.B. Johnson w rozmowie z wiceprezydentem H. Humphreyem

34

Pogrzeb Roberta Kennedy'ego w czerwcu 1968 r. Przemawia jego brat Edward Kennedy

35

Pogrzeb M.L. Kinga w kwietniu 1968 r.

36

Osiedle Island Tree (w stanie Nowy Jork) zwane popularnie Levittown, zbudowane w 1946 r. stało się symbolem szybkiej, powojennej suburbanizacji w USA

Jeane Kirkpatrick, ambasador USA przy ONZ w latach 1981–1985

37

Thomas Marshall, prawnik NAACP opuszcza gmach Sądu Najwyższego

38

39

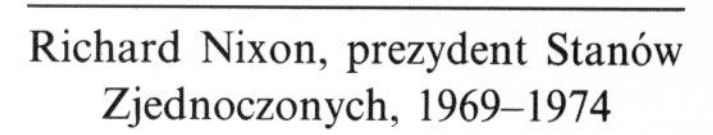

Richard Nixon, prezydent Stanów Zjednoczonych, 1969–1974

Prezydent R. Nixon w czasie wizyty w Chinach, luty 1972 r.

40

41

Gerald Ford, prezydent Stanów Zjednoczonych, 1974–1977

Spotkanie G. Forda i L. Breżniewa we Władywostoku w listopadzie 1974 r.

42

nych zwolenników segregacji z Południa, Kennedy przyjął zdecydowanie umiarkowane stanowisko również wobec praw obywatelskich. Podczas gdy King usiłował podtrzymać swe nadzieje, James Farmer i jego współpracownicy w CORE zdecydowali się przystąpić do bezpośredniego, znacznie bardziej zdecydowanego niż studenci, działania. Traktując nadal trwającą segregację w środkach transportu międzystanowego – przede wszystkim na południowych stacjach autobusowych linii dalekobieżnych – jako szczególnie skandaliczny przejaw postępującego rasizmu, z jakim władze federalne powinny walczyć, aktywiści CORE zaplanowali tzw. trasę wolności. Była to podzielona na etapy dwutygodniowa jazda autobusami przez południowe stany zintegrowanej grupy, która miała udowodnić istnienie segregacji w środkach transportu. Poczynając od Waszyngtonu w Dystrykcie Kolumbii, grupa ta miała 17 maja 1961 r., w siódmą rocznicę sprawy Browna, dotrzeć do Nowego Orleanu w stanie Luizjana.

Podróżnicy wolności spotkali się z utrudnieniami ze strony zwolenników segregacji w Karolinie Południowej, ale kiedy ich autobusy wjechały do wschodniej Alabamy, doświadczyli prawdziwie terrorystycznej przemocy. Poza miastem Anniston jeden z autobusów został podpalony, a uciekający z niego podróżni pobici. Jakiś czas później, kiedy drugi autobus przybył do miasta Birmingham, od dawna stanowiącego twierdzę Ku-Klux-Klanu, w którym policję miejską słusznie pomawiano o współpracę z terrorystycznymi zwolennikami segregacji, podróżni ci również zostali zaatakowani. Wydarzenia te spowodowały, że federalny Departament Sprawiedliwości, pod przywództwem prokuratora generalnego Roberta F. Kennedy'ego, brata prezydenta, włączył się do tej sprawy i tylko dzięki interwencji Departamentu Sprawiedliwości urzędnicy stanu Alabama i przedsiębiorstwo autobusowe zgodzili się udzielić poturbowanym, lecz nie zrażonym sytuacją, podróżnym zezwolenia na przejazd do następnego miasta, Montgomery.

Jednakże, kiedy autobus przywiózł podróżnych do Montgomery, nigdzie nie było widać policji i Klan napadł na nich raz jeszcze, zadając im poważne rany. Dwa dni później, kiedy podróżni i MIA usiłowali odbyć zebranie w położonym w centrum miasta kościele wielebnego Ralpha Abernathy'ego, po raz kolejny biały motłoch otoczył kościół i obrzucił go cegłami i kamieniami. Wobec obawy uczestników zgromadzenia o życie, nieliczna grupa federalnych stróżów porządku wstrzymała tłum do czasu przybycia żołnierzy Gwardii Narodowej. Dwa dni później, pod wzmocnioną ochroną, jeden autobus z podróżnymi opuścił Montgomery i udał się na zachód do Jackson, stolicy stanu Missisipi. Tam zostali natychmiast zaaresztowani i osadzeni w stanowym więzieniu.

„Podróż wolności" obfitowała w krwawe wydarzenia. Była jednak niezaprzeczalnym sukcesem działaczy, ponieważ wyraźnie uwidoczniła amerykańskiej opinii publicznej, do jakiego stopnia południowi zwolennicy segregacji rasowej skłonni byli stosować przemoc w celu zahamowania inicjatyw antysegregacyjnych. Doświadczenie to nasunęło wielu działaczom na rzecz praw obywatelskich wątpliwości co do tego, jak naprawdę głęboko bracia Kennedy zaangażowani byli w rozwój praw obywatelskich. Jednakże dla studentów zaangażowanych w SNCC, doświadczenia podróżników były jeszcze jednym dowodem na to, że nie można było dłużej odkładać silnej ofensywy przeciwko segregacji na Południu. Kilku członków SNCC, pod przywództwem Roberta Mosesa, przystąpiło już do pracy organizacyjnej w południowo-zachodniej części stanu Missisipi w okolicach miasta McComb. Do końca lata przygotowano drugi plan SNCC, zlokalizowany w mieście Albany w południowo-zachodniej Georgii.

Pod koniec 1961 r. Albany stało się miejscem najintensywniejszej walki o prawa obywatelskie na Południu od czasu pięć lat wcześniejszego bojkotu w Montgomery. Pracownicy SNCC wraz z miejscowymi działaczami NAACP oraz SCLC Kinga zaangażowali liczną czarną ludność w pikietowanie i marsze mające na celu przekonanie białych przywódców Albany o konieczności zniesienia oficjalnej segregacji w codziennym życiu publicznym. Białe Albany pozostawało niewzruszone. Masowe aresztowania wyczerpały emocjonalne i finansowe rezerwy czarnej społeczności. SCLC Kinga wycofała się. Po kilku stosunkowo spokojnych wiosennych miesiącach w 1962 r., w połowie lata wznowiono masowe demonstracje i aresztowania. Po raz kolejny białe Albany oparło się, nawet w obliczu publicznego zalecenia prezydenta Kennedy'ego, negocjowaniu przez białych urzędników rozwiązań kompromisowych. Do końca lata protesty zamarły, a stanowe środki przekazu ogłosiły, że Albany stało się pierwszą poważną porażką bojowników o prawa obywatelskie.

Martina Luthera Kinga Jr. podsumowanie to dotknęło tak jak i wszystkich zainteresowanych. Przez jesień–zimę 1962–1963 przemyśliwał, jak zebrać siły. Istniało coraz więcej dowodów na to, że prezydent Kennedy, podobnie jak pozostała część rządu federalnego, nie zamierzał zajmować się prawami obywatelskimi. Z początkiem 1963 r. King i jego współpracownicy z SCLC postanowili, że należy tę sprawę forsować. Aby tak się stało, starannie zaplanowali poważną kampanię protestacyjną w zatwardziałym mieście Birmingham i w kwietniu walka rozpoczęła się na nowo. Początki były powolne, ale w ciągu kilku miesięcy, zgodnie z oczekiwaniami, Eugene „Bull" Connor, komisarz policji Birmingham, człowiek porywczy i zapalczywie broniący segregacji, zasłużył na swą złą opinię, kierując na protestujących armatki wodne i szczując ich psami.

W początkach maja ukazywały się w gazetach i w telewizji, w kraju i za granicą fotografie z zajść w Birmingham. Umiarkowani biali zwolennicy segregacji, niezadowoleni z efektów postępowania Connora, rozpoczęli ciche negocjacje z siłami na rzecz praw obywatelskich. Łączyli to z poparciem przez administrację Kennedy'ego kompromisowego rozwiązania problemu. Wobec groźby wybuchu jeszcze gwałtowniejszych zamieszek, zawarto umiarkowane porozumienie, na mocy którego sklepy w centrum miasta miały zaprzestać segregacji w usługach i przynajmniej niektórym starającym się o pracę w sklepach Murzynom miano udzielić na nią zezwolenia. Poprzednio sklepy te służyły tylko białym. Zbombardowanie przez Klan miejsca zgromadzenia rzeczników praw obywatelskich zagroziło zerwaniem tego porozumienia. Jednak pod naciskiem Kennedy'ego zdołano utrzymać je w mocy. Sytuacja stopniowo uspokajała się, jednakże wydarzenia w maju 1963 r. zasadniczo zmieniły amerykańską scenę walki o prawa obywatelskie.

King i inni działacze mieli przez dwa lata nadzieję, że administracja Kennedy'ego będzie wywierać nacisk na Kongres w celu wydania posiadającej moc prawną i szeroki zakres ustawy o prawach obywatelskich. Wielu działaczy, w tym A. Philip Randolph, starszy działacz, aktywnie czynny już w latach dwudziestych, powróciło do idei zorganizowania masowego marszu na Waszyngton w celu spowodowania działań ze strony zarówno prezydenta, jak i Kongresu. Jednakże wydarzenia w Birmingham zmieniły również punkt widzenia braci Kennedych i praca nad ustawą wkrótce się rozpoczęła. W czerwcu prezydent Kennedy wygłosił transmitowane przez telewizję w całym kraju przemówienie, wzywając ludzi do działania na rzecz praw obywatelskich oraz oświadczając, że równość rasowa jest sprawą moralności. Wkrótce potem zorganizowane przywództwo działaczy praw obywatelskich – King, Randolph, NAACP, SNCC i CORE – ogłosiło konkretne plany marszu na Waszyngton 28 sierpnia. Z pewnymi oporami administracja Kennedy'ego zdecydowała się przystąpić do współpracy z protestującymi.

Wydarzenia z Birmingham przyczyniły się do ożywienia aktywności Murzynów w wielu miastach w kraju. Demonstracje na Północy dołączyły do protestów w wielu spokojnych miastach na Południu. Latem 1963 r. przemiany rasowe trafiały częściej niż kiedykolwiek na pierwsze strony amerykańskich gazet. Zarówno dla wielu uczestników, jak i obserwatorów napięcie rosło w miarę zbliżania się dnia marszu na Waszyngton 28 sierpnia.

Kiedy nadszedł ten dzień, spokojnie gromadzący się tłum liczył ponad 200 tys. ludzi. Prawdopodobnie 25% stanowili w nim biali. Stratedzy walki o prawa obywatelskie dokonali wielkiego osiągnięcia organizując wszystko tak sprawnie. Główny punkt programu stanowiły pieśni i przemówienia wygłaszane u stóp pomnika Lincolna. Mowa oskarżycielska została wygłoszona przez Martina Luthera Kinga Jr. i dla większości ludzi, którzy jej wtedy słuchali lub później czytali, pozostała najważniejszym ze wszystkich jego pamiętnych przemówień. „Mam sen – perorował King – sen, iż czworo moich małych dzieci będzie pewnego dnia żyło w narodzie, w którym nie będzie się ich sądzić według koloru skóry, lecz według ich charakteru". Tłum reagował entuzjastycznie. Relacje środków masowego przekazu z marszu wzbudziły wielkie zainteresowanie.

Z perspektywy czasu marsz na Waszyngton stanowił moment największych emocji w walce o prawa obywatelskie. Zaledwie dwa tygodnie później podłożenie przez Klan bomby w kościele w Birmingham, będącym jednym z głównych miejsc spotkań w czasie majowych protestów, spowodowało śmierć czterech czarnych uczennic. Egzaltacja sukcesem w Waszyngtonie zmieniła się w gniew z powodu tych tragicznych ofiar. Ponadto uczyniono zaledwie niewielki postęp w sprawie ustawy o prawach obywatelskich Kennedy'ego. 22 listopada Kennedy został zamordowany w Dallas. Urząd prezydencki objął po nim wiceprezydent Lyndon B. Johnson z Teksasu. Z okresu swej działalności w Kongresie Johnson był mniej zaangażowany w politykę segregacji rasowej niż większość pozostałych kongresmanów z Południa i odegrał znikomą rolę w wydaniu również bardzo umiarkowanych ustaw o prawach obywatelskich w latach 1957 i 1960. Wszyscy byli więc niezwykle zdumieni, gdy w kilka dni po objęciu urzędu prezydenta Johnson zdecydowanie oświadczył, że wydanie ustawy o prawach obywatelskich Kennedy'ego będzie stanowić jeden z jego najważniejszych priorytetów.

Przez następne sześć miesięcy prace Kongresu nad ustawą stanowiły temat dnia. SCLC Kinga zaangażowała się w walkę protestacyjną w stanie Floryda. Młodzi organizatorzy SNCC włączyli się głównie w Letni Program w rasistowskim stanie Missisipi. W czerwcu, dwa tygodnie wcześniej nim Johnson mógł podpisać przyjęcie ustawy Kennedy'ego jako ustawy o prawach obywatelskich z 1964 r., w Missisipi zginęło trzech działaczy Ruchu na rzecz Praw Obywatelskich. Mimo że ich ciał nie odnaleziono aż do sierpnia, nikt nie wątpił, że zostali zabici przez terrorystów z Klanu. Podczas gdy ustawa o prawach obywatelskich, zakazująca dyskryminacji rasowej w dziedzinie zatrudnienia i zamieszkania w Stanach Zjednoczonych, sama w sobie była najbardziej znaczącym osiągnięciem prawnym sił walczących o prawa obywatelskie od czasu sprawy Browna, zabójstwo to, tak jak i inne ataki terrorystyczne w Missisipi miały znacznie większy i ogromnie deprymujący wpływ na młodszych działaczy. Jednym z centralnych punktów letniego programu w Missisipi było wysłanie połączonej delegacji na konwencję Partii Demokratycznej w 1964 r., gdzie miano ponownie desygnować Lyndona Johnsona na prezydenta. Miało to przerwać tradycję wybierania całkowicie białego składu delegacji ze stanu Missisipi. Połączeni „demokraci wolności", jak ich nazywano, oczekiwali pozytywnego przyjęcia ze strony tej zazwyczaj przychylnej prawom obywatelskim partii politycznej, jednakże prezydent Johnson, w trosce o wynik zbliżającej się rywalizacji o fotel prezydencki z ultrakonserwatywnym republikańskim senatorem Barrym Goldwaterem, nie pozwolił działaczom demokratów na przyznanie połączonej delegacji z Missisipi innego statusu na konwencji niż tylko honorowy. Takie potraktowanie ich spowodowało rewizję oczekiwań, że osiągną w ten sposób znaczny postęp na drodze partyjnej walki wyborczej. Podczas gdy King i jego towarzysze z SCLC całą swą energię kierowali w stronę inicjatyw dotyczących praw wyborczych, wielu młodszych działaczy, szczególnie tych, którzy poświęcili rok lub więcej na pracę w niebezpiecznych regionach, takich jak Missisipi, zaczęło odczuwać zniechęcenie wobec oznak rezygnowania przez niektórych z nich z pracy na rzecz praw obywatelskich.

Gwarancje praw wyborczych były jedną z głównych spraw pominiętych w ustawie o prawach obywatelskich z 1964 r. King dążył do stworzenia i wydania przez Kongres nowej ustawy, która gwarantowałaby zdecydowane wprowadzenie w życie praw wyborczych. Dążenie to przybrało formę kampanii protestacyjnej zorganizowanej przez SCLC w mieście Selma, w Alabamie. Jim Clark, szeryf tego okręgu, który z powodu swej gwałtowności miał opinię prawnika typu „Bull Connora", w ciągu kilku tygodni od rozpoczęcia tej kampanii na początku 1965 r., zaczął zachowywać się zgodnie ze swą reputacją. Protestująca ludność murzyńska rozpoczęła tymczasem marsz na sąd rejonowy z żądaniem bardziej sprawiedliwych i prostszych procedur rejestracji uprawnionych do głosowania. W niedzielę, 7 marca, kiedy kolumna maszerujących na rzecz praw obywatelskich wyruszyła z Selmy do siedziby władz w Montgomery, grupa obrońców porządku Clarka, złożona z deputowanych-zwolenników segregacji oraz sporych sił wojskowych Alabamy – zaatakowała maszerujących pałkami i gazem łzawiącym. Wielu rannych uczestników marszu trafiło do szpitala. Rozpowszechnienie w kraju zdjęć z zamieszek w Selmie spowodowało wybuch ogólnonarodowego oburzenia.

Setki zwolenników praw obywatelskich ruszyły do Selmy. Prezydent Johnson wypowiedział się ostro przeciwko tym wydarzeniom. Podczas gdy czyniono wysiłki, by następny marsz z Selmy do Montgomery przebiegał spokojnie, Johnson stanął przed Kongresem i zaproponował nową znaczącą ustawę o prawach wyborczych, mającą spełnić właściwie wszystkie nadzieje działaczy. Naród poparł licznie zarówno tę propozycję, jak i triumfalny marsz z Selmy do Montgomery, podczas którego King wygłosił kolejną pamiętną mowę. Jednakże znów doszło do ataków terrorystycznych. Członkowie Klanu zamordowali białą uczestniczkę marszu z Północy, jadącą z Selmy do Montgomery.

Na początku sierpnia 1965 r. ustawa o prawach wyborczych stała się prawem, jednakże zaledwie kilka dni później w Watts, dzielnicy Los Angeles w Kalifornii, wybuchły jedne z największych rozruchów miejskich w latach sześćdziesiątych. Kiedy po sześciu dniach ucichły, okazało się, że pociągnęły za sobą trzydzieści cztery ofiary śmiertelne i szkody wynoszące co najmniej 45 mln dolarów. Zamieszki w Watts, jak powiedział King, „były rewolucją klasy uciskanych przeciwko uprzywilejowanym". Uświadomiły one jednak jemu i innym, że walka i sukcesy południowej krucjaty na rzecz praw obywatelskich były jedynie połową bitwy i że przeszkody gospodarcze i siły ograniczające równość Murzynów zarówno na Południu, jak i poza nim mogły być równie

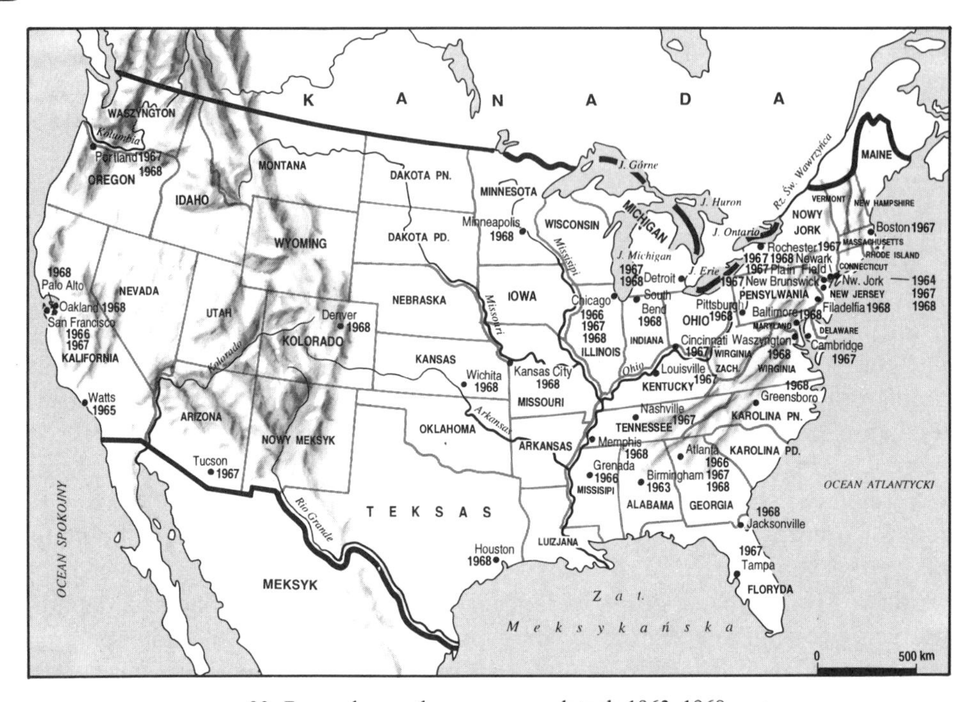

23. Rozruchy na tle rasowym w latach 1963–1968

trudne do zwalczenia, jak bariery formalnej, legalnej segregacji, które zaczęły już być usuwane przez decyzje sądowe i ustawy wydawane przez Kongres.

Potrzeba odwoływania się do czynników ekonomicznych oraz uświadomienie sobie, że poza Południem istnieje również brak zrozumienia dla równouprawnienia Murzynów, skłoniły Kinga do wzięcia pod uwagę także innych spraw. Różniły się one od tych, które akcentował w latach 1955–1965. Po wstępnych konsultacjach z miejscowymi działaczami w kilku dużych miastach na Północy, w styczniu 1966 r. King i SCLC rozpoczęli poważną kampanię antydyskryminacyjną w Chicago, w stanie Illinois. W miastach takich jak Chicago nie było legalnej segregacji rasowej ani trudności w zakresie praw wyborczych, tak widocznych na Południu. Dochodziło tam jednakże do silnej segregacji de facto, ponieważ nieformalną, lecz dobrze ugruntowaną polityką białych instytucji – banków, przedsiębiorstw gospodarki nieruchomościami, systemu szkół publicznych i innych – było dyskryminowanie Murzynów poprzez gorsze warunki mieszkaniowe, edukację i miejsca pracy. King i inni działacze początkowo myśleli w kategoriach „związków" mieszkańców gett, ale do lata skupili się na protestach przeciwko segregacyjnym praktykom w dziedzinie gospodarki nieruchomościami, polegającym na zapewnianiu wielu mieszkańcom Chicago wyłącznie białego sąsiedztwa. Czarnym natomiast, nawet tym, którzy mogli sobie pozwolić na lepsze warunki, pozostawało do wyboru jedynie getto. Rozgniewani biali zwrócili się przeciwko protestom Kinga z tak silną nienawiścią rasową, z jaką spotykano się na Południu. I tak, do końca lata przywódcy przedsiębiorców i Kościoła w Chicago skłonili zarówno Kinga, jak i burmistrza miasta do negocjacji zakończonych rozwiązaniem sporu, polegającym na umiarkowanych obietnicach zaprzestania quasi-segregacyjnych praktyk w zamian za zaniechanie demonstracji. King twierdził, że porozumienie to było oznaką postępu, wielu obserwatorów jednakże uważało, że było to w najlepszym razie bardzo umiarkowane osiągnięcie.

Jednocześnie z rozwiązaniem problemu w Chicago pojawiła się nowa sprawa, mająca różne konsekwencje dla walczących o prawa obywatelskie. W czerwcu James Meredith, który zwrócił na siebie uwagę faktem, że był w 1962 r. pierwszym czarnym studentem formalnie uczęszczającym na uniwersytet dla białych w Missisipi, rozpoczął marsz przez ten stan. Już w pierwszych godzinach oddano do niego strzały z zasadzki i lekko raniono. Działacze na rzecz praw obywatelskich z całego kraju zebrali się, by podjąć jego pielgrzymkę. Niektórzy uczestnicy marszu z SNCC, coraz bardziej niezadowoleni z braku perspektyw na znaczące zmiany od czasu konwencji demokratów z 1964 r., wykorzystali ten marsz jako szansę na przedstawienie nowej postawy wobec sprawy, dającej się określić słowami: „czarna siła" („Black Power"). Nie starając się o dokładne zdefiniowanie tego sloganu, jego twórcy przekazywali w nim jednocześnie quasi-separatystyczne idee i sugerowali ich wyraźnie rasistowski podtekst.

Wyżsi rangą działacze i przywódcy NAACP podkreślali, że slogan „czarna siła" był niepożądany, a nawet stanowił poważny błąd. Martin Luther King Jr. przyjął stanowisko pośrednie, usiłując podtrzymać efektywny dialog między zwolennikami i przeciwnikami „czarnej siły". Wielu dziennikarzy podkreślało te oznaki poważnego rozłamu w społeczności walczącej o prawa obywatelskie Murzynów. Dla Kinga i innych rok 1966 był, ogólnie rzecz biorąc, najbardziej przygnębiający w minionej dekadzie.

King, kierując się od dawna przyjętą przez siebie filozofią niestosowania przemocy, skłaniał się do coraz ostrzejszej krytyki amerykańskiego zaangażowania w wojnę w Wietnamie. Nie angażując się w zaistniałe dyskusje, przeciwstawiał im problem nędzy w miastach, jako najbardziej palący wewnątrz kraju. Od czasu otrzymania Nagrody Nobla w 1964 r., King czuł coraz większą potrzebę mówienia prawdy o sprawach publicznych, ryzykując ewentualny spadek popularności i krytykę. Na początku 1967 r. Wietnam jawił się Kingowi jako sprawa moralna, której nie można było ukrywać i o której należało mówić. W licznych, szeroko publikowanych przemówieniach potępiał politykę wietnamską administracji Johnsona, narażając się na krytykę zarówno ze strony prasy liberalnej, jak i umiarkowanych grup bojowników o prawa obywatelskie, takich jak NAACP i Narodowa Liga Miejska (National Urban

League). Wielu jego krytyków twierdziło, że pozycja Kinga jako przywódcy walki o prawa obywatelskie nakładała na niego obowiązek zajmowania się wyłącznie tymi sprawami i nienarażania się na odwrócenie się od nich zwolenników wojny w Wietnamie, takich jak prezydent Johnson. Coraz bardziej niepokojąc się o amerykańską przyszłość polityczną, King – wraz z innymi działaczami – zastanawiał się, czy ruch na rzecz praw obywatelskich nie ulega dezintegracji.

Pesymizm Kinga został jeszcze bardziej wzmocniony przez szeroką falę miejskich rozruchów, jaka latem 1967 r. dotknęła Newark, New Jersey, Detroit i Michigan. Pewną dozę optymizmu stanowiło wybranie tej jesieni pierwszych czarnych burmistrzów dużych miast na Północy – Carla Stokesa w Cleveland, w stanie Ohio, i Richarda Thatchera w Gary, w stanie Indiana. Podobny postęp w sprawie wyboru Murzynów rejestrowano w wielu miastach i okręgach na Południu, gdzie wpływ ustawy o prawach wyborczych z 1965 r. doprowadził do znacznego wzrostu liczby zarajestrowanych Murzynów uprawnionych do głosowania oraz znacznego zwiększenia liczby czarnych kandydatów wybranych do sprawowania urzędów publicznych. W innych miejscowościach kontrola sytuacji przez białych zwolenników segregacji nie została zachwiana, częściowo z powodu względnego braku siły gospodarczej czarnej społeczności. Na Południu powoli dochodziło do zasadniczych zmian spowodowanych raczej ograniczeniami gospodarczymi niż barierami prawnymi.

Według Kinga, nędza i zagadnienie natury gospodarczej raczej niż kwestie rasowe określały zakres zagadnień, jakimi należało się zająć. Pod koniec 1967 r. ogłosił on plany rozpoczęcia na wiosnę 1968 r. „kampanii do walki z nędzą" (Poor People's Campaign). Mieli w niej wziąć udział przedstawiciele biedoty z Północy i Południa, miast i wsi, amerykańscy Indianie i Hispanios oraz Murzyni i biali, którzy wyrażali poparcie dla działalności Kinga. Zanim w pełni nakreślono tę kampanię, 4 kwietnia 1968 r., w Memphis w stanie Tennessee, King został zastrzelony z ukrycia. Przebywał tam w celu udzielenia pomocy strajkującym robotnikom służb oczyszczania miasta. Jego śmierć bez wątpienia oznaczała koniec głównej fazy walki o równouprawnienie Murzynów. Zaraz po śmierci Kinga doszło do następnych rozruchów i zniszczeń w miastach na szeroką skalę, szczególnie w Waszyngtonie. Współpracownicy i towarzysze Kinga zdecydowali się kontynuować jego walkę z nędzą, jednak w czerwcu 1968 r. zdołali wywalczyć jedynie cząstkę tego, co King miał nadzieję osiągnąć.

Do czasu śmierci Kinga kilka większych organizacji walczących o prawa obywatelskie – szczególnie SNCC i CORE – po trzech latach stało się zaledwie cieniem tego, czym kiedyś były. SCLC w szybkim tempie zmierzała ku upadkowi. Szczególnie na Południu energia wyzwolona dla obrony praw obywatelskich skierowana została na miejscowe kampanie wyborcze. Niektórzy byli działacze walki o prawa obywatelskie poparli republikańską administrację prezydenta Richarda M. Nixona, który objął swój urząd na początku 1969 r. Jednakże za czasów Nixona, ogólnie rzecz biorąc, na froncie walki o prawa obywatelskie nie działo się nic znaczącego. George C. Wallace, gubernator stanu Alabama, który swego czasu był zwolennikiem segregacji rasowej, przystąpił do kampanii prezydenckiej w latach 1968 i 1972; kampanie te przysłużyły się do zmobilizowania działań przeciwko białemu oporowi wobec koniecznych zmian na rzecz praw obywatelskich.

Prawdopodobnie sprawą skupiającą największą uwagę było podwożenie dzieci autobusami do szkół. Miało to zintegrować dzieci w szkołach publicznych. Dopiero pod koniec lat sześćdziesiątych zaistniało na Południu zjawisko prawdziwego znoszenia segregacji w szkołach. Spowodowane to było faktem, że Sąd Najwyższy zaczął zlecać federalnym sądom niższej instancji wprowadzanie w życie ustawy o desegregacji w szkołach, co miało związek ze sprawą Browna, protestując przeciwko dalszej zwłoce ze strony białych władz szkolnych. W wielu dużych miastach na Północy, gdzie również na dużą skalę stosowano praktyki segregacyjne, chociaż była to raczej sprawa polityki administracyjnej niż wymagań regulaminowych, zlecano podwożenie dzieci autobusami, co miało służyć jako środek eliminowania skutków praktyk segregacyjnych, poprzednio oficjalnie popieranych. Stąd też Południe nie było jedynym regionem Stanów Zjednoczonych, w którym wymagano wniesienia poprawek do, wcześniej popieranej ustawy o dyskryminacji rasowej. Pozwalało to kandydatom, takim jak Wallace, na apelowanie na Północy, jak i na Południu o zaprzestanie praktyk segregacji rasowej.

Chociaż Nixon, jak i jego następca Gerald R. Ford przedstawiali się jako przeciwnicy podwożenia dzieci autobusami i jako zwolennicy opinii sił oporu, że wprowadzenie przez państwo w życie niektórych postanowień ustaw z 1964 i 1965 r. poszło za daleko, ich polityka wobec praw obywatelskich pozostawała w latach siedemdziesiątych sprawą mniejszej wagi. Porażka Forda w wyborach prezydenckich w 1976 r. na rzecz demokraty Jimmy'ego Cartera była skutkiem entuzjastycznego poparcia Cartera przez czarnych mieszkańców Południa i podkreślała zarówno skutki działania ustawy o prawach wyborczych, jak i fakt, że w wielu rejonach Południa lepiej radzono sobie z przystosowaniem się do integracji niż w niektórych miastach na Północy.

Do czasu prezydentury Cartera dominującą narodową kwestią w dziedzinie praw obywatelskich nie było już podwożenie dzieci autobusami, lecz akcja polegająca na przyciąganiu większej liczby przedstawicieli Murzynów, jak i innych mniejszości do szkół i do miejsc pracy. Ruch oporu postrzegał takie polityki i programy jako „odwrotną dyskryminację", która tym razem dotyczyć miała białych, którzy nie uczynili nic złego. W 1978 r. akceptacja tych działań wysunęła się na plan pierwszy w Sądzie Najwyższym w sprawie Bakke kontra Rada Zarządzająca Uniwersytetu Kalifornijskiego. Sprawa ta wniesiona przez nie przyjętego na studia medyczne kandydata, który twierdził, że ma lepsze wyniki w nauce niż wielu kandydatów „mniejszości", którzy zostali przyjęci, zakończyła się wydaniem skomplikowanego, acz salomonowego wyroku Sądu Najwyższego. Głosił on, że rasa może co prawda być brana pod uwagę w decyzjach o przyjęciu na studia, jednakże należy również brać pod uwagę inne czynniki. Począwszy od sprawy Bakke dyskusja, dotycząca zdecydowanych preferencji rasowych, kierowała się w stronę zapewnienia reprezentacji mniejszości w kontekście, w którym „liczebność" – czyli ustalona liczba miejsc – była niewskazana, a „odmienność" pożądana, jak i konieczna.

W latach siedemdziesiątych i osiemdziesiątych liczba wybranych czarnych urzędników, szczególnie na Południu, nadal z roku na rok rosła wraz z jednocześnie powiększającą się czarną klasą średnią. Coraz więcej czarnych Amerykanów osiągało pułap klasy średniej niedostępny wcześniej dla ich ogromnej większości. Tendencja ta pociągała za sobą setki indywidualnych karier. Czasami przysłaniało to fakt, że w tych samych latach dochodziło do znacznego wzrostu dysproporcji między nimi a czarną biedotą, tkwiącą w pułapce beznadziejnych czarnych gett w największych miastach kraju.

Naukowcy zajmujący się tymi zmianami przypisywali spadek poziomu życia w miastach migracją środowisk robotniczych. Dziesiątki tysięcy niewykwalifikowanych, ale dobrze opłacanych robotników fabrycznych przenosiło się gdzie indziej. Ponadto, otwarcie się szerokich możliwości dla wykształconych czarnych obywateli powodowało, że wielu utalentowanych ludzi emigrowało z tradycyjnych gett, w których pozostawała czarna biedota, a nie jak niegdyś wszyscy czarni obywatele, niezależnie od wykształcenia i statusu społecznego.

Tak jak upadek rolnictwa na Południu w poprzednich dekadach spowodował zmniejszenie liczby miejsc pracy dla dziesiątków tysięcy Murzynów i przyspieszył ich migrację na Północ, takie poważne skurczenie się rynku pracy również w miastach często miewało katastrofalny wpływ na czarne społeczności, szczególnie mężczyzn. W miarę jak zmniejszały się perspektywy pracy, proporcjonalnie narastały problemy społeczne w tych społecznościach. Naukowcy nazwali populację biedoty z dużych aglomeracji miejskich kategorią drugiej klasy, której perspektywy ekonomiczne trudno byłoby poprawić w amerykańskim społeczeństwie.

Taki obraz ludności w miastach zaciemniały czasami osiągnięcia wyborcze na dużą skalę w wielu dużych miastach, gdzie czarni wyborcy – częściowo z powodu emigracji białych na przedmieścia – reprezentowali teraz więcej elektoratu niż kiedykolwiek przedtem. Atlanta, nieoficjalna stolica Południa, wybrała swojego pierwszego czarnego burmistrza w 1974 r. Pięć lat później Birmingham w Alabamie – miasto, które było symbolem segregacji rasowej w latach sześćdziesiątych – również wybrało czarnego prezydenta miasta. Do końca lat osiemdziesiątych znaczna większość najważniejszych miast w Ameryce – łącznie z Nowym Jorkiem, Los Angeles, Chicago, Filadelfią, Waszyngtonem i Detroit – wcześniej czy później wybierała czarnego burmistrza.

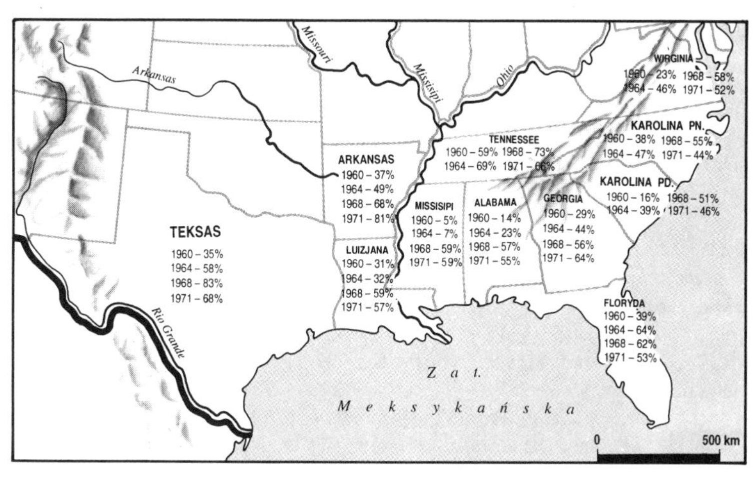

24. Procentowy udział Murzynów w wyborach w latach 1960–1970

Symbolem rosnącego wpływu czarnego elektoratu stały się w latach 1984 i 1988 kampanie prezydenckie demokraty Jesse Jacksona, byłego współpracownika Martina Luthera Kinga Jr., który wykorzystał bazę organizacyjną w Chicago i przychylność prasy, aby stać się niekwestionowanym czarnym prominentem na scenie amerykańskiego życia politycznego. Jackson był ważną osobistością w latach osiemdziesiątych, ale z początkiem lat dziewięćdziesiątych stało się oczywiste, że to raczej młodsze pokolenie nowo wybieranych czarnych urzędników niż weteranów z lat sześćdziesiątych takich jak Jackson miało reprezentować przyszłość.

Podsumowując, lata od 1954 do 1965 przyniosły duży postęp w ustawodawstwie na rzecz czarnych Amerykanów, a lata po 1965 r. jeszcze te przemiany umocniły. Jednakże zarówno wśród naukowców obserwujących te zmiany, jak i w samej społeczności murzyńskiej inklinacje do celebrowania tych znaczących osiągnięć zostały mocno przytłumione przez trzeźwą świadomość, że te same dziesięciolecia unaoczniły obniżenie poziomu życia olbrzymiej liczby czarnych Amerykanów. W latach osiemdziesiątych coraz więcej obserwatorów zrozumiało to, co Martin Luther King Jr. zaczął głosić już w połowie lat sześćdziesiątych, że dla wielu czarnych Amerykanów, tak jak i dla wielu Amerykanów innych ras kwestie ekonomiczne były co najmniej tak ważne dla ich szans życiowych, jak kwestie rasy. Na początku lat dziewięćdziesiątych okazało się bardzo prawdopodobne, że wysoce problematyczna przyszłość gospodarcza czarnej Ameryki nie doświadczy dużego, jeżeli w ogóle jakiegokolwiek, stymulującego postępu, jakim charakteryzowało się jej życie polityczne i kwestie prawne w latach 1945–1990.

Tłumaczyły *Małgorzata Bajorek,*
Dorota Staniszewska–Kowalak

BIBLIOGRAFIA

Carson Clayborne, Garrow David J., Gill Gerald, Harding Vincent & Hine Darlene Clark, *The Eyes on the Prize Civil Rights Reader*, Viking Penguin, New York 1991

Chalmers David, *And the Crooked Places Made Straight*, Johns Hopkins University Press, Baltimore 1991

Garrow David J., *Bearing the Cross*, Vintage Books, New York 1988

Garrow David J., ed., *The Montgomery Bus Boycott and the Women Who Started It: The Memoir of Jo Ann Gibson Robinson*, University of Tennessee Press, Knoxville 1987

Hampton Henry and Fayer Steve, *Voices of Freedom*, Bantam Books, New York 1990

Kluger Richard, *Simple Justice*, Vintage Books, New York 1977

Miller Keith D., *Voice of Deliverance*, Free Press, New York 1991

O'Reilly Kenneth, *Racial Matters*, Free Press, New York 1989

Weisbrot Robert, *Freedom Bound*, Plume/Penguin, New York 1991

Wilson William J., *The Truly Disadvantaged*, University of Chicago Press, Chicago 1987

KOBIETA I RODZINA PO II WOJNIE ŚWIATOWEJ

JUDITH SEALANDER

Niespodziewany atak Japończyków na bazę amerykańskiej marynarki wojennej na Hawajach w grudniu 1941 r. odmienił Stany Zjednoczone. Niemalże w ciągu jednej nocy zniknął zaciekły sprzeciw wielu obywateli w sprawie udziału Stanów Zjednoczonych w II wojnie światowej. Pod koniec wojny Stany Zjednoczone wyłoniły się jako światowe supermocarstwo; ich wpływy gospodarcze, militarne i dyplomatyczne wzrosły znacząco. W bardziej subtelny sposób uczestnictwo w konflikcie przyczyniło się do daleko idących zmian w rodzinach amerykańskich.

Rozdział ten analizuje źródła i następstwa najistotniejszych zmian. Dowodzi, że powojenny okres charakteryzował się drastycznymi przemianami w naturze rodziny amerykańskiej połączonymi z uporczywą niechęcią ze strony zarówno społeczeństwa, jak i jego sił przewodnich do uznania faktu zniknięcia tradycyjnego modelu rodziny, któremu naród w dalszym ciągu hołdował.

Ogromne rozbieżności pomiędzy deklarowanymi poglądami a rzeczywistością były charakterystyczne dla tych powojennych dekad. Rozdział ten dzieli okres powojenny na dwa główne etapy: 1945–1963 oraz 1963–1990. Poniższe rozważania dowodzą, że zmieniający się status kobiety był kluczowym czynnikiem wpływającym na postępujące zmiany w historii rodziny amerykańskiej po 1945 r.

Każde studium na temat kobiety i rodziny po II wojnie światowej należy rozpocząć od zbadania wpływu wojny na sytuację gospodarczą i społeczną. Jeszcze kilka lat wcześniej, podczas szczytowego okresu Wielkiego Kryzysu lat trzydziestych społeczeństwo nakazywało kobietom, aby przestały „kraść” pracę mężczyznom. Dotkliwy niedobór siły roboczej spowodowany przez produkcję wojenną przeobraził obowiązujący w społeczeństwie wizerunek kobiety pracującej. Liczba zatrudnionych kobiet skoczyła z 12 mln do 18 mln przy całkowitej populacji kobiet wynoszącej 50 mln. Pod koniec wojny kobieta zajmowała co trzecie miejsce pracy w skali kraju. Do większego stopnia niż w poprzednich dziesięcioleciach pracujące kobiety były coraz częściej mężatkami w średnim wieku, co podważyło długo podtrzymywane przekonanie o tym, że tylko kobiety młode i niezamężne są czynne zawodowo.

Czytając prasę okresu wojennego, trudno było nie natknąć się na opowiadania o uprzednio nieśmiałych gospodyniach domowych, które powodowane wojennym patriotyzmem stawały się bohaterkami ciężkiej pracy: ochoczo zakładając buty robocze i skórzane rękawice, gorliwie sprzątały i czyściły piece hutnicze, spawały nity w samolotach, pracowały w stoczniach wiercąc otwory w metalowych płytach. Gdy agencja rządu federalnego odpowiedzialna za ogólnokrajową koordynację siły roboczej przy produkcji wojennej zaniepokoiła się niebezpieczeństwem grożącym zatrudnionym w przemyśle kobietom z długimi włosami, poproszono znane gwiazdy hollywoodzkie o obcięcie długich włosów. Wiele z nich, jak Veronica Lake, zdobyło się na to najwyższe poświęcenie.

Niestety Amerykanie nie chcieli chodzić do kina, aby oglądać Veronicę Lake z krótkimi włosami. Jej kariera filmowa padła ofiarą narodowego oczarowania robotnicami zatrudnionymi w przemyśle wojennym. Biorąc pod uwagę wrodzoną fascynację tak „czarującymi" niekonwencjonalnymi profesjami, nie jest zaskakujące, że ówczesne środki masowego przekazu nie informowały, iż przeciętna kobieta zatrudniona w okresie wojny nigdy nie miała styczności z takimi narzędziami, jak spawarka czy wiertarka pionowa. Mniej niż jedna na sześć kobiet zatrudniona była przy produkcji wojennej. Przeważająca większość z nich pracowała w bardziej tradycyjnych zawodach, np. jako sekretarki, sprzedawczynie lub kelnerki. Co więcej, „przeciętna" Amerykanka pracowała nawet w jeszcze bardziej tradycyjnym charakterze i w dodatku nieodpłatnie. Była po prostu gospodynią domową. Jeżeli była przed trzydziestką, przeważnie nie musiała odprawiać swojego męża na wojnę. Tylko 8% zamężnych Amerykanek miało mężów żołnierzy w latach 1942–1945. Statystyczna rodzina amerykańska nie została rozłączona w czasie wojny, a jej sytuacja materialna stale się poprawiała.

Inflacja, reglamentacja żywności, niska jakość produktów i różnego rodzaju braki sprawiły, że większość rodzin amerykańskich zaprzeczyła, jakoby ich sytuacja materialna poprawiła się w czasie wojny. Jednakże ich problemy były małe w porównaniu z problemami rodzin w Europie i Azji, których miasta stały się celami nalotów bombowych lub faktycznymi polami bitwy. Amerykanie zaznali niedostatków wojny. Dotkliwie odczuwano brak mieszkań. Zwłaszcza w ośrodkach produkcji wojennej rodziny często tłoczyły się w namiotach, piwnicach i komórkach, nawet jeżeli jeden bądź więcej członków rodziny otrzymywało wysokie pensje. Wobec natłoku ludzi błagających o lokale mieszkalne, właściciele domów często odmawiali przyjęcia rodzin z dziećmi. Nawet ci, którym szczęśliwie udało się znaleźć mieszkanie, przeżywali stresy z powodu braku podstawowych dóbr. Piece, lodówki, metalowe naczynia kuchenne i radia, żeby wymienić tylko kilka towarów, były nieosiągalne za żadną cenę. Buty, swetry i inne rodzaje odzieży zniknęły ze sklepów, gdyż wojsko zarekwirowało większość krajowych zapasów wełny i skóry. Reglamentacja żywności zmusiła gospodynie do wielogodzinnego stania w kolejkach, aby wymienić rządowe talony na deficytowe produkty, takie jak mięso, cukier czy kawa.

Większość rodzin amerykańskich skupiała całą swą uwagę na tym, że wojna pozbawiła ich ulubionych przysmaków: steków, tortów czekoladowych, herbatników. W rzeczywistości jednak dieta Amerykanów poprawiła się podczas wojny. Rząd federalny zaczął wymagać, aby podstawowe produkty żywnościowe, takie jak mleko i mąka, były wzbogacone żelazem i witaminami. Gospodynie domowe zastąpiły cukier sokami owocowymi i podawały swoim rodzinom więcej warzyw. Tradycyjna dieta amerykańska, która od XIX w. opierała się na dużych ilościach szkodliwego smażonego mięsa i smażonych ziemniaków, uległa zmianie. Wobec reglamentacji tłuszczu, a szczególnie smalcu, kucharze zaczęli podawać potrawy pieczone i gotowane na parze. Pojawiły się produkty żywnościowe, takie jak bakłażany, które poprzednio były spożywane tylko w rodzinach greckich i włoskich w niektórych dzielnicach większych miast.

Amerykańskie konta bankowe powiększały się. W latach wojennych zmniejszył się procent rodzin ubogich. Liczba rodzin posiadających konta oszczędnościowe wzrosła w zaskakująco szybkim tempie. Środki obrotowe, będące w posiadaniu osób indywidualnych, wzrosły ogółem z 50 do 140 mld dolarów. Zostały stworzone warunki do ogromnego wzrostu dobrobytu rodzin w powojennym okresie 1945–1960. W tych latach przeciętny rzeczywisty dochód rodzin amerykańskich zwiększył się o tyle samo, co w ciągu poprzednich pięćdziesięciu lat. Przyrost amerykańskiego dochodu narodowego był zaskakująco wysoki: ponad 250%.

Po raz pierwszy statystyczne powojenne amerykańskie gospodarstwo domowe zaliczane było do tzw. średniej klasy. Jeszcze w latach trzydziestych mniej niż co trzecia amerykańska rodzina osiągnęła standard określony przez krajowe Biuro Ewidencji Ludności (Census Bureau) jako minimum pozwalające zaliczyć je do klasy średniej. Zgodnie z obliczeniami rządowymi, do końca 1960 r. prawie dwie na trzy rodziny zaliczały się do klasy średniej. Rodziny te miały dostęp do luksusów, takich jak urlopy letnie, które w poprzednich dekadach były osiągalne jedynie dla zamożnych.

Amerykańskie rodziny wydawały mnóstwo pieniędzy na rozrywki, zakup najróżniejszych towarów, od samochodów po elektryczne maszynki do polerowania butów. A co najważniejsze: ciesząca się dobrobytem amerykańska rodzina kupowała dom, często położony na jednym z nowo powstałych przedmieść, czyli w osiedlach mieszkaniowych projektowanych na skraju dużych miast, które składały się z dziesiątków tysięcy bliźniaczo podobnych samodzielnych domów, z których każdy posiadał własną działkę. W okresie od 1945 do 1960 jedna czwarta całej ludności przeniosła się na przedmieścia. Wybitni architekci narzekali, że przedmieścia są nieciekawe: tysiące ślepych uliczek zakończonych identycznymi placykami, wokół których ustawione były domy, tysiące czteropokojowych domów z identycznymi tarasami i identycznymi oknami na frontowej ścianie. Jednakże dla milionów rodzin, które spędziły okres kryzysu, a później wojny w ciasnych pomieszczeniach, te osiedla mieszkaniowe były obietnicą lepszego życia.

Jednym z głównych podawanych przez rodziny powodów przeprowadzania się z mieszkań w mieście do domów jednorodzinnych na przedmieściach było pragnienie polepszenia warunków mieszkaniowych swoim dzieciom. W centrum uwagi powojennej rodziny amerykańskiej znajdowało się dziecko. Od XIX w. większość ekspertów radziła amerykańskim rodzicom, aby konsekwentnie stosowali kary wobec swoich dzieci. Podkreślano, że należy nauczyć je umiejętności wyrzeczenia się czegoś i samokontroli. Rodzice mieli ustanowić surowe zasady. Musieli organizować uporządkowany, a nawet surowy reżim w każdym aspekcie wychowania dziecka. Pory posiłków, spania i oczywiście nauka korzystania z toalety musiały odbywać się zgodnie z ustalonym regulaminem. Rodzice, którzy czytali poradniki, otrzymywali przestrogi, aby nie przytulać ani nie całować dzieci zbyt często i dowiadywali się, że nawet niemowląt nie powinni nigdy brać na ręce.

Jednakże podczas wojny metody wychowawcze zaczęły ulegać zmianie. Sztywny rozkład ustąpił miejsca całkowitej dowolności. Inna grupa ekspertów, do której należał pediatra dr Benjamin Spock, zalecała rodzicom, aby pozwalali dzieciom na wszystko. Dzieci powinny jeść wtedy, gdy są głodne, a nie wtedy, gdy się im każe. Powinny mieć możliwość wyboru swoich posiłków. Należy zaniechać stosowania kar cielesnych. Dzieci, które potrzebują dyscypliny, należy stawiać do kąta. Na początku XX w. amerykańscy lekarze radzili rodzicom, aby codziennie rano witali się ze swoimi dziećmi uściskiem dłoni. Teraz eksperci tacy jak dr Spock nakłaniali ich do przytulania swych pociech. Dzieci, aby rozwijać się prawidłowo, musiały badać i eksperymentować. Wymagały wiele uwagi swoich rodziców, szczególnie matek. Matki nie powinny ograniczać się do karmienia i karania swoich dzieci. Powinny bawić się z nimi.

W odpowiedzi na takie zalecenia Amerykanki zaczęły ubierać się bardziej sportowo, zarówno w domu, jak i poza nim. Ciągle jeszcze idąc do kościoła zakładały sukienki, kapelusze i białe rękawiczki, jednakże w latach pięćdziesiątych garderoba Amerykanki zawierała: spódnice, bluzki, swetry i – co było najbardziej zaskakującą zmianą w stosunku do poprzednich dekad – spodnie, które do tej pory noszone były jedynie przez ekscentryczne gwiazdy filmowe, a obecnie stały się stałym elementem damskiego ubioru.

Pod koniec lat pięćdziesiątych społeczeństwo idealizowało siebie jako naród, który czas wolny spędza ze swoimi dziećmi: matki woziły córki na lekcje tańca, ojcowie trenowali popołudniami z synami baseball.

Ogromna miłość do dzieci postrzegana była jako coś naturalnego, niemalże jak wrodzona cecha narodowego charakteru. Przeobraziła się nawet w gloryfikację samego przeżycia, jakim jest wydanie dziecka na świat. W latach 1950–1960 książka (*Childbirth without Fear*) napisana przez brytyjskiego ginekologa położnika, Grantly Dick-Reada, stała się absolutnym bestsellerem w Ameryce. Dick-Read dowodził, że znieczulenie, które od początku XX w. było powszechnie stosowane w amerykańskich salach porodowych, rzadko było rzeczywiście niezbędne. Poród powinien być raczej odbierany jako wspaniały naturalny proces. Kobieta, która ćwiczyła głębokie oddychanie i wiedziała, jak należy ćwiczyć mięśnie miednicy, mogła urodzić bez bólu i strachu niemal w każdych okolicznościach.

Matki, które praktykowały naturalny poród bez środków znieczulających, mogły przeżywać „boski moment". „Poród bez strachu" zawierał zwierzenia wielu szczęśliwych matek, z których jedna stwierdziła, że chce mieć „tysiąc" dzieci, aby mogła doświadczać porodu, podczas którego odczuwała: „Prymitywne podniecenie seksualne. Wszystko było rozświetlone. Podczas skurczów krzyczałam szaleńczo: «To jest cudowne!»".

Po takim stworzeniu więzi między matką i dzieckiem w sali porodowej następował dalszy kontakt macierzyński podczas karmienia piersią. Ta metoda karmienia dzieci odzyskała swą popularność po 1910 r., kiedy to sterylne butelki i odżywki dla dzieci w puszkach po raz pierwszy zyskały szeroką akceptację. Nawet po przerwaniu karmienia piersią dzieci powinny doświadczać intymnych, ciepłych kontaktów z dorosłymi członkami rodziny, a szczególnie z matkami.

Taka zażyłość często równoznaczna była z uleganiem dziecięcym kaprysom. Stany Zjednoczone zawsze były krajem podatnym na głupie mody. W latach dwudziestych studenci college'ów konkurowali ze sobą, kto zje najwięcej żywych złotych rybek. W latach trzydziestych pary organizowały wielodniowe maratony tańca, trwające non stop, dopóki wszystkie oprócz zwycięskiej pary nie padły na podłogę z przemęczenia.

Niemniej jednak na początku lat pięćdziesiątych dzieci poniżej 10 roku życia były najważniejszymi członkami rodziny. Na przykład w 1955 r. miliony drugo- i trzecioklasistów skutecznie wymogły na rodzicach kupienie im czapek z futra szopa pracza, koszulek czy past do zębów Davida Crocketta. Szał na Crocketta, zainicjowany przez popularny w całym kraju telewizyjny program Fessa Parkera, emitowany w środowe popołudnia, poświęcony temu dziewiętnastowiecznemu bohaterowi pionierów amerykańskich, doprowadził do tego, że pomiędzy styczniem a wrześniem tego roku sprzedaż zabawek i gadżetów dla dzieci związanych z tą postacią przekroczyła 100 mln dolarów.

Oczywiście rodzice często uzasadniali zakup nowego telewizora chęcią dostarczenia dziecku rozrywki. Wprawdzie telewizja została wynaleziona w latach dwudziestych, ale jako towar komercyjny zaistniała na rynku dopiero po

II wojnie światowej. Technologia telewizyjna pozostawała jednak nadal ekscentryczną ideą znaną tylko niewielu naukowcom. Po 1950 r. nagle wszystko się zmieniło. W tym właśnie roku jedynie 3% gospodarstw domowych w Ameryce posiadało telewizory. Do 1960 r. miało je już ponad 80%. Nie tylko dzieci, lecz także inni członkowie rodzin odczuwali poważne zmiany w sposobie spędzania wolnego czasu. Spadła popularność kina, gdyż rodziny zostawały w domu, spędzając wieczory przed własnym odbiornikiem telewizyjnym. Takie wieczory rozpoczynały się od odgrzanego „obiadu telewizyjnego", gotowego posiłku na jednorazowej tacce aluminiowej. Takie produkty pojawiły się po raz pierwszy w sprzedaży w 1954 r.

W latach pięćdziesiątych znękana amerykańska matka mogła w pełni docenić wygodę gotowych „obiadów telewizyjnych". Statystycznie znacznie bardziej była skłonna mieć następne dzieci do karmienia i bawienia. Statystyczna powojenna rodzina amerykańska posiadała zwykle małe dzieci. Jednym z najważniejszych zjawisk, które dotknęły kobiety i rodziny w tym okresie był „baby boom". Ogromny wzrost liczby urodzeń w Stanach Zjednoczonych w latach 1942 i 1963 oznaczał, że poziom przyrostu naturalnego w kraju osiągnął dokładnie poziom notowany w Indiach. Co najmniej 4 mln dzieci rodziły się rocznie w latach 1954–1964, w jednym z powojennych dziesięcioleci Stanów Zjednoczonych charakteryzującym się najwyższym wskaźnikiem urodzeń. Przed zakończeniem wyżu demograficznego amerykańskie pary „wyprodukowały" 76441 tys. dzieci, czyli tyle co jedna trzecia amerykańskiej ludności w 1990 r.

Trzy tendencje napędzały ten ogromny wzrost przyrostu naturalnego Amerykanek. Po pierwsze istniała generacja starszych kobiet, które urodziłyby dzieci wcześniej, ale ze względu na kryzys lat trzydziestych „odłożyły" urodzenie dzieci na później. Ponaglane „biologicznym zegarem" rodziły dzieci będąc grubo po trzydziestce lub nawet po przekroczeniu czterdziestego roku życia. Tak więc pierwsza grupa amerykańskich matek urodziła anormalnie dużo dzieci w późnym wielu, czyli po ukończeniu 35 lat. Po drugie, obniżyła się granica wieku, w którym Amerykanki po raz pierwszy zostawały matkami. W latach 1945–1963 Amerykanki wychodziły za mąż młodziej i częściej niż taka sama grupa w całej historii kraju. W 1940 r. około 20% Amerykanek osiągnęło trzydziesty rok życia nie będąc nigdy mężatkami, a w 1960 r. tylko 3%. Średnia wieku, w którym Amerykanki wychodziły za mąż zmniejszyła się znacznie. Z końcem 1955 r. co druga amerykańska panna młoda wychodząca po raz pierwszy za mąż była jeszcze nastolatką. Niemal natychmiast po ślubie młode mężatki zachodziły w ciążę i zostawały matkami. Dlatego też druga grupa kobiet poniżej 23 roku życia miała również anormalnie dużo dzieci jak na swój młody wiek. Po trzecie, w czasie „baby boomu" Amerykanki miały więcej dzieci. Statystycznie liczba dzieci w przeciętnej rodzinie wzrosła o jedno dziecko. Kluczem do zrozumienia „baby boomu" jest uświadomienie sobie, że wzrost ten nie prowadził do dużego wzrostu liczby rodzin wielodzietnych. Osiągnięta w 1958 r. nowa średnia krajowa 3,2 dziecka na rodzinę oznaczała, że miliony rodzin miały dwoje dzieci zamiast jednego lub troje zamiast dwojga.

„Baby boom" był wtedy tendencją narodową daleką od modelu rodzin jednodzietnych i bezdzietnych małżeństw. Nie była to tendencja zmierzająca do zakładania rodzin wielodzietnych. W rzeczywistości procent rodzin z pięciorgiem i większą liczbą dzieci stale spadał. W zaskakująco szybkim tempie rosła natomiast liczba małych rodzin według standardów dziewiętnastowiecznych.

Co więcej, „baby boom" był zjawiskiem masowym. Zamożni i ubodzy, mieszkańcy miast i farmerzy, ludzie z wyższym i podstawowym wykształceniem, katolicy, protestanci, Żydzi, biali, czarni i Latynosi zakładali rodziny z dwojgiem lub trojgiem dzieci. Właściwie brak wyjaśnienia powszechności tego zjawiska. Bez wątpienia różowe perspektywy gospodarki w tym okresie zachęciły pary małżeńskie do szybkiego zakładania rodzin. Jednakże biorąc pod uwagę jedynie czynniki ekonomiczne, logiczne byłoby, gdyby tylko zamożne i średnio zamożne małżeństwa miały więcej dzieci. A właściwie, dlaczego bogate małżeństwa miałyby decydować się na wydawanie pieniędzy właśnie na dzieci? W rzeczywistości zarówno kulturowe, jak i ekonomiczne czynniki wpłynęły na decyzje milionów małżeństw w sprawie wielkości rodziny. W latach pięćdziesiątych i na początku sześćdziesiątych kobiety i mężczyźni poddani byli silnej presji społecznej nakazującej zawieranie związków małżeńskich, a po ślubie posiadanie co najmniej dwojga dzieci, ponieważ jedynacy uważani byli za nie przystosowanych do życia w społeczeństwie. Pary małżeńskie, które pozostały bezdzietne lub, co gorsza, osoby samotne musiały się z tego tłumaczyć.

Dlaczego społeczeństwo w powojennym dziesięcioleciu było tak bardzo nastawione na prokreację? Niektórzy uczeni stwierdzali, że wielu rodziców okresu „baby boomu" wychowywało się w okresie kryzysu lat trzydziestych. Wielu z nich widziało swoich ojców tracących pracę. Wielu z nich pomagało w utrzymaniu rodziny lub znało inne dzieci, które pracowały, aby pomóc rodzicom. Dlatego też wkroczyli oni w dorosłe życie z większym przekonaniem o wartości posiadania dzieci i rodziny. Co więcej, jako dzieci wychowane w okresie kryzysu jeszcze nie przystosowali się do dużego wzrostu dobrobytu spowodowanego rozkwitem powojennej gospodarki amerykańskiej. Myśleli może, że stać ich na wszystko, czego mogliby chcieć, w rozsądnych granicach, i stać ich będzie na jeszcze więcej dzieci.

Narodowa kultura, która gloryfikowała macierzyństwo, przyczyniła się oczywiście również do ogromnego wzrostu urodzeń w powojennych Stanach Zjednoczonych. Nie da się zaprzeczyć, że w latach 1945–1963 kobiety masowo zostawały matkami. Faktycznie, pośród dorosłych kobiet trudno było znaleźć bezdzietne. Niezaprzeczalne jest także to, że w powojennym społeczeństwie kobiecie na każdym kroku wmawiano, iż idealną kobietą jest amerykańska żona i matka. Przykładowo, w 1956 r. tygodnik ilustrowany „Life" wybrał 32-letnią matkę czworga dzieci jako ideał Amerykanki. Magazyn wychwalał ją jako kobietę, której życie skupiało się wokół domu, męża, działalności w parafii i przede wszystkim jej dzieci. Większość wieczorów poświęcała pracom domowym. Codziennie wieczorem czytała młodszym dzieciom do poduszki. Starsze dzieci siedziały w przytulnej kuchni i zwierzały się jej ze swoich problemów.

Zarówno koniec wojennego niedoboru tkanin w sklepach, jak i akceptacja roli gospodyni domowej, co pisarka Betty Friedan określiła jako „tajemnica kobiecości" („The feminine mystique"), przyczyniły się do rewolucji w modzie damskiej. Zniknęły popularne podczas II wojny światowej krótkie spódnice i bluzki o kroju męskich koszul. Ich miejsce zajęły długie, sute spódnice uszyte z wielu metrów materiału. Obcisłe paski podkreślały talię, fałdki uwypuklały biust. Kobiety, których natura nie obdarzyła obfitym biustem, mogły nosić nowy rodzaj grubo wywatowanych biustonoszy. Obcasy były tak wysokie, że często musiały być zrobione ze stalowych prętów oklejonych skórą, co zabezpieczało przed ich złamaniem. Gwałtownie wzrosła sprzedaż kosmetyków.

W okresie „baby boomu" większość Amerykanek ubierała się w „kobiece" stroje, ale do pracy w ogrodzie i na rodzinne pikniki zakładała spodnie. W przeważającej większości kobiety wychodziły wówczas za mąż i miały co najmniej dwoje dzieci. Jednakże sugestia, że Amerykanki były wyłącznie radosnymi gospodyniami domowymi z przedmieść, byłaby tylko częściową prawdą. Historia rodziny amerykańskiej w całym powojennym okresie charakteryzowała się konfliktem pomiędzy deklarowanymi poglądami społeczeństwa a rzeczywistością. U sedna tego konfliktu tkwiła dwuznaczna rola kobiety. W tym sensie „tajemnica kobiecości" była w okresie „baby boomu" zarówno mitem, jak i rzeczywistością.

Społeczeństwo i w dużym stopniu wiele kobiet akceptowało ideę, że prawdziwym powołaniem kobiety jest małżeństwo i macierzyństwo. Bestseller tego okresu, książka *Kobieta nowoczesna: zagubiona płeć* (*Modern Woman: the Lost Sex*) zachęcała kobiety nie tylko do pozostania w domu, lecz także do poświęcenia się tradycyjnym kobiecym zajęciom, jak szycie narzut, robienie przetworów i konfitur. Nawet kobiety z wyższym wykształceniem udawały „słodkie idiotki" na randkach. W latach 1945–1960 dwie na trzy studiujące kobiety rezygnowały ze studiów przed ich ukończeniem, najczęściej z powodu wyjścia za mąż.

W społeczeństwie, w którym „typowa" kobieta była rzekomo gospodynią domową czytającą dzieciom bajki, piekącą ciasta i przemeblowującą mieszkanie, w rzeczywistości miliony kobiet kontynuowały pracę zarobkową poza domem. Trendy, które dały znać o sobie w dekadzie powojennej, miały swe korzenie w samej II wojnie światowej. Wówczas uwaga wszystkich zwrócona była na robotnice zatrudnione w przemyśle wojennym. Rosie the Riveter (Róża Nitownica) stała się sławnym symbolem kobiecego patriotyzmu. W rzeczywistości jednak procent kobiet wykonujących tradycyjne męskie prace w przemyśle ciężkim był niewielki. Największy przyrost zatrudnienia kobiet nastąpił w sektorach urzędniczym i handlowym. Rosie nie pracowała na swoim stanowisku po zakończeniu wojny, ale za to zrobiło to wiele kobiet, które wkroczyły do uprzednio zarazerwowanego dla mężczyzn świata pracowników umysłowych. Przykładowo, po wojnie bankowość uległa znacznym przeobrażeniom. Przed 1942 r. w tej sferze zatrudniani byli wyłącznie biali, a wszystkie wyższe od sekretarek stanowiska zajmowali mężczyźni. Niedobór pracowników płci męskiej zmusił banki do zatrudniania kobiet na stanowiskach sekretarek, urzędniczek do obsługi klientów w okienkach, a nawet w działach kredytów. Urzędniczki bankowe z pewnością nie cieszyły się taką samą sławą i podziwem społeczeństwa, jak swego czasu kobiety zatrudnione w przemyśle wojennym, ale podobnie jak one były wynagradzane nieproporcjonalnie w porównaniu z mężczyznami. Za taką samą lub podobną pracę otrzymywały o wiele niższe wynagrodzenie niż mężczyźni. Płace dla osób zatrudnionych na stanowiskach kasjerów i urzędników w działach kredytów spadły tak znacząco podczas wojny, że po 1946 r. powracający do pracy mężczyźni nie mogli kontynuować pracy na tych stanowiskach. Stanowiska te stały się domeną kobiet.

Zawód kasjerki nie był jedynym nowym kobiecym zawodem. W ciągu lat pięćdziesiątych systematycznie wzrastała liczba czynnych zawodowo kobiet. Wzrost zatrudnienia kobiet był czterokrotnie większy niż mężczyzn. W szczytowym okresie mobilizacji podczas wojny kobiety zajmowały co trzecie stanowisko pracy w Stanach Zjednoczonych. Ten odsetek zmalał do 29% tuż po wojnie, ale do 1960 r. wzrósł ponownie do 35%. Tak więc nawet w powojennym dziesięcioleciu, gdy nieustannie głoszono peany na cześć bycia gospodynią domową, stale wzrastała liczba i odsetek pracujących kobiet.

Wysiłki lat pięćdziesiątych, zmierzające do podtrzymania tradycyjnej roli kobiety jako gospodyni domowej, były całkowitym zaprzeczeniem narodowych tendencji ekonomicznych. W okresie powojennym największy wzrost gospodarczy zanotowano w sektorach pracy umysłowej i usług. W 1956 r. po raz pierwszy w historii kraju liczba pracowników umysłowych przewyższyła liczbę pracowników fizycznych. Od początku XX w. kobiety stanowiły znaczący odsetek pracowników fizycznych. Ten odsetek wzrastał wraz z przesunięciem punktu ciężkości w gospodarce Stanów Zjednoczonych z przemysłu na usługi i technologie, gdyż te dziedziny dostarczały możliwości legionom akwizytorek, telefonistek, specjalistek od reklamy oraz urzędniczek. Takie prace zaczęto określać mianem typowo „kobiecych”.

Coraz częściej kobiety nie dokonywały wyboru pomiędzy pracą zarobkową a zajmowaniem się gospodarstwem domowym, ale łączyły te obowiązki. W takim rozumieniu tego zjawiska era „baby boomu" była nie tyle wycofaniem się z wzorców okresu wojennego, ile zwiastunem powojennej przyszłości kobiety i rodziny. Miała to być przyszłość pełna sprzeczności, gdzie tradycyjne „przywiązanie" kobiety do domu oraz tradycyjny model rodziny utrzymywanej jedynie przez męża stały się zjawiskami marginalnymi w społeczeństwie, które w dalszym ciągu idealizowało te wzorce.

Zapowiedzią nadejścia tych niejasnych dziesięcioleci był zaskakujący fakt, że wzrastał procent zatrudnienia wśród kobiet w średnim wieku i kobiet zamężnych, a nie wśród tych niezamężnych, nie skrępowanych obowiązkami rodzinnymi. Naturalnie w latach 1950–1961 była niewielka liczba kobiet powyżej 21 roku życia, które nie wyszły jeszcze za mąż. W 1963 r., kiedy to liczba urodzeń w kraju powróciła do poziomu przedwojennego i kontynuowała swój historyczny spadek obserwowany od połowy XIX w., obowiązywał inny model amerykańskiej kobiety pracującej. W uderzającym przeciwieństwie do jej odpowiedniczki sprzed II wojny światowej, była ona starsza, zamężna i należała do tzw. klasy średniej. W 1963 r. była to statystycznie kobieta 42-letnia, podczas gdy jej odpowiedniczka z lat trzydziestych miała średnio 29 lat. Była też mężatką. W 1963 r., po raz pierwszy w historii narodu, liczba zamężnych kobiet w szeregach ludzi pracy była większa niż liczba kobiet niezamężnych. Trzy spośród pięciu zatrudnionych kobiet były mężatkami. Wreszcie, należała do klasy średniej, ale nie tylko dzięki własnym dochodom. Statystyczna czynna zawodowo kobieta w okresie od zakończenia II wojny światowej do 1963 r. „awansowała" do klasy średniej, łącząc swoje zarobki z zarobkami męża. Napływ kobiet do pracy doprowadził do znacznego przyrostu przeciętnych dochodów na rodzinę w okresie „baby boomu". W 1947 r. jedna dziesiąta rodzin amerykańskich zarobiła co najmniej 10 tys. dolarów. W 1963 r. jedna piąta zarobiła tę sumę lub nawet więcej. Ponad dwie trzecie tych rodzin, z rocznym dochodem w wysokości 10 tys. dolarów i więcej, utrzymywane było przez dwóch żywicieli, zwykle przez męża i żonę. Powstał nowy model rodziny amerykańskiej: należącej do klasy średniej, czerpiącej dochody z dwóch źródeł.

W jaki sposób można było pogodzić propagandowe idealizowanie wzoru kobiety-gospodyni domowej z realiami ekonomicznymi? Po pierwsze, miliony rodzin być może nie widziały żadnej sprzeczności. Większość żon uzasadniała swą pracę zarobkową poza domem nie tyle własnymi potrzebami finansowymi bądź emocjonalnymi, ile potrzebami rodziny. Zarabiały na edukację dzieci, na rozbudowę domu, aby rodzina mogła pozwolić sobie na urlop. Tylko nieliczne żony zarabiały sumy porównywalne z dochodami swoich mężów. Oboje postrzegali pracę żony jako tradycyjne dodatkowe wsparcie rodziny.

Niemniej jednak nie dało się zaprzeczyć, że około 1963 r. społeczeństwo, które wybrało niepracującą gospodynię domową jako ideał kobiety, stanęło w obliczu sprzeczności między tym ideałem a rzeczywistością. We wczesnych latach sześćdziesiątych czasopisma, filmy i telewizja wciąż kreowały patriarchalny model rodziny amerykańskiej, określanej powiedzeniem „ojciec wie najlepiej", pochodzącym od tytułu serialu telewizyjnego. Serial ten, jeden z najpopularniejszych w tym okresie, przywracał Amerykanom przekonanie o tym, że mężczyźni kontrolowali wszystkie decyzje w rodzinie, kobiety zaś były szczęśliwe w swoich kuchniach. Bohaterka serialu, Margaret, ciepła, aczkolwiek łatwo wpadająca we frustrację, żona, oczywiście nie pracowała zarobkowo. Z trudnością uczyła się prowadzenia samochodu. Jednakże z czasem miliony kobiet oglądających przygody Margaret w serialu *Ojciec wie najlepiej* odczuwały coraz mniejszy związek fikcyjnego życia ukazanego na ekranie z ich własną rzeczywistością. Sytuacja dojrzewała do rzucenia wyzwania dotychczasowym ideałom.

Sprzeciw przyszedł w postaci współczesnego feminizmu. Ten ruch kobiet, który przyczynił się do przekształcenia amerykańskiego społeczeństwa w latach sześćdziesiątych i siedemdziesiątych, w 1963 r. nie pojawił się od razu w swej dojrzałej postaci. Niemniej jednak 1963 r. był punktem zwrotnym w historii kobiety i rodziny w Ameryce. Ukazały się trzy książki, z których każda ilustrowała w jaskrawy sposób sprzeczności powstałe pomiędzy ideologią a rzeczywistością w sprawie miejsca kobiety w społeczeństwie.

W 1963 r. książka Betty Friedan *Tajemnica kobiecości* stała się bestsellerem. Życie samej Friedan biegło zgodnie z szablonami powielanymi przez tysiące innych kobiet z klasy średniej z wyższym wykształceniem. Po ukończeniu elitarnego Smith College w 1942 r. Betty Friedan wkrótce wyszła za mąż i urodziła kilkoro dzieci. Wraz z mężem opuścili swe ciasne nowojorskie mieszkanie i przenieśli się do nowego domu na przedmieściach. Według jej opisu, spędziła lata pięćdziesiąte doskonaląc umiejętności kulinarne i szyjąc pokrowce. Przyznaje, że była dość mocno zaangażowana w te czynności. W rzeczywistości jednak Betty Friedan wiodła skomplikowane „podwójne życie", mimo iż nie podkreślała tego faktu w *Tajemnica kobiecości.* Podobnie jak miliony innych kobiet w okresie „baby boomu", Friedan określiła siebie jako gospodynię domową, ale również pracowała zarobkowo. W 1963 r. była znaną dziennikarką piszącą artykuły w wielu czasopismach. Właściwie *Tajemnica kobiecości* miała pierwotnie być felietonem prasowym. Friedan wysłała ankiety do swoich byłych koleżanek ze Smith College z prośbą, aby opowiedziały o swoim życiu. Gdy nadeszły tysiące odpowiedzi, artykuł rozrósł się do rozmiarów książki, w której autorka zadawała pytanie: „Czy to już wszystko?" Według Friedan, Amerykanki chciały mieć więcej niż męża, dzieci i dom na przedmieściach. Społeczeństwo wmawiało im, że są najszczęśliwszymi kobietami na świecie. One tymczasem były bardzo nieszczęśliwe. Kobiety, które wzięły udział w ankiecie przeprowadzonej przez Friedan w całym kraju, twierdziły, że są wiecznie zmęczone, ospałe, apatyczne, brak im celu w życiu. Są żonami, matkami, a nie jednostkami ludzkimi z własną tożsamością. Idea, że kobiety mogą znaleźć całkowite spełnienie swych ambicji i pragnień w domowych pieleszach, była kłamstwem: „kobiecą mistycznością".

Ku wielkiemu zdziwieniu wydawcy, pod koniec 1963 r. *Tajemnica kobiecości* dostała się na szczyty list bestsellerów. Podobnie jak inna książka, która rzuciła wyzwanie orędkownikom małżeństwa i macierzyństwa. *Seks i niezamężna dziewczyna* (*Sex and the Single Girl*) autorstwa Helen Gurley Brown została po raz pierwszy opublikowana w 1962 r., ale prawdziwy rozgłos uzyskała dopiero w 1963 r. *Seks i niezamężna dziewczyna* ostro przeciwstawiała się charakterystycznym dla ery „baby boomu" pojęciom domatorstwa i cnoty pozamałżeńskiej. Brown, która sama wyszła za mąż mając prawie czterdzieści lat i będąc bardzo znanym wydawcą nowojorskiego magazynu, radziła kobietom niezamężnym, że powinny „wykonywać zawód, który je interesuje i gdzie będą ciężko pracować". Radziła też, że „mieszkanie wspólne z koleżankami jest dobre dla studentek. Wy potrzebujecie samodzielnego mieszkania, nawet jeśli ma to być pomieszczenie nad garażem". Przekonanie, że kobieta musi pozostać dziewicą aż do ślubu było nonsensowne. Przeciwnie, kobiety niezamężne powinny prowadzić aktywne życie seksualne. Brown twierdziła, że niezamężna kobieta: „prowadzi bardziej udane życie seksualne niż większość jej zamężnych przyjaciółek. Ma nieograniczoną możliwość wyboru partnerów i to oni JEJ poszukują. Jej zamężne koleżanki odnoszą się do jej zalotników jak do wilków, ale w zasadzie wielu z nich okazuje się być owieczkami, które ona obedrze ze skóry i zrobi sobie z niej futro".

Tajemnica kobiecości i *Seks i niezamężna dziewczyna* dotarły do pierwszych pozycji na listach bestsellerów. Z pewnością nie można tego powiedzieć o książce *Amerykańskie kobiety* (*American Women*), opublikowanej również w 1963 r. przez oficynę wydawniczą rządu amerykańskiego. Niemniej jednak jej pojawienie się także potwierdziło, że 1963 r. był symbolicznym punktem zwrotnym. Był to raport podsumowujący prace powołanej w 1961 r. przez prezydenta Johna Kennedy'ego komisji, która miała za zadanie zbadanie barier uniemożliwiających pełne uczestnictwo kobiet w życiu społeczeństwa amerykańskiego. Zachęcony przez swego sekretarza, Arthura Goldberga, prezydent Kennedy zainteresował się zjawiskiem amerykańskiej rodziny z klasy średniej mającej dwa źródła utrzymania. Goldberg, uprzejmy i bardzo inteligenty człowiek, który wiedział, jak rozmawiać z prezydentem, wielokrotnie powtarzał mu, że ignorowane przez większość polityków powojennej zmiany w zatrudnieniu kobiet mogłyby spowodować w przyszłości rewolucję społeczną. Powołana przez Kennedy'ego Komisja Prezydencka ds. Statusu Kobiet składała się z wybitnych członków Kongresu i Gabinetu, pedagogów, wpływowych urzędników państwowych, zarówno mężczyzn, jak i kobiet. Eleanor Roosevelt, która krytykowała Johna Kennedy'ego za to, że mianował zbyt mało kobiet na znaczące stanowiska rządowe, była przewodniczącą Komisji aż do swojej śmierci w 1962 r. Publikacja *Amerykańskie kobiety* rozpoczynała się dedykacją ku jej pamięci.

Do analizy końcowego raportu Komisji wydawnictwo Scribners Publishers zatrudniło słynnego antropologa, Margaret Mead, która nie była członkiem Komisji. W podsumowaniu Margaret Mead stwierdziła, że książka *Amerykańskie kobiety* była „murem", który „oddziela przeszłość i jej ograniczenia... od przyszłości, w której można oczekiwać przezwyciężenia tych przeszkód". Istotnie, wnioski Komisji Kennedy'ego były oznaką zmiany oficjalnego podejścia do pracujących kobiet. Przez długie lata agencje zajmujące się statusem kobiet, takie jak np. Departament Pracy (Labor Department), zalecały zachowanie odrębnych praw dla mężczyzn i kobiet, które „chroniły" kobiety np. zakazując im podnoszenia ciężkich przedmiotów lub pracy na nocnej zmianie. Do lat sześćdziesiątych polityka rządowa traktowała pracujące kobiety jako zjawisko przejściowe, jak młode dziewczyny, które porzucą pracę zarobkową dla małżeństwa i które potrzebują ochrony społeczeństwa, aby w czasie pracy nie doznały psychicznych urazów, co przeszkodziłoby im w odgrywaniu w przyszłości roli matki i żony. Abstrahując od tego marginalnego zjawiska, model pracującej kobiety był uznawany za przestarzały od połowy lat czterdziestych.

Ukazanie się *Amerykańskich kobiet* oznaczało zapoczątkowanie odmiennej polityki rządu wobec kobiet, której postulatem była nie tylko specjalna ochrona kobiet, lecz konieczność ustalenia równego wynagrodzenia za jednakową pracę. Sporządzony przez jedną z podkomisji raport postulował nawet, że praca w domu mogłaby zyskać większy status społeczny, gdyby umożliwiono gospodyniom domowym odkładanie pieniędzy do emerytury w zakładzie ubezpieczeń społecznych, tak jakby pracowały zarobkowo poza domem. Końcowy raport Komisji nie poparł tej sugestii, ale fakt, że zostało to poważnie przedyskutowane, odzwierciedlał przekonanie wielu członków Komisji, że kobiety mają prawo do pracy zarobkowej w społeczeństwie, w którym zarobki były istotnym czynnikiem determinującym status obywatela. Departament Pracy nowego gabinetu uznał wartość pracy zarobkowej dla kobiet. W 1963 r. Kongres szybko uchwalił ustawę o zrównaniu zarobków obu płci (Equal Pay Act), symbol nowego podejścia rządu do tej sprawy.

Pomimo przegłosowania tej ustawy większość czynnych zawodowo kobiet pracowała za niskie wynagrodzenie i nie cieszyła się wysokim prestiżem. Kobiety w dalszym ciągu zatrudniane były najczęściej w sektorach administracyjnych i usługowych. Coraz częściej łączyły pracę zarobkową poza domem z nie opłacaną pracą związaną z prowadzeniem domu. Dla wielu z nich pogłębiająca się przepaść pomiędzy ich życiem a wyznawanym przez społeczeństwo idealnym modelem życia kobiety stała się powodem buntu.

1963 r. był ważnym punktem zwrotnym, ale początki załamywania się społecznego ideału domu i rodziny dały się zauważyć jeszcze wcześniej. Czym bowiem wytłumaczyć popularność książki *Generacja żmij* (*Generation of Vipers*) Philipa Wyliego w latach pięćdziesiątych? Wylie – publicysta „New Yorkera" – napisał tę książkę podczas urlopu w 1942 r. Atakowała ona zaciekle amerykańską „dyktaturę macierzyństwa". Rodzenie dzieci nie było, według Wyliego, większą niewygodą, niż „mieć niezłośliwy nowotwór przez kilka miesięcy plus spędzić kilka godzin na krześle dentystycznym". Jednakże amerykańska mamusia wykorzystywała ten stan jako sposobność do stania się domowym tyranem. „Jak Hitler zdradza ludzi, którzy się jej przeciwstawiają, zanim jeszcze zwoła swe wojska. Dlatego też jej całe życie osobiste sprowadza się do oczyszczania sobie pola bitwy. Zdrajcy zostają rozstrzelani; ci, którzy są niegodni jej uwagi, zostają oznaczeni żółtymi gwiazdami, przystojni mężczyźni i chłopcy są spędzani w jedno miejsce i bici. Nowa populacja niewolników nieustannie pracuje przy produkcji amunicji dla dyktatury macierzyństwa".

Nawet Martyna Farnham i Ferdinand Lundberg, psychologowie, których książka *Kobieta nowoczesna: zagubiona płeć* zachęcała Amerykanki do poświęcania się dla domu i męża, pisali: „Nieznany procent kobiet zaklasyfikowanych jako gospodynie domowe wnosi do społeczeństwa niewiele więcej, niż ulicznik wkradający się do kina na popołudniowy seans bez biletu".

Obiektywnie rzecz biorąc, także wielu wybitnych ekonomistów amerykańskich pod kierownictwem Eli Ginsberga z Uniwersytetu Columbia ostrzegało przed „marnotrawstwem". W latach 1955–1957 rząd federalny sponsorował serię konferencji, które odbyły się w Nowym Jorku na Uniwersytecie Columbia w celu zbadania, dlaczego ponad dwa miliony mężczyzn zostało uznanych za umysłowo niezdolnych do służby wojskowej podczas II wojny światowej.

Referaty z tych konferencji, opublikowane w 1958 r. pod wspólnym tytułem *Zasoby ludzkie jako bogactwo narodu (Human Resources: the Wealth of a Nation*), skupiały się na mankamentach amerykańskiego systemu oświaty. Konferencje pod kierunkiem Eli Ginsberga rozszerzały swój zakres, obejmując dyskusje na temat metod rozwijania szeroko pojętego potencjału ludzkiego w Stanach Zjednoczonych. W publikacji *Zasoby ludzkie...* postawiono tezę, że instytucje edukacyjne i przedsiębiorstwa nie tylko marnują potencjał pracowników płci męskiej, lecz również niewłaściwie eksploatują bądź ignorują „połowę najlepszych umysłów Ameryki", tzn. tych należących do kobiet.

Odrodzonemu ruchowi feministycznemu w powojennej Ameryce przewodziły białe kobiety z klasy średniej. Nawet jeżeli nie były to „najwybitniejsze umysły" Ameryki, to z pewnością należały one do najlepiej wykształconych. Grupy kobiet, takich jak Betty Friedan, buntowały się przeciw wywołującym frustracje sprzecznym oczekiwaniom społeczeństwa. Co istotniejsze, kobiety potrafiły zorganizować się, aby dać wyraz tym frustracjom.

Podobnie jak w większości ruchów społecznych, na czele powojennego feminizmu stały nie osoby przeciętne, mało wpływowe, lecz właśnie te o stosunkowo uprzywilejowanej pozycji społecznej. W ruchu uczestniczyły nawet nieliczne grupy Murzynek i przedstawicielek innych mniejszości etnicznych. One oczywiście rzadko przewodziły poczynaniom ruchu. W 1966 r. grupa 300 kobiet i mężczyzn pod przewodnictwem Friedan spotkała się w Waszyngtonie, aby utworzyć Krajową Organizację Kobiet (National Organization for Women – NOW). Organizacja ta oraz inne nowo powstałe grupy walczące o prawa kobiet, jak np. Liga Walki o Równouprawnienie Kobiet (Women's Equality Action League – WEAL), postulowały, aby „kobiety mogły w pełni uczestniczyć w głównych nurtach życia amerykańskiego społeczeństwa". Cytat ten, zawarty w pierwszym manifeście programowym NOW, celnie formułuje naczelne zadanie, jakie stawiały sobie te organizacje, stworzone i kierowane przede wszystkim przez kobiety w średnim wieku, z wyższym wykształceniem. Uczestnicy ruchu feministycznego żądali równouprawnienia dla kobiet np. w zakresie statusu prawnego, we wszystkich sferach amerykańskiego życia społecznego.

Dla nowo utworzonych grup kobiet o bardziej radykalnych poglądach politycznych założenia te nie były wystarczające. Członkinie tych grup, także głównie białe i należące do klasy średniej, wkraczały w dorosły wiek w połowie lat sześćdziesiątych studiując na uniwersytetach, protestując przeciwko wojnie w Wietnamie i walcząc o prawa obywatelskie dla czarnej mniejszości. Nie wystarczała im możliwość włączenia się w główne nurty życia społecznego. Chciały zmienić samo społeczeństwo. Aby to osiągnąć, wiele z nich musiało uświadomić sobie, że „wszystko to, co osobiste, jest polityczne". Wiele członkiń radykalnych grup antywojennych i grup walczących o prawa obywatelskie dla czarnej mniejszości odkryło, że wysuwany przez mężczyzn postulat stworzenia bardziej sprawiedliwego społeczeństwa nie uwzględniał kobiet. Głoszone przez mężczyzn poglądy o równouprawnieniu nie dotyczyły ich relacji ze współpracownicami, przyjaciółkami i kochankami. Aktywiści ruchu antywojennego wyśmiewali się z kobiet, gdy te zaczęły potępiać dyskryminację płci w miejscu pracy, która ograniczała ich działalność do przepisywania okólników i przygotowywania kanapek. Stokley Carmichael, czarnoskóry lider organizacji pod nazwą Studencki Komitet Koordynacyjny Biernego Oporu (Student Nonviolent Coordinating Committee – SNNC), walczącej o prawa obywatelskie dla Murzynów, powiedział swym koleżankom, które chciały wygłosić referat przedstawiający ich stanowisko w sprawie roli kobiet w SNCC, że „jedyna możliwa do zaakceptowania pozycja kobiet w SNCC to pozycja leżąca". W 1968 r. grupy młodych kobiet, często z doświadczeniami w społecznych ruchach protestacyjnych, rozpoczęły tworzenie w całym kraju sieci organizacji na rzecz wyzwolenia kobiet. W przeciwieństwie do organizacji takich jak NOW, które zostały założone przez starsze kobiety, sieci te rzadko miały swoje siedziby, zarządy i manifesty programowe. Nie naśladowały również inicjatywy NOW na rzecz ustanowienia nowych praw wspierających równouprawnienie kobiet. Raczej podkreślały konieczność propagowania równouprawnienia kobiet w sferze prywatnej bardziej niż na arenie publicznej. Przyjmując technikę zwaną „zwiększeniem świadomości" grupy na rzecz wyzwolenia kobiet, spotykały się w prywatnych domach członków, formowały koła dyskusyjne i rozprawiały do późnej nocy o swoich stosunkach z rodzicami, dziećmi, partnerami i małżonkami. Nieraz matki, o których dyskutowano, były tymi samymi prawniczkami, dziennikarkami i nauczycielkami, które tworzyły trzon grup takich jak NOW.

Podziały wewnątrz ruchu feministycznego były związane nie tylko z wiekiem uczestniczek. Kobiety i część mężczyzn, którzy nazwali siebie „feminist[k]ami", stawiali przed sobą różnorodne cele. W ciągu całego okresu istnienia ruchu był on całkowicie zdecentralizowany. Podążając tropem tradycyjnych męskich wzorców środki masowego przekazu poszukiwały narodowych przywódczyń ruchu feministycznego i wybierały takie kobiety, jak Friedan, dziennikarka Gloria Steinem i deputowana do Kongresu Stanów Zjednoczonych Bella Abzug. W rzeczywistości to nie one przewodniczyły ruchowi, który sam często przeciwstawiał się używaniu nazwy „feministyczny". Często feminizm był raczej postawą niż deklaracją przynależności organizacyjnej. Osoby, które popierały szeroki wachlarz postulatów, począwszy od równych płac za jednakową pracę, po radykalne poglądy na temat miłości lesbijskiej, mogły odpowiedzieć twierdząco na pytanie: „Czy jesteś feminist[k]ą?".

Większość powojennych zwolenników feminizmu nie wstąpiła do żadnej organizacji, nie płaciła składek członkowskich i i nawet nie umieściła swojego nazwiska na „feministycznych" listach adresowych. Gdy zdezorientowani agenci FBI otrzymali rozkaz sporządzenia „charakterystyki wyglądu" radykalnych feministek pod koniec lat siedemdziesiątych, został napisany oficjalny raport wyjaśniający, że „te kobiety" można rozpoznać po „bardzo kędzierzawych włosach". Wizerunki feministek ukazujące się w narodowych mediach były zniekształcone. W latach sześćdziesiątych feministka przedstawiana była jako kobieta o pospolitej urodzie, zaniedbanych włosach, uczestnicząca w akcjach palenia biustonoszy i mówiąca wulgarnym językiem. Taki obraz miał swoje źródło w proteście zorganizowanym podczas wyborów Miss Ameryki w 1968 r. Wówczas grupa aktywistek ruchu na rzecz praw kobiet ostentacyjnie wrzuciła do pojemnika na śmieci rozmaite przedmioty, jak sztuczne rzęsy i poduszki do wypychania biustonoszy. Akt ten miał symbolizować protest przeciwko wykorzystywaniu kobiet. Pod koniec lat siedemdziesiątych zmienił się sposób przedstawiania feminizmu w środkach masowego przekazu. Typowa feministka nie była już przedstawiana jako niegustownie ubrana przedstawicielka bohemy. Była to kobieta ubrana w drogi kostium, z równie drogą skórzaną torebką w ręku i pracująca na dobrze płatnym kierowniczym stanowisku. W rzeczywistości jednak żaden z tych wizerunków nie odpowiadał prawdzie. Krajowe gazety, magazyny i programy telewizyjne były tak samo zdezorientowane jak FBI. Brak konkretnych przywódców czy też hierarchii organizacyjnej, w rozumieniu tradycyjnych „męskich" wzorców, oraz łatwego do określenia programu powodował, że feministki nie miały planu działania. Dwie debaty, jedna o legalizacji aborcji i druga o potrzebie uchwalenia poprawki do konstytucji o równouprawnieniu, zjednoczyły amorficzny ruch feministyczny. Te dwie debaty, które wywołały wiele emocji, w interesujący sposób odzwierciedlały nie tylko dylematy, w obliczu których stał współczesny feminizm, lecz także wskazały na kluczową rolę kobiet amerykańskich w zmianach zachodzących w rodzinie w powojennej Ameryce.

Powojenne dziesięciolecia przyniosły rewolucję legislacyjną i technologiczną, dzięki czemu Amerykanki mogły kontrolować lub przerwać ciążę. Przed II wojną światową kobiety miały niewielki wybór. Nawet rozpowszechnianie informacji o rodzajach dostępnych środków regulacji poczęć było nielegalne aż do wybuchu wojny w 1939 r. Podobnie jak większość praktyk medycznych, problem aborcji był regulowany przez każdy stan oddzielnie, a nie centralnie przez rząd federalny. Takie praktyki, powszechnie stosowane w dziewiętnastowiecznej Ameryce, zostały zakazane w większości stanów od 1870 r. i zakaz ten obowiązywał w dalszym ciągu. W 1958 r. kilka stanów zmieniło swoje prawa, zezwalając na aborcję w przypadkach zagrożenia życia matki, ale większość kobiet decydujących się na aborcję dopuszczała się przestępstwa. Pomimo zakazu w powojennych Stanach Zjednoczonych wykonywano dużo aborcji. Niektórzy eksperci szacują, że tylko podczas okresu „baby boomu" w latach pięćdziesiątych wykonywano rocznie ponad 10 mln aborcji. Być może około 10 tys. kobiet umierało rocznie w wyniku zabiegów wykonanych przez niefachowych „podwórkowych specjalistów". Wbrew społecznym przekonaniom dane statystyczne z 1958 r. wykazały, że większość nielegalnych aborcji została przeprowadzona u kobiet zamężnych, które już miały dzieci. Na tle tych wydarzeń, w 1973 r. Sąd Najwyższy Stanów Zjednoczonych wydał orzeczenie w procesie Roe kontra Wade. Pochodząca z Teksasu kobieta, której nadano pseudonim Jane Roe, zaskarżyła do sądu Henry'ego Wade'a, prokuratora okręgowego hrabstwa Dallas w Teksasie, kwestionując prawo stanu Teksas zakazujące aborcji. Roe twierdziła, że prawo to jest pogwałceniem jej prawa do wolności osobistej, zagwarantowanego przez Konstytucję Stanów Zjednoczonych. Sąd wydał decyzję na korzyść Roe, obalając tym samym prawo stanu Teksas.

Sąd twierdził, że polityka aborcyjna powinna pogodzić kilka sprzecznych ze sobą praw. Po pierwsze, Konstytucja gwarantowała wszystkim Amerykanom prawo do wolności osobistej. Po drugie, istniało stanowe prawo gwarantujące ochronę zdrowia przyszłych matek. Po trzecie, istniało też prawo o ochronie życia poczętego. Aby zachować wszystkie te prawa sąd podzielił okres ciąży na trzy równe etapy. Podczas pierwszych trzech miesięcy ciąży prawo kobiety do wolności osobistej było nadrzędne w stosunku do wszystkich praw stanowych tyczących się tej kwestii. Miała ona bezwarunkowe prawo do aborcji. Natomiast podczas kolejnych trzech miesięcy ciąży państwo miało prawo ingerować w ochronę płodu. Władze stanowe nie mogły wprawdzie zapobiec aborcji w tym okresie, ale mogły określić warunki, w jakich mogła być dokonana. Na przykład mogły zażądać, aby aborcje w drugim trymestrze ciąży wykonywane były wyłącznie w szpitalach. Wreszcie podczas ostatnich trzech miesięcy ciąży obowiązywało prawo władz stanowych do ochrony rozwijającego się płodu. Stan mógł uchwalać prawa zakazujące aborcji podczas tych miesięcy z wyjątkiem przypadków, w których lekarz kobiety ciężarnej mógł udowodnić, że kontynuacja ciąży zagrażałaby jej życiu.

Ta skomplikowana decyzja Sądu Najwyższego, często błędnie interpretowana przez prasę, oparta była na koncepcji „zdolności do życia", tzn. zdolności płodu do przetrwania poza łonem matki. Nawet z pomocą medycyny płód nie mógłby przetrwać poza łonem matki w czasie pierwszych sześciu miesięcy ciąży. Dlatego też prawo, które zakazywało aborcji w ciągu pierwszych sześciu miesięcy ciąży, powinno zostać zniesione jako daleko idąca interwencja w wolność osobistą kobiety ciężarnej. Władze stanowe miały najwyżej prawo do regulowania kwestii aborcji, aby chronić zdrowie kobiety, nie miały natomiast prawa odmawiać takich zabiegów.

Jakie czynniki skłoniły Sąd Najwyższy do zakwestionowania obowiązującego niemal od stulecia zakazu przerywania ciąży? Jest oczywiste, że ruch feministyczny wpłynął na polityczną atmosferę, w której zapadła decyzja prawna. NOW, podobnie jak wiele innych organizacji walczących o prawa kobiet, składała do Sądu Najwyższego dokumenty stwierdzające, że kobieta ma niepodważalne prawo do kontrolowania wszystkich funkcji swego ciała. Zdecydowana większość opinii w sprawie Roe była zgodna, że kobieta ma prawo „mieć wpływ na swoją przyszłość". Dotyczyło to również prawa do przerwania ciąży, o ile płód nie był na tyle rozwinięty, że mógłby przeżyć poza łonem matki.

W dodatku amerykańscy politycy pod koniec XX w. obawiali się przeludnienia, a nie zbyt małego przyrostu naturalnego. Politycy dziewiętnastowieczni przestrzegali przed „żółtym niebezpieczeństwem", czyli zagrożeniem rozmnożenia się grup kolorowych imigrantów aż do osiągnięcia przewagi liczebnej nad dominującą dotychczas w Stanach Zjednoczonych białą rasą. Jednakże w latach sześćdziesiątych zarówno rząd federalny, jak i władze poszczególnych stanów wydały miliony dolarów na programy popularyzacji środków antykoncepcyjnych. Powojenny „baby boom" zaskoczył demografów. Obawiali się, że ogromny wzrost urodzeń, jaki nastąpił w Stanach Zjednoczonych w latach 1942–1964, mógłby doprowadzić w przyszłości do eksplozji demograficznej.

Powojenny okres charakteryzował się również nie notowanym dotychczas gwałtownym wzrostem aktywności społeczeństwa. Nie tylko kobiety, lecz także Murzyni, Latynosi i studenci o radykalnych poglądach politycznych organizowali ruchy społeczne, żądając sprawiedliwości, równouprawnienia, polepszenia warunków materialnych, pokoju i zlikwidowania rasizmu. W atmosferze kategorycznych żądań reform prawa regulujące problemy aborcji jawiły się wielu obywatelom jako czynnik dyskryminujący ubogich. Fakt, że przed 1973 r. w większości stanów obowiązywał zakaz aborcji, nie przeszkodził kobietom ze środowisk zamożnych i średnio zamożnych w dokonywaniu aborcji. Pod koniec lat sześćdziesiątych szacowana liczba dokonywanych rocznie nielegalnych aborcji wynosiła 1500 tys. Kobiety zamożne i średnio zamożne mogły w tym celu albo jeździć za granicę, albo do innych stanów, gdzie zakaz aborcji nie był rygorystycznie przestrzegany. Kobiety z biednych środowisk nie mogły sobie na to pozwolić.

Przełomowa decyzja sądu w sprawie Roe kontra Wade w 1973 r. nie zakończyła powojennej debaty na temat legalności aborcji. Zapoczątkowała burzliwą dekadę emocjonalnych konfrontacji pomiędzy zwolennikami a przeciwnikami legalizacji aborcji. Na czele obu grup stały często kobiety, ale kobiety, które żyły w odmiennych środowiskach społecznych. Spór nie tylko podzielił amerykańskie społeczeństwo na dwa obozy; był on także odzwierciedleniem faktu, że powstanie zorganizowanego ruchu feministycznego bynajmniej nie rozwiązało dylematów, w obliczu których stały miliony amerykańskich kobiet. Debata aborcyjna stała się dyskusją na temat „polityki macierzyństwa". Była ona kontynuacją rozpoczętej przez feministki dyskusji na temat obowiązków kobiety wobec siebie i otoczenia.

W gorącej debacie aborcyjnej uczestniczyli wprawdzie przedstawiciele obu płci, ale po obu stronach dominowały kobiety. Kreślone przez socjologów portrety psychologiczne aktywistek aborcyjnych ujawniały, że „typową" kobietą, która opowiadała się za legalną aborcją, była mężatka po czterdziestce, mająca jedno lub dwoje dzieci, posiadająca nie tylko dyplom szkoły wyższej, lecz często również studia podyplomowe, pracowała w prestiżowym zawodzie, a dochody jej rodziny pozwalały na zaliczenie jej do górnej warstwy średnio zamożnych obywateli. Jej odpowiedniczka – przeciwniczka aborcji – była również mężatką po czterdziestce. Jednakże kobieta, która zwalczała legalną aborcję, była nie pracującą zarobkowo gospodynią domową, z co najmniej trojgiem dzieci. Jej mąż zarabiał mniej niż mąż typowej zwolenniczki zalegalizowania aborcji. W konsekwencji tego dochód jej rodziny był znacznie niższy. Przeciwniczka aborcji była zdania, że kobiety, które jednocześnie pracowały i zajmowały się domem były egoistkami, że w efekcie takiego postępowania obniżały wartość macierzyństwa, które zamiast być podstawowym powołaniem kobiety, stawało się jedną z możliwości, którą kobiety same mogły całkowicie kontrolować. W oczach przeciwniczek aborcji takie postępowanie kwestionowało jedynie słuszne miejsce kobiety w społeczeństwie, jak również stabilność rodziny. Dla pewnej, z roku na rok malejącej, grupy kobiet, które zdecydowały się poświęcić wyłącznie wychowaniu dzieci i prowadzeniu domu, legalizacja aborcji była jeszcze jednym zagrożeniem ich statusu w społeczeństwie, które wprawdzie w dalszym ciągu głosiło peany na cześć macierzyństwa, lecz w coraz większym stopniu wartościowało wszystkich na podstawie ich dochodów.

Kontrowersje wokół aborcji wyszły poza wymianę zdań. W latach osiemdziesiątych niektórzy aktywiści żarliwie oponowali przeciw postępowaniu, które uważali za morderstwo nie narodzonego życia ludzkiego, podkładając bomby pod klinikami wykonującymi zabiegi przerywania ciąży. Przypadki użycia przemocy były jednak sporadyczne. W latach 1985–1990 podłożono w kraju dziesiątki bomb, które powodowały szkody materialne, ale nie było ofiar śmiertelnych. Niemniej jednak w połowie lat osiemdziesiątych kobieta, która chciała usunąć ciążę, nierzadko była „linczowana" w drodze do kliniki przez tłum zagorzałych przeciwników aborcji. Otaczana była przez tłum wymachujący transparentami, obrzucający ją wyzwiskami w stylu „morderczyni" i próbujący nakłonić ją do zmiany decyzji. Pod taką presją w drugiej połowie lat osiemdziesiątych zamknięto wiele klinik specjalizujących się w zabiegach przerywania ciąży. W niektórych stanach, szczególnie w rejonach wiejskich, kobiety miały wiele trudności ze znalezieniem kliniki lub lekarza, który zgodziłby się na wykonanie aborcji.

„Czy popierasz sprawę Roe przeciw Wade?" – stało się pytaniem, którego politycy obawiali się najbardziej. Każda z odpowiedzi, zarówno „tak", jak i „nie" mogła wywołać burzę protestów ze strony wyborców. Po 1980 r., gdy Partia Republikańska, której program wyborczy wymierzony był przeciwko legalności aborcji, zdobyła prezydenturę i wiele mandatów w Senacie, bardziej konserwatywny Kongres zaczął ograniczać prawo do aborcji. Klauzula Hyde'a zakazała wykonywania aborcji na koszt państwa. Kobiety z ubogich środowisk, którym opiekę lekarską zapewniał sponsorowany przez rząd federalny program Medicaid (Pomoc Medyczna), nie miały już możliwości usuwania ciąży. Bardziej konserwatywny Sąd Najwyższy w nowym składzie, wyznaczonym przez prezydenta Ronalda Reagana, potwierdził zgodność Klauzuli Hyde'a z Konstytucją. W 1989 r. Sąd Najwyższy wymierzył kolejny cios w legalną aborcję. W sprawie Webstera Sąd orzekł, że władze stanowe mają prawo do ograniczenia aborcji. Przykładowo władze stanowe mogły zażądać zezwolenia rodziców na dokonanie zabiegu u nieletnich. W 1990 r., kolejny republikański prezydent George Bush mianował Davida Soutera, przeciwnika aborcji, na jedno z wolnych stanowisk sędziowskich w Sądzie Najwyższym. Przyszłość legalnej aborcji stała pod znakiem zapytania, zwłaszcza że istniało duże prawdopodobieństwo, iż kolejne wolne stanowiska zostaną obsadzone przez następnych konserwatywnych prawników, znanych przeciwników Roe w jej procesie przeciw Wade. We wczesnych latach siedemdziesiątych wydawało się, że spór o aborcję wygrały feministki argumentując, że kobiety same powinny dokonać wyboru, czy chcą kontynuować ciążę, czy też nie; jednakże lata dziewięćdziesiąte nie przyniosły potwierdzenia tego zwycięstwa, a spór o aborcję stawał się coraz bardziej zagmatwany.

Poprawka do Konstytucji o zrównaniu praw obu płci (ERA), która zjednoczyła powojenny feminizm, miała w tym okresie podobną historię. W 1920 r. koalicja grup feministycznych z początku XX w., włącznie z wojowniczą Unią Kongresową (Congressional Union), kierowaną przez Alice Paul, ostatecznie wywalczyła prawo do głosowania dla kobiet amerykańskich. Po tym zwycięstwie organizacja ta zmieniła nazwę na Partię Kobiet (Woman's Party) i ogłosiła, że rozpocznie kampanię o kolejną poprawkę do Konstytucji USA. Miała to być „poprawka o zrównaniu praw obu płci" gwarantująca Amerykankom absolutną równość prawną. Jej wprowadzenie byłoby równoznaczne ze zniesieniem wszystkich praw, które wymagały odmiennego traktowania kobiet i mężczyzn. W 1923 r. dwóch kongresmanów z Kansas przedstawiło do debaty propozycję poprawki zakazującej odmiennego traktowania kobiet i mężczyzn w Kongresie. Od 1923 r. do 1972 r. ta poprawka o zrównaniu praw obu płci (Equal Rights Amendment – ERA) była blokowana przez Kongres. Tak jak w przypadku decyzji w sprawie Roe kontra Wade, powojenne odrodzenie feminizmu tłumaczy, dlaczego Kongres w końcu uchwalił poprawkę.

Po uzyskaniu akceptacji Kongresu ERA szybko zyskała przychylność 30 spośród 38 stanowych ciał ustawodawczych, czyli większość niezbędną do ratyfikacji poprawki do federalnej Konstytucji. Jednakże pod koniec 1973 r. nastąpił odwrót. Zarówno mężczyźni, jak i kobiety wszczęli kampanię przeciwko ERA, ale podobnie jak w przypadku sporu o aborcję przeważającą większość aktywnych uczestników tej kampanii stanowiły kobiety protestujące przeciw proponowanej poprawce. Jeszcze raz rozgorzał spór wokół obowiązków kobiety wobec siebie i rodziny.

W stanie Illinois przeciwniczki ERA przyprowadziły do budynku legislatury stanowej swoje małe córki z transparentami: „Nie bierzcie mnie do wojska!" W stanie Georgia grupa kobiet określających siebie jako „szarlotkowe damy" przyniosła członkom stanowego ciała ustawodawczego osobiście upieczoną szarlotkę owiniętą w papier, na którym widniało rymowane hasło:

„Włożyłam w to ciasto całe serce swe;
dla dobra rodziny, proszę, głosuj: «nie»".

W stanie Teksas „różowe damy" przyniosły swoim reprezentantom we władzach stanowych tort czekoladowy z napisem „Nie dla ERA" wykonanym z różowego lukru. Wszystkie te grupy deklarowały takie samo stanowisko. Według nich poprawka do Konstytucji o równouprawnieniu stanowiła zagrożenie dla rodziny oraz podważała wartość tradycyjnej roli i obowiązków kobiety.

W 1982 r., gdy do przegłosowania poprawki zabrakło głosów trzech stanów, nawet ci, którzy uważali się za zwolenników feminizmu zaczęli wypowiadać się przeciwko ERA. Ich obawy skupiały się wokół ochrony miejsc pracy oraz urlopach macierzyńskich dla kobiet. Czy federalna poprawka do Konstytucji nakazująca równouprawnienie kobiet i mężczyzn wobec prawa wymagałaby identycznego traktowania obywateli obojga płci w każdej sytuacji? Jeżeli np. firma odmówiła zwolnień ze względów zdrowotnych wszystkim swoim pracownikom, czy ERA wymagająca absolutnej równości dla obu płci w efekcie karałaby kobiety czasowo niezdolne do pracy z powodu ciąży? W 1980 r. cztery spośród pięciu Amerykanek były w wieku rozrodczym. Co najmniej 90% z nich mogła spodziewać się urodzenia minimum jednego dziecka w okresie aktywności zawodowej. Biorąc pod uwagę tę statystykę, czyż nie było oczywiste, że istniało o wiele większe prawdopodobieństwo, iż kobieta zajdzie w ciążę, niż że mężczyzna stanie się fizycznie niezdolny do pracy?

Porażka ratyfikacji poprawki do Konstytucji o zrównaniu praw obu płci w 1982 r. była punktem zwrotnym w powojennej historii kobiety i rodziny. Pokazała ona, jak trudno było chociażby zdefiniować równouprawnienie płci i jak złożony jest ten problem. Czy równość ta miała być określona jako udostępnienie jednakowych możliwości? Czy też należało o niej myśleć jako o równości w efekcie końcowym? Czy metody, jakimi posługiwano się, aby osiągnąć równość, powinny wymagać równego czy też odmiennego traktowania mężczyzn i kobiet? Czy społeczeństwo amerykańskie, które żądało równych praw dla obu płci, powinno ponownie przemyśleć pojęcie wolności słowa? Czy np. społeczeństwo zezwalające na wolną dystrybucję pornografii, której przedmiotem była w Stanach Zjednoczonych głównie kobieta, stworzyłoby odpowiednią atmosferę sprzyjającą równości płci?

W 1990 r. osiągnięta została przynajmniej liczebna równość pomiędzy zatrudnionymi kobietami i mężczyznami. Procent mężczyzn i kobiet był mniej więcej jednakowy – około 47% zatrudnionych w Stanach Zjednoczonych stanowiły kobiety, 53% – mężczyźni. Odsetek zatrudnionych kobiet był wprawdzie nadal niższy niż mężczyzn, ale różnica była bardzo niewielka. Ani małżeństwo, ani wychowywanie dzieci nie były istotnymi czynnikami odróżniającymi życie typowego mężczyzny i typowej kobiety. Oboje pobierali się. Oboje mieli dzieci. Oboje pracowali poza domem. We wczesnych latach osiemdziesiątych statystyka zaczęła odnotowywać interesujące zjawisko. Od 1945 r. znacznie spadł procent zatrudnionych obywateli płci męskiej. Rządowe programy świadczeń emerytalnych, a szczególnie ubezpieczenia społeczne w połączeniu z programami świadczeń emerytalnych i rent zezwalały mężczyznom powyżej 55 roku życia na przejście na emeryturę. W 1990 r. pracowało tylko około 40% mężczyzn powyżej 55 roku życia. Wraz ze spadkiem liczby zatrudnionych mężczyzn, spowodowanym zmianami w zatrudnieniu starszych mężczyzn, wzrastał procent pracujących kobiet. W okresie powojennym odsetek zatrudnionych Amerykanek wzrósł gwałtownie. W 1990 r. różnica pomiędzy odsetkiem wszystkich mężczyzn i wszystkich kobiet czynnych zawodowo zmniejszyła się znacząco. Dla kilku grup wiekowych różnica ta wręcz przestała istnieć.

Jako grupa, która czerpała korzyści wynikające z federalnych i stanowych praw dających równe możliwości edukacji i zatrudnienia, kobiety poczyniły znaczące postępy w wielu dziedzinach obejmujących zarówno pracę fizyczną, jak i umysłową. W 1990 r. niemal połowę wszystkich księgowych i kierowców autobusów w Stanach Zjednoczonych stanowiły kobiety. W 1970 r., a więc tylko 20 lat wcześniej, jedynie około jednej czwartej stanowisk w wyżej wymienionych profesjach zajmowały kobiety. Co piątym lekarzem i prawnikiem w kraju była kobieta. W 1970 r. było tylko 6% lekarzy i 3% prawników płci żeńskiej.

Pod koniec XX w. rzeczywiście nastąpił istotny wzrost liczby kobiet zatrudnionych na stanowiskach uprzednio zdominowanych przez mężczyzn, takich jak kierowca autobusu, prawnik, a nawet kierownik i wykładowca na uniwersytecie. Mimo to olbrzymia większość pracujących kobiet w dalszym ciągu zatrudniona była w dziedzinach określanych jako tradycyjnie kobiece. Połowa kobiet zatrudniona była na typowo „kobiecych" stanowiskach. Najczęściej wykonywaną przez Amerykanki pracą była praca sekretarki. Pozostałe dziewięć to w kolejności: sprzedawczyni, księgowa, pomoc domowa, nauczycielka w szkole podstawowej, kelnerka, maszynistka, kasjerka, szwaczka i pielęgniarka. Z 299 stanowisk pracy zarejestrowanych w 1990 r. przez Departament Pracy Stanów Zjednoczonych tylko 56 było naprawdę przypisanych konkretnej płci. Ponad 80% wszystkich zatrudnionych kobiet pracowało na 75 „kobiecych" stanowiskach.

Gdy już jakaś praca została sklasyfikowana jako „kobieca", osoby wykonujące ją traciły prestiż i zmniejszał się ich zarobek. Amerykański system rynkowy zawsze kierował się prawem popytu i podaży. Teoretycznie podaż siły roboczej i popyt na kwalifikacje pracowników determinował poziom płac i status wykonywanego zawodu. W rzeczywistości zatrudnienie kobiet nigdy nie pasowało do teorii gospodarki wolnorynkowej. Wydany przez rząd federalny *Wykaz zawodów* (*Dictionary of Occupational Titles* – DOT) dokonał klasyfikacji około 30 tys. rozmaitych stanowisk pracy. Dziesiątki tysięcy prywatnych i państwowych pracodawców używały tego słownika, aby ustalić wymagania oraz wynagrodzenie dla pracownika na danym stanowisku. DOT był szeroko używany w połowie lat osiemdziesiątych i był świetnym dowodem na to, w jaki sposób praca uważana za „kobiecą" była mniej ceniona, bez względu na to, jakiego wymagała poziomu kwalifikacji lub wykształcenia. Przykładowo „opiekunka w żłobku", określona jako „ktoś, kto opiekuje się grupami dzieci", otrzymała niższe zaszeregowanie w klasyfikacji państwowej niż „pracownik parkingu" sklasyfikowany jako „ktoś, kto parkuje samochody klientów". „Pielęgniarz/pielęgniarka", czyli osoba, która „opiekuje się pacjentami w domach prywatnych i szpitalach", otrzymała niższą klasyfikację niż „pracownik w zakładzie przetwórstwa podrobów drobiowych", którego zadaniem jest „ładowanie lodu do pojemnika z kurzymi wnętrznościami". „Przedszkolanka" otrzymała to samo zaszeregowanie, co „mieszacz błota", czyli „osoba, która miesza błoto".

Przeważająca większość Amerykanek w dalszym ciągu otrzymywała pensje, które same nie wystarczały do utrzymania wyższego poziomu życia. Kobiety te mogły żyć w dobrobycie tylko wtedy, gdy łączyły swoje zarobki z dochodami mężów. Kobiety pracujące na całym etacie ciągle zarabiały średnio tylko dwie trzecie tego, co mężczyźni. Różnice w poziomie edukacji lub umiejętności nie wyjaśniały tej nierówności. W 1950 r. większy procent kobiet niż mężczyzn kończyło szkołę średnią, natomiast kobiety stanowiły poniżej 20% studentów. W 1990 r. procent kobiet i mężczyzn w społeczeństwie amerykańskim kończących szkoły średnie i wyższe był niemal identyczny. Około 85% otrzymało świadectwa ukończenia szkoły średniej. Około 25% uzyskało dyplom wyższej uczelni. Im wyższe stanowisko zajmowała kobieta, tym większa była dysproporcja w zarobkach. Na przykład sporządzony w 1987 r. raport dla Izby Handlowej Stanów Zjednoczonych (United States Chamber of Commerce) ujawnił, że Amerykanki, zajmujące kierownicze stanowiska na poziomie wiceprezesa i wyższym, zarabiały średnio tylko około 40% tego, co mężczyźni wykonujący taką samą pracę. Stabilność finansowa Amerykanek w dalszym ciągu była zależna od stabilności ich rodzin.

Jednak przeciętna rodzina amerykańska bardzo różniła się od statystycznej rodziny, która walczyła i wygrała II wojnę światową. Eksperci martwili się, że generacja „baby boomu" doprowadzi do eksplozji demograficznej. Wbrew tym obawom, generacja z lat 1942–1963 zachowała się zgoła odmiennie. Była ona odpowiedzialna za gwałtowny spadek liczby urodzeń. W 1978 r. w statystycznej rodzinie urodziło się mniej niż dwoje dzieci. Był to najniższy z notowanych do tej pory wskaźników urodzeń w dwustuletniej historii Stanów Zjednoczonych. W 1990 liczba dzieci w przeciętnej rodzinie amerykańskiej spadła do 1,3. Generacja „baby boomu" nie tylko wydała na świat mniej dzieci niż jej rodzice, lecz także stworzyła całkowicie nowy model życia rodzinnego. W 1950 r. ponad 70% rodzin amerykańskich składało się z ojca, który pracował, i matki, która zajmowała się wyłącznie prowadzeniem domu i opieką nad dziećmi. W 1990 r. mniej niż 12% rodzin amerykańskich miało taką strukturę. Ciągle jeszcze idealizowany przez społeczeństwo „tradycyjny" model rodziny w rzeczywistości był realizowany tylko w niewielu rodzinach. Wśród przyczyn tych zmian w rodzinie amerykańskiej była rosnąca liczba rozwodów, wzrost liczby rodzin z jednym rodzicem oraz znaczny wzrost zjawiska określanego przez Biuro Ewidencji Ludności (Census Bureau) jako „nierodzinne gospodarstwa domowe", składające się z samotnie mieszkających mężczyzn lub kobiet, z par żyjących w konkubinacie bądź z kobiet i mężczyzn żyjących z innymi, nie spokrewnionymi z nimi osobami dorosłymi i dziećmi. Rodzina amerykańska uległa tak znacznym przeobrażeniom, że w 1980 r. na konferencji w sprawie rodziny została opracowana nowa, skomplikowana definicja samego terminu „rodzina". Do tej pory oznaczał on grupę osób spokrewnionych ze sobą, będących w związku małżeńskim bądź związanych przez adopcję. Jednakże specjaliści zgromadzeni na konferencji pod patronatem administracji federalnej nie mogli dłużej akceptować ograniczeń narzucanych przez taką definicję. W 1980 r. podczas obrad definicja pojęcia „rodzina" została poszerzona o wiele innych typów rodziny. Dwie matki z dziećmi mogły być rodziną. Kobieta i mężczyzna nie będący w związku małżeńskim i mieszkający razem również mogli stanowić rodzinę. Praktycznie „jakiekolwiek osoby mieszkające pod jednym dachem i utrzymujące siebie wzajemnie" mogły stanowić rodzinę.

Amerykańskie rodziny nawet w definicji zaczęły się rozpadać. Dzieci z okresu „baby boomu", urodzone w atmosferze idealizującej jedność i stabilność rodziny, przeżywały rekordowe liczby rozwodów i separacji. W 1990 r. połowa wszystkich mężczyzn i kobiet urodzonych w Stanach Zjednoczonych w latach 1945–1963 miała za sobą co najmniej jeden ślub i jeden rozwód. Eksperci oszacowali, że do końca stulecia niemal 75% wszystkich osób urodzonych w tych latach doświadczy co najmniej jednego nieudanego małżeństwa. Nawet do 1990 r. wskaźnik rozwodów wśród generacji „baby boomu" był najwyższy na świecie. Rozwód, niegdyś uważany przez społeczeństwo za wielką kompromitację, stracił znaczenie piętna. Co więcej, stał się o wiele łatwiej osiągalny. Czterdzieści trzy stany uchwaliły prawo o tzw. rozwodach bez orzekania winy. Aby uzyskać rozwód, żadna ze stron nie musiała już zostać uznana winną poważnego przestępstwa, jak fizyczne znęcanie się lub cudzołóstwo. Przeciwnie, współmałżonkowie, z których żadne nie ponosiło winy, mogli po prostu zdecydować się na zakończenie ich małżeństwa.

Amerykańskie dzieci minionego pokolenia wychowywane przez samotnych rodziców były przeważnie ofiarami śmierci jednego z rodziców. Obecnie samotni rodzice, dzieci z okresu „baby boomu", byli rozwiedzeni lub żyli w separacji, a nie utracili współmałżonka na skutek jego śmierci. W 1980 r. tylko 2% wszystkich rodziców w Stanach Zjednoczonych samotnie wychowujących dzieci było samotnych z powodu śmierci współmałżonka.

Coraz częściej głowami rodzin po rozwodzie były matki, a nie ojcowie. W 1990 r. ponad 90% rozwodów kończyło się przyznaniem matce opieki rodzicielskiej nad dziećmi pochodzącymi z tego małżeństwa. Wraz z rekordową liczbą rozwodów przybywało samotnych mężczyzn i matek samotnie wychowujących dzieci. Tylko nieliczne sprawy rozwodowe kończyły się przyznaniem żonie alimentów. Najczęściej wymagano, aby współmałżonek, który nie otrzymał prawa opieki rodzicielskiej nad dziećmi – aż w 92% przypadków był to mąż – płacił alimenty na dzieci. Jednakże w latach osiemdziesiątych średnio tylko 40% amerykańskich eks-mężów płaciło nałożone przez sąd alimenty. Tylko połowa z tych 40% płaciła całkowitą określoną przez sąd sumę. Ta niechęć Amerykanów do płacenia swoim eks-małżonkom alimentów na dzieci była charakterystyczna dla wszystkich warstw społecznych i mniejszości narodowych.

Na Amerykanki po rozwodzie spadał ogromny ciężar finansowy spowodowany koniecznością utrzymania swoich dzieci. Obciążenie było odczuwane tym dotkliwiej, że zarabiały one o wiele mniej niż ich eks-mężowie. Co więcej, musiały poradzić sobie bez większej pomocy ze strony swoich byłych mężów bądź państwa. Jeżeli kobieta zmuszona była do starania się o przyznanie pomocy finansowej z rządowego programu pomocy społecznej, otrzymywała tylko niewielką sumę na każde dziecko. W latach osiemdziesiątych średnia dotacja państwowa na dziecko będące na utrzymaniu matki wynosiła 50 dolarów miesięcznie.

Spowodowało to w latach 1970–1990 zubożenie rodzin utrzymywanych przez samotne matki. W 1990 r. tylko 5% rodzin utrzymywanych przez oboje małżonków było zaliczanych do ubogich, ale za to ponad jedna trzecia rodzin utrzymujących się z zarobków kobiety spadła poniżej minimum socjalnego. Ponad 4 mln rodzin utrzymywanych przez kobiety z trudem znajdowało fundusze na podstawowe wydatki, jak opłaty mieszkaniowe i wyżywienie. Co piąte dziecko amerykańskie rodziło się w biednej rodzinie. Zmieniła się struktura biednych środowisk w Stanach Zjednoczonych. Jeszcze w latach trzydziestych biedni byli najczęściej ludzie starzy mieszkający na wsi. Wzrost emerytur państwowych i innych świadczeń ze źródeł prywatnych oraz wprowadzenie dotowanych przez państwo programów opieki lekarskiej dla osób starszych zmniejszyło niedostatek wśród osób z tej grupy wiekowej w USA. W 1990 r. najszybciej rosnącą grupą osób biednych w Stanach Zjednoczonych były matki samotnie wychowujące dzieci.

Te tendencje najostrzej uwidoczniły się w środowiskach czarnej mniejszości. Do II wojny światowej większość rodzin murzyńskich składała się z obojga rodziców. Jeszcze w 1950 r. tylko 18% rodzin murzyńskich prowadzonych było przez same kobiety. Jednakże na początku lat pięćdziesiątych rodziny te zaczęły się rozpadać nawet w większym stopniu niż w grupach nie będących mniejszościami. Szczególnie godne uwagi były liczne rodziny utrzymywane przez kobiety, które nigdy nie poślubiły ojców swoich dzieci. W połowie lat osiemdziesiątych niemal połowa wszystkich rodzin wśród tej mniejszości rasowej utrzymywana była przez kobietę. W 1990 r. na każdych 10 czarnoskórych noworodków niemal 7 miało niezamężną matkę, co stanowiło 67% w porównaniu z 18% wszystkich białych noworodków.

Dezintegracja współczesnej rodziny murzyńskiej wywołała dyskusje wśród polityków i uczonych. Jako przyczyny zaskakujących powojennych zmian w strukturach rodzin murzyńskich wymieniano często: wysoki wskaźnik bezrobocia wśród mężczyzn w obrębie tej mniejszości, mała liczba mężczyzn w stosunku do liczby kobiet oraz tradycja podejmowania pracy zarobkowej przez Murzynki. W latach 1942–1960 zaobserwowano jedną z najpoważniejszych migracji wewnętrznych w amerykańskiej historii: miliony Murzynów przyciągnięte obietnicą otrzymania zatrudnienia opuściły południowe rejony Stanów Zjednoczonych, gdyż w wyniku mechanizacji rolnictwa na Południu zaczęło brakować miejsc pracy. Do II wojny światowej właściciele ziemscy na Południu bronili się przed wprowadzeniem maszyn takich jak ciągniki, polegali natomiast na taniej sile roboczej, którą stanowili Murzyni. Gdy region ten w latach 1940–1950 jako ostatni w kraju rozpoczął modernizację, miliony pracowników fizycznych straciły pracę. Ci byli robotnicy rolni, mało wykształceni i nie posiadający kwalifikacji niezbędnych do pracy w przemyśle, stłoczeni byli w gettach wielkich miast. Wysoki wskaźnik bezrobocia, szczególnie wśród czarnych mężczyzn, charakteryzował te dziesięciolecia. Murzyni bez pracy nie byli skłonni do małżeństwa.

Co więcej, w obrębie mniejszości murzyńskiej było mniej mężczyzn niż kobiet. W 1990 r. proporcje między białymi mężczyznami i kobietami były niemal równe – na 100 białych kobiet przypadało 99 białych mężczyzn, podczas gdy na 100 Murzynek przypadało zaledwie 81 Murzynów. Jaka była tego przyczyna? Średnia długość życia mężczyzny z tej mniejszości była niższa od średniej dla białego mężczyzny. Murzyni umierali na choroby, takie jak rak i cukrzyca, dwukrotnie częściej niż biali, a ryzyko zawału było u nich prawie trzykrotnie wyższe. Procent zgonów w wyniku morderstwa był w tej grupie sześciokrotnie większy. Należąc do grupy mniejszościowej o większym wskaźniku ubóstwa, Murzyni otrzymywali często niedostateczną opiekę, mieszkali w gettach, gdzie rozwijała się przestępczość i narkomania, wykonywali niebezpieczne prace o niskim statusie. Nie tylko brak było czarnych mężczyzn zdolnych do małżeństwa: po prostu było ich mniej.

Należałoby wreszcie wspomnieć, że w przeciwieństwie do białych kobiet Murzynki zawsze pracowały bez względu na stan cywilny. Gdy w latach powojennych nastąpiła rewolucja w strukturze zatrudnienia zamężnych białych kobiet, zanotowano znacznie mniejszy wzrost zatrudnienia wśród Murzynek. Murzynki były tradycyjnie jedyną grupą Amerykanek, które nawet po wyjściu za mąż kontynuowały pracę poza domem. Bieda była głównym czynnikiem, który spowodował te różnice w strukturach zatrudnienia. Niemniej jednak należące do tej mniejszości kobiety były przez dłuższy czas ekonomicznie silniejszą grupą w porównaniu z mężczyznami, niż białe kobiety w stosunku do białych mężczyzn.

W okresie powojennym chęć podjęcia pracy była często dla białych kobiet bodźcem do zakończenia nieudanego małżeństwa. Po 1940 r. w większości przypadków to kobiety składały do sądu wnioski o rozwód. Być może kobiety z rodzin murzyńskich, już od dawna trudniące się pracą zarobkową, były bardziej skłonne do zdecydowania się na życie bez męża niż do posiadania męża, który nie odpowiadał ich wymaganiom.

Bez względu na to, jakie były przyczyny tego zjawiska, faktem pozostawało, że nie tylko Murzynki, lecz statystycznie wszystkie kobiety, wychowujące dzieci bez pomocy finansowej ze strony małżonka, były zagrożone nędzą. Ich dzieciom, a szczególnie niemowlętom, groziło niedożywienie i choroby.

Pewien badacz po zapoznaniu się ze wstępnymi wnioskami amerykańskiego Biura Ewidencji Ludności stwierdził dowcipnie, że raport opracowywany co 10 lat od 1970 r. powinien nosić tytuł „Niesamowicie kurczące się amerykańskie gospodarstwo domowe". Rodziny amerykańskie nie tylko w coraz większym stopniu rozpadały się na skutek rozwodów, nie tylko pojawiało się coraz więcej kobiet, które nigdy nie były zamężne, wychowujących samotnie dzieci; zmniejszały się także rozmiary statystycznego amerykańskiego gospodarstwa domowego. W 1930 r. w przeciętnym amerykańskim gospodarstwie domowym mieszkało prawie 5 osób, w 1970 r. – 3,1. W 1990 r. na jedno amerykańskie gospodarstwo domowe przypadało średnio tylko 2,4 osoby. W dużych aglomeracjach wskaźniki te były nawet jeszcze niższe. Na przykład w Nowym Jorku tylko 1,7 osoby przypadało statystycznie na gospodarstwo domowe. Stale malała liczba domowników. Jeżeli tendencja ta będzie utrzymywać się w dalszym ciągu na tym poziomie, to w XXI w. każdy Amerykanin będzie mieszkał sam.

Oczywiście żaden ekspert w Biurze Ewidencji Ludności Stanów Zjednoczonych nie przewidział tego. Niemniej jednak powojenny wzrost liczby gospodarstw domowych składających się tylko z jednej osoby był zaskakujący. Wstępne wyniki szacunków Biura Ewidencji Ludności wykazały, że 25% wszystkich Amerykanów mieszkało samotnie. Amerykanie nostalgicznie wypowiadali się na temat dużych, wielodzietnych rodzin, dziadków i innych krewnych. Uwielbiali postacie kreowane przez popularnych rysowników, jak Norman Rockwell. Rysunki przedstawiały duże rodziny siedzące przy długich stołach i spożywające świąteczny obiad. W rzeczywistości jednak, mając możliwość wyboru, woleli raczej małe niż duże rodziny. Model małej rodziny był najbardziej zaskakujący w przypadku środowisk zamożnych.

Największy wzrost liczby jednoosobowych „nierodzinnych" gospodarstw domowych zanotowano wśród osób w starszym wieku. Także i w tym przypadku kluczową rolę odgrywały kobiety. W społeczeństwie, gdzie kobiety żyły dłużej od mężczyzn, coraz więcej starszych kobiet żyło samotnie. Podobnie jak w przypadku młodych kobiet próbujących samotnie wychowywać dzieci, samotne starsze kobiety znacznie częściej miały kłopoty finansowe niż żyjący samotnie mężczyźni w tej grupie wiekowej. W 1990 r. trzy czwarte żyjących w biedzie starszych osób stanowiły kobiety. Cztery piąte wszystkich samotnych starszych osób stanowiły kobiety. W okresie powojennym starsze małżeństwa również coraz częściej się rozwodziły. Kobiety po sześćdziesiątce lub nawet po siedemdziesiątce często z przerażeniem odkrywały, że po dziesiątkach lat trwania ich małżeństwa nie miały prawa do emerytury swojego małżonka. Dwukrotnie więcej mężczyzn niż kobiet miało prawo do emerytury. Często kobiety były już zbyt stare, aby podjąć pracę, nie miały odpowiednich kwalifikacji i w konsekwencji ich sytuacja materialna drastycznie się pogarszała. Obliczenia Biura Ewidencji Ludności wykazały, że rozbieżność pomiędzy sytuacją materialną starszych mężczyzn i kobiet może się pogłębić w przyszłości. Mężczyźni z generacji „baby boomu" mieli o wiele większe szanse niż ich ojcowie na zabezpieczenie w postaci emerytury państwowej lub prywatnego ubezpieczenia. Kobiety nie miały takich szans. Prognoza Biura Ewidencji Ludności na rok 2020 mówi, że tylko 8% samotnie mieszkających mężczyzn, a za to aż 38% samotnych kobiet powyżej pięćdziesiątego roku życia będzie żyło w biedzie.

W przeciwieństwie do Stanów Zjednoczonych w większości krajów europejskich bezpośrednio po II wojnie światowej nie odnotowano znacznego wzrostu urodzeń. W najbardziej zniszczonych wojną regionach, jak Europa Wschodnia i państwa niemieckie, przez pewien czas wskaźnik urodzeń nawet spadł. W latach sześćdziesiątych, gdy nastąpiło przyspieszenie odradzania się gospodarki europejskiej, wiele krajów stanęło w obliczu niskiego przyrostu demograficznego przy jednoczesnej stałej poprawie sytuacji gospodarczej oraz braku siły roboczej. Po wojnie w większości krajów europejskich kobiety o wiele szybciej i wcześniej zaczęły pracować niż w Stanach Zjednoczonych. Na przykład już w 1950 r. 50% Francuzek pracowało zarobkowo poza domem. Podobny odsetek zanotowano w obu państwach niemieckich i w całej Europie Wschodniej. Co więcej, wiele krajów miało scentralizowane i jednolite władze, które przez dziesiątki lat były bardziej niż rząd Stanów Zjednoczonych zaangażowane w takie dziedziny, jak oświata i opieka nad dziećmi. Wiele rządów opracowało i realizowało programy pomocy kobietom w spełnianiu ich podwójnej roli: w domu oraz w pracy. Pod koniec XX w. finansowane przez rząd programy opieki nad małymi dziećmi oraz ustawowo zagwarantowane urlopy macierzyńskie były realizowane na szeroką skalę w całej Europie. Natomiast w Stanach Zjednoczonych nawet pod koniec XX w., gdy zdecydowana większość kobiet pracowała zarobkowo, więzi pomiędzy rodziną a państwem były bardzo luźne. Stany Zjednoczone ciągle jeszcze nie miały konkretnej polityki wspierania rodziny ani na szczeblu władz stanowych, ani też federalnych. Politycy podkreślali, jak ważne jest wspieranie rodziny amerykańskiej. Również w tej materii istniała rozbieżność pomiędzy deklarowanymi poglądami i rzeczywistością. Utrzymanie rodziny pozostawało indywidualnym problemem obywatela.

W przeciwieństwie do krajów europejskich, takich jak np. Szwecja, gdzie po przyjściu na świat dziecka „świeżo upieczona" matka lub ojciec otrzymywali płatny dziewięciomiesięczny urlop macierzyński, mniej niż jedna trzecia pracujących Amerykanek otrzymywała jakiekolwiek wsparcie. Większość tych kobiet nie miała nawet jasno określonego prawa do powrotu do swego poprzedniego miejsca pracy po wykorzystaniu urlopu macierzyńskiego. Tylko nieliczni podejmowali dyskusje o przyznawaniu ojcom urlopu, nawet bezpłatnego, na opiekę nad dzieckiem. Z wyjątkiem Stanów Zjednoczonych, wszystkie wysoko rozwinięte kraje zapewniały kobietom bezpłatną opiekę zdrowotną w czasie trwania ciąży, w czasie i po porodzie oraz opiekę nad noworodkiem. 75 krajów gwarantowało kobietom w ciąży prawo do powrotu do swojej pracy. W 1990 r. statystyczna pracująca Europejka otrzymała pięć i pół miesiąca płatnego urlopu macierzyńskiego.

W Stanach Zjednoczonych rodzice brali całkowitą odpowiedzialność za swoje nowo narodzone dzieci. Większość krajów europejskich zapewniała bezpłatne żłobki dla małych dzieci. Na przykład we Francji 95% dzieci w wieku od 2 do 6 lat spędzało czas w ciągu dnia w takich właśnie żłobkach. Natomiast w Stanach Zjednoczonych opieka nad dziećmi finansowana przez państwo prawie nie istniała. Czy był to zbieg okoliczności, że kraj z najmniej rozwiniętym systemem opieki nad rodziną miał jednocześnie najniższe płace dla kobiet?

Krajowy sondaż przeprowadzony w 1988 r. przez jeden z głównych tygodników amerykańskich – „Time" – miał na celu ukazanie poglądów kobiet amerykańskich. Na pytanie: „Czy jesteś feministką?" – 75% ankietowanych kobiet w wieku poniżej 30 lat odpowiedziało: „nie". Podkreślały one, że feministki są „zbyt męskie", że mają „owłosione nogi", że są „zbyt gniewne". Natomiast zapytane, czy planują pogodzenie pracy zawodowej z małżeństwem, czy domagają się równouprawnienia w zakresie płac lub czy oczekują od swoich mężów udziału w opiece nad dziećmi i pracach domowych, w przytłaczającej większości te same młode kobiety odpowiedziały „tak". Pod koniec XX w. poglądy i rzeczywistość w dalszym ciągu były rozbieżne. Zarówno kobiety, jak i mężczyźni byli zdania, że praca w domu, jak i poza nim, powinna być sprawiedliwie dzielona pomiędzy oboje partnerów, ale ogromna większość pracujących żon amerykańskich wracała po pracy do domu jak na „drugą zmianę", wykonując około 75% prac domowych oraz większość obowiązków związanych z opieką nad dziećmi.

Zapoczątkowane podczas II wojny światowej rewolucyjne przemiany społeczne i polityczne nie zakończyły się. Jedyną pewną do przewidzenia rzeczą było to, że kobiety będą nadal odgrywały kluczową rolę w zmianach dotyczących rodziny amerykańskiej. Pod koniec XX w. decyzje obywateli dotyczące życia zawodowego i rodzinnego podejmowane były pod presją. Tylko nieliczne Amerykanki łatwo godziły życie zawodowe z prywatnym, obowiązki zawodowe i rodzinne.

Pomiędzy Stanami Zjednoczonymi a Europą i Japonią nadal trwała zaciekła rywalizacja przemysłowa i handlowa. W latach osiemdziesiątych spadła wydajność gospodarcza, a jednocześnie znacznie wzrosły długi zagraniczne. Zainicjowane przez kraje arabskie w latach siedemdziesiątych embargo na ropę naftową pociągnęło za sobą trzykrotny wzrost kosztów energii. Stanowiska w rozrastającym się sektorze usług nie były już tak dobrze płatne, jak w przemyśle. Podrożała żywność, czynsze i opieka lekarska. Na przykład rodzina w latach pięćdziesiątych mogła pozwolić sobie na kupno domu, spłacając raty równe 10% miesięcznego dochodu rodzinnego brutto. W latach dziewięćdziesiątych przeciętna rata za dom była równa 40% miesięcznego dochodu brutto rodziny.

Pod koniec XX w. klimat powojennego dobrobytu wpłynął na zmianę perspektyw rodzin amerykańskich. Większość z nich nie mogła dłużej zakładać, że każde nadchodzące dziesięciolecie przyniesie im lepsze płace i warunki materialne. Najbogatsze 5 mln z 90 mln gospodarstw domowych w dalszym ciągu cieszyły się niesłychanie wysokim standardem życia. Jednak w coraz większym stopniu członkowie klasy średniej, jak i klasy robotniczej, nie mówiąc już o wzrastającej liczbie biednych, obawiali się, czy kiedykolwiek stać ich będzie na kupno domu, martwili się kosztami edukacji dzieci, rosnącymi w zawrotnym tempie kosztami opieki lekarskiej w kraju, gdzie nie było wszechstronnego ogólnokrajowego systemu opieki zdrowotnej.

Jedyne z możliwych rozwiązań problemów istniejących w Stanach Zjednoczonych pod koniec XX w. wymagało od narodu wykorzystania zasobów ludzkich w bardziej wydajny sposób, bez dyskryminacji ze względu na płeć. W latach dwudziestych sufrażystka Crystal Eastman ostrzegała, że dla sprawiedliwego i żyjącego w dobrobycie społeczeństwa, w którym istnieją warunki dla rozwoju rodziny, „zarówno dla mężczyzn, jak i dla kobiet musi istnieć możliwość zarabiania na życie i usamodzielnienie się". Co więcej, „gotowanie, szycie, sprzątanie i dbanie o siebie w normalnych warunkach życiowych muszą być czynnościami i męskimi, i kobiecymi". Osiągnięcie takiego poziomu przez społeczeństwo było wprawdzie bardziej realne w 1990 r. niż w 1920 r., ale ciągle jeszcze nie nastąpiło.

Tłumaczyła *Agnieszka Kubiniec*

BIBLIOGRAFIA

Campbell D'Ann, *Women at War with America: Private Lives in a Patriotic Era*, Cambridge, May 1984

Chafe William, *Women and Equality: Changing Patterns in American Culture*, New York 1977

Evans Sara and Barbara Nelson, *Wage Justice, Comparable Worth and the Paradox of Technocratic Reform*, Chicago 1989

Gordon Linda, ed., *Women, the State, and Welfare*, Madison 1990

Harrison Cynthia, *On Account of Sex: the Politics of Women's Issues 1945–1968*, Berkeley 1988
Hartmann Susan, *From Margin to Mainstream: American Women and Politics since the 1960s.*, New York 1989
Hewitt Sylvia, *A Lesser Life: the Myth of Women's Liberation America*, New York 1986
Kaledin Eugenia, *Mothers and More: American Women in the 1950s.*, Boston 1984
Kaminer Wendy, *A Fearful Freedom: Women's Flight from Equality*, New York 1990
Lemann Nicholas, *The Promised Land: the Great Black Migration and How it Changed America*, New York 1990
Luker Kristin, *Abortion and the Politics of Motherhood*, Berkeley 1984
Mathews Donald and Jane Sherron DeHart, *Sex, Gender and the Era: a State and a Nation*, New York 1990
May Elaine, *Homeward Bound: American Families in the Cold War Era*, New York 1988
Rosenberg Rosalind, *Beyond Separate Spheres: Intellectual Roots of Modern Feminism*, New Haven 1984
Rubin Lillian, *Worlds of Pain: Life the Working Class Family*, New York 1976
Rupp Leila and Vera Taylor, *Survival in the Doldrums: the American Women's Rights Movement: 1945 to the 1960s.*, New York 1987
Wandersee Winifred, *On the Move: American Women in the 1970s.*, Boston 1988
Wertz Richard and Dorothy Wertz, *Lying-in: a History of Childbirth in America*, New York 1979

AMERYKAŃSKA POLITYKA ZAGRANICZNA OD 1975 R.

GARY R. HESS

Polityka zagraniczna Stanów Zjednoczonych od zakończenia wojny wietnamskiej była przedmiotem niezwykle nasilonej publicznej dyskusji, odzwierciedlającej długotrwały niepokój o status kraju na arenie międzynarodowej. Zmienność jej priorytetów świadczyła o podejmowaniu wysiłków w celu złagodzenia tych niepokojów i wyjścia naprzeciw nieprzewidzianym zmianom sytuacji międzynarodowej. Jimmy Carter w swym podejściu do polityki zagranicznej odrzucał założenia poprzedniej administracji, w której Richard Nixon, Gerald Ford, Henry Kissinger na nowo zdefiniowali tradycyjną politykę powstrzymywania ekspansji przeciwnika. Polityka zagraniczna Ronalda Reagana wobec świata wyraźnie odrzucała „defetyzm" administracji Cartera. Dyplomatyczne priorytety George'a Busha, mimo obietnicy kontynuowania przezeń polityki Reagana i zapowiedzi poważnych międzynarodowych dokonań, spotkały się z wyzwaniem krytyków zarówno liberalnych, jak i konserwatywnych.

Takie zmiany w akcentach w polityce zagranicznej podkreślają, jak ważną rolę sprawy polityki światowej odgrywają od 1976 r. w każdych wyborach prezydenckich. Dyskusja publiczna przeszła trzy wyraźne stadia, będące wyrazem nadziei pokładanych w tej dziedzinie. Przegraną w wojnie wietnamskiej przypisywano źle pokierowanej interwencji, co wzbudziło wątpliwości i pytania: „Jak to się stało, że przegraliśmy?", „Czy nadal jesteśmy dobrymi ludźmi?" W 1980 r., kiedy po klęsce wietnamskiej przyszła klęska w Iranie, sięganie po nowe regiony przez Związek Radziecki oraz inne zmiany w polityce, poczucie narodowej świadomości znalazło odbicie w trosce wyrażonej pytaniem: „Dlaczego dajemy się popychać z miejsca na miejsce?". Jednakże po dziesięciu latach wyścigu zbrojeń osiągającego swą kulminację w zakończeniu sowieckiej kontroli nad Europą Wschodnią, a następnie w rozpadzie samego Związku Radzieckiego, narastające problemy gospodarcze w kraju i za granicą wzbudziły nowe wątpliwości i nowe pytania: „Czy Ameryka wkroczyła w okres schyłku gospodarczego?", a jeżeli tak, to „Czy może ona pełnić przywódczą rolę w świecie w epoce, jaka nastąpiła po zimnej wojnie?"

Wiosną 1975 r. amerykańska polityka zagraniczna sprawiała wrażenie rozchwianej. Armia północnowietnamska przypuściła główną ofensywę i z łatwością posunęła się na południe, kończąc tym samym lata militarnego zastoju i amerykańskich wysiłków o podtrzymanie niekomunistycznego rządu na południu. Jak należało się spodziewać, dzielący naród konflikt kończył się poczuciem goryczy; prezydent Gerald Ford skłonił Kongres do wysłania natychmiastowej pomocy wojskowej dla ratowania rządu w Sajgonie. Większość jednak kongresmanów i senatorów, tak jak większość społeczeństwa, uważała, że Stany Zjednoczone więcej niż spełniły swój, jeżeli w ogóle jakikolwiek, obowiązek. W pierwszej amerykańskiej wojnie, którą rejestrowała telewizja, kamery uchwyciły upadek sajgońskiego rządu. Amerykańskie helikoptery unosiły zdesperowanych Wietnamczyków z Południa (z Republiki Wietnamu), zabierając ich na odpływające już statki. Odlot ostatniego z helikopterów zakończył smutne doświadczenie, które pochłonęło 58 tys. ofiar, podzieliło naród, utrudniło reformy socjalne, wyzwoliło inflację i zerwało konsensus na temat polityki zagranicznej, powstały we wczesnych latach zimnej wojny.

Zdaniem zarówno elit, jak i opinii publicznej interwencja w Wietnamie była błędem, rezultatem arogancji przywódców, którzy spowodowali stratę wielu amerykańskich i wietnamskich istnień ludzkich w krwawej, wyniszczającej i całkowicie bezsensownej wojnie na rzecz słabego, skorumpowanego rządu. Tytuły artykułów w specjalnym wydaniu „New Republic", *O klęsce* (*On the Disaster*) odzwierciedlały dominujące poczucie narodowej winy: *Nasze łkania*... (nieprzetłumaczalna gra słów: *Our SOBs*... może także znaczyć: *Nasze s...syny*...), *Wielkie złudzenie*... (*Grand Illusion*...), *Tajemna wojna*... (*The Secret War*...), *Mit i interes*... (*Myths and Interests*...), *Kłamstwa i szepty*... (*Lies and Whispers*...), *Elita chroni siebie*... (*The Elite Protects Itself*...). Zdecydowane odcinanie się od wojny widać było w lekceważeniu okazywanym weteranom powracającym z wietnamskiej wojny. Konflikt wietnamski pozostawił za sobą brak zaufania do roli prezydenta, niechęć popierania interwencji, wątpliwości co do idei narodowej misji.

Wietnamska wojna zachwiawszy szeroki dwupartyjny konsensus na temat polityki zagranicznej wyzwoliła ożywioną dyskusję na temat miejsca Stanów Zjednoczonych w świecie w epoce powietnamskiej. Punktem odniesienia w zbliżających się w 1976 r. wyborach była „polityka realna" równowagi sił, ucieleśniona w „wielkim projekcie" („grand design") Nixona i Kissingera, która prowadziła do odprężenia w stosunkach ze Związkiem Radzieckim oraz do zakończenia dyplomatycznej izolacji Chińskiej Republiki Ludowej. Cztery lata wcześniej takie stanowisko oraz wycofanie wojsk Stanów Zjednoczonych z Wietnamu uzyskały szerokie poparcie społeczeństwa. W lutym 1972 r. Nixon złożył wizytę w Chinach, którą nazwał „tygodniem, który zmienił świat". W trzy miesiące później pojechał do Związku Radzieckiego i podpisał z Leonidem Breżniewem porozumienie SALT I (Strategic Arms Limitation Talks – Rozmowy na temat ograniczenia broni strategicznej), które nałożyło bezprecedensowe ograniczenia na określone rodzaje broni nuklearnej. Te ważne kroki pomogły Nixonowi w zapewnieniu sobie łatwego ponownego wyboru na prezydenta i dały bodziec do negocjacji SALT II, których myślą przewodnią było porozumienie osiągnięte w listopadzie 1974 r. we Władywostoku przez Breżniewa i Forda. (Ford został prezydentem po złożonej trzy miesiące wcześniej rezygnacji Nixona).

Do tego czasu jednak odprężenie nie było jeszcze przesądzone, ponieważ konserwatyści spośród zarówno republikanów, jak i demokratów stawiali zarzuty, że proces SALT narażał Amerykę na utratę przewagi nuklearnej. Żądali oni też, aby Związek Radziecki zliberalizował swą politykę emigracyjną związaną z łamaniem praw człowieka. Poprawka Jacksona–Vanika do Ustawy Handlowej z 1974 r., wymagająca od Związku Radzieckiego złagodzenia restrykcji nałożonych na emigrację żydowską jako warunku uzyskania klauzuli najwyższego uprzywilejowania, utrudniła perspektywę rozszerzenia handlu, stanowiącego centralny punkt odprężenia. Znany dysydent Aleksander Sołżenicyn po przyjeździe do Stanów Zjednoczonych starał się o spotkanie z prezydentem Fordem. Pomimo iż w Stanach ukazał się jego *Archipelag Gułag* i był szeroko komentowany, Ford odmówił, obawiając się, że zakłóciłoby to proces odprężenia wywołując jeszcze większy protest jego przeciwników.

Z nadejściem 1976 r. przywódcy polityczni reprezentowali trzy główne podejścia do polityki zagranicznej. Dwa pierwsze kontynuowały praktykę nadawania najwyższego priorytetu stosunkom z ZSRR: Ford i Kissinger obstawali przy kontynuowaniu procesu odprężenia, podczas gdy konserwatyści z obu partii byli jawnie przeciw niemu, nalegając na przyjęcie twardej linii wobec Związku Radzieckiego. Opozycję przeciwko odprężeniu prowadził republikanin Ronald Reagan i demokrata Henry Jackson, obaj desygnowani z ramienia swych partii do nominacji na prezydenta. Podejmując wyzwanie Reagana, Ford uspokajał konserwatystów, wstrzymując SALT II i zastępując określenie „odprężenie" wezwaniem do „pokoju dzięki sile". Trzecie podejście do polityki zagranicznej, identyfikowane z myśleniem liberalnym, przyjęte przez przywódców Partii Demokratycznej, wzywało do kontynuacji procesu odprężenia, nadawało jednak równorzędne znaczenie propagowaniu idei ochrony praw człowieka oraz interesów Stanów Zjednoczonych w Trzecim Świecie. Wszystkie te podejścia w pewnym stopniu się pokrywały (każda ze stron, najwyraźniej, przyznawała, że normalizacja stosunków z Chinami była w interesie Stanów Zjednoczonych), nadając zasadnicze ramy staraniom o sformułowanie polityki kraju w pierwszych powietnamskich wyborach prezydenckich.

Zaskakujące wypłynięcie w tych wyborach Jimmy'ego Cartera mówiło wiele o nastrojach w kraju. W kategoriach pochodzenia kandydatów na amerykańskich prezydentów był to wybór najmniej prawdopodobny. Urodzony w 1924 r. w Plains w Georgii, wykształcony w Akademii Marynarki

Stanów Zjednoczonych, Carter przez 7 lat służył jako oficer marynarki, a następnie, wróciwszy do rodzinnego miasta, poświęcił się prowadzeniu rodzinnych interesów. Później zaangażował się w lokalną politykę. Został wybrany gubernatorem Georgii i pełniąc ten urząd zdobył opinię względnie postępowego. Nie odniósł jednak żadnych specjalnych sukcesów. Przekonany o swych dobrych kwalifikacjach na urząd prezydenta, jak każdy kandydat ubiegający się o to stanowisko, Carter zdecydował, że będzie starał się o nominację do wyborów w 1976 r. z ramienia demokratów. Do tego stopnia nic o nim nie wiedziano, że ludzie pytali: „Jimmy, kandydat na co?" Jednakże niestrudzony Carter zaskoczył luminarzy politycznych i uzyskał nominację swej partii.

W wyborach Carter wygrał z Fordem niewielką przewagą głosów. Sukces przyniosło mu w dużej mierze jego nieznane pochodzenie, które dla wyborców stanowiło zaletę. W kampanii wyborczej, jako outsider, nie skorumpowany przez świat polityki Waszyngtonu, Carter przemawiał do elektoratu, który utracił wiarę w dotychczasową prezydenturę i Kongres. Jako gorliwy baptysta o nieugiętych poglądach moralnych, Carter obiecywał powrót do tradycyjnych wartości przez „rządy tak dobre, jak ich naród" i „politykę" zagraniczną, mającą odzwierciedlać poczucie przyzwoitości, hojność i zdrowy rozsądek naszych obywateli". Idealizm ten umożliwił Carterowi wykorzystanie słabości Forda i krytykę jego wyraźnie ambiwaletnego stosunku do praw człowieka i procesu odprężenia. Kiedy w trakcie telewizyjnej debaty kandydatów Ford wyraził całkiem niebywałą opinię, że Polacy nie uważają się za podległych radzieckiej dominacji, Carter powiedział, że jego rozmówca powinien się zapytać o to Amerykanów polskiego pochodzenia i oskarżył go o cichą akceptację radzieckiej strefy wpływów w Europie Wschodniej.

W czasie dwóch pierwszych lat swej prezydentury Carter ukształtował politykę zagraniczną tak, że wydawała się niezwykle efektywna. Odzwierciedlała ona tradycyjny idealizm, nadszarpnięty w czasach wojny wietnamskiej. Proces odprężenia i kontrola zbrojeń zostały podjęte na nowo. Ożywiło się zainteresowanie sprawami związanymi z prawami człowieka. Postępowały negocjacje z Panamą, dotyczące zaprzestania sprawowania przez Stany Zjednoczone kontroli nad Kanałem Panamskim. Carter podjął inicjatywę nakłonienia Egiptu i Izraela do wspólnych negocjacji. Stany Zjednoczone spoglądały teraz na kraje Trzeciego Świata raczej przez pryzmat ich własnych problemów niż z perspektywy zimnej wojny. Poczyniono wysiłki w celu poprawy stosunków z krajami niezaangażowanymi, takimi jak Indie, które przez dziesięciolecia podlegały manipulacji mniej potężnych państw w imię walki z komunizmem. Poczyniono wstępne kroki zaprzestania bojkotu rządów komunistycznych na Kubie i w Wietnamie, podczas gdy w pełni dyplomatyczne stosunki nawiązano z Chińską Republiką Ludową. W Stanach Zjednoczonych Andrew Young udzielił jednoznacznego poparcia polityce równości rasowej przy formułowaniu polityki wobec Afryki.

Mimo wszystko podejście Cartera do sytuacji międzynarodowej było często niekonsekwentne. Jego uległość i idealizm odzwierciedlały wpływ sekretarza stanu Cyrusa Vance'a. Często atakowane były przez doradcę ds. bezpieczeństwa narodowego, Zbigniewa Brzezińskiego, będącego od lat zwolennikiem zimnej wojny, który nie ufał Związkowi Radzieckiemu i procesowi odprężenia. Poza Białym Domem polityka zagraniczna Cartera podlegała narastającej krytyce ze strony tych, którzy postrzegali ją jako osłabianie pozycji Stanów Zjednoczonych na świecie. Analiza głównych punktów polityki zagranicznej – praw człowieka, Kanału Panamskiego, pokoju na Bliskim Wschodzie, kontroli zbrojeń i rewolucji w Iranie – ukazuje nie spełnione obietnice i głęboką frustrację spowodowaną prezydenturą Cartera.

Determinacja Cartera, z jaką dążył do tego, aby ochrona praw człowieka stała się głównym celem polityki Stanów Zjednoczonych, odzwierciedlała jego własne przekonania moralne oraz głęboki zmysł polityczny. Wielu Amerykanów oburzało się na przedstawiane w raportach doniesienia o łamaniu praw człowieka w krajach, które otrzymywały od Stanów Zjednoczonych pomoc wojskową, co doprowadziło w 1976 r. do podjęcia przez Kongres uchwały stwierdzającej, że „głównym celem polityki zagranicznej Stanów Zjednoczonych jest propagowanie coraz większego poszanowania uznanych na świecie praw człowieka przez wszystkie kraje" i wprowadzanie w życie tego celu. Zastrzeżono przy tym, że sekretarz stanu corocznie składać będzie sprawozdanie na temat przestrzegania praw człowieka przez wszystkie kraje otrzymujące amerykańską pomoc i że pomoc ta zostanie wstrzymana dla krajów, w których stale dochodzi do ich pogwałceń". I tak, kiedy Carter w swym inauguracyjnym przemówieniu mówił, że „nasze zaangażowanie w prawa człowieka musi być całkowite", obiecywał, że podniesie tę dobrze już ugruntowaną sprawę do rangi najważniejszego celu polityki zagranicznej kraju.

Jakkolwiek szlachetna, idea „całkowitego zaangażowania się" nie była łatwa do pogodzenia z szeroko pojętymi celami polityki zagranicznej. Realizacja amerykańskich wartości na arenie międzynarodowej służyła interesom bezpieczeństwa narodowego, ale służyły mu również handel i inwestycje, pomoc wojskowa i gospodarcza, kontrola zbrojeń i inne cele. „Całkowite zaangażowanie się" w sprawę praw człowieka stwarzało ryzyko narażenia innych aspektów polityki ze szkodą dla bezpieczeństwa kraju. Ponadto wprowadzenie go w życie napotykało trudności. Stosowne i praktyczne rozwiązania utrudniały liczne problemy. Przeciwnicy praw człowieka stanowili bardzo zróżnicowaną grupę, jeżeli chodzi o zakres ich nagannej działalności; czy mieli jednak wszyscy zostać „ukarani"? Co miałoby być odpowiednią „karą"? Czy pomoc powinna zostać wstrzymana, jeżeli krok taki dotknąć by miał mniej uprzywilejowane warstwy społeczeństwa? Czy, gdyby zastosowano mniej surowy środek protestu dyplomatycznego, należałoby to zrobić z rozgłosem, utrudniając zadanie przeciwnikom praw człowieka, naruszając jednocześnie stosunki dyplomatyczne? Czy może powinno się to zrobić bez rozgłosu, ryzykując obojętność opinii publicznej?

Carter i jego doradcy oczywiście dostrzegali te problemy, jednakże parli naprzód, uznając, że amerykańskie przywództwo w dziedzinie praw człowieka miało pierwszorzędne znaczenie. Administracja amerykańska ciągle przypominała Związkowi Radzieckiemu i krajom Europy Wschodniej o ich zobowiązaniach wynikających z porozumienia helsińskiego i broniła szczególnie praw radzieckich dysydentów Andrieja Sacharowa i Aleksandra Ginzburga. Patricia M. Derian, przywódczyni praw obywatelskich, która została asystentką sekretarza stanu ds. obrony praw człowieka, prowadziła ożywioną kampanię przeciwko urzędnikom, którzy w tej dziedzinie upatrywali zagrożenie dla szerszych celów i nadwerężanie stosunków z różnymi krajami. Przemówienie Cartera w ONZ w marcu 1977 r. potwierdziło istnienie programu na rzecz uniwersalnych praw człowieka. Jeszcze w tym samym roku podpisał on kownencje ONZ uznające uniwersalne prawa człowieka. Zaangażowanie Stanów Zjednoczonych w wykonywanie postanowień helsińskich udowodnił wybór na Konferencję Bezpieczeństwa i Współpracy w Europie w Belgradzie i Madrycie Arthura Goldberga, byłego sędziego Sądu Najwyższego i prokuratora generalnego Griffina Bella.

W praktyce jednakże kwestia praw człowieka realizowana była selektywnie. W interesie normalizacji stosunków z Chińską Republiką Ludową i kontroli zbrojeń w Związku Radzieckim stosowano kompromisy. Wobec kluczowych sprzymierzeńców także często robiono odstępstwa, nadal zapewniając pomoc wojskową notorycznie naruszającym prawa człowieka rządom Korei Południowej, Filipin i Iranu. Równocześnie wywierano nacisk ekonomiczny na liczne, odgrywające mniejszą rolę, kraje naruszające prawa człowieka. Stany Zjednoczone głosowały przeciwko wielostronnym pożyczkom bankowym dla różnych krajów Azji, Ameryki Łacińskiej i Afryki, w tym dla rządów białej mniejszości w Rodezji i Republice Południowej Afryki. Ograniczyły one lub zaprzestały pomocy dla Argentyny, Chile i Nikaragui oraz nałożyły embargo na handel z reżimem Idi Amina w Ugandzie. Ten zróżnicowany sposób postępowania nieuchronnie wywoływał krytykę. We wpływowym artykule *Dyktatury i podwójne miary*, konserwatystka Jeane Kirkpatrick oskarżyła administrację Cartera o to, że nie rozróżniała ona między „umiarkowanymi autokratami", którzy służyli interesom Stanów Zjednoczonych poprzez umacnianie stabilności, a totalitarnymi reżimami komunistycznymi. Naciskając w sprawie praw człowieka na rządy takie jak rząd Somozy w Nikaragui i szacha w Iranie, Kirkpatrick oskarżała Stany Zjednoczone o „czynny udział" w ich upadku.

Krytyka Kirkpatrick miała specjalne znaczenie, jeżeli chodzi o Amerykę Łacińską, gdzie Carterowska misja „przyzwoitości, hojności i zdrowego rozsądku" odrzucała tradycyjny paternalizm, poparcie reżimów autokratycznych i obsesję na temat wpływów komunistycznych. Dlatego też jego administracja zajmowała się kampanią na rzecz praw człowieka najżywiej na półkuli zachodniej, dystansując się od załamującej się władzy reżimu rodziny Somozów w Nikaragui, którą Stany Zjednoczone popierały przez 40 lat.

Kamieniem węgielnym tego nowego podejścia było zredefiniowanie stosunków Stanów Zjednoczonych z Panamą. Dla Panamczyków, tak jak i dla innych narodów Ameryki Środkowej i Południowej w ogólności, kontrola Stanów Zjednoczonych nad strefą Kanału Panamskiego symbolizowała „Kolosa Północy". Niezadowolenie i zamieszki w strefie Kanału Panamskiego doprowadziły w 1964 r. do długich negocjacji, które Carter zdecydowany był doprowadzić do pomyślnego zakończenia. We wrześniu 1977 r. podpisano dwa porozumienia w sprawie łączonej amerykańsko-panamskiej kontroli nad Kanałem do 31 grudnia 1999 r., kiedy to miał on przejść w pełni pod panamską kontrolę, udzielając Stanom Zjednoczonym prawa do obrony Kanału. Brzeziński tak opisał ideę Cartera: „robił coś dobrego dla pokoju, odpowiadając na żarliwe żądanie małego narodu, jednocześnie wspomagając dalekosiężny narodowy interes Stanów Zjednoczonych".

Wielu Amerykanów, szczególnie konserwatystów, uważało te traktaty za jeszcze jedną porażkę w zaledwie dwa lata po upadku Republiki Wietnamu (Wietnamu Południowego). Wobec sprzeciwu opinii publicznej Carter stanął w obliczu konieczności zdobycia poparcia wymaganej, stanowiącej dwie trzecie głosów, większości w Senacie. Jego krytycy wskazywali na sprzeczność zawartą w porozumieniach: jak można było pogodzić panamską suwerenność nad Kanałem po 1999 r. z prawem Stanów Zjednoczonych do jego obrony? Pomimo takich niejednoznaczności i pomówień o „oddawanie" wpływów, Carter uzyskał dla traktatów poparcie w Senacie, jednak z nieznaczną przewagą. Oba traktaty przeszły 68 głosami do 32.

Podczas gdy traktaty panamskie budziły wątpliwości, inne ważne porozumienia osiągnięte przez administrację Cartera – porozumienia z Camp David – zdobyły prezydentowi powszechne uznanie. Carter przekonany był, że amerykańska inicjatywa na rzecz wszechstronnego porozumienia mogłaby zmniejszyć niestabilną sytuację na Bliskim Wschodzie. Tak zwana wojna Jom Kippur w 1973 r. niemal doprowadziła Związek Radziecki i Stany Zjednoczone do interwencji po stronie i Egiptu, i Izraela, doszło jednak do wstrzymania działań wojennych. „Wahadłowcowa dyplomacja" Kissingera natychmiast wprowadziła siły utrzymujące stan chwiejnego pokoju. Pozostawał bowiem trudny do rozwiązania problem uchodźców palestyńskich. Zagrożenie importerów ropy naftowej nałożeniem na nią przez Arabów embarga zmobilizowało Cartera do podjęcia decyzji o ożywieniu dyplomacji na Bliskim Wschodzie.

Carter skwapliwie skorzystał ze śmiałej inicjatywy egipskiego prezydenta Anwara As-Sadata. Wywarł on na nim głębokie wrażenie w czasie spotkania w Białym Domu w kwietniu 1977 r., jako człowiek o wielkiej wyobraźni, dążący do pokoju. Podczas dramatycznej wizyty w Jerozolimie, w czasie której wezwał on izaelski Kneset do zakończenia rozlewu krwi, Sadat położył kres zdeterminowanej izolacji Izraela przez państwa arabskie. Carter dążył do osiągnięcia poparcia egipsko-izraelskich negocjacji przez bardziej umiarkowane państwa Bliskiego Wschodu i zaprosił Sadata oraz premiera Izraela Menachema Begina do Waszyngtonu, do dyskusji, która jednakże tylko podkreśliła różnice nadal dzielące odwiecznych wrogów. Perspektywy na pokój jeszcze bardziej się zmniejszyły, kiedy Izrael, w marcu 1978 r., rozpoczął inwazję na Liban, w odwecie za terrorystyczny atak Organizacji Wyzwolenia Palestyny, w którym zginęło 35 Izraelczyków. Wobec śmierci ponad tysiąca cywilów w wyniku tej akcji odwetowej, Stany Zjednoczone poparły rezolucję Rady Bezpieczeństwa ONZ potępiającą tę inwazję i żądającą wycofania się Izraelczyków.

Pomimo zaistniałych w związku z tym napięć w kontaktach z Izraelem, Carter nadal trwał przy swoim stanowisku. Zadecydował, że jedynym środkiem, jaki Stany Zjednoczone mogłyby zastosować w celu zakończenia sporu, było postawienie warunków obu stronom. Jesienią 1978 r. Sadat i Begin zaproszeni zostali do złożenia Carterowi wizyty w Camp David, w prezydenckim ustroniu na północ od Waszyngtonu, gdzie mieli pracować nad osiągnięciem porozumienia. Spotkanie trwało 13 dni. Ostatecznie osiągnięto dwa porozumienia. Każde z nich stanowiło wytyczne do przyszłych negocjacji. Pierwsze, w kierunku dwustronnego egipsko-izraelskiego traktatu pokojowego, drugie dotyczyło wszechstronnego porozumienia. Umowy z Camp David stanowiły, jak mówił Carter na połączonej sesji Kongresu, „szansę na rzadkie dotychczas jasne momenty w historii ludzkości... Mamy szansę na pokój, ponieważ ci dwaj dzielni liderzy znaleźli w sobie chęć współdziałania". Porozumienia z Camp David miały ograniczone skutki. Dwustronne negocjacje utknęły w martwym punkcie, zanim jeszcze Carter podjął następną rundę rozmów, w których odegrał decydującą rolę przy dokończeniu traktatu egipsko-izraelskiego w marcu 1979 r. Umożliwił on stopniowe wycofywanie się Izraela z półwyspu Synaj i kontrolę granicy przez ONZ. Miały rozpocząć się negocjacje na temat palestyńskich praw do Zachodniego Brzegu i Okręgu Gazy. Ostro krytykowany przez większość państw arabskich za to, że nie zagwarantował Palestyńczykom powrotu do ziemi ojczystej, oraz nadwerężony przez Izrael ogłoszeniem przezeń planów nowego osadnictwa na Zachodnim Brzegu, traktat egipsko-izraelski był jednak krokiem naprzód w zapewnianiu stabilności w tym regionie.

Inna ważna inicjatywa Cartera na rzecz redukcji napięć w stosunkach międzynarodowych – kontrola zbrojeń, dała podobnie ograniczone rezultaty. Zważywszy na głębokie podziały wśród amerykańskiej elity stanowiącej o kształcie polityki zagranicznej Stanów Zjednoczonych, trudno się było spodziewać czegoś innego. Carter podjął kontrowersyjny proces ograniczania zbrojeń. Czas i polityka nie szły ze sobą w parze wobec faktu, że porozumienia SALT I miały wygasnąć w październiku 1977 r. Umowa Forda i Breżniewa z 1974 r. dała wytyczne dla następnej rundy negocjacji SALT zastrzegających jednorazowe ograniczenia dla wyrzutni strategicznych (2400) po obu stronach, w tym limit 1320 pocisków rakietowych MIRV (multiple independently targeted re-entry vehicles).

Carter angażował się w redukcję zbrojeń, oznajmiając, że jego ostatecznym celem było całkowite wyeliminowanie broni jądrowej. Uznawał ograniczenia broni dokonane przez Breżniewa i Forda za niewystarczające, dopuszczające o wiele więcej pocisków rakietowych, niż wymagały tego względy bezpieczeństwa. Nominowanie przez niego Paula Warnke, silnego rzecznika kontroli zbrojeń, na szefa Amerykańskiej Agencji Kontroli Zbrojeń i Rozbrojenia oraz wyznaczenie go na negocjatora Stanów Zjednoczonych spotkało się z natychmiastowym sprzeciwem Komitetu Bezpieczeństwa Prezydenckiego (Committee on the President Danger) pod przywództwem zwolenników agresywnej polityki zagranicznej, Paula Nitze i Eugene'a Rostowa. Warnke z ledwością uzyskał zatwierdzenie Senatu.

Kiedy Carter obejmował urząd, zadecydował, że będzie energicznie działał na rzecz kontroli zbrojeń. Kiedy pod koniec marca 1977 r. Vance pojechał do Moskwy na spotkanie z ministrem spraw zagranicznych Andriejem Gromyką, zadziwił Związek Radziecki zaawansowanym, radykalnie różnym podejściem od tego, jakiego się po nim spodziewano po porozumieniu Ford–Breżniew: o dalszym ograniczeniu liczby międzykontynentalnych wyrzutni rakiet balistycznych oraz rakiet powietrze–ziemia i bombowców strategicznych, nie więcej niż 30 bombowców strategicznych rocznie. Rosjanie stanowczo odrzucili te propozycje, ponieważ ograniczenia te dotyczyły niemal całkowicie ich strony. „Prawda" określiła propozycje Vance'a jako „próbę osiągnięcia przez Stany Zjednoczone jednostronnych korzyści ze szkodą dla bezpieczeństwa ZSRR i jego sprzymierzeńców oraz przyjaciół".

Ruch na rzecz kontroli zbrojeń po trudnych początkach jednak się ożywił i po długich i intensywnych negocjacjach w Wiedniu w czerwcu 1979 r. podczas spotkania Cartera z Breżniewem podpisano w końcu porozumienie SALT II. W wyniku SALT II ustanowiono ograniczenie liczby wyrzutni rakietowych (ich liczbę do 1981 r. miano zredukować z 2400 do 2150) i pocisków typu MIRV oraz pewnych rodzajów ich rozmieszczeń.

W trakcie postępu w rozmowach na temat delikatnej ze względów politycznych materii SALT II Carter podjął także kilka kontrowersyjnych i sprzecznych ze sobą decyzji w związku z produkcją broni. Wyeliminował produkcję bombowca B-1 na podstawie opinii, że w porównaniu z B-52 nie byłby w stanie przebić się przez radziecki obszar obronny. Wstrzymał także prace nad bombą neutronową, jak popularnie nazywano „bombę o wzmożonym promieniowaniu". Pomyślana jako broń polowa, dająca krótkotrwałe, silne, śmiertelne promieniowanie, bomba neutronowa reklamowana była przez jej obrońców jako środek wykorzystujący energię jądrową w ograniczonej skali, o znacznie mniejszych odpadach radioaktywnych niż zwykła broń jądrowa, co rekompensowałoby mniej korzystną pozycję Zachodu, jeżeli chodzi o konwencjonalne siły militarne w Europie. Odrzucając sugestie swych głównych doradców i europejskich sojuszników, Carter wstrzymał produkcję tej bomby.

Konserwatywni krytycy Cartera postrzegali sprawę B-1 i bomby neutronowej jako przejaw słabości Cartera i tylko częściowo zadowolili się jego decyzją o rozszerzeniu produkcji i rozmieszczeniu pocisków MX, nowej generacji międzykontynentalnych pocisków balistycznych z dziesięcioma głowicami. Połączone Kolegium Szefów Sztabu, Brzeziński i inni zwolennicy MX twierdzili, że wyeliminowałyby one podatność Minutemana na pierwsze radzieckie uderzenie. Mimo że Carter początkowo odrzucił MX jako broń niepotrzebną, sprawiającą problemy, uległ w końcu naciskom i zdecydował się na „pójście z MX na całość". Dla Warnkego i innych zwolenników kontroli zbrojeń, decyzja ta była wysoce obraźliwa. Argumentację Brzezińskiego za MX Warnke określił następująco: „im większa, im brzydsza, im wstrętniejsza była ta broń, tym było lepiej". Jakiekolwiek były zalety MX, ich produkcja stanowiła największy program w dziedzinie broni jądrowej od czasów, kiedy prezydent Truman zgodził się na bombę wodorową w 1950 r.

Tak więc Carter, mimo całej swej retoryki i działań na rzecz kontroli zbrojeń, ostatecznie reprezentował niejednoznaczną postawę administracji wobec amerykańskiej polityki zagranicznej. Prace nad nową bronią nadal konkurowały z kontrolą zbrojeń, jako środkiem wzmocnienia bezpieczeństwa.

Ostatecznie, wszystko, co osiągnął, zostało zdyskredytowane przez rewolucję irańską i wiążącą się z nią sprawą zakładników. Powstanie fundamentalistów islamskich przeciwko szachowi Mohammadowi Rezie Pahlawiemu odzwierciedliło głęboką wrogość do autorytarnego reżimu szacha i do Stanów Zjednoczonych, które dostarczyły Iranowi dużej ilości broni dla powstrzymania wpływów radzieckich w tym rejonie. Odmowa szacha przyłączenia się do arabskiego embarga na ropę naftową w latach 1973–1974 umocniła więź ze Stanami Zjednoczonymi, a wysokie ceny ropy naftowej umożliwiły Iranowi kupno coraz większych ilości sprzętu wojskowego.

Zaangażowanie się Cartera w ochronę praw człowieka mogło go doprowadzić do zerwania sojuszu z totalitarnym reżimem w Iranie. Stało się jednak całkiem odwrotnie. Podczas wizyty szacha w Stanach Zjednoczonych w listopadzie 1977 r. Carter wyraził zaniepokojenie naruszaniem praw człowieka w Iranie przez tajną policję Savak. W odpowiedzi na to usłyszał, że było to konieczne, aby przeciwstawić się zagrożeniu komunistycznemu. Carterowi to tłumaczenie wystarczyło i wyraził zgodę na sprzedaż jeszcze bardziej zaawansowanej broni. Sześć tygodni później, w czasie wizyty w Teheranie, Carter pozwolił sobie na dość ekstrawagancką pochwałę szacha. W często przytaczanym toaście noworocznym w 1978 r., Carter powiedział, że „Iran, dzięki wspaniałemu przywództwu szacha, jest wyspą stabilności w jednym z bardziej niespokojnych rejonów świata". Carter mówił dalej o narodzie irańskim, który „szanuje, podziwia, kocha" szacha; zakończył: „nie ma drugiego takiego przywódcy, dla którego miałbym głębsze poczucie osobistej wdzięczności i przyjaźni".

Kiedy jesienią 1978 r. wybuchła od dawna tląca się rewolucja, zaskoczona amerykańska dyplomacja udzieliła szachowi Rezie Pahlawiemu sprzecznych rad. To, że Departament Stanu i Rada Bezpieczeństwa Narodowego widziały ten kryzys odmiennie, nie było niczym dziwnym, jednak niepowodzenie Cartera w koordynacji polityki Stanów Zjednoczonych wywołało w rezultacie niedorzeczną reakcję, która podzieliła wszystkie irańskie ugrupowania. Podczas gdy Brzeziński doradzał szachowi zdławienie opozycji, Vance nalegał na pójście drogą pokojową poprzez reformy i kontakty z dysydentami, robiąc tym samym z Iranu przypadek precedensowy. Wydarzenia wykraczały poza amerykańską kontrolę, ale niepowodzenie w oderwaniu się od dzień po dniu coraz bardziej załamującego się, zdyskredytowanego miejscowego rządu spowodowało, że Stany Zjednoczone nadal identyfikowano z szachem aż do chwili, kiedy 16 stycznia 1979 r. opuścił on swój kraj.

Kiedy ajatollah Chomejni, przywódca rewolucji fundamentalistycznej, powrócił z wygnania z Francji do Iraku, Stany Zjednoczone nadal prowadziły swą dwuznaczną politykę. Z jednej strony Waszyngton dążył do porozumienia się z rządem rewolucyjnym, jednak, jakiekolwiek miał on perspektywy na przejęcie władzy, chęć utrzymywania kontaktów z „wielkim Szatanem" urosła do problemu w momencie, kiedy Carter w październiku 1979 r. pozwolił choremu na raka szachowi na poddanie się kuracji w Stanach Zjednoczonych. Czyn ten był tylko jeszcze jednym przykładem niezdecydowania Cartera. Wcześniej zaprosił on szacha do Stanów Zjednoczonych, następnie wycofał to zaproszenie z obawy, że pogorszyłoby to stosunki z rządem rewolucyjnym. Kiedy okazało się, że szach jest chory, Kissinger, Brzeziński i inni na nowo zaczęli wywierać na Cartera nacisk, apelując do niego w imię zasad humanitarnych o zezwolenie na wjazd szacha do Stanów Zjednoczonych. W końcu Carter ustąpił i chory, nieuleczalnie już wtedy, szach przedsięwziął podróż do Nowego Jorku.

4 listopada grupa studentów irańskich napadła na ambasadę amerykańską w Teheranie i spowodowała długotrwały kryzys, który mógł doprowadzić do upadku administracji Cartera. Biorąc 76 amerykańskich zakładników, uczynili oni tym samym Cartera zakładnikiem. Wobec sytuacji kryzysowej, która miała głęboki emocjonalny i patriotyczny odcień, podkreślany jeszcze mocno przez telewizję, Carter chciał uwolnić zakładników za każdą cenę, żeby ratować honor Amerykanów. Działając za pośrednictwem licznych kanałów dyplomatycznych, Carter zagroził odwetem wojskowym, w razie gdyby zakładników

poddawano przesłuchaniom lub torturowano, zamroził irańskie aktywa w Stanach Zjednoczonych i zakazał importu irańskiej ropy naftowej. Irańczycy przejawiali małe zainteresowanie dyskusjami, jednak ich zasadnicze żądania były jasne: powrót szacha do Teheranu w celu rozliczenia się przed sądem za zbrodnie przeciwko narodowi irańskiemu (po leczeniu, szach, niezbyt mile widziany gdziekolwiek, pojechał do Egiptu), zwrot ogromnego, jak szacowano, majątku szacha wywiezionego z Iranu, przeprosiny ze strony Stanów Zjednoczonych.

W czasie pierwszych tygodni kryzysu amerykańska opinia publiczna, zgodnie z przewidywaniami, skupiała się wokół prezydenta. Wobec twardego stanowiska w sprawie radzieckiej inwazji w Afganistanie jego popularność wzrosła. Kryzysy na arenie międzynarodowej umożliwiły Carterowi stawienie czoła wyzwaniu senatora Edwarda (Teda) Kennedy'ego do nominacji prezydenckiej z ramienia demokratów. Jednakże w miarę jak mijały tygodnie i miesiące zastoju w Iranie, Carter stał się symbolem narodowego upokorzenia i niemożności. Śmiała, lecz źle zaplanowana próba uwolnienia zakładników pod koniec kwietnia 1980 r. skończyła się głośnym fiaskiem i rezygnacją Vance'a, który uważał misję ratunkową za niemal skazaną na niepowodzenie i fatalną dla świeżo negocjowanego porozumienia. I rzeczywiście, do września, w dwa miesiące po śmierci szacha w Egipcie i w kilka dni po zaatakowaniu Iranu przez sąsiedni Irak, rząd rewolucyjny zdecydował się na negocjacje. Rozmowy przez pośredników rozpoczęły się 2 listopada, na dwa dni przed amerykańskimi wyborami prezydenckimi. Zbyt późno jednak, aby uratować prezydenturę Cartera.

To, że irański kryzys w związku z zakładnikami bardziej niż jakiekolwiek inne wydarzenie przyczynił się do upadku Cartera, było w pewnym sensie nie fair. Rewolucja przeciwko szachowi, z zabarwieniem antyamerykańskim, ciągnęła się przez ćwierć wieku z powodu coraz bardziej nie przemyślanego poparcia Stanów Zjednoczonych dla rządu, którego przetrwanie gwarantowały tylko represje. Uratowany od zapomnienia przez amerykańską intrygę w 1954 r. i później jednomyślnie poparty przez Waszyngton, szczególnie w latach administracji Nixona–Kissingera, szach doszedł do wniosku, że jego znaczenie dla Stanów Zjednoczonych gwarantowało mu, iż Waszyngton nie pozwoli na jego obalenie. Carter odziedziczył więc wybuchową irańsko-amerykańską mieszankę wzajemnych zależności. Gdyby Carter miał bardziej dalekowzroczne spojrzenie, nie unikałby rewolucji fundamentalistycznej, tylko zmniejszałby jej antyamerykańskie zabarwienie. Tak czy owak, zarówno przed, jak i po zajęciu ambasady, Carter wydawał się słabym, niezdecydowanym niewolnikiem wadliwej polityki w przeszłości.

Inwazja Związku Radzieckiego na Afganistan dała Carterowi okazję do otwartego działania. Jego przemówienia cechowała jednak przesada, a działania, jakie podejmował, w tym doktryna jego imienia, zdawały się zbyt buńczuczne, zbyt mało przemyślane. Nie było pewne, czy Związek Radziecki bronił proradzieckiego rządu komunistycznego przeciwko wyzwaniu rewolucyjnego ruchu islamskich fundamentalistów, czy szukał możliwości rozszerzenia swych wpływów w Zatoce Perskiej kosztem osłabionych Stanów Zjednoczonych. Carter jednak przyjął scenariusz „najgorszej ewentualności" stworzony przez zwolenników twardego stanowiska (zgodnie zresztą ze zdaniem 78% amerykańskiej opinii publicznej). Wysłał do Breżniewa ostry w słowach protest przedstawiający jego atak jako „stanowiący wyraźne zagrożenie dla pokoju, mogącego oznaczać zasadniczy i trwały zwrot w naszych wzajemnych stosunkach". W ramach poważnych sankcji wobec Związku Radzieckiego zawiesił on prace nad układem SALT II, nałożył embargo na import zboża, wykluczył udział Stanów Zjednoczonych w Olimpiadzie w Moskwie w 1980 r., wezwał do znacznego militarnego wzmocnienia Stanów Zjednoczonych oraz sformułował doktrynę Cartera, która afirmowała wolę Stanów Zjednoczonych użycia siły militarnej dla wsparcia swych interesów w Zatoce Perskiej.

Do czasu wyborów prezydenckich w 1980 r. w polityce zagranicznej Cartera panował zamęt. Zmiana jego stanowiska w kierunku twardej linii i bardziej wojowniczej postawy prezentowanej przez Brzezińskiego, wobec poważnego ataku radzieckiego na Afganistan, zyskała mu niewielkie poparcie, ponieważ republikański kandydat na prezydenta, Ronald Reagan, był znanym zwolennikiem twardej linii, argumentującym, że „rozbrojenie Ameryki" przez Cartera ułatwiło tylko radziecką zuchwałość. W tym świetle dyplomatyczne osiągnięcia Cartera, takie jak traktat dotyczący Kanału Panamskiego i porozumienia z Camp David, znaczyły niewiele. I rzeczywiście, republikanie wykorzystali powszechne niezadowolenie w związku z tą pierwszą sprawą; Reagan, lekceważąc historię, utrzymywał, że Stany Zjednoczone „kupiły" Kanał na zawsze. Oprócz tego panowała powszechna frustracja związana z problemem zakładników, co stanowiąc kolejne upokorzenie w ciągu minionych pięciu lat skłoniło wielu Amerykanów do wniosku, że jedynie militarna siła i stanowczość mogłyby przywrócić Stanom Zjednoczonym prestiż. Problemy gospodarcze w kraju, stopniowe przesuwanie się elektoratu na prawo oraz nieskuteczna polityka Cartera w sprawach wewnętrznych, szczególnie polityki energetycznej, zmniejszały szanse jego powtórnego wyboru. Wydaje się jednak prawdopodobne, że sukces na arenie międzynarodowej zrównoważyłby wahania politycznej szali z korzyścią dla Cartera. Mało skuteczna w opinii publicznej polityka zagraniczna zapewniła jego porażkę.

Kampania wyborcza Reagana wykorzystywała powszechne mniemanie, że sytuacja jest niekorzystna dla Stanów Zjednoczonych, ale że może ona jednak się zmienić dzięki większemu zdecydowaniu i gotowości do walki. Elektorat był głęboko zaniepokojony dowodami impotencji Ameryki i nowymi zdobyczami ZSRR. Badania wykazywały, że 65% opinii publicznej uważało, że sprawa zakładników i działania podjęte przez administrację Cartera

„obniżyły prestiż Stanów Zjednoczonych za granicą”. Ponad połowa obywateli zgadzała się, że w kategoriach siły militarnej „ustępujemy Związkowi Radzieckiemu”, a 67% ludności twierdziło, że nadszedł czas, aby „przyjąć twardą postawę”. Konserwatywni publicyści ostrzegali, że Stany Zjednoczone utraciły swój cel, że utraciły autorytet moralny i że jednostronnie się rozbroiły. Sołżenicyn mówił Amerykanom, iż porzucenie Wietnamu zachęciło Związek Radziecki do agresji. Nixon w swej wydanej w 1980 r., dobrze przyjętej, książce *Prawdziwa wojna* (*The Real War*), przewidział dwie przykre możliwości: albo Stany Zjednoczone przegrają wojnę lub też, że „mogą zostać pokonane bez wojny. Ta druga możliwość jest bardziej prawdopodobna i prawie tak samo przykra”. Większość Amerykanów podzielała ten pogląd; do 1980 r. 84% Amerykanów zgadzało się z twierdzeniem, że „kraj ma poważne problemy”, a w badaniach opinii rok później 76% ludności spodziewało się wybuchu wojny nuklearnej w ciągu dziesięciolecia. Również do 1980 r. piszący o wojnie wietnamskiej bardzo zmienili interpretację wydarzeń. Poczucie narodowej winy zastąpione zostało poglądem, że Stany Zjednoczone postępowały moralnie i przy bardziej zdecydowanej strategii militarnej mogły były wygrać. Reagan usankcjonował tę nową interpretację, nazywając wysiłki Stanów Zjednoczonych „szlachetną sprawą”.

Wołanie Reagana o bardziej siłową politykę zagraniczną było więc sprawą przekonania społeczeństwa, doskonale łączonego z polityczną korzyścią. Trzy czwarte amerykańskiej opinii publicznej popierało duży wzrost wydatków na cele militarne i spodziewało się, że Reagan „dopilnuje tego, żeby Stany Zjednoczone budziły szacunek innych krajów”. Na swej pierwszej prezydenckiej konferencji prasowej Reagan skrytykował rozbrojenie, ponieważ Rosjanie wykorzystali je jako „drogę tylko w jedną stronę... do osiągania swych własnych celów ... [łącznie] z propagowaniem światowej rewolucji i jednego, socjalistycznego lub komunistycznego państwa-świata”. Przywódcy radzieccy nie byli godni zaufania, ponieważ „dawali sobie prawo do popełniania przestępstw, kłamstw, oszukiwania”. Patrząc na Związek Radziecki poprzez jego arsenał nuklearny jako na zagrożenie, jak również pośrednio poprzez jego manipulację lewicowymi ruchami i antyamerykanizmem na świecie, Reagan był zwolennikiem zwiększenia potęgi militarnej poprzez zwiększenie produkcji broni nuklearnej i konwencjonalnej i popierał ruchy antykomunistyczne, szczególnie w Ameryce Środkowej, która wydawała się być pod wpływami Związku Radzieckiego i jego kubańskich sojuszników. Mianował zwolenników zimnej wojny – pod przywództwem Alexandra Haiga, jako sekretarza stanu i Caspara Weinbergera, jako sekretarza obrony – na znaczące stanowiska w polityce. Haig ostrzegał, że „najbliższe nadchodzące lata miały być niezwykle niebezpieczne. Dowody tego niebezpieczeństwa były wszędzie”. Na początku 1983 r., w szeroko publikowanym przemówieniu, charakteryzował on Związek Radziecki jako „imperium zła..., ognisko zła we współczesnym świecie", a dwa tygodnie później przedstawił Inicjatywę Obrony Strategicznej (Strategic Defense Initiative), wyjątkowo kosztowny system broni umieszczonej w przestrzeni kosmicznej, który stanowić miał tarczę nie do naruszenia przeciwko atakowi jądrowemu.

Równocześnie z ożywieniem tej działalności, co przypominało świat manichejski, w którym silniejszy przeciwnik przejmował inicjatywę, istniała inna jeszcze, równie ważna, strona reaganowskich przemyśleń: jednoznaczna wiara w amerykańską misję i siłę. „Niech nikt nie mówi nam, że najlepsze dni Ameryka ma już za sobą", mówił w swym orędziu o stanie państwa, „że amerykański duch został pokonany... Niezaprzeczalną prawdą jest, że Ameryka jest dziś największą siłą pokojową na świecie... Amerykańskie marzenie jest ciągle żywe – nie tylko w sercach i umysłach naszych rodaków, ale także w sercach i umysłach narodów świata zarówno w wolnych, jak i represjonowanych społeczeństwach. Tak długo, jak żyje to marzenie, tak długo, jak będziemy go bronić, Ameryka będzie miała przyszłość, a cała ludzkość powód do nadziei". Frustracje poprzedniego dziesięciolecia były rezultatem braku stanowczości: „Ameryka po prostu nie miała siły być liderem na świecie". Tak więc stało się imperatywem, żeby kraj odzyskał „szacunek zarówno amerykańskich sojuszników, jak i przeciwników".

Oprócz tego, że tchnął w Stany Zjednoczone najwyższą wiarę w ich sukces, Reagan uważał także, że komunizm chyli się ku upadkowi. Już w maju 1981 r. publicznie oświadczył, że „Zachód nie będzie powstrzymywał komunizmu, on go przekroczy..., usunie go jak jakiś dziwny rozdział w historii ludzkości, którego ostatnie strony jeszcze się nie dopisują". Pogląd ten został szybko odrzucony, jako pobożne życzenie w tamtym czasie, jednak dalsze działania potwierdziły wyobrażenia Reagana, kiedy to trudności w radzieckiej gospodarce i napięcia w społeczeństwie spowodowane kosztami zwiększających się zbrojeń i niefortunnej kampanii w Afganistanie osłabiły władzę Moskwy nad Europą Wschodnią i jej wpływ w krajach Trzeciego Świata. Nieskuteczność radzieckiego przywództwa była oczywista i przyczyniła się do jego upadku. Długa choroba Breżniewa skończyła się jego śmiercią w listopadzie 1982 r. Po nim przyszli dwaj inni starzejący się, schorowani, pozbawieni wyobraźni przywódcy, z których każdy sprawował urząd pierwszego sekretarza niewiele dłużej niż rok: Jurij Andropow i Konstantin Czernienko.

Wczesna retoryka Reagana sugerowała, że jego wojownicza polityka zagraniczna kierowała się przeciwko rosnącemu zagrożeniu radzieckiemu. Jednocześnie wykorzystywał on także słabe punkty przeciwnika. Jednakże zwiększona produkcja sprzętu wojskowego wzmacniała amerykańską gospodarkę, która, chociaż wyraźnie silniejsza niż gospodarka Związku Radzieckiego, sama cierpiała niedostatki. Jedni doradcy Reagana argumentowali za tym, aby ostatecznym celem wydatków wojskowych było obniżenie prestiżu radzieckiego systemu. Inni natomiast z George'em Schultzem, następcą Haiga (sekretarza stanu od czerwca 1982 r.), na czele utrzymywali, że celem tym powinno być wzmocnienie pozycji przetargowej Stanów Zjednoczonych. Mimo krytyki ze strony przywódców Kremla, Reagan podjął „negocjacje z pozycji siły" i poczynając od 1983 r. coraz więcej mówił o zmniejszaniu różnic między Stanami Zjednoczonymi i Związkiem Radzieckim.

Kiedy w marcu 1985 r. pierwszym sekretarzem został Michaił Gorbaczow, Reagan znalazł w nim sowieckiego przywódcę, który gotów był do podejmowania niezwykle daleko idących kroków w celu znacznej redukcji arsenału broni nuklearnej supermocarstw. W listopadzie 1985 r., spotkawszy się w Genewie na pierwszym, radziecko-amerykańskim szczycie, Gorbaczow i Reagan nawiązali rozmowy, które trwały do spotkania, jedenaście miesięcy później, w Rejkiawiku w Islandii, gdzie nieoczekiwany wzajemny entuzjazm dla zniesienia broni jądrowej całkiem wyparł dotychczasowe negocjacje. Chociaż spotkanie w Rejkiawiku skończyło się rozczarowaniem z powodu nalegań Gorbaczowa na to, aby zakazowi broni nuklearnej towarzyszyło docelowo zakończenie prób w ramach Inicjatywy Obrony Strategicznej, oba rządy nadal prowadziły negocjacje, które doprowadziły do podpisania traktatu dotyczącego broni jądrowej średniego zasięgu. Traktat ten podpisano podczas wizyty Gorbaczowa w Waszyngtonie w grudniu 1987 r. Tym zakrojonym na szeroką skalę porozumieniem Stany Zjednoczone i Związek Radziecki po raz pierwszy wyraziły zgodę na rozmontowanie i zniszczenie całej grupy broni jądrowych. Dyplomację na poziomie szefów rządów kontynuowano. Następnej wiosny doszło do triumfalnej wizyty Reagana w Moskwie oraz do ponownej wizyty Gorbaczowa w Stanach Zjednoczonych w październiku 1988 r., kiedy to w przemówieniu do Zgromadzenia Generalnego Narodów Zjednoczonych obiecał on – dokonując dramatycznego jednostronnego gestu – zredukować konwencjonalne siły radzieckie o około 500 tys. ludzi.

Dlatego też po dojściu Gorbaczowa do władzy, Reagan przyjął odprężenie w taki sposób, że wprawił w dezorientację liberałów, którzy wcześniej krytykowali wyraźnie uproszczoną retorykę „imperium zła" i konserwatystów, którzy oczekiwali nieubłaganej wrogości wobec Związku Radzieckiego. W końcu Reagan sprytnie połączył potrzeby polityki wewnętrznej ze swymi celami w polityce zagranicznej. Zdał on sobie sprawę, że aby uzyskać zrozumienie i osiągnąć kontrolę zbrojeń, musiał okazać nieustępliwość po to, aby inicjatywy takie stały się wiarygodne dla amerykańskiej opinii publicznej. Historyk John Gaddis zauważał: „Bez poparcia w kraju – a przecież nie zdobywa się go okazywaniem słabości – jest mało prawdopodobne, aby cokolwiek można było ze Związkiem Radzieckim osiągnąć".

Najwięcej kontrowersji w czasie prezydentury Reagana budziło potwierdzanie amerykańskich wpływów w Ameryce Środkowej. Stany Zjednoczone poparły siły contras, będące w opozycji do rządu sandinistów w Nikaragui. Jednocześnie w Gwatemali i Salwadorze udzieliły poparcia działaniom przeciw

43

Jimmy Carter, prezydent Stanów Zjednoczonych 1977–1981

J. Carter, A. Sadat i M. Begin w czasie uroczystości podpisania porozumień pokojowych z Camp David, marzec 1979 r.

44

45

Zakładnicy amerykańscy przetrzymywani w Iranie przez 444 dni powracają do Stanów Zjednoczonych w styczniu 1981 r.

46

Walter Cronkite, jeden z najbardziej znanych publicystów i amerykańskich dziennikarzy telewizyjnych z okresu po II wojnie światowej

47

Thomas O'Neill, wpływowy polityk partii demokratycznej, długoletni (1977–1986) przewodniczący Izby Reprezentantów

48

Zbiorowa przysięga w czasie uroczystości nadania obywatelstwa amerykańskiego, Miami, Floryda

Marina City Tower w Chicago, przykład nowoczesnej architektury z końca lat sześćdziesiątych

49

50

Ronald Reagan, prezydent Stanów Zjednoczonych, 1981–1989

51

R. Reagan i M. Gorbaczow w czasie szczytu amerykańsko-radzieckiego w Waszyngtonie, 1987 r.

George P. Schultz, sekretarz stanu w administracji R. Reagana

52

53

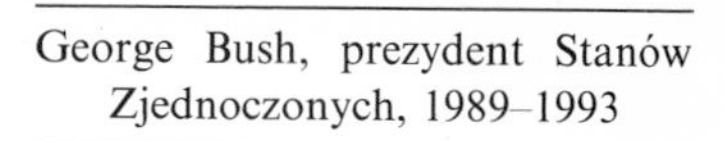

George Bush, prezydent Stanów Zjednoczonych, 1989–1993

Zdjęcie prezydenta G. Busha w otoczeniu rodziny, 1989 r.

54

Orzeł amerykański

powstańczym rebeliantom. Podsekretarz obrony Fred Ikle tak zwięźle wyraził ogólną strategię: „nie chodzi nam o militarną porażkę naszych przyjaciół. Nie chodzi nam o sytuację z wojskowego punktu widzenia bez wyjścia. Chodzi nam o zwycięstwo sił demokracji". Konserwatywny felietonista William Safire określił to krótko: „Zdobądźmy jeden punkt w Salwadorze".

Amerykańska polityka w Ameryce Środkowej cieszyła się za czasów Reagana dużą uwagą, głównie z powodu tego, że urzędnicy wypowiadali się o niej otwarcie i z determinacją co do „zwycięstwa" w tym regionie. Przy bliższym spojrzeniu, jej cele okazywały się raczej kontynuacją, być może podkreślaniem, tradycyjnych działań Stanów Zjednoczonych w tym regionie, gdzie waszyngtońska manipulacja procesami politycznymi oraz czasami ukryte, a czasem otwarte stosowanie siły kierowano przeciwko ruchom lewicowym. Mimo że nowa administracja krytykowała swych poprzedników za umożliwienie sandinistom odnoszenia sukcesów w Nikaragui, Carter w rzeczywistości stał przy reżimie Somozy praktycznie do końca i podejmował próby stłumienia sandinistów przez popieranie contras, których Reagan nazywał „wojownikami wolności". Podobnie zaangażowanie w wojskowe wsparcie walki rządu salwadorskiego przeciwko Narodowemu Frontowi Wyzwolenia im. Farabundy Martiego rozpoczęło się podczas administracji Cartera. Mimo że rola Stanów Zjednoczonych w Gwatemali nie przyciągnęła tak dużego zainteresowania opinii publicznej i uwagi Kongresu, administracja Reagana na nowo podjęła pomoc wojskową, rozpoczętą dwadzieścia lat wcześniej w brutalnej kampanii gwatemalskiego rządu przeciwko powstańcom. Carter zawiesił tę pomoc z powodu naruszania praw człowieka, jednak Reagan w 1982 r. stwierdził, że gwatemalskich kontrrewolucjonistów więziono na podstawie fałszywych oskarżeń i że zasługiwali oni jednak na pomoc wojskową i sprzedaż broni.

Nikaragua stała się miejscem doświadczalnej próby obalenia komunizmu na zachodniej półkuli. Krótko po objęciu urzędu prezydenta, Reagan upoważnił CIA do ukrytej walki w Nikaragui. CIA opłacała, szkoliła i zbroiła Nikaraguańczyków. Wielu z nich należało do oddziałów obalonego reżimu Somozy, aby walczyć z sandinistami. W ciągu jednego roku w mającą szeroki zasięg rewolucję zaangażowano około 10 tys. contras.

Amerykańskie wsparcie takich działań nie mogło być trzymane w tajemnicy i kiedy stało się jasne, jakie są jego rozmiary, poddano je krytyce w kraju i za granicą. Rozgniewane demokratyczne większości w Kongresie podjęły uchwałę, przedstawioną przez Członka Izby Reprezentantów Edwarda Bolanda (D., Mass.), odmawiającą wykorzystania funduszy Stanów Zjednoczonych na obalenie nikaraguańskiego rządu. Ponadto, kraje Ameryki Łacińskiej mocno krytykowały działalność CIA. Przemawiając w imieniu większości przywódców w tym regionie, meksykański prezydent Jose Lopez Portilla stwierdził, że Nikaragua „nie stanowi istotnego zagrożenia dla podstawowych interesów i bezpieczeństwa narodowego Stanów Zjednoczonych. To, co stanowi zagrożenie dla Stanów Zjednoczonych, to ryzyko potępienia ich przez historię, będące rezultatem tłumienia siłą praw innych narodów". Obawy były powodem do spotkania ministrów spraw zagranicznych Meksyku, Kolumbii, Panamy i Wenezueli na Contadorze, wyspie u wybrzeży Panamy, gdzie zaproponowali oni dyplomatyczne zakończenie walk między Stanami Zjednoczonymi i sandinistami. Administracja Reagana jednak odrzuciła postanowienia z Contadory, ponieważ uznała, że sandiniści reprezentowali legalny rząd nikaraguański.

Kontynuując swe tajne operacje w Ameryce Środkowej administracja Reagana w październiku 1983 r. podjęła interwencję wojskową w celu przeforsowania zmian politycznych w imię antykomunizmu na odległej wyspie Grenadzie. Reagan wysłał tam oddziały, aby uwolnić maleńką wyspę od „brutalnej szajki lewicowych zbirów". Rząd marksistowski, z Maurice'em Bishopem na czele, który doszedł do władzy cztery lata wcześniej, zaprzyjaźnił się z Castro i usiłował wpłynąć na antyamerykańskie nastroje w innych państwach na Morzu Karaibskim. Kiedy w 1983 r. Bishop zmienił swe nastawienie, władzę przejęła bardziej radykalna grupa. Zamordowano Bishopa i wprowadzono stan wojenny. Interwencję uzasadniano tym, że zwróciło się o nią pięciu członków praktycznie nie znanej Organizacji Państw Wschodniokaraibskich, oraz tym, że życiu około 500 amerykańskich studentów Szkoły Medycznej w Grenadzie zagrażało niebezpieczeństwo spowodowane niepokojami politycznymi. Obu tym przyczynom brakowało ważkości, co szybko wytknęli krytycy tego posunięcia w Kongresie.

Jednakże, operacja w Grenadzie, która trwała trzy dni, zanim Reagan ogłosił jej zwycięstwo, wykazała, że wojna wietnamska nie zdołała unicestwić poparcia opinii publicznej dla interwencji wojskowych. Sądząc z badań opinii publicznej i pośpiechu, z jakim młodzi mężczyźni zgłaszali się do służby wojskowej, operacja ta wydawała się umacniać Amerykanów w przekonaniu, że nadal można angażować narodowe siły tam, gdzie istnieją cele warte zachodu. Przyczynił się do tego częściowo fakt, że armia ocenzurowała wiadomości o tej akcji. Opublikowano także fotografie przedstawiające studentów powracających do domów, całujących amerykańską ziemię.

Reagan skwapliwie skorzystał z powodzenia inwazji w Grenadzie, aby kontynuować kampanię przeciw sandinistom. „Komunistyczna działalność wywrotowa nie jest czymś, czego nie dałoby się odwrócić", mówił prezydent Amerykanom, „widzieliśmy, jak ustępowała ona w Grenadzie". Amerykańska administracja potępiła wybory w Nikaragui w 1984 r., określając je jako „oszustwo w radzieckim stylu", odrzucając tym samym opinię wielu bezstronnych obserwatorów, że były one być może jednymi z najuczciwszych w historii Ameryki Środkowej.

Nacisk opinii międzynarodowej wzmógł się, kiedy rząd sandinistów wniósł do Międzynarodowego Trybunału Sprawiedliwości oskarżenie przeciwko Stanom Zjednoczonym o naruszenie suwerenności swego kraju, w tym o zaminowanie portu. Podejmując niezwykły krok, jak na kraj, który podpisał się pod zasadą stosowania prawa w rozwiązywaniu sporów międzynarodowych, Stany Zjednoczone odmówiły wystąpienia jako strona w tym sporze. Niemniej jednak Trybunał rozpatrzył sprawę nikaraguańską i zadecydował na korzyść Nikaragui, wydając orzeczenie, że faktycznie Stany Zjednoczone pogwałciły prawo międzynarodowe poprzez systematyczne naruszanie suwerenności tego kraju.

Spotkawszy się z powszechnym potępieniem swej skrytej wojny, a ponadto wobec przewagi sandinistów nad contras, administracja Reagana uświadomiła sobie, że jej cele nie dadzą się łatwo osiągnąć. Ujawnienie w 1987 r. faktu, że fundusze uzyskane ze sprzedaży broni do Iranu służyły do wspierania contras jako sposób na obalenie poprawki Bolanda, jeszcze bardziej nadwerężyło poparcie Kongresu i opinii publicznej. Ponadto, dzięki inicjatywie prezydenta Kostaryki, Oscara Ariasa, odżyła idea z Contadory. Doprowadziło to do wstrzymania działań wojennych między contras i sandinistami, co potwierdzono pisemnie w marcu 1988 r. Co paradoksalne, sandiniści przegrali nie w wyniku popieranej przez Stany Zjednoczone operacji contras, tylko w rezultacie procesów demokratycznych. Pokonany w wyborach prezydenckich i parlamentarnych w 1990 r. Daniel Ortega i jego sandiniści ulegli antysandinowskiej koalicji pod przywództwem Violetta Chamorro.

Tak samo jak Carter, Reagan swych największych frustracji doświadczył na Bliskim Wschodzie, tyle że Reaganowi bardziej udało się ograniczyć wynikające z tego polityczne skutki w kraju. Podejście nowej administracji do tego regionu w dużym stopniu ukształtowała irańska rewolucja. Utrata Iranu jako sojusznika oznaczała, że Izrael postrzegano jako główny teren strategiczny. Towarzyszyła temu odpowiednio większa pomoc gospodarcza i wojskowa. Administracja Reagana bardziej niż administracja Cartera identyfikowała się z konserwatywnym przywództwem Menachema Begina i nie podejmowała wysiłków w celu zahamowania zaciskającego się izraelskiego ramienia sięgającego po Zachodni Brzeg Jordanu i Okręg Gazy. Iracka wojna przeciwko Iranowi natomiast dostarczyła Stanom Zjednoczonym okazji do zdystansowania się do rządu Chomejniego i powstrzymania irańskiej ekspansji. Cel, jakim było zacieśnienie izraelsko-antyamerykańskich więzów i powstrzymanie irańskiej rewolucji, okazał się jednak trudny do osiągnięcia.

Nie kwestionowane poparcie Izraela doprowadziło w rzeczywistości do fatalnego zaangażowania się w rozdartym wojną Libanie, który stał się centrum walk łączących Organizację Wyzwolenia Palestyny, Izrael, Syrię i inne państwa. W czerwcu 1982 r. siły izraelskie napadły na Liban, podejmując działania w celu zniszczenia infrastruktury OWP, zredukowania wpływów Syrii i sprzyjania proizraelskiemu rządowi. Ariel Szaron, który w 1981 r. został ministrem obrony i zaplanował tę kampanię, czuł się wyraźnie zachęcony sprzyjającym stanowiskiem ze strony sekretarza Haiga. Kiedy siły izraelskie natarły na Bejrut, zabijając 15 tys. Libańczyków i Palestyńczyków, amerykańscy urzędnicy utrzymywali, że spodziewali się, że będzie to okupacja ograniczona jedynie do 25-milowego pasa na terytorium Libanu. Incydent ten doprowadził do rezygnacji rozgoryczonego Haiga, a jego następca George Schultz naciskał na bardziej wyważone podejście do specyfiki arabskiej. Posługując się specjalnym emisariuszem, Philipem Habibem, Schultz opracował plan ewakuacji Organizacji Wyzwolenia Palestyny z Bejrutu pod ochroną wielonarodowych sił składających się z Amerykanów, Francuzów i Włochów.

Po ewakuacji OWP i wycofaniu oddziałów, Schultz przekonał Reagana, żeby ogłosił „nowy początek" w negocjacjach pokojowych na zasadzie tzw. pokoju terytorialnego, przyjętego w rezolucjach ONZ wydawanych po konfliktach na Bliskim Wschodzie w latach 1967 i 1973. Izrael wezwano do ustąpienia z Zachodniego Brzegu Jordanu – palestyńskiej „ojczyzny w konfederacji z Jordanią", w zamian za normalne, bezpieczne stosunki z sąsiadami. Inicjatywa ta została jednak przez wszystkie strony odrzucona. Wśród nadal trwających aktów przemocy w Libanie zapoczątkowanych zabójstwem prezydenta-elekta tego kraju, siły międzynarodowe wróciły. Cel i czas trwania amerykańskiej obecności w centrum, bardziej niż kiedykolwiek niebezpiecznej wojny domowej, nigdy nie został wyjaśniony.

Stany Zjednoczone punkt ciężkości przeniosły na przebudowę swej wojskowej obecności w Libanie i na skłonienie Izraela i Syrii do wycofania się poprzez porozumienie się z nowym rządem w Bejrucie. Jednakże słabym punktem postawy Stanów Zjednoczonych w tym względzie było utożsamianie Syrii ze stroną w interesach Związku Radzieckiego oraz brak zrozumienia strategicznych interesów Syrii w ograniczeniu wpływów Izraela. Izraelska ofensywa w 1982 r. upokorzyła Syrię, pokonując jej siły powietrzne i jej powietrzny system obronny. Spowodowało to, że Syria zwróciła się do Związku Radzieckiego o dostarczenie znacznej pomocy militarnej, w tym nowoczesnych systemów pocisków rakietowych. Syria wystąpiła przeciwko amerykańskiej obecności w Libanie: w kwietniu 1983 r. grupa szyitów libańskich w kontrolowanej przez Syrię zachodniej części Bejrutu wysadziła w powietrze ambasadę amerykańską. Sześć miesięcy później, w październiku, na terenie jednostki marines eksplodowała ciężarówka z podłożoną bombą, zabijając 241 amerykańskich żołnierzy. Reagan nalegał, żeby Stany Zjednoczone nie zrażały się; w 1984 r. w swym Orędziu o Stanie Państwa powiedział: „Jeżeli inni myślą, że mogą nas lub naszych sojuszników w Libanie zrazić, staniemy się śmielsi gdzie indziej". Później kruchy rząd w Libanie upadł, kończąc krwawą inicjatywę libańską, co na nowo doprowadziło do politycznego chaosu. Krótko potem Stany Zjednoczone wycofały resztę swych marines.

Odpowiadając na wojnę iracko-irańską z wyraźnie antyirańskim odcieniem, administracja Reagana udzielając Irańczykom sekretnego wsparcia zaprzeczała sama sobie, za co natychmiast zapłaciła wysoką cenę polityczną. Kiedy w 1982 r. siły irańskie wkroczyły do Iraku, Stany Zjednoczone udzieliły Irakowi „wsparcia, w tym kredytów handlowych, a także utrzymały przeciwko Iranowi embargo na dostawę broni. Niektórzy urzędnicy jednakże kwestionowali tę orientację i twierdzili, że Stany Zjednoczone powinny dążyć do odrestaurowania swych wpływów w Iranie i wykorzystać fundamentalizm islamski jako środek do przeciwwagi wpływom radzieckim. W 1985 r. Reagan zaaprobował izraelską sprzedaż amerykańskiej broni do Iranu, rozumiejąc tym samym, że Iran mógłby użyć swego wpływu w celu uwolnienia amerykańskich zakładników przetrzymywanych w Libanie. Za tym tajnym planem szła na początku 1986 r. tajna bezpośrednia sprzedaż, co z kolei wywołało najgłośniejszy skandal reaganowskiej administracji, kiedy ujawniono, że kilku urzędników sięgnęło po fundusze pochodzące z tajnej sprzedaży broni do Iranu w celu sfinansowania operacji w Nikaragui. Tak zwana afera Iran–contra spowodowała falę krytyki nie tylko w kraju, ale i ze strony umiarkowanych Arabów.

Zdesperowana administracja Reagana na nowo odbudowywała swą wiarygodność i swe antyirańskie stanowisko. Stany Zjednoczone przyjęły zaproszenie Kuwejtu do ochrony jego tankowców z ropą naftową w Zatoce Perskiej pod banderą Stanów Zjednoczonych. Krok ten uzasadniony był tym, że Związek Radziecki, do którego Kuwejtczycy także się zwracali, mógłby w przypadku wycofania się Stanów Zjednoczonych przeflagować statki (w rzeczywistości Związek Radziecki nie wyraził tym zainteresowania) i aby zapewnić przepływ dostaw ropy naftowej do sojuszników amerykańskich (faktycznie wojna tankowców wywarła na transport morski znikomy wpływ). Mimo że przeflagowywanie było częścią starań o odbudowę twardego stanowiska wobec Iranu, w rzeczywistości dysponujący amerykańskimi dostawami Irak był głównym źródłem ataków rakietowych na transport morski. W maju 1987 r. wojska irackie pomyłkowo wzięły okręt Stanów Zjednoczonych *Stark* za irański i raziły go pociskiem, zabijając 37 amerykańskich marynarzy. Marynarka utrzymywała patrole, co mogło spowodować dalsze straty. W sierpniu przeflagowany tankowiec płynący przed mającymi go strzec okrętami wojennymi zaczepił o irańską minę. W lipcu 1988 r. okręt Stanów Zjednoczonych *Vincennes* pomyłkowo wziął irański samolot cywilny za wrogi i trafił go pociskiem rakietowym, zabijając 290 osób. Miesiąc później Iran i Irak, wyczerpane, podpisały traktat o zaprzestaniu działań. Według wszelkich ocen polityce Stanów Zjednoczonych wobec tej wojny brakowało konsekwencji i ukierunkowania. Nie miała ona na tę wojnę wpływu.

Pomimo niepowodzeń na Bliskim Wschodzie, Reagan bez wątpienia ożywił poczucie narodowego celu, jakim było odnowienie siły militarnej kraju. Jednakże do końca jego kadencji niepokój Amerykanów o status Stanów Zjednoczonych na świecie znów skupiał uwagę społeczeństwa na sprawach międzynarodowych. Liczni czytelnicy bestselleru Paula M. Kennedy'ego *Świetność i upadek wielkich mocarstw* (*The Rise and Fall of the Great Powers*) znaleźli w tej książce wyjaśnienie problemów kraju. Kennedy podkreślał drogę, jaką mocarstwa ostatecznie dążyły do „imperialnego sięgania za daleko", wydając coraz więcej środków na zbrojenia, w celu podtrzymania różnorakich zobowiązań i oddalając się od produktywnego rozwoju gospodarki. Kennedy stawiał pytanie, czy Stany Zjednoczone „potrafią zachować rozsądną równowagę między dostrzeganą koniecznością obrony kraju i środkami, jakie posiadał on na spełnienie tych zobowiązań; i czy – co się z tym bezpośrednio wiązało – potrafi on zachować techniczne i ekonomiczne podstawy swej siły od względnej erozji w obliczu ciągle zmieniających się wzorców światowej produkcji". Wobec zagrożenia utraty potęgi gospodarczej na rzecz Japonii i Wspólnoty Europejskiej, wielu Amerykanów było zdania, że „względny schyłek" wymuszał redukcję zamorskich zobowiązań i nacisk na gospodarczą odnowę kraju. Takie podejście do przyszłości było w 1988 r. częścią programu desygnowanego na prezydenta z ramienia demokratów, Michaela Dukakisa, który, mówiąc o deficycie budżetu państwowego wynoszącym ponad 150 mld dolarów rocznie, podkreślał podobnej wielkości lukę w handlu oraz schyłek amerykańskiej produkcji.

Równocześnie rzecznicy ożywienia twierdzili, że Stany Zjednoczone nadal były dużo silniejsze gospodarczo i pod względem militarnym niż jakiekolwiek inne mocarstwo. Mimo różnic w akcentach, *Mit upadku Ameryki* Henry'ego Nausa, *Wskrzeszenie gospodarki amerykańskiej* Richarda Rosecrance'a oraz *Ku przywództwu* Josepha Nyego optymistycznie widziały amerykańską przyszłość. Amerykańskie instytucje gospodarcze i polityczne pojawiały się coraz częściej na kuli ziemskiej, co nie było raczej oznaką zmniejszających się wpływów. Przy coraz liczniejszych oznakach strukturalnych i gospodarczych problemów Związku Radzieckiego, względna siła Stanów Zjednoczonych, mówiono, faktycznie rosła. Takie optymistyczne spojrzenie w przyszłość kraju było centralnym punktem kampanii prezydenckiej wiceprezydenta George'a Busha w 1988 r.

Jako prezydent, George Bush kontynuował śmiałą linię polityczną ery Reagana, nie starając się jednak uspokajać opinii publicznej, nadal zaniepokojonej „względnym schyłkiem". Zwycięstwo w wojnie w Zatoce Perskiej pozwoliło Bushowi stworzyć szeroką międzynarodową koalicję przeciwko Irakowi i wykazać, że wspólne bezpieczeństwo mogło przeciwważyć agresję. Śmiało głosząc, że operacja „Pustynna Burza" wyparła „syndrom Wietnamu", Bush trafnie ocenił wpływ, jaki powszechne odczucie podziału narodu w epoce wietnamskiej, miało na wielkie poparcie dla wojny z Irakiem. Jednak upadek radzieckiego imperium, a następnie samego Związku Radzieckiego, miał w opinii Amerykanów bardzo małe znaczenie. Zwycięstwo w zimnej wojnie przyniosło niepewność wyrażoną w pytaniach, czy dezintegracja starego porządku nie przyniesie politycznego i ekonomicznego zachwiania równowagi w Europie Wschodniej i republikach byłego Związku Radzieckiego. Dużo wcześniej Amerykanie uznali konieczność konfrontacji ze spadkiem ekonomicznych sił kraju. W krócej niż rok po poprowadzeniu koalicji do zwycięstwa w Zatoce Perskiej, Bush zaczął być szeroko krytykowany za to, że nie odniósł sukcesu w rozwiązaniu gospodarczych problemów kraju.

Dlatego też, tak jak w powojennym okresie w końcu lat siedemdziesiątych, lata po zimnej wojnie i „Pustynnej Burzy" pozostawiły Amerykanów w niepewności co do odegrania odpowiedniej roli na arenie międzynarodowej. Badania opinii publicznej w 1991 r. wykazywały, że większość Amerykanów odrzucała sugestie, że Stany Zjednoczone powinny odgrywać rolę międzynarodowego policjanta, i patrzyła na Narody Zjednoczone jako na instytucję odpowiedniejszą do przeciwdziałania agresji. Elity polityczne za granicą i opinia publiczna w ogólności wydawały się akceptować propozycję, aby świat w epoce po zakończeniu zimnej wojny opierał się raczej na sile gospodarczej niż militarnej, czyli to, co Bush określał jako „nowy ład w świecie". Wielu Amerykanów wytrąciło to z równowagi. Kiedy w 1989 r. na postawione opinii publicznej pytanie: „Który kraj będzie pierwszy w przyszłym stuleciu?", 47% społeczeństwa odpowiedziało – Stany Zjednoczone, podczas gdy 38% mówiło – Japonia. Jednak do października 1991 r. zaszła poważna zmiana. Kiedy znów zadano to pytanie, tylko 25% wymieniło Stany Zjednoczone, a 58% Japonię. Zwycięstwo w Zatoce Perskiej i zimnej wojnie wywoływało tyle samo niepokoju, co zadowolenia. I tak rola, jaką miały odegrać Stany Zjednoczone w „nowym ładzie na świecie", nie była jasna.

Tłumaczyła *Dorota Staniszewska-Kowalak*

BIBLIOGRAFIA

Brzeziński Zbigniew, *Power and Principle*, Firror, Strauss, and Giroux, New York 1985
Carter Jimmy, *Keeping Faith*, Bantam, New York 1982
Dallek Robert, *Ronald Reagan: The Politics of Symbolism*, Harvard University Press, Cambridge 1984
Garthoff Raymond L., *Detente and Confrontation: American-Soviet Relations from Nixon to Reagan*, Brookings Institution, Washington 1985
Holsti Ole and James N. Rosenau, *American Leadership in World Affairs: Vietnam and the Breakdown of Consensus*, Allen and Unwin, Boston 1984
La Feber Walter, *Inevitable Revolutions: The United States in Central America*, Norton, New York 1983
Quandt William B., *Camp David: Peacemaking and Politics Brookings Institution*, Washington 1986

Rubin Barry, *Paved with Good Intentions: The American Experience, and Iran*, Oxford University Press, New York 1980
Sick Gary, *All Fall Down: America's Tragic Encounter with Iran*, Random House, New York 1985
Smith Gaddis, *Morality, Reason, and Power: American Diplomacy in the Carter Years*, Hill and Wang, New York 1986
Talbott Strobe, *The Russians and Reagan*, Vintage Books, New York 1984
Vance Cyrus, *Hard Choices*, Simon and Schuster, New York 1983

INDEKS OSÓB

Abernathy Ralph D. 98, 221, 222, 225
Abzug Bella 254
Acheson Dean Goderham 14, 15, 17, 20, 35, 39, 48, 78
Adams Sherman 63
Adenauer Konrad 15
Adorno Theodore 173
Agnew Spiro Theodore 110, 116
Alexander Charles 52
Allende Salvadore 107
Allwryght (sprawa) 216
Amin Dada Idi 278
Anderson Clinton 34
Anderson John 124
Andropow Jurij 287
Aquino Corazon 144
Arias Oscar 291
Attlee Clement 10, 35

Bakke (sprawa) 233, 234
Ball George 78
Ball Lucille 200
Bao Dai 19
Barkley Alben William 42
Barnes Hazel 179
Barnum Phineas Taylor 186
Barrett William 179
Begin Menachem 122, 280, 291
Bell Daniel 171, 172
Bell Griffin 278
Belushi John 196
Benedict Ruth Fulton 169
Benesz Edward 13
Bennet William 150
Bennett James Gordon 186
Bentsen Lloyd 149
Bergen Candice 105
Bergman Ingmar 194
Berle Milton 200
Berstein Carl 115
Bertelsmann 209
Bevin Ernest 10, 13
Birch John 64
Bishop Maurice 290
Blackmun Harry Andrew 112
Bloom Alan 176
Bloom Harold 180
Bohlen Charles 55
Boland (poprawka) 146, 147, 291
Boland Edward 289
Bork Robert 116, 139
Borzun Jacques 185
Boxer Barbara 155
Bradbury Ray Douglas 207
Bradley Omar Nelson 48
Bradley Tom 154
Brannan Charles 44
Braun Moseley 155
Brennan William 150
Breżniew Leonid 21, 25, 27, 106, 118, 123, 147, 274, 275, 281, 285, 287
Bricker (poprawki) 55
Brodie Bernard 171
Brown (sprawa) 58, 61, 87, 88, 168, 219–223, 225, 228, 233
Brown Helen Gurley 250
Brown Rap H. 98
Brzeziński Zbigniew 123, 277, 279, 282, 283
Buckley William Frank 175, 176
Burford Anne Gorsuch 135
Burger Warren Earl 112, 139
Bush George Herbert Walker 127, 128, 147–155, 175, 180, 202, 258, 273, 294, 295
Byrnes James Francis 10, 12, 34, 39

Campbell Ben Nighthorse 156
Carmichael Stokley 88, 253
Carroll Diahann 203

Carter Jimmy (James Earl Jr) 28, 105, 119–124, 133, 136, 137, 144, 146, 147, 233, 273, 275–285, 289, 291
Carter Rosalin 120
Casey William J. 146
Castro Fidel 23, 71, 77, 81, 146, 152, 290
Chambers Whittaker 102
Chamorro Violetto 291
Chiang Kai-shek (Czang Kaj-szek) 17, 19, 22
Chomejni Ruhollah 123, 283, 291
Chomsky Noan 173, 174
Chopin Fryderyk 192
Chruszczow Nikita 21–24, 63, 77–79
Churchill Winston 9–11, 35, 39
Clark Jim 229
Clayton William L. 35
Clifford Clark 26
Clinton Bill (William Jefferson) 128, 153–155
Connor Eugene „Bull" 80, 226
Cooper Gary 193
Cosby Bill 203
Cox Archibald 116
Crockett David 243
Czernienko Konstantin 287

Daley Richard Joseph 98, 100
Dalton B. 191
Darwin Charles 162
Davis Bette 193
Davis Ossie 203
Dean John 116
Deng Xiaoping (Teng Siao-ping) 143, 152
Derian Paticia M. 278
Derrida Jacques 179, 180
Dewey John 163, 164, 167, 180
Dewey Thomas Edmund 42, 82
Dick-Read Grantly 243
Douglas Helen Gahagan 49, 102
Douglas Stephen Arnold 207
Douglas William O. 117
Duarte Jose Napoleon 146
Dubczek Aleksander 21, 92
Dukakis Michael 148, 149, 202, 294
Dulles John Foster 19, 22, 52, 54
Durkin Martin 53
Dylan Bob 99

Eagleton Thomas 114
Eastman Crystal 269
Edison Thomas Alva 186
Ehrlichman John 116
Eisenhower Dwight David 21–23, 33, 45, 50–65, 69, 71, 76, 77, 79, 83, 102, 124, 127, 137, 222–224
Ellsberg Daniel 110
Erikson Erik Homburger 169
Ervin Samuel (Sam) James Jr 116

Fairbanks Douglas 194
Falwell Jerry 203
Farmer James Leonard 225
Farnham Martyna 169, 252
Faubus Orval Eugene 61, 223
Feinstein Diane 155
Ferguson (sprawa) 215
Ferraro Geraldine Anne 138
Ford Gerald Rudolf Jr 27, 28, 116–119, 121, 124, 133, 233, 273–276, 281
Fossey Diane 177
Freud Sigmund 170
Friedan Betty Naomi z d. Goldstein 169, 246, 249, 250, 252–254
Friedman Milton 107, 167
Fromm Erich 169, 170
Fuchs Klaus 45
Fulbright William J. 50, 91

Gaddis John 288
Galbraith John Kenneth 169, 210
Gallup George Horace 42, 71
Gaulle Charles de 25
Gavin James 91
Ginsberg Douglas 139
Ginsberg Eli 252
Ginzburg Aleksander 278
Goldberg Arthur Joseph 250, 278
Goldwater Barry Morris 80, 83, 84, 93, 100, 117, 133, 228
Gomułka Władysław 16
Goodall Jane 177
Gorbaczow Michaił 16, 147, 148, 151, 288
Gore Albert 153, 154
Gottwald Klement 13
Graham Billy 191, 203
Gramm (ustawa) 139
Grant Ulysses Simpson 52
Griffin (ustawa) 63

Griswold (sprawa) 87
Gromyko Andriej 281

Habib Philip 144, 145, 292
Haig Alexander Meigs Jr 144, 286, 287, 292
Haldeman H. R. 116
Harriman William Averell 35
Harrington Michael 173
Harris Fred 108
Hartley (ustawa) 38, 43, 44
Hartman Geoffrey 180
Harvard John 116, 139, 160, 161, 165, 167, 170, 172, 173, 179
Haydn Joseph 192
Heidegger Martin 179, 180
Hill Anita 151
Hiss Alger 45, 102
Ho Chi Minh 79, 103, 104
Hoey Clyde 50
Hook Sidney 166
Hoover Herbert Clark 58
Hoover John Edgar 110
Hopkins Harry Lloyd 9
Horkheimer Max 173
Horney Karen 170
Humphrey George 52
Humprey Hubert Horatio Jr 70–72, 84, 92, 93, 97, 99–101, 119
Hunt Howard E. 110, 114
Husser Edmund 179
Huston (plan) 110
Hyde (klauzula) 258

Ikle Fred 289

Jackson (poprawka) 275
Jackson Henry 28, 108, 275
Jackson Jesse Louis 138, 148, 235
Jackson Michael 193
Jaspers Karl 179
Jaworski Leon 116
Jefferson Thomas 75
Jessup Philip Caryl 49
Johnson (sprawa) 150
Johnson Haynes 201
Johnson Lyndon Baines 24–26, 64, 69, 71–73, 80–82, 84–89, 91–94, 99–101, 103, 104, 108, 111, 112, 117, 120, 201, 228, 229, 231, 232
Johnson Magic 202

Kahn Herman 171
Kefauver Estes 50, 62
Kennan George Frost 8, 11, 12, 15, 26, 39, 91, 165
Kennedy Edward Moore (Ted) 123, 284
Kennedy Jacqueline Bouvier 82
Kennedy John Fitzgerald (Jack) 23, 24, 64, 65, 69–82, 86, 92–94, 99, 124, 135, 172, 201, 224–228, 250, 251
Kennedy Joseph Patrick 70
Kennedy Paul M. 294
Kennedy Robert Francis 69, 71, 72, 78, 80, 92, 97, 99, 124, 225–227
Kerner Otto 89
Keynes John Maynard 113
Kim Ir Sen 18
King Martin Luther Jr 61, 64, 69, 72, 80, 88, 89, 91, 92, 97–99, 138, 221–232, 235
King Rodney 153
Kirkpatrick Jeane 137, 278
Kissinger Henry Alfred 7, 26, 27, 102–105, 118, 119, 173, 273–275, 279, 283, 284
Klementis Vladimir 16
Kolko Gabriel 174
Kosygin Aleksiej 25
Kraemer (sprawa) 217
Kramer Stanley 195
Kristol Irving 166, 175, 176
Kristol William 175
Kuhn Thomas 178, 180

Lake Veronica 240
Landrum (ustawa) 63
Lattimore Owen 49
Lawrence David L. 190
Le Duc Tho 27, 104
Lee Spike 195
LeMay Curtis 93, 100
Lewis C. I. 164, 177
Lewis Drew 136
Liddy Gordon G. 110, 114
Lincoln Abraham 82, 91, 207, 216, 227
Lindsey Hal 191
Lippmann Walter 165
Lipset Seymour Martin 172
Lodge Henry Cabot 70, 71
Lon Nol 118
Lopreato Joseph 176
Lovett Robert A. 35

Lucas George 195
Luce Henry 186, 190
Lundberg Ferdinand 169, 252

MacArthur Douglas 18, 47–49
Macdonald Dwight 207
Madonna (Ciccione Madonna Louise Veronica) 193
Malcolm X 88
Man Paul de 180
Mao Zedong (Mao Tse–tung) 17, 105
Marcos Ferdynand 107, 144
Marcuse Herbert 64, 173, 174
Marks Karol 171, 172
Marshall George Catlett 12, 39, 40, 48
Marshall Thurgood 150, 218
Marti Farabundo 289
Martin Joseph 48
Martin Steve 196
Maxwell Robert 209
Mayer Louis Burt 193
McCarran (ustawa) 49
McCarthy Eugene Joseph 99, 108
McCarthy Joseph Raymond 45, 48, 49, 51, 56, 72, 200, 201
McCloy John J. 35
McCord James 114, 115
McGinnis Joe 207
McGovern George Stanley 108, 112–115
McKay Douglas 57
McLuhan Marshall 208
McNamara Robert Strange 23, 78, 79, 90, 171
Mead Margaret 251
Meese Edwin 140
Meredith James Howard 231
Miller Hillis J. 180
Mills Wright C. 64, 169, 171
Minow Newton 206, 207
Mitchell James 57
Mitchell John 109, 114
Mołotow Wiaczesław 9
Mondale Walter Frederick 119, 137, 138
Monk Maria 186
Moses Robert 226
Moyers Bill 206
Moynihan Daniel Patrick 107, 172, 173
Mundt Karl 50
Murdoch Rupert 209
Murray Charles 176
Murrow Edward Roscoe 200
Muskie Edmund Sixtus 108, 114
Myrdal Bunnar 168, 172, 216

Naser Gamal Abdel 106
Naus Henry 294
Nehru Jawaharlal 54
Neustadt Richard 172
Newhouse S. I. 188
Newhouse S. I. Jr 188
Ngo Dinh Diem 22, 79
Niebuhr Reinhold 165
Nitze Paul 20, 281
Nixon E. D. 220
Nixon Richard Milhous 7, 26–28, 49, 50, 64, 69, 71–73, 92–94, 97, 100–118, 120–122, 124, 139, 173, 201, 207, 233, 273–275, 284, 286
Nobel Alfred 104
Noriega Manuel 152
North Oliver 147
Nye Joseph 294
Nye Russel 186

O'Connor Sandra Day 137, 139
Oppenheimer Robert Julius 56
Ortega Daniel 291
Oswald Lee Harvey 81

Packard Vance 206
Pahlawi Mohammad Reza 107, 123, 282, 283
Parker Fess 243
Parks Rose 220
Parley Peter 186
Parsons Talçott 171
Paul Alice 112, 259
Peale Norman Vincent 191
Pendergast Thomas Joseph 33
Perot Ross 154, 155
Peyre Henri 178
Phillips William 166
Pickford Mary 194
Platon 207
Plessy (sprawa) 215, 217, 218
Portilla Jose Lopez 289
Postman Neil 207
Powell Lewis Franklin Jr 112

Quayle Danforth James 148, 149, 175
Quine Willard Van Orman 177–180

Rahv Philip 166
Rajk László 16
Randolph Philip A. 227
Reagan Ronald Wilson 28, 82, 93, 103, 112, 119, 124, 127, 128, 132–135, 137–148, 150, 151, 153, 154, 175, 176, 180, 194, 199, 201–203, 258, 273, 275, 285–293
Rehnquist William Hubs 112, 139
Rhodes James 103
Richardson Elliot 116
Riesman David Jr 169
Roberts Oral 203
Robinson Jo Ann 220, 221
Rockefeller John Davison 170
Rockefeller Nelson 102, 173
Rockwell Norman 266
Roe Jane 88, 112, 255–259
Rogers William 102
Roosevelt Anna Eleanor 251
Roosevelt Franklin Delano 8, 9, 33–35, 51, 69, 70, 77, 82, 85, 94, 113, 127, 165, 198, 215, 216
Roosevelt Theodore 154
Rorty Richard 180, 181
Rosecrance Richard 294
Rostow Eugene 281
Rostow Walt Whitman 172, 173
Ruby Jack 81
Rucklehaus William 108, 116, 135
Rudd Mark 99
Rudman (ustawa) 139

Sacharow Andriej 278
Sadat Anwar As– 106, 122, 279, 280
Saddam Husajn 152
Safire William 289
Salvatori Henry 133
Samuelson Paul Anthony 167
Sartre Jean Paul 178, 179
Scalia Anthony 139
Schelling Thomas 171
Schlafly Phyllis 112
Schlesinger Arthur Meier Jr 165
Schultz George 287, 292
Schwarzkopf Norman 152
Schwellenbach Lewis 34
Shakespeare William 211
Shelly (sprawa) 217
Singelton John 195
Sirica John 115
Skinner Burrhus Frederic 170
Skiskel Gene 195
Smith (sprawa) 216
Snyder John 34
Sołżenicyn Aleksander 275, 286
Somoza Debaile Anastasio 146, 289
Souter David 150, 258
Spielberg Stephen 195
Spock Benjamin McLane 242
Stahl Leslie 202
Stalin Józef 8–10, 12–16, 18, 21, 22, 35, 39, 55
Stallone Sylvester 196
Steinem Gloria 254
Stevenson Adlai Ewing 50, 59, 70
Stevenson C. L. 164, 167
Stokes Carl 232
Stone Oliver 81
Stowe Harriet z d. Beecher 186
Strum Shirley 177
Sun Myung Moon 132
Swanson Gloria 194
Szaron Ariel 291

Taft Robert Alphonso 38, 43, 44, 50, 51
Thatcher Richard 232
Thieu Nguyen Van 118
Thomas Clarence 151
Thurmond James Strom 42
Tilsey Alfred 170
Tito–Broz Josif 15, 16
Tobin James 167
Trilling Lionel 166
Truman Harry S. 9–12, 14, 17–21, 23, 25, 28, 33–51, 53, 55, 58, 65, 71, 74, 75, 83, 105, 172, 216, 282
Tydings Millard 49

Vance Cyrus Roberts 122, 277, 281, 283, 284
Vanik (poprawka) 275
Vaughan Harry 34
Voorhis Jerry 102

Wade Henry 88, 112, 255, 257–259
Wallace George Corley 92, 93, 100, 101, 109, 114, 119, 233
Wallace Henry Agard 39, 42
Warnke Paul 281, 282
Warren Earl 42, 81, 87, 88, 112, 218, 219
Watt James 135, 136
Wayne John 193, 195

Webster (sprawa) 150, 258
Weeks Sinclair 57
Weinberger Caspar Willard 141, 147, 286
Welch Joseph Nye 56, 201
Welch Robert H. W. Jr 64
Westmoreland William Childs 25
Whyte William 169
Wild John 179
Wildmon Doland E. 206
Williams William Appleman 64, 174
Wilson Edward 176
Wilson George E. 52
Wilson Woodrow Thomas 82, 94
Wohlstetter Albert 171
Woodward Bob 115
Wriston Henry 62
Wylie Philip Gordon 252

Young Andrew 276
Young Loretta 193

Zhou Enlai (Czou En–laj) 105

INDEKS NAZW GEOGRAFICZNYCH I ETNICZNYCH

Abilene 52
Afganistan 123, 140, 143, 148, 284, 285, 287
Afroamerykanie 111, 119
Afryka 21, 63, 275, 278
– Południowa 209
Afrykanerzy 144
Alabama 61, 80, 100, 220, 225, 229, 233, 234
Alaska 130
Albany 226
Aleuckie Wyspy 130
Ameryka Łacińska 25, 39, 63, 74, 77, 146, 152, 278, 289
– Południowa 279
– Środkowa 127, 140, 279, 286, 288–290
Amerykanie passim
Angola 28
Annapolis 119
Anniston 225
Appalachy 99
Arabia Saudyjska 147, 152, 209
Arabowie 106, 117, 147, 279, 293
arabskie kraje 269
Argentyna 107, 122, 278
Arizona 80, 83, 84
Arkansas 61, 153, 223
Atlanta 154, 223, 224, 234
Atlantic City 209
Atlantyk (Atlantycki Ocean) 57
Australia 50
Austria 55
Azja 18, 19, 21, 48, 53, 84, 103, 143, 159, 240, 278
– Południowo-Wschodnia 17–19, 21–23, 25, 63, 79, 113, 118, 174
– Wschodnia 50
Azjaci 103, 111, 138, 206

Baltimore 92
bałkańskie kraje 35
Basenu Śródziemnomorskiego kraje 11
Bejrut 144, 145, 207, 292
Belgia 180
Belgrad 278
Beneluksu kraje 13
Bentonville 128
Berkeley 160
Berlin 13, 14, 21, 23, 25, 63, 78
– Zachodni 40, 78
Birma 45
Birmingham 80, 225–228, 234
Bizonia 13
Bliski Wschód 10, 21, 22, 39, 40, 63, 106, 122, 127, 144, 145, 277, 279, 280, 291–293
Boston 70
Brazylia 107
Brytyjczycy 10, 13–15, 39
Brytyjskie Wyspy 185
Bułgaria 10, 151

Camp David 63, 64, 122, 279, 280, 285
Chicago 88, 92, 97–100, 167, 201, 215, 230, 231, 234, 235
Chile 107, 122, 278
Chiny 10, 17–19, 22, 25, 36, 45, 47–49, 53, 54, 63, 64, 79, 97, 104, 105, 112, 143, 190, 274, 275
Chińczycy 54, 78
Chińska Republika Ludowa 17, 27, 105, 122, 274, 276, 278
Cleveland 232
Connecticut 87, 148
Contadora 290, 291
Cook 73
Czechosłowacja 16, 21, 40, 92, 151

Dakota Południowa 108, 113, 131
Daleki Wschód 45, 47
Dallas 24, 80, 81, 228, 255

Delaware 218
Demokratyczna Republika Wietnamu (DRW) patrz Wietnam Północny
Detroit 89, 209, 232, 234
Dien Bien Phu 22
Dominikana 131
Dziki Zachód 186, 206

Egipt 54, 60, 106, 122, 132, 276, 279, 284
Eskimosi 130
Estonia 8
Etiopia 122, 140, 207
Europa 7, 11–15, 17–23, 35, 39, 45, 47, 52, 55, 106, 119, 141, 142, 151, 159, 169, 174, 185, 204, 240, 267, 269, 278, 282
– Wschodnia 7–11, 13, 15, 16, 21, 22, 35, 39, 55, 92, 106, 127, 141, 142, 148, 151, 267, 273, 276, 278, 287, 295
– Zachodnia 11–18, 21, 26, 40, 46, 142, 143, 145, 162
Europejczycy 17, 162, 268

Filadelfia 234
Filipiny 45, 50, 107, 122, 131, 144, 278
Finlandia 8
Floryda 131, 196, 228
Francja 10, 12, 13, 25, 54, 79, 162, 283
Francuzi 14, 15, 22, 46, 267, 292
Frankfurt n. Menem 173
Fulton 11, 39

Gary 232
Gazy Okręg 280, 291
Genewa 22, 142, 147, 288
Georgia 28, 72, 119–121, 226, 259, 275, 276
Golan wzgórza 106
Grecja 11, 12, 25, 39
Grecy 11
Greensboro 61, 223, 224
Grenada 146, 147, 290
Gwatemala 54, 77, 288, 289

Hanoi 27
Harlem 99
Hawaje 132, 239
Hiroszima 36
Hispanios 232
Ho Chi Minh miasto 104
Hollywood 195, 196, 205, 209
Hongkong 131
Houston 72
Hue 91

Illinois stan 50, 70, 73, 230, 259
Inczhon 47
Independence 35
Indiana 148, 170, 232
Indianie 130, 131, 138, 156, 185, 195, 206, 232
– Penobscot 131
– Puyallup 131
– Siuksowie 131
Indie 54, 132, 244, 276
Indochiny 19, 22, 45, 46, 54, 118
Indonezja 45
Irak 152, 283, 293, 294
Iran 10, 11, 54, 77, 123, 127, 132, 145, 147, 273, 277, 278, 282–284, 291, 293
Irańczycy 292
Islandia 288
Izrael 41, 106, 144, 145, 147, 276, 279, 280, 291, 292
Izraelczycy 280

Jackson 225
Jałta 55
Jamajka 204
Japonia 8, 10, 17–19, 26, 35, 36, 46, 47, 50, 106, 143–145, 269, 294, 295
Japończycy 36, 143, 144, 209, 239
Jerozolima 106, 280
Jinmen (Cinmen) 22
Jordan 106
Jordania 106, 292
Jugosławia 15, 16

Kalifornia 28, 49, 50, 92, 99, 102, 103, 112, 119, 123, 131, 132, 135, 139, 149, 153, 155, 196, 218, 229
Kambodża 103
Kanada 114, 174
Kansas City 33
Kansas stan 52, 58, 218, 219, 259
Karaibskie Morze 146, 290
Karaibskiego Morza wyspy 127
Karolina Południowa 218, 225
– Północna 61, 116, 223, 224
Khmerowie 118
Kolorado stan 156
Kolumbia 290

Kolumbii Dystrykt 115, 225
Korea 18–20, 25, 45, 50, 53, 54, 63, 65, 90
– Południowa 18, 47, 48, 107, 131, 143, 278
– Północna 18, 47
Koreański Półwysep 47, 132
Kostaryka 291
Krzemowa Dolina 128
Kuba 23–25, 71, 76–78, 81, 106, 146, 148, 152, 276
Kubańczycy 77, 111, 131
Kuwejt 152, 153, 293
Kuwejtczycy 293

Laos 104
Las Vegas 154, 209
Latynosi 99, 131, 138, 156, 206, 257
Liban 25, 144–146, 291–293
Libańczycy 292
Libia 145
Little Rock 61, 223, 224
Litwa 8
Londyn 8
Los Angeles 71, 88, 102, 153, 154, 195, 202, 229, 234
Lublin 8
Luizjana 225

Łotwa 8

Maine 108, 131
Malezja 45, 143
Maryland 49, 63, 116
Massachusetts 70, 115, 148, 161, 202
Matsu Tao 22
McComb 226
Meksyk 140, 290
Meksykanie 131
Memphis 92, 97, 98, 232
Men 174
Miami 154
Michigan stan 117, 160, 167, 232
Minneapolis 154
Minnesota 70, 108, 119
Missisipi stan 103, 225, 226, 228, 229
Missouri stan 11, 33, 35, 39, 42, 114, 150, 217
Montgomery 61, 220–223, 225, 226, 229
Moskwa 9, 11, 20, 21, 25, 27, 54, 78, 79, 123, 281, 285, 287, 288
Mozambik 28
Murzyni 49, 70, 72, 73, 75, 85, 87–89, 93, 98, 100, 111, 129, 130, 136, 144, 153, 155, 156, 190, 195, 202, 203, 206, 215–217, 220–224, 227, 229–233, 253, 257, 265, 266

Nagasaki 36
New Hampshire 99, 150
New Jersey 232
New Rochelle 154
Newark 232
Niemcy 7, 9, 13–15, 26, 35, 39, 40, 55, 169
– Zachodnie 13, 15, 145
Niemiecka Republika Demokratyczna (NRD) 63, 78, 151
Nigeria 107
Nikaragua 127, 140, 146–148, 152, 278, 279, 288–291, 293
Nikaraguańczycy 146
Nowa Anglia 185
Nowa Zelandia 50
Nowy Amsterdam patrz Nowy Jork miasto
Nowy Jork miasto 91, 92, 99, 100, 107, 163, 174, 176, 185, 186, 188, 197, 215, 234, 266, 283
Nowy Jork stan 73, 82, 149, 172, 173
Nowy Meksyk 36
Nowy Orlean 225

Ohio stan 50, 52, 103, 232
Okinawa 35
Oklahoma 49, 108, 217, 218

Pacyfik patrz Spokojny Ocean
Pakistan 132, 143
Palestyna 291
Palestyńczycy 144, 145, 280, 292
Panama 122, 123, 152, 276, 279, 290
Panamczycy 279
Panamski Kanał 122, 276, 277, 279, 285
Paryż 27, 63, 92, 104
Pearl Harbor 35
Pekin 27, 105, 151
Pensylwania 73, 185
Perska Zatoka 145, 285, 293–295
Phoenix 99
Plains 275
Poczdam 10, 35, 36, 55
Polacy 276
Polska 8, 9, 16, 35, 55, 105, 143, 151
Portorykańczycy 131

Praga 13, 14, 21, 106
Princeton 165, 181
Pusan 47

Quang Tri 104

Rejkiawik 288
Relaigh 224
Republika Dominikańska 25
Republika Federalna Niemiec (RFN) 15, 20, 46, 55, 78, 142, 151
Republika Południowej Afryki (RPA) 107, 122, 144, 278
Republika Wietnamu patrz Wietnam Południowy
Rodezja 278
Rosja 11, 16, 39, 127, 191
Rosjanie 9, 11, 12, 14, 15, 16, 20, 23, 40, 47, 55, 63, 78, 79, 81, 106, 119, 151, 166, 281, 286
Ruhry Zagłębie 15
Rumunia 10, 151

Sajgon patrz też Ho Chi Minh 27, 79, 90, 104, 118, 201, 274
Salwador 146, 288, 289
San Francisco 9, 82, 83, 91, 128, 154
Santa Barbara 108
Selma 229
Seul 202
Simi Valley 153
Singapur 143
Socjalistyczna Republika Wietnamu (SRW) 104
Spokojny Ocean 9, 18, 19, 35, 36, 70, 108
Stany Zjednoczone passim
Sueski Kanał 54, 106
Synaj półwysep 106, 280
Syria 106, 291, 292
Szwecja 268

Świętego Wawrzyńca Rzeka 57
Świń Zatoka 23, 76, 77

Tajlandia 131
Tajwan (Formoza) 18, 22, 45, 47, 131, 143
Tajwańska Cieśnina 54, 63
Teheran 8, 132, 282–284
Teksańczyk 71
Teksas 24, 71–73, 80, 81, 84, 85, 104, 112, 128, 148–150, 204, 217, 228, 255, 259
Tennessee dolina 44, 58
Tennessee stan 92, 98, 153, 232
Tokijska Zatoka 36
Tonkińska Zatoka 25
Topeka 58, 168, 218, 219
Trynidad 88
Trzeci Świat 22, 25, 28, 45, 54, 63, 65, 275, 276, 287
Turcja 10–12, 24, 25, 39, 78, 132
Turcy 11

Uganda 278
Ukraina 9

Wake 47
Warszawa 9
Waszyngton miasto 14, 18, 47, 78–80, 83, 91, 92, 98, 112, 115, 119, 143, 206, 222, 225, 227, 228, 232, 234, 253, 276, 280, 283, 284, 288
Waszyngton stan 108
Watts 229
Wenezuela 290
Węgry 16, 21, 55, 60, 151
Wiedeń 281
Wielka Brytania 9, 10, 13, 24, 35, 36, 70, 142
Wielkie Jeziora 57
Wietnam 8, 19, 22–28, 79, 88–93, 97, 98, 100, 102–104, 110, 112, 114, 119, 131, 148, 149, 154, 173, 174, 178, 196, 201, 231, 232, 253, 276
– Południowy 22, 25–27, 54, 79, 90, 91, 103, 104, 118, 201, 274, 279
– Północny 22, 26, 89, 91, 93, 103, 104, 118
Wietnamczycy 90, 97
– z Południa 274
– z Północy 102
Wirginia 181, 218
Wisconsin 45, 173
Władywostok 28, 118, 275
Włochy 12
Włosi 292
Wschodnie Wybrzeże 131
Wschód 28

Zachodni Brzeg (Jordanu) 106, 144, 280, 291, 292
zachodnioniemieckie państwo patrz Niemcy Zachodnie

Zachód 11, 13, 17, 23, 35, 54, 55, 282
Ziemia Święta 122
Związek Radziecki (ZSRR) 7–24, 26–28, 33, 35, 36, 39, 40, 45–48, 53–55, 61, 63–65, 71, 78, 79, 81, 92, 97, 105, 106, 118, 119, 123, 127, 140–143, 145–148, 151, 152, 165, 273–275, 277–279, 281, 284–288, 292–295

Żydzi 75

CHRONOLOGIA
opracował Piotr Ostaszewski

Sporządzenie chronologicznego ujęcia historii Stanów Zjednoczonych nakłada na autora obowiązek selektywnego doboru wydarzeń przy jednoczesnym zachowaniu pełnego obiektywizmu. Zasadniczego znaczenia nabiera tu fakt uwzględnienia tych wydarzeń, które w istotny sposób wpłynęły na kształt historii Ameryki od początków kolonizacji do czasów współczesnych. Uznając ograniczenia objętościowe pracy, podjęto decyzję pominięcia faktów z dziedziny kultury, nauki, sztuki itp., pozostawiając jedynie te, które mają pewne znaczenie dla zagadnień polityczno-społecznych (jak np. choroba AIDS) czy wyjątkową rangę dla dziejów rozwoju ludzkości (jak np. badania kosmosu).

Ramy chronologiczne wyznaczają: wiek X p.n.e., w którym według opinii historyków na kontynent amerykański przybywają przez zamarzniętą Cieśninę Beringa przodkowie ludu Majów, oraz dzień 30 marca 1995 r., kiedy w wyniku pokojowej interwencji Stanów Zjednoczonych na Haiti doszło do przekazania władzy w ręce demokratycznie wybranego prezydenta Jean-Bertranda Aristide'a.

O przewadze faktów z dziedziny polityki wewnętrznej w jednych partiach materiału oraz polityki zagranicznej w innych zdecydował całokształt zagadnień charakterystycznych dla danej epoki. Dlatego też np. dla okresu 1933–1941 priorytetowo potraktowano politykę Nowego Ładu oraz antykryzysowe przedsięwzięcia prezydenta Franklina D. Roosevelta, podczas gdy dla epoki powojennej, wraz z rozwojem zimnej wojny i supermocarstwowej pozycji uzyskanej przez Stany Zjednoczone, pierwszoplanowe znaczenie uzyskują wydarzenia kształtujące stosunki międzynarodowe.

Około **X** w. p.n.e – prawdopodobne przybycie przodków ludu Majów przez zamarzniętą Cieśninę Beringa; kształtuje się stare państwo Majów (tereny dzisiejszego Hondurasu, Gwatemali oraz meksykańskich stanów Chiapas i Tabasco); pojawienie się cywilizacji ludu Olmeków.

Około **600–900** n.e. – okres klasyczny – rozkwit cywilizacji Majów.

Około **1000** – przybycie wyprawy Wikingów, kierowanej przez Leifa Ericksona, do wybrzeży północnej Ameryki; odkryty ląd ze względu na znaczną ilość winnej latorośli nazwany został Vinland; historycy identyfikują go z pasem wybrzeża rozciągającym się od Nowej Funlandii do Wirginii, w szczególności zaś z rejonami Nowej Szkocji i Nowej Anglii.

1010 – wyprawa Wikingów pod dowództwem Thorfinna Karlsevni wyrusza w celu osiedlenia się w Vinlandzie, gdzie spędza trzy lata; według historyków tereny ich osadnictwa znajdowały się między Labradorem i Nową Anglią.

1050–1250 – wpływy kultury ludów z dorzecza Missisipi na środkowo-zachodnich i południowo-wschodnich obszarach Stanów Zjednoczonych.

1366–1396 – panowanie pierwszego historycznego władcy państwa Azteków Acamapichtli; wieki XIV i XV stanowią okres rozkwitu cywilizacji Azteków, której upadek nastąpi w wyniku podboju Cortésa.

1492, 12 października – wyprawa kierowana przez Krzysztofa Kolumba, w skład której wchodziły trzy jednostki: *Niña*, *Pinta* oraz *Santa Maria*, dopłynęła do wybrzeży wyspy Guanahani (nazwanej przezeń San Salvador) w Archipelagu Wysp Bahama; datę tę uznaje się za historyczne odkrycie Nowego Lądu.

1492, 14–26 października – wyprawa Kolumba prowadzi geograficzne badania wysp Bahama.

1492, 27 października–5 grudnia – Kolumb opływa północno-wschodnie wybrzeża Kuby.

1492, 6 grudnia–**1493**, 15 stycznia – wyprawa dociera do północnego wybrzeża Hispanioli (Santo Domingo).

1492 – jedna z ważniejszych obserwacji Kolumba dotyczyła używania przez Indian tytoniu przy ceremoniach o charakterze religijnym oraz w lecznictwie.

1493, 25 września–**1496**, 11 czerwca – druga wyprawa Kolumba, podczas której odkryto m. in. Jamajkę i Puerto Rico, a także inne wyspy należące do tzw. Indii Zachodnich, gdzie przywieziono z Europy bydło, trzcinę cukrową, jęczmień oraz inne rośliny uprawiane na Starym Kontynencie.

1494, 2 stycznia – Kolumb zakłada na wyspie Santo Domingo kolonię zwaną Izabela na cześć królowej Hiszpanii, mającą służyć za bazę wypadową w wyprawach na okoliczne wyspy; po dwuletnich niepowodzeniach w 1496 r. założono miasto Santo Domingo.

1494, 17 czerwca – traktat w Tordesillas zawarty między Hiszpanią i Portugalią pod patronatem papieża Aleksandra VI; na jego mocy dokonano podziału Nowego Świata na strefy wpływów rozdzielone wzdłuż linii południka, przebiegającej przez Ocean Atlantycki około 370 mil na zachód od Wysp Azorskich; Portugalia otrzymała prawa do strefy rozciągającej się na wschód od tej linii, Hiszpania zaś do strefy zachodniej.

1497, 2 maja–6 sierpnia – pierwsza wyprawa Johna Cabota (Giovanni Caboto), który na mocy patentu wydanego przez króla Henryka VII miał odkryć „angielską" drogę do Azji Północnej posuwając się szlakiem zachodnim; po przybyciu 24 czerwca do wybrzeży Nowej Funlandii i przejęciu jej w posiadanie w imieniu Korony angielskiej Cabot skierował się na południe docierając do Maine.

1498, początek maja – równolegle z trzecią wyprawą Kolumba Cabot opływa wybrzeża Nowej Anglii, docierając najdalej na południe do Marylandu.

1498, 30 maja–**1500**, 25 listopada – trzecia wyprawa Kolumba, która dociera m. in. do Trinidadu, Zatoki Paria oraz Santo Domingo.

1499 – Amerigo Vespucci, wziąwszy udział w ekspedycji kierowanej przez Hiszpana Alonso de Hajeda, zbadał i opisał północne i wschodnie wybrzeża Ameryki Południowej; prawdopodobnie dotarł też do ujścia Amazonki; 1501–1502 dociera do Rio de la Plata i Patagonii.

Około **1500** – artystyczny szczyt osiąga sztuka rzeźbiarska Indian zamieszkujących Florydę.

Około **1500** – rozkwit sztuki u plemion indiańskich zamieszkujących rejony Missisipi.

1500, czerwiec – Portugalczyk Gaspar Corte-Real opływa wschodnie i południowe wybrzeża Grenlandii.

1501, 15 maja – druga wyprawa Corte-Reala osiąga wybrzeża Labradoru, następnie kieruje się na południe, skąd nigdy już nie powraca.

1502, 11 maja–**1504**, 7 listopada – czwarta wyprawa Kolumba dociera do wybrzeży Martyniki, Hondurasu oraz środkowej Panamy.

1506 – w Valladolid umiera Krzysztof Kolumb, do końca nieświadomy odkrycia nowego lądu.

1507 – niemiecki geograf Marcin Waldseemüller wydaje mapę, na której terytorium zbliżone kształtem do dzisiejszej Brazylii otrzymało nazwę Ameryki, na cześć Amerigo Vespucci („America, gdyż odkrył ją Americus").

1508 – na terytorium Indii Zachodnich powstają pierwsze przetwórnie cukru.

1508 – hiszpański podróżnik Sebastian de Ocampo opływa wybrzeża Kuby, dowodząc, iż nie jest ona częścią kontynentu.

1508–1509 – hiszpańska ekspedycja pod dowództwem Vincente Yáñez Pinzona i Juana Díaza de Solís ląduje u wybrzeży Hondurasu i Jukatanu; w tym okresie Hiszpanie pod dowództwem Juan Ponce de León podbijają Puerto Rico.

1509 – ekspedycja kierowana przez Sebastiana Cabota (syna Johna Cabota) dociera do okolic Labradoru i prawdopodobnie ujścia rzeki Hudson.

1510 – Hiszpanie podbijają Jamajkę.

1511 – Hiszpanie podbijają Kubę.

1511 – nominacja pierwszych biskupów rzymskokatolickich na kontynencie amerykańskim: Hispanioli, Puerto Rico.

1513, 3 marca – hiszpańska ekspedycja pod dowództwem Juana Ponce de León ląduje na terytorium Florydy między St. Augustine a Rzeką Św. Jana, po czym opływa wschodnie wybrzeże Florydy poddając ją zwierzchnictwu Hiszpanii.

1513, 25 września – Vasco Nuñez de Balboa prowadzi ekspedycję przez Przesmyk Panamski docierając do wybrzeża Oceanu Spokojnego.

1518 – Juan de Grijalva prowadzi badania wzdłuż wybrzeża Meksyku od półwyspu Jukatan do rzeki Panuco, po raz pierwszy dowiaduje się o państwie Azteków.

1519, 25 marca – ekspedycja kierowana przez Hernando Cortésa podbija Indian Tabasco, a 5 września plemię Tlascala.

1519, 8 listopada – Cortés zostaje przyjęty przez króla Azteków Montezumę II w stolicy państwa Tenochtitlán; uwięzienie Montezumy 20 czerwca 1520 r. oznaczało koniec państwa azteckiego, zdławienie zaś ostatnich przejawów oporu, 13 sierpnia 1521 r., podporządkowanie Meksyku Hiszpanii.

1519 – Cortés przywozi do Meksyku europejskie uprawy jęczmienia.

1519 – Alonso Alvárez de Pineda kieruje wyprawą posuwającą się wzdłuż wybrzeży Zatoki Meksykańskiej od Florydy do Vera Cruz.

1521 – Francisco de Gordillo opływa wybrzeża Florydy i Karoliny Południowej.

1524, 19 marca–6 maja – Giovanni da Verrazano, włoski żeglarz w służbie króla Francji Franciszka I, kieruje ekspedycją mającą za zadanie znalezienie szlaku łączącego Europę z Indiami przez Amerykę Północną; szlak podróży u wybrzeży Ameryki rozciąga się od terytoriów Maine do wybrzeży Karoliny Północnej przez okolice dzisiejszego Nowego Jorku i rzeki Hudson; datowany na 8 lipca 1524 r. diariusz podróży został przedstawiony na dworze francuskim.

1525 – Esteban Gómez, portugalski żeglarz w służbie hiszpańskiej, płynie wzdłuż wybrzeży Nowej Szkocji na Florydę.

1526 – Gonzalo de Oviedo y Valdez publikuje *Historię naturalną Indii Zachodnich*, opisując w niej faunę i florę Nowego Kontynentu.

1527, 10 czerwca – z angielskiego portu Plymouth wypływają dwie jednostki: *Samson* i *Mary Guilford*; ta ostatnia wyrusza na wyprawę badawczą na południe od Labradoru do Indii Zachodnich.

1528, 14 kwietnia – hiszpański konkwistador Pánfilo de Narváez przybywa z grupą 400 kolonistów na Florydę; bezowocne poszukiwania złota sprawiły, iż 22 września podjęto decyzję o wyprawie do Meksyku, którą przeżyło jedynie kilku członków załogi, wśród nich Cabeza de Vaca; pozostawił on dokładny opis Meksyku, dokąd dotarł w kwietniu 1536 r.

1531 – rozpoczęcie masowej uprawy tytoniu w Indiach Zachodnich.

1534 – Jacques Cartier na polecenie króla Franciszka I rozpoczyna pierwszą z serii trzech wypraw do Ameryki; w okresie między 20 kwietnia i 10 czerwca dociera do Nowej Funlandii, opływa wyspę Księcia Edwarda, Chaleur Bay i Gaspe Bay.

1535, 19 maja–9 sierpnia – Cartier dociera do ujścia Rzeki Św. Wawrzyńca, następnie 7 września ląduje w Quebec, a na koniec w Montrealu, gdzie spędza zimę 1535/1536.

1539, 28 maja – Hernando de Soto, gubernator Kuby, ląduje wraz z 600-osobowym korpusem u wybrzeży Florydy, gdzie przewodzi ekspedycji poszukującej złota; szlak jego wędrówki wiedzie przez terytoria Georgii, Alabamy i Arkansas; umiera nad brzegami rzeki Missisipi w 1542 r.

1539 – dzięki inicjatywie Antonia de Mendoza, pierwszego wicekróla Meksyku, pojawiają się pierwsze teksty drukowane na terenie Ameryki; zostaje wydana pierwsza książka w Nowym Świecie.

1540, 23 lutego – Francisco Vásquez de Coronado wyrusza z Compostelli do Meksyku, skąd kieruje się na obszary dzisiejszego Nowego Meksyku, gdzie odkrywa Indian Pueblo; uczestnik wyprawy García López de Cárdenas odkrywa Wielki Kanion.

1540 – duchowny przebywający w świcie Hernando de Soto dokonuje pierwszej w Ameryce ceremonii chrztu indiańskiego przewodnika.

1541, 23 maja – trzecia wyprawa Cartiera dociera do Quebec.

1541 – Gerard Mercator zastosował nazwę Ameryka wobec obu nowo odkrytych kontynentów półkuli zachodniej.

1542, 27 czerwca – Juan Rodriguez Cabrillo opływa wybrzeża Kalifornii, przyłączając ją do Korony hiszpańskiej.

1542 – Álvar Nuñez Cabeza wydaje *Relacion* – opis własnej podróży po Teksasie, Nowym Meksyku i Arizonie.

1543, 1 marca – Bartolomé Ferrelo dociera do pogranicza Kalifornii z terytorium Oregonu.

1562 – francuski kolonista Jean Ribaut ląduje na terytorium Florydy, poddając je zwierzchności Korony francuskiej; w Karolinie Południowej zakłada bez powodzenia kolonię na wyspie Parris.

1563 – angielski kupiec John Hawkins przywozi do Anglii tytoń i słodkie ziemniaki.

1564 – grupa francuskich hugenotów pod kierownictwem René Goulaine de Laudonière zakłada Fort Caroline nie opodal ujścia St. Johns River.

1564 – francuski badacz Jacques LeMoyne pozostawia rysunki przedstawiające sceny z życia codziennego Indian z Florydy.

1565 – Pedro Menéndez de Avilés zakłada na terytorium Florydy kolonię pod nazwą St. Augustine, uważaną przez historyków za najstarszą stałą osadę na obszarze dzisiejszych Stanów Zjednoczonych; w tym samym roku Menéndez niszczy kolonię francuską – Fort Caroline.

1565 – założenie pierwszej parafii katolickiej w St. Augustine.

1566 – ustanowienie pierwszej misji jezuickiej na terytorium Florydy.

1576, czerwiec – Martin Frobisher wyrusza z Anglii w celu znalezienia morskiego szlaku prowadzącego przez Amerykę do Azji; dociera do wybrzeży Grenlandii oraz przepływa Frobisher Bay w mniemaniu, iż pokonuje przesmyk oddzielający Amerykę od Azji.

1577, maj – druga wyprawa Frobishera pod auspicjami Kompanii Cathayu do Zatoki Hudsona i Zatoki Baffina.

1578 – trzecia wyprawa Frobishera dociera do Cieśniny Hudsona, uważanej przezeń za przesmyk wiodący na kontynent azjatycki.

1578, 6 września – Francis Drake, w ramach podróży dookoła świata, dopływa do wód Oceanu Spokojnego przez Cieśninę Magellana.

1579, 17 czerwca – Drake dociera do zatoki San Francisco, ogłaszając zależność tamtejszych terytoriów od Korony angielskiej.

1584 – sir Walter Raleigh organizuje ekspedycję, która dociera do terytoriów nazwanych przez niego Wirginią, na cześć królowy Elżbiety I.

1585, 27 lipca – założenie pierwszej angielskiej osady na wyspie Ronaoke w Karolinie Północnej; ekspedycji patronował Walter Raleigh, a kierowali nią Richard Grenville i Ralph Lane.

1585 – powstają ilustracje Johna White'a na temat życia Indian na terytorium Wirginii.

1585–1587 – trzy wyprawy Johna Davisa: pierwsza do Baffin Land przez zachodnie wybrzeża Grenlandii, druga do Labradoru, trzecia do Zatoki Baffina.

1586 – zbrojna ekspedycja Francisa Drake'a przeciwko osadnikom hiszpańskim w Indiach Zachodnich i na Florydzie; zniszczenie St. Augustine; ze względu na ciężkie warunki bytowe Drake zabiera kolonistów z Ronaoke z powrotem do Anglii.

1587 – Raleigh patronuje kolejnej grupie osadników wysłanych na wyspę Ronaoke.

1587, 18 sierpnia – narodziny Virginii Dare, pierwszego brytyjskiego dziecka na kontynencie amerykańskim.

1588 – niepowodzenie drugiego osadnictwa na Ronaoke, w historii znanej odtąd jako stracona kolonia (lost colony).

1598 – Juan de Oñate patronuje hiszpańskiej ekspedycji, której szlak wiedzie od kraju Kansas do Zatoki Kalifornijskiej.

1602 – angielski badacz i odkrywca Bartholomew Gosnold płynie wzdłuż północnych wybrzeży Ameryki od Maine do Rhode Island, nadając przy tym nazwę Cape Cod (w dzisiejszym stanie Massachusetts) i wznosząc fort na wyspie Cuttyhunk.

1603, 15 marca – pierwsza z wielu wypraw francuskiego odkrywcy Samuela de Champlain w górę Rzeki Św. Wawrzyńca.

1605 – Sieur de Monts (Pierre du Guast) zakłada pierwszą francuską osadę w Ameryce Północnej w Port Royal (dzisiejsze Annapolis) w Nowej Szkocji.

1606 – król Jakub I nadaje Kompanii Wirginii patent na zakładanie angielskich kolonii w Ameryce.

1607 – założenie angielskiej kolonii w Jamestown w Wirginii.

1608, 8 lipca – Champlain ogłasza utworzenie francuskiej kolonii w Quebec.

1608 – publikacja pierwszej amerykańskiej książki autorstwa kapitana Johna Smitha, mieszkającego z kolonistami w Jamestown, opisującej Wirginię; drukowana w Londynie.

1609, 3 lipca – Henry Hudson, angielski żeglarz w służbie Holenderskiej Kompanii Wschodnioindyjskiej, dopływa do Nowej Funlandii, następnie kierując się na południe dociera do zatoki Delaware (28 sierpnia), Chesapeake oraz rzeki Hudson (13 września) aż do Albany (19 września).

1609–1610 – Hiszpanie zakładają Santa Fe.

1610 – wzniesienie pałacu gubernatora w Santa Fe, najstarszej nieindiańskiej budowli na terytorium Stanów Zjednoczonych.

1610 – Jamestown dotknięte klęską głodu.

1610 – liczbę angielskich kolonistów szacuje się na 210.

1612 – wyspa Manhattan służy kupcom holenderskim jako centrum handlu futrami.

1612 – kapitan John Smith wydaje pierwszą mapę Wirginii z dokładnym opisem terytorium.

1613 – koloniści angielscy z Wirginii niszczą rywalizujący z nimi ośrodek francuski na Mount Desert Island.

1613 – Aleksander Whitaker w piśmie skierowanym do Londynu, zatytułowanym „Good News from Virginia", przedstawia wyidealizowany wizerunek życia w kolonii.

1613 – rozpoczęcie w Jamestown uprawy tytoniu na skalę przemysłową.

1614 – kapitan John Smith kieruje ekspedycją badającą wybrzeża Nowej Anglii z zamiarem zasiedlenia tamtejszych terenów.

1614 – Holendrzy wznoszą w celach handlowych Fort Nassau w Albany.

1614 – koloniści brytyjscy niszczą osadnictwo francuskie w Port Royal w Nowej Szkocji.

1615 – przybycie pierwszych franciszkańskich misjonarzy do francuskiego Quebecu.

1616 – wyprawa Williama Baffina, poszukującego szlaku północno-zachodniego wiodącego do Azji, dociera do Baffin Bay.

1616 – kapitan John Smith publikuje *Opis Nowej Anglii*, dołączając doń dokładną mapę regionu.

1617 – na mocy wyroków sądowych Anglia kieruje do Wirginii przestępców w charakterze osadników.

1618 – koloniści rozpoczynają uprawę jęczmienia w Jamestown.

1619 – pierwsze obrady kolonialnego ciała ustawodawczego (House of Burgesses) w Jamestown.

1619 – holenderski statek przywozi pierwszych afrykańskich niewolników do Jamestown.

1619 – liczba ludności zamieszkującej Wirginię sięga 2 tys.

1620 – przybycie 102 „pielgrzymów" na pokładzie statku *Myflower* do wybrzeży Nowej Anglii i założenie kolonii w Plymouth.

1621 – po śmierci pierwszego gubernatora kolonii Plymouth Johna Carvera jego miejsce zajmuje William Bradford.

1621 – pierwszy traktat zawarty przez kolonistów z Plymouth z wodzem plemienia Wampanoag.

1623 – powstają angielskie osady w Dover i Portsmouth w New Hampshire.

1624 – powstaje holenderska kolonia Nowe Niderlandy z centrum Nowy Amsterdam (dzisiejszy Nowy Jork); osadnictwo holenderskie rozwija się w Fort Orange (dzisiejsze Albany) i wzdłuż rzeki Delaware.

1626 – Peter Minuit zakupuje wraz z nowo przybyłą grupą holenderskich kolonistów 30 domów w Nowym Amsterdamie oraz kupuje od Indian wyspę Manhattan za przedmioty ozdobne równe wartości 24 dolarów.

1627 – pojawienie się angielskiego osadnictwa na Barbados; zasiedlanie Indii Zachodnich przez Francuzów, Anglików i Holendrów.

1628 – grupa purytanów pod dowództwem Johna Endecotta przybywa do zatoki Massachusetts i zakłada osadę w Salem.

1629 – Endecott zostaje gubernatorem kolonii Salem, która przyjmuje osadników przybyłych pod patronatem Kompanii Zatoki Massachusetts.

1630 – John Winthrop przy pomocy członków Kompanii Zatoki Massachusetts zakłada osadę w Bostonie.

1630 – szacuje się, iż liczba kolonistów w koloniach angielskich sięga 5700.

1634 – Cecilius Calvert, lord Baltimore, zakłada katolicką kolonię w Marylandzie.

1635 – Anglicy wznoszą u ujścia rzeki Connecticut Fort Saybrook; od tej pory toczy się holendersko-angielska rywalizacja o kontrolę nad całym regionem.

1636 – Roger Williams, wypędzony z kolonii Salem, na wykupionej od Indian ziemi zakłada Providence w Rhode Island.

1636 – Thomas Hooker zakłada Hartford w Connecticut.

1637 – indiańskie plemię Pequot z Connecticut zostaje zdziesiątkowane przez kolonistów; dobiega końca czteroletnia wojna z plemieniem Pequot, a zarazem pierwsza wojna z Indianami na terytorium Nowej Anglii.

Około **1640** – rozpoczyna się uprawa trzciny cukrowej na Barbados.

1642 – francuscy osadnicy zakładają Montreal.

1643 – kolonie z obszaru Nowej Anglii, Massachusetts Bay, Plymouth, Connecticut i New Haven tworzą konfederację Nowej Anglii w celu obrony przed Indianami, Holendrami i Francuzami.

1650 – próba wytyczenia granicy między osadnictwem angielskim i holenderskim.

1650 – rybołówstwo staje się dominującą gałęzią gospodarki Nowej Anglii.

1650 – liczbę kolonistów szacuje się na około 52 tys.

1664 – Anglicy zajmują Nowy Amsterdam (przemianowany na Nowy Jork) oraz Fort Orange (przemianowany na Albany); załamanie się ekspansji holenderskiej w Ameryce.

1665 – utworzenie kolonii w New Jersey.

1670 – założenie Albermale Point, pierwszej osady angielskich kolonistów w południowej Karolinie.

1673 – francuski misjonarz Jacques Marquette oraz podróżnik Louis Joliet prowadzą ekspedycje w dół rzeki Missisipi docierając do rzeki Arkansas.

1674 – na mocy traktatu westminsterskiego, zawartego między Anglią i Holandią, wszyscy mieszkańcy Nowego Jorku i Nowej Szwecji uważani są za poddanych angielskich.

1676 – zakończenie wojny króla Filipa, w której klęskę poniosły plemiona indiańskie zjednoczone pod wodzą Filipa, syna Massasoita; konflikt ten uważany jest za najkrwawszą wojnę indiańską w dziejach Nowej Anglii.

1676 – rebelia Nathaniela Bacona skierowana przeciw władzy gubernatora Wirginii.

1679 – Anglia nadaje Massachusetts status kolonii królewskiej.

1680 – francuskie plany kolonialne zakładają zdobycie Missisipi.

1680 – ludność kolonii angielskich sięga 155 tys.

1681 – francuski odkrywca Sieur de La Salle (Réne Robert Cavelier) prowadzi ekspedycję z Quebecu do ujścia rzeki Missisipi, nadając nazwę

Luizjana całemu regionowi (honorując tym króla Ludwika XIV) i poddając go zwierzchności Francji.

1681 – William Penn pisze broszurę zachęcającą kolonistów do osiedlania się w Pensylwanii.

1682 – Francuzi prowadzą akcję osadniczą w Arkansas.

1683 – przybyli z Niemiec Mennonici zakładają, nie opodal Filadelfii, Germantown.

1684 – wejście w życie pierwszej opłaty akcyzowej za napoje alkoholowe w Pensylwanii.

1685 – La Salle prowadzi ekspedycje do wschodnich rejonów Teksasu.

1685 – w wyniku prześladowań religijnych do Massachusetts, Rhode Island, Wirginii i południowej Karoliny napływają hugonoccy uchodźcy z Francji.

1686 – Anglia tworzy z terytorium Nowej Anglii dominium, włączając doń Nowy Jork, New Jersey i Pensylwanię; jest ono zarządzane przez sir Edmunda Androsa.

1688 – pierwsze wydanie w Ameryce *Esseys* Francisa Bacona, jednej z najpoczytniejszych publikacji epoki kolonialnej.

1689 – rywalizacja francusko-angielska o kontrolę nad wschodnimi terenami Ameryki Północnej prowadzi do rozpoczęcia wojny króla Wilhelma; po stronie francuskiej opowiadają się plemiona indiańskie z Maine i Kanady; Anglików wspomagają Irokezi.

1690 – liczba ludności zamieszkująca kolonie angielskie sięga 220 tys.

1693 – założenie William and Mary College w Wirginii.

1697 – zakończenie wojny króla Wilhelma; na mocy traktatu w Ryswick przywrócono status quo ante bellum.

1699 – Sieur d'Iberville (Pierre le Moyne) zakłada Old Biloxi (dzisiaj Ocean Springs w Missisipi), które staje się pierwszą osadą białych kolonistów we francuskiej Luizjanie.

1700 – liczba ludności zamieszkującej kolonie wzrasta do 275 tys.; liczba mieszkańców Bostonu wynosi 7 tys., Nowego Jorku 5 tys., Newport 2 tys. Charleston zamieszkuje 250 rodzin, liczba domów w Filadelfii sięga 700.

1701 – Antoine dela Mothe Cadillac wraz z grupą osadników zakłada Fort Pontchartrain (dzisiejsze Detroit w stanie Michigan); wkrótce powstaje kilka francuskich osad na terytorium Michigan i Illinois.

1701 – założenie Yale College w New Haven w stanie Connecticut.

1702 – rozpoczęcie wojny królowej Anny; Brytyjczycy niszczą St. Augustine na Florydzie.

1705 – ustawa o niewolnictwie, wydana w Wirginii, ustanawia dożywotni status niewolników dla przywożonej ludności murzyńskiej, z wyłączeniem chrześcijan.

1707 – brytyjska ekspedycja usiłuje zająć francuską kolonię w Akadii (dzisiejsze Nowa Szkocja, New Brunswick i Prince Edward Island).

1709 – niemieccy i szwajcarscy protestanci osiedlają się na terytorium Karoliny.

1710 – koloniści z Nowej Anglii pomagają wojsku brytyjskiemu w zdobyciu francuskiego Port Royal, przemianowanego na Annapolis; część Akadii zostaje włączona do brytyjskiej Nowej Szkocji.

1710 – liczba kolonistów sięga 357 tys.

1711 – Indianie z plemienia Tuscarora zabijają ponad 150 osadników w północnej Karolinie.

1711 – parlament brytyjski zakazuje kolonistom wyrębu drzewa, którego zasoby zarezerwowano dla Royal Navy.

1712 – pierwszy bunt niewolników w Nowym Jorku.

1713 – podział terytorium Karoliny na Północną i Południową.

1713 – zakończenie wojny z plemieniem Tuscarora, które wędruje na północ i przyłącza się do konfederacji Irokezów.

1713 – podpisanie traktatu w Utrechcie kończącego wojnę królowej Anny, w wyniku którego Brytyjczycy otrzymują Zatokę Hudsona, Nową Funlandię i Nową Szkocję; przy Francji pozostaje Cape Breton Island.

1714 – po raz pierwszy w koloniach brytyjskich pojawia się herbata.

1715 – wojna z plemieniem Yamassee, które pozbawia życia ponad 200 osadników w Karolinie Południowej; Indianie wyparci na południe do Georgii i na Florydę, sprzymierzają się z Hiszpanami przeciw Wielkiej Brytanii.

1717 – szkocki finansista mieszkający we Francji, John Law, uzyskawszy patent na monopol handlowy w Luizjanie tworzy Kompanię Missisipi.

1718 – francuscy osadnicy przybyli z Kanady i Francji zakładają Nowy Orlean w Luizjanie.

1718 – hiszpańska misja zakłada San Antonio w Teksasie.

1720 – liczba ludności w koloniach wzrasta do 474 tys.; ludność Bostonu liczy 12 tys., Filadelfii 10 tys., Nowego Jorku 7 tys., Charlestonu 3,5 tys.

1722 – Konfederacja Sześciu Plemion, określanych mianem Irokezów (Mohawk, Oneida, Onondaga, Cayuga, Seneca i Tuscarora), podpisuje traktat z osadnikami w Wirginii, na mocy którego zobowiązuje się nie przekraczać rzeki Potomac.

1725 – wydanie pierwszej gazety w Nowym Jorku: – „Gazette", której redaktorem jest William Bradford.

1729 – założenie miasta Baltimore w stanie Maryland.

1730 – ludność kolonii szacuje się na 655 tys.

1732 – James Oglethorpe otrzymuje królewski patent na utworzenie brytyjskiej kolonii w Georgii.

1733 – Oglethorpe zakłada miejscowość Savannah w Georgii.

1733 – Molasses Act nakłada zakaz sprowadzania cukru, rumu i melasy do kolonii brytyjskich z Francuskich, Hiszpańskich i Holenderskich Indii Zachodnich.

1736 – fiasko brytyjskiej ustawy zakazującej importu cukru, rumu i melasy do kolonii brytyjskich.

1737 – William Byrd zakłada Richmond.

1738 – liczba ludności w koloniach brytyjskich dochodzi do 880 tys.

1739 – w wyniku nadgranicznych zamieszek brytyjscy koloniści z Karoliny Południowej i Georgii wypowiadają wojnę Hiszpanom z Florydy; Brytyjczycy najeżdżają hiszpańskie miejscowości na Wyspach Karaibskich.

1741 – duński odkrywca, pozostający w służbie rosyjskiej, Vitus Bering, odkrywa Alaskę.

1742 – rozwój rybołówstwa w Nowej Anglii dysponującej ponad tysiącem jednostek.

1743 – z inicjatywy Benjamina Franklina w Filadelfii powstaje Amerykańskie Towarzystwo Filozoficzne.

1744 – nieudana francuska ofensywa na Annapolis w Nowej Szkocji; rozpoczyna się brytyjsko-francuska wojna króla Jerzego.

1744 – Konfederacja Irokezów ceduje na rzecz Wielkiej Brytanii dolinę Ohio położoną na północ od rzeki Ohio.

1745 – koloniści z Nowej Anglii przy wsparciu wojsk brytyjskich zdobywają francuską twierdzę Louisbourg na Cape Breton Island w Kanadzie.

1745 – amerykańskie periodyki publikują pisma Montesquieu.

1746 – założenie uniwersytetu w Princeton.

1747 – utworzenie Kompanii Ohio celem popierania osadnictwa na zachód od Wirginii.

1748 – zakończenie wojny króla Jerzego; Francja odzyskuje Louisbourg.

1749 – Benjamin Franklin wynajduje piorunochron; instaluje go w swoim domu w Filadelfii.

1750 – Christopher Gist zostaje wysłany przez Kompanię Ohio w celu zbadania terytoriów położonych na zachodzie; trasa jego ekspedycji wiedzie wzdłuż rzeki Ohio i wschodniego Kentucky; sporządza on dokładne szkice zbadanych terytoriów.

1754 – Francuzi wznoszą Fort Duquesne (dzisiejszy Pittsburgh) oraz pokonują milicję z Wirginii pod dowództwem George'a Washingtona pod Great Meadows – pierwsze starcie z serii wojen z Francuzami i Indianami.

1755 – wojska francuskie przy pomocy Indian pokonują pod Fort Duquesne milicję kolonialną i brytyjskie jednostki regularne pod dowództwem gen. Edwarda Braddocka.

1758 – utworzenie na obszarze New Jersey pierwszego w północnej części Ameryki rezerwatu indiańskiego.

1759, 12–13 września – wojska brytyjskie pod dowództwem gen. Jamesa Wolfe'a odnoszą zwycięstwo nad wojskami francuskimi dowodzonymi przez gen. Montcalma na Równinach Abrahama w pobliżu Quebecu; 18 września zostaje podpisana kapitulacja Quebecu.

1760, 8 września – po uprzedniej kapitulacji Montrealu francuski gubernator Kanady, Pierre François de Rigaud, poddaje kolonie Brytyjczykom.

1760 – Francuzi przekazują Brytyjczykom Detroit.

1760 – nagły spadek cen tytoniu w Wielkiej Brytanii zmusza kolonistów do rozpoczęcia uprawy kukurydzy i pszenicy.

1760 – liczba ludności kolonii osiąga 1,6 mln.

1762, 3 listopada – na mocy traktatu w Fontainebleau Francja potajemnie przekazuje Hiszpanii terytoria Luizjany.

1763, 10 lutego – podpisanie traktatu paryskiego kończącego wojny z Francuzami i Indianami, na mocy którego Francja przekazuje Wielkiej Brytanii wszystkie terytoria na wschód od rzeki Missisipi, z wyjątkiem Nowego Orleanu, Kanady oraz hiszpańskiej Florydy; terytoria na zachód od Missisipi wraz z Luizjaną i Nowym Orleanem przechodzą na własność Hiszpanii.

1764 – brytyjski parlament uchwala ustawę cukrową (Sugar Act) obniżającą cło na melasę importowaną do Ameryki z kolonii francuskich, przy jednoczesnym nałożeniu ceł na wiele produktów sprowadzanych do kolonii brytyjskich, oraz specjalną ustawę zakazującą kolonistom stosowania w transakcjach miejscowych pieniędzy papierowych (Currency Act), co wzbudza falę niezadowolenia w koloniach.

1765, 22 marca – brytyjski parlament uchwala ustawę stemplową (Stamp Act) wprowadzającą opłaty skarbowe od wielu towarów, dokumentów prawnych, jak testamenty, dyplomy, umowy, porozumienia, a także od ogłoszeń w gazetach.

1765, 24 marca – brytyjski parlament uchwala ustawę o zakwaterowaniu (Quartering Act), na mocy której kolonie zobowiązano do udzielania zaopatrzenia i zakwaterowania dla wojsk brytyjskich.

1765 – zgromadzenie Wirginii uchwala rezolucję przeciw ustawie stemplowej; w październiku zwołano do Nowego Jorku kongres dziewięciu kolonii, na którym uchwalono dwanaście rezolucji skierowanych do króla i parlamentu; kolonie wprowadzają bojkot towarów brytyjskich.

1766 – parlament brytyjski uchwala Declaratory Act dający pełne prawo do ustanawiania obowiązujących dla kolonii praw i ustaw.

1767, 29 czerwca – ustawa Charlesa Townshenda (Townshend Act) nakłada na kolonie nowe cła importowe na herbatę, szkło, ołów, oliwę i papier; odpowiedzią kolonii jest kontynuowanie bojkotu towarów brytyjskich.

1768 – skoordynowany bojkot towarów brytyjskich poza wielkimi miastami portowymi obejmuje również kolonie południowe.

1768 – rozruchy w Bostonie; koloniści odmawiają udzielenia zakwaterowania żołnierzom brytyjskim.

1769 – brytyjski gubernator rozwiązuje zgromadzenie Wirginii w odwecie za uchwalenie antybrytyjskich rezolucji.

1770 – ludność kolonii liczy 2,2 mln.

1770, marzec – w wyniku protestów w Bostonie wojsko brytyjskie zabija pięciu demonstrantów – incydent znany w historii jako masakra bostońska.

1770 – parlament brytyjski ogłasza ustawę Townshenda za nie obowiązującą, pozostawiając w mocy jedynie cła importowe na herbatę; zakończenie bojkotu towarów brytyjskich w koloniach.

1772, 9 czerwca – grupa kolonistów z Rhode Island atakuje brytyjski szkuner *Gaspee*, patrolujący wody zatoki Narrangasett, w celu pościgu za przemytnikami.

1773, 10 maja – parlament brytyjski uchwala ustawę o herbacie (Tea Act), na mocy której bankrutująca Kompania Wschodnioindyjska otrzymuje wyłączne prawo sprzedaży herbaty w amerykańskich koloniach z utrzymaniem stawek celnych przepisanych ustawą Townshenda; bezpośrednim następstwem tej ustawy jest „bostońskie picie herbaty" (Boston Tea Party), podczas którego przebrani za Indian koloniści wyrzucili do morza ładunek herbaty wartości 10 tys. funtów.

1774 – brytyjski parlament uchwala Intolerable Act w celu ukarania kolonistów za „bostońskie picie herbaty"; port bostoński został zamknięty do czasu wypłacenia odszkodowania za zniszczony ładunek herbaty; koloniści zostają zmuszeni do udzielenia zakwaterowania żołnierzom brytyjskim.

1774, 5 września–26 października – I Kongres Kontynentalny zwołany do Filadelfii obraduje z udziałem 55 delegatów, z wyjątkiem Georgii; Kongres postanawia wysłać do Londynu petycję żądającą odwołania dotychczasowych ustaw represyjnych pod rygorem wprowadzenia przez kolonie pełnego embarga na handel między koloniami amerykańskimi a Wielką Brytanią wraz ze Szkocją, Irlandią i koloniami karaibskimi.

1774 – Thomas Paine przybywa do Ameryki; zostaje wydawcą „Pennsylvania Magazine".

1774 – Thomas Jefferson pisze pierwszą pracę zatytułowaną *A Summary View of the Rights of British America*, w której podważa brytyjskie prawo do sprawowania władzy w amerykańskich koloniach.

1775, 19 kwietnia – potyczka pod Lexington i Concord, w której koloniści, ostrzeżeni przez Paula Revere o mających nastąpić aresztowaniach przywódców opozycji, zastąpili drogę oddziałom brytyjskim dowodzonym przez gen. Gage'a; jest to pierwsze starcie zbrojne rozpoczynające wojnę o niepodległość Stanów Zjednoczonych.

1775, maj – grupa kolonistów z pogranicza Nowego Jorku pod dowództwem płk. Ethana Allena zdobywa fort Ticonderoga.

1775, 10 maja – II Kongres Kontynentalny zwołany do Filadelfii powierza dowództwo nad Armią Kontynentalną George'owi Washingtonowi.

1775, 17 czerwca – starcie pod Bunker Hill.

1776, 17 marca – Brytyjczycy ewakuują Boston.

1776, 4 lipca – Kongres uchwala Deklarację Niepodległości.

1776, 27 sierpnia – gen. William Howe na czele wojsk brytyjskich odnosi zwycięstwo w bitwie o Long Island.

1776, 15 września – Brytyjczycy zajmują Nowy Jork, a 28 października odnoszą zwycięstwo nad Armią Kontynentalną pod White Plains.

1776, 26 września – Kongres Kontynentalny nominuje trzech komisarzy pełnomocnych w celu negocjacji i zawarcia traktatów z mocarstwami europejskimi; nominacje otrzymują: Silas Deane (przebywający wówczas w Europie), Benjamin Franklin i Arthur Lee, który przyjął nominację po jej odrzuceniu przez Thomasa Jeffersona.

1776, 11 października – Brytyjczycy rozbijają na jeziorze Champlain niewielką flotę kolonialną, dowodzoną przez Benedicta Arnolda.

1776 – publikacja *Common Sense* autorstwa Thomasa Paine, w której wzywa on do zerwania więzów zależności łączących kolonie z Wielką Brytanią; w ciągu pierwszych trzech miesięcy nakład rozszedł się w liczbie ponad 100 tys. egzemplarzy.

1777, 14 czerwca – decyzją Kongresu Kontynentalnego narodowa flaga Stanów Zjednoczonych ma się składać z trzynastu biało-czerwonych pasów oraz trzynastu białych gwiazd umieszczonych na niebieskim tle.

1777 – siły brytyjskie, dowodzone przez gen. Williama Howe, 11 września odnoszą zwycięstwo nad wojskami dowodzonymi przez George'a Washingtona pod Brandywine Creek oraz 4 października pod Germantown; 20 listopada Brytyjczycy zajmują Filadelfię.

1777, 15 listopada – przyjęcie przez Kongres Kontynentalny Artykułów Konfederacji, ratyfikowanych przez wszystkie stany dopiero w 1781 r.

1777, 17 listopada – amerykańskie wojska pod dowództwem gen. Horatio Gatesa odnoszą zwycięstwo pod Saratogą nad siłami brytyjskimi dowodzonymi przez gen. Johna Burgoyne.

1778, 6 lutego – podpisanie traktatu o przymierzu między Stanami Zjednoczonymi a Francją, ratyfikowanego przez Kongres Kontynentalny 11 września.

1778, 22 kwietnia – Kongres Kontynentalny odrzuca brytyjskie propozycje pokojowe przedstawione przez komisję pod przewodnictwem hrabiego Carlisle'a.

1778 – szkolenie Armii Kontynentalnej pod dowództwem George'a Washingtona przejmują baron Friedrich von Steuben i markiz de Lafayette.

1779, 21 czerwca – w wyniku brytyjskiej odmowy cesji Gibraltaru na rzecz Hiszpanii w zamian za proponowaną w formie ultymatywnej neutralność bądź mediację w konflikcie z koloniami Hiszpania podpisuje tajne porozumienie z Francją w Aranjuez, na mocy którego odrzucenie ultimatum jest równoznaczne z przystąpieniem Madrytu do wojny, którą wypowiada Wielkiej Brytanii 21 czerwca, nie uznając przy tym amerykańskiej niepodległości i nie mieszając się w konflikt na kontynencie amerykańskim.

1780, 28 lutego – Rosja ogłasza deklarację o uzbrojonej neutralności.

1780 – Brytyjczycy zajmują Charleston i pustoszą Karolinę Południową.

1780, 16 sierpnia – zwycięstwo brytyjskie w bitwie pod Camden.

1781, 19 października – wojska amerykańskie pod dowództwem George'a Washingtona przyjmują pod Yorktown kapitulację armii brytyjskiej dowodzonej przez lorda Charlesa Cornwallisa.

1782, 12 kwietnia – w Paryżu rozpoczynają się wstępne rozmowy pokojowe między reprezentującym Stany Zjednoczone Benjaminem Franklinem i delegowanym przez premiera Rockinghama Richardem Oswaldem, reprezentującym Wielką Brytanię.

1782, 11 czerwca – podpisanie traktatu o wymianie handlowej i przyjaźni między Stanami Zjednoczonymi i Holandią.

1782, 27 września – Benjamin Franklin, John Adams oraz John Jay rozpoczynają w Paryżu oficjalne negocjacje pokojowe z Wielką Brytanią.

1782, 30 listopada – podpisanie preliminaryjnych artykułów traktatu paryskiego.

1783, 3 września – podpisanie traktatu paryskiego kończącego formalnie wojnę o niepodległość Stanów Zjednoczonych; traktat został ratyfikowany przez Kongres 14 stycznia 1784 r.; wymiana ratyfikowanego przez obie strony tekstu traktatu nastąpiła 12 maja 1784 r.

1783 – niepodległość Stanów Zjednoczonych uznają Szwecja, Dania, Hiszpania i Rosja.

1784, 23 kwietnia – Kongres przyjmuje opracowany przez Thomasa Jeffersona plan zarządu nad terytoriami położonymi na zachód od kolonii, który, choć nie wszedł nigdy w życie, został użyty jako podstawa przy opracowywaniu Northwest Ordinance w 1787 r.

1784, 30 czerwca – amerykański statek handlowy *Empress of China* przybywa do chińskiego portu w Kantonie; tym samym odbudowuje się pozycja amerykańskiego handlu, na który Wielka Brytania nałożyła blokadę w okresie wojny o niepodległość Stanów Zjednoczonych.

1784, 23 grudnia – decyzją Kongresu Kontynentalnego tymczasową stolicą Stanów Zjednoczonych zostaje Nowy Jork.

1785 – Thomas Jefferson otrzymuje nominację na ministra Stanów Zjednoczonych we Francji, John Adams zostaje ministrem Stanów Zjednoczonych w Wielkiej Brytanii.

1786 – rząd brytyjski odmawia ewakuacji regionu Wielkich Jezior, stawiając warunek uregulowania przez Stany Zjednoczone długów sprzed wybuchu wojny o niepodległość.

1786, sierpień–grudzień – w wyniku niezadowolenia farmerów obciążonych nadmiernie wygórowanymi podatkami nałożonymi przez władze stanowe dla spłaty długów wojennych, a także w związku z naciskami ze strony sądów hrabstw żądających spłat długów prywatnych dochodzi w Massachusetts do wybuchu powstania pod przywództwem Daniela Shaysa; opór złamano w 1787 r.

1787, 25 maja – rozpoczęcie obrad Konwencji Konstytucyjnej w Filadelfii.

1787, 13 lipca – Kongres ogłasza North-West Ordinance Act, który pierwotnie miał odnosić się do terytoriów położonych na północ od rzeki Ohio; niebawem zastosowano go wobec terytoriów rozciągających się do rzeki

Missisipi, by w końcu stał się podstawą organizacji wszystkich terytoriów przyłączanych do Unii.

1787, 17 września – tekst Konstytucji podpisuje 41 członków Konwencji Filadelfijskiej, rozsyłając go do wszystkich stanów Ameryki; pierwszymi stanami ratyfikującymi tekst Konstytucji są Delaware, Pensylwania oraz New Jersey.

1788, 2 stycznia–6 lutego – Konstytucję ratyfikują stany: Georgia, Connecticut, Massachusetts, Maryland, Karolina Południowa i New Hampshire; dokument ten, uzyskując ratyfikację dziewięciu stanów, staje się obowiązującym aktem prawnym; po długiej debacie ratyfikują go Wirginia (25 czerwca) i Nowy Jork (26 lipca); stany Karolina Północna i Rhode Island ratyfikują Konstytucję odpowiednio: 2 sierpnia 1788 r. i 29 maja 1790 r.

1788, marzec–maj – Alexander Hamilton, James Madison oraz John Jay publikują w dwóch woluminach *Listy Federalisty* (*The Federalist*).

1789 – powstanie Partii Federalistów opowiadającej sie za ratyfikacją tekstu Konstytucji przez wszystkie kolonie.

1789, 7 stycznia – pierwsze wybory prezydenckie, w wyniku których urząd prezydenta Stanów Zjednoczonych obejmuje George Washington, a urząd wiceprezydenta John Adams.

1789 – powstają departamenty: Stanu (27 lipca), Wojny (7 sierpnia) oraz Skarbu (2 września); Kongres włącza do Konstytucji pierwszych dziesięć poprawek znanych jako deklaracja swobód obywatelskich (Bill of Rights).

1789 – Święto Dziękczynienia jest po raz pierwszy obchodzone jako święto o charakterze narodowym.

1790 – kontrowersje wynikające z przedstawionego przez sekretarza skarbu programu fiskalnego, ujętego w przedkładanych pod obrady Izby Reprezentantów doniesień na temat wysokości długu narodowego, podatków oraz kwestii powołania do życia banku narodowego stają się przyczyną narastania w Partii Federalistów rozłamu i wykrystalizowania się w końcu Partii Federalistycznej (której przywódcą został Hamilton) i Republikańskiej, której patronował Jefferson (później określanej jako Demokratyczno-Republikańska).

1790 – stolicą Stanów Zjednoczonych zostaje Filadelfia.

1791, 25 lutego – powstaje centralny bank narodowy – Bank of the United States.

1791, 4 marca – do Unii zostaje przyjęty Vermont jako czternasty stan.

1791 – stany wchodzące w skład Unii ratyfikują tekst deklaracji swobód obywatelskich jako części Konstytucji Stanów Zjednoczonych.

1792, 1 czerwca – Kentucky zostaje piętnastym stanem unii.

1792, 27 września – rząd Stanów Zjednoczonych podpisuje traktaty pokojowe z plemionami Wabash i Illinois.

1792, 23 października – wmurowanie kamienia węgielnego pod budowę Białego Domu.

1792, 5 grudnia – George Washington zostaje wybrany na prezydenta Stanów Zjednoczonych na drugą kadencję.

1793, 22 kwietnia – prezydent Washington ogłasza amerykańską neutralność wobec konfliktu francusko-brytyjskiego.

1794, 5 czerwca – na mocy uchwalonej ustawy o neutralności zabroniono obywatelom Stanów Zjednoczonych pełnienia służby w obcych siłach zbrojnych oraz uniemożliwiono okrętom wojennym pod obcą banderą dokonywania zaopatrzenia w portach amerykańskich.

1794, lipiec–listopad – w wyniku wprowadzenia podatku federalnego od produkcji whisky wybucha w zachodniej Pensylwanii „rebelia o whisky", (Whisky Rebellion).

1794, 20 sierpnia – gen. Anthony Wayne odnosi zwycięstwo nad Indianami pod Fallen Timbers w Ohio; zostaje złamany opór plemion indiańskich na Terytorium Północno-Zachodnim.

1794, 19 listopada – podpisanie układu Jaya, na mocy którego Wielka Brytania gwarantuje ewakuację wszystkich miejscowości położonych na północnym zachodzie do lub w dniu 1 czerwca 1796 r., udostępnienie dla statków amerykańskich portów w Indiach Zachodnich, jak również zobowiązuje Stany Zjednoczone do zwrotu wszelkich długów wobec wierzycieli brytyjskich.

1795, 29 stycznia – wprowadzenie w życie ustawy o nadaniu obywatelstwa (Naturalization Act), ustanawiającej pięć lat stałego pobytu na terytorium Stanów Zjednoczonych jako warunku otrzymania obywatelstwa tego państwa; od emigrantów legitymujących się pochodzeniem arystokratycznym wymagane jest zrzeczenie się tytułów.

1795, 27 października – podpisanie traktatu w San Lorenzo (tzw. traktatu Pinckneya) między Hiszpanią i Stanami Zjednoczonymi, dzięki któremu Amerykanie uzyskują swobodę żeglugi po rzece Missisipi oraz uregulowanie granicy hiszpańsko-amerykańskiej na Florydzie wzdłuż 31 równoleżnika.

1796, 1 czerwca – Tennessee zostaje szesnastym stanem Unii.

1796, 17 września – George Washington publikuje *Farewell Address*, czyli przemówienie pożegnalne, w którym wypowiada się przeciwko angażowaniu się Stanów Zjednoczonych w politykę europejską.

1796, 7 grudnia – federalista John Adams zostaje wybrany na prezydenta Stanów Zjednoczonych, wiceprezydentem zostaje Thomas Jefferson.

1797, 10 maja – wodowanie w Filadelfii pierwszego amerykańskiego okrętu wojennego o nazwie *United States*.

1797, 14 czerwca – zostaje wydany zakaz eksportu broni.

1797, 18 października – afera XYZ; chęć zmniejszenia napięcia w stosunkach amerykańsko-francuskich po zawarciu traktatów Jaya wpływa na decyzję prezydenta Adamsa o wysłaniu trzyosobowej komisji do Paryża, w celu zawarcia traktatu handlowego i przyjaźni z Francją, której trzech ministrów uzależnia negocjacje od wypłacenia łapówki francuskiemu ministrowi spraw zagranicznych Ch. M. Talleyrandowi (ministrowie ci są określani w korespondencji przez prezydenta jako XYZ).

1798, 7 kwietnia – powstaje terytorium Missisipi.

1798, 30 kwietnia – utworzenie Departamentu Marynarki Wojennej.

1798, 18 czerwca – federalistyczna większość w Kongresie doprowadza do uchwalenia korekty ustawy o nadaniu obywatelstwa (Naturalization Act), poszerzając wymagany okres stałego pobytu na terenie Stanów Zjednoczonych, uprawniający do uzyskania obywatelstwa, do lat czternastu.

1798, 25 czerwca – zostaje wprowadzona w życie ustawa o cudzoziemcach (Alien Act), upoważniająca prezydenta do wydawania decyzji wydalenia z kraju osób uważanych za zagrożenie dla „pokoju i bezpieczeństwa publicznego" bądź podejrzanych o „zdradzieckie zamiary".

1798, 14 lipca – uchwalono ustawę antybuntowniczą (Sedition Act), zezwalającą na aresztowanie i deportacje każdego obcokrajowca uznanego za „niebezpiecznego"; ustawa ogranicza też opozycję polityczną.

1798, 16 listopada – Wirginia i Kentucky ogłaszają ustawę o cudzoziemcach i ustawę antybuntowniczą za niezgodne z Konstytucją.

1799, 14 grudnia – śmierć George'a Washingtona.

1800, 24 kwietnia – utworzenie Biblioteki Kongresu.

1800, 15 czerwca – siedziba rządu Stanów Zjednoczonych zostaje przeniesiona do Waszyngtonu (dystrykt Columbia).

1800, 3 grudnia – wybory prezydenckie, w których kandydatami są: z Partii Federalistycznej John Adams (na drugą kadencję) oraz Charles Cotesworth Pinckney (na urząd wiceprezydenta), z Partii Demokratyczno-Republikańskiej Thomas Jefferson (na urząd prezydenta) i Aaron Burr (na urząd wiceprezydenta).

1801, 20 stycznia – John Marshall zostaje prezesem Sądu Najwyższego Stanów Zjednoczonych.

1801, 17 lutego – Thomas Jefferson obejmuje urząd prezydenta Stanów Zjednoczonych, urząd wiceprezydenta sprawuje Aaron Burr.

1801, 14 maja – pasza Trypolisu wypowiada wojnę Stanom Zjednoczonym domagając się, by amerykańskie statki handlowe zwiększyły stawki opłat dla pirackich jednostek z Maroka, Algierii, Tunisu i Trypolitanii; w odpowiedzi Thomas Jefferson wysyła flotę wojenną w rejon Morza Śródziemnego.

1802, 6 lutego – mocą uchwały Kongres upoważnia prezydenta do uzbrojenia statków handlowych; akt ten nie oznacza jednoznacznego wypowiedzenia wojny, mówi o potrzebie ochrony przez Stany Zjednoczone własnych jednostek na morzach.

1802, 4 lipca – rozpoczyna działalność Akademia Wojskowa w West Point.

1803, 24 lutego – Sąd Najwyższy po raz pierwszy unieważnia ustawę Kongresu (Marbury v. Madison).

1803, 1 marca – Ohio zostaje siedemnastym stanem Unii.

1803, 30 kwietnia – zakup francuskiej Luizjany za sumę 15 mln dolarów, scedowanej uprzednio Francji przez Hiszpanię na mocy traktatu w San Ildefonso 1 października 1800 r.

1804, 3 lutego – amerykańskie zwycięstwo nad Trypolisem.

1804, 14 maja – z St. Louis wyrusza ekspedycja Meriwethera Lewisa i Williama Clarka na zachodnie terytoria Ameryki.

1804, 12 lipca – po zablokowaniu przez Aleksandra Hamiltona wyboru Aarona Burra na stanowisko gubernatora Nowego Jorku dochodzi między nimi do pojedynku, w którym ginie Hamilton.

1804, 25 września – Kongres ratyfikuje XII poprawkę do Konstytucji w sprawie wyboru prezydenta.

1804, 5 grudnia – Thomas Jefferson zostaje wybrany na drugą kadencję prezydencką; po raz pierwszy przeprowadzono oddzielne głosowanie na osobę prezydenta i wiceprezydenta; tym ostatnim zostaje George Clinton z Partii Demokratyczno-Republikańskiej.

1805, 15 listopada – wyprawa Lewisa i Clarka dociera do wybrzeży Pacyfiku.

1806, 18 kwietnia – uchwalenie ustawy o zakazie importu towarów (Non-Importation Act), zakazującej importowania z Wielkiej Brytanii towarów, które mogą być produkowane w Stanach Zjednoczonych bądź w innych krajach.

1807, 22 czerwca – brytyjska fregata *Leopard* atakuje amerykański statek *Chesapeake* w poszukiwaniu domniemanych brytyjskich dezerterów na pokładzie jednostki amerykańskiej; Jefferson, przeciwny przerodzeniu incydentu w wojnę, żąda opuszczenia wód terytorialnych Stanów Zjednoczonych przez okręty brytyjskie.

1807, 3 sierpnia–1 września – proces Aarona Burra, oskarżonego o zdradę stanu; werdykt uniewinniający.

1807, 22 grudnia – Kongres uchwala ustawę o embargu na handel zagraniczny (Embargo Act).

1808, 1 stycznia – zakaz importu niewolników z Afryki.

1808, 7 grudnia – James Madison zostaje wybrany na prezydenta Stanów Zjednoczonych, George Clinton pozostaje wiceprezydentem.

1809, 1 marca – Kongres uchwala Nonintercourse Act, znoszący ustawę o zakazie handlu z zagranicą z wyjątkiem Francji i Wielkiej Brytanii.

1810, 1 maja – uchwalenie ustawy Nathaniela Macona (Macon's Bill No 2), według której Stany Zjednoczone znosiły embargo nałożone na handel z Wielką Brytanią i Francją.

1810, 27 października – Madison proklamuje obszar zachodniej Florydy, rozciągający się od rzeki Missisipi do Perdido, jako integralną część Stanów Zjednoczonych, wydając rozkaz jej zajęcia; 15 stycznia 1811 r. Kongres wyraża zgodę na rozciągnięcie strefy amerykańskiej na wschodnią Florydę, która 12 maja 1814 r. zostaje oficjalnie inkorporowana do Stanów Zjednoczonych.

1811, 1 października – pierwszy statek parowy wyrusza z Pittsburgha do Nowego Orleanu, dokąd przybywa w styczniu 1812 r.

1811, 5 listopada – frakcja określana mianem „wojowniczych jastrzębi" (War Hawks), której najwybitniejszymi przedstawicielami są Henry Clay i John Calhoun, domaga się w Kongresie podboju Kanady, całkowitego oderwania Florydy od Hiszpanii, terytorialnej ekspansji Stanów Zjednoczonych na zachód oraz zbrojnej rozprawy z Wielką Brytanią.

1811, 7 listopada – gubernator terytorium Indiany gen. Henry Harrison odnosi zwycięstwo nad Indianami w bitwie pod Tippecanoe.

1812, 4 marca – rząd rozpisuje pierwszą pożyczkę na cele wojenne.

1812, 8 kwietnia – Luizjana zostaje osiemnastym stanem Unii.

1812, 4 czerwca – powstaje terytorium Missouri.

1812, 18 czerwca – Kongres wypowiada wojnę Wielkiej Brytanii, którą wspierają Kanadyjczycy oraz plemiona indiańskie z północno-zachodnich terytoriów pod wodzą Tecumseha.

1812, 2 grudnia – James Madison zostaje ponownie wybrany na prezydenta Stanów Zjednoczonych, wiceprezydentem zostaje Elbridge Gerry.

1813, 10 września – amerykańska flota pod dowództwem kpt. Olivera Hazarda Perry'ego pokonuje siły brytyjskie na jeziorze Erie.

1813, 5 października – gen. William Henry Harrison odnosi zwycięstwo nad rzeką Tamizą w prowincji Ontario, gdzie ginie wódz plemienia Shawnee Tecumseh, co staje się przyczyną rozbicia konfederacji północno-zachodnich plemion indiańskich.

1814, 27 marca – gen. Andrew Jackson pokonuje Indian z plemienia Creek w bitwie pod Horseshoe Bend w stanie Alabama.

1814, 25 sierpnia – Brytyjczycy zajmują stolicę Stanów Zjednoczonych Waszyngton; zniszczeniu ulega Kapitol oraz Biały Dom.

1814, 11 września – bitwa na jeziorze Champlain, w której Amerykanie powstrzymują brytyjski pochód na południe z terytorium Kanady.

1814, 13 września – Francis Scott Key, obserwując brytyjski atak na Fort McHenry w Baltimore, komponuje utwór *The Star Spangled Banner*, który staje się hymnem narodowym Stanów Zjednoczonych.

1814, 24 grudnia – podpisanie przez Stany Zjednoczone i Wielką Brytanię traktatu w Gandawie kończącego wojnę 1812 r. i przywracającego status quo ante bellum; kwestie sporne pozostawiono do późniejszego rozstrzygnięcia.

1815, 8 stycznia – gen. Andrew Jackson odnosi zwycięstwo nad siłami brytyjskimi w bitwie pod Nowym Orleanem.

1815, 30 stycznia – Biblioteka Kongresu zakupuje prywatne księgozbiory Thomasa Jeffersona.

1815, 3 lipca – podpisanie traktatu handlowego między Stanami Zjednoczonymi i Wielką Brytanią, wprowadzającego równe prawa celne w stosunku do obu sygnatariuszy.

1816, 4 grudnia – James Monroe zostaje prezydentem Stanów Zjednoczonych, na urząd wiceprezydenta wybrano Daniela D. Tompkinsa.

1816, 11 grudnia – Indiana zostaje przyjęta do Unii jako dziewiętnasty stan.

1817, 28–29 kwietnia – podpisanie umowy między posłem Wielkiej

Brytanii w Stanach Zjednoczonych Charlesem Bagotem i urzędującym sekretarzem stanu Richardem Rushem dotyczącej demilitaryzacji strefy Wielkich Jezior.

1817, 4 lipca – rozpoczęto budowę kanału Erie łączącego Buffalo z Albany w stanie Nowy Jork.

1817, listopad – rozpoczęcie wojny z plemieniem Seminolów.

1817, 10 grudnia – przyjęcie Missisipi do Unii jako dwudziestego stanu.

1818, 4 kwietnia – zostaje uchwalona ustawa dotycząca flagi narodowej Stanów Zjednoczonych.

1818, 28 maja – wojska amerykańskie pod dowództwem gen. Andrew Jacksona, w ramach operacji odwetowej przeciw plemieniu Seminolów, wkraczają na Florydę i zajmują Pensacolę; Hiszpania otrzymuje ostrzeżenie: kontrola nad Indianami bądź cesja Florydy na rzecz Stanów Zjednoczonych.

1818, 19 października – podpisanie traktatu z plemieniem Chickasaw.

1818, 3 grudnia – Illinois zostaje przyjęte do Unii jako dwudziesty pierwszy stan.

1819, 22 lutego – sekretarz stanu John Quincy Adams podpisuje traktat z posłem hiszpańskim Luisem de Onisem, na mocy którego Stany Zjednoczone zrzekły się pretensji do Teksasu, zakończono spór o zachodnie granice Luizjany, Hiszpania przekazała Stanom Zjednoczonym Florydę Zachodnią za sumę 5 mln dolarów.

1819, 6 marca – Sąd Najwyższy zastrzegł sobie prawo unieważniania ustaw stanowych w przypadku stwierdzenia ich niezgodności z Konstytucją.

1819, 14 grudnia – Alabama zostaje przyjęta do Unii jako dwudziesty drugi stan.

1820, 3 marca – uchwalenie tzw. kompromisu Missouri, którego formę nadaje wniosek zgłoszony przez Henry'ego Claya o przyjęcie do Unii Maine jako stanu wolnego oraz Missouri jako niewolniczego; niewolnictwa zakazano na terenach położonych na północ od 36°30' szer. geogr. pn. i należących do nabytej w 1803 r. Luizjany.

1820, 15 marca – Maine zostaje przyjęte do Unii jako dwudziesty trzeci stan.

1820, 6 grudnia – prezydent James Monroe zostaje wybrany na drugą kadencję, Daniel D. Tompkins pozostaje na stanowisku wiceprezydenta.

1821, 10 sierpnia – Missouri zostaje przyjęte do Unii jako dwudziesty czwarty stan.

1821, 28 sierpnia – zniesienie cenzusu majątkowego uprawniającego do głosowania w stanie Nowy Jork.

1822, 4 maja – Kongres podejmuje decyzję, na wniosek prezydenta Monroe zgłoszony 8 marca, o uznaniu i nawiązaniu stosunków dyplomatycznych z nowo powstałymi republikami południowoamerykańskimi.

1823, 2 grudnia – prezydent James Monroe w corocznym posłaniu do

Kongresu proklamuje doktrynę Monroego, uznającą półkulę zachodnią za amerykańską strefę wpływów, oraz dystansowanie się Stanów Zjednoczonych od polityki europejskiej.

1824, 1 grudnia – wybory prezydenckie, w których żaden z czterech kandydatów (Andrew Jackson, John Quincy Adams, William H. Crawford i John C. Calhoun) nie otrzymuje wymaganej większości głosów elektorskich.

1825, 9 lutego – głosowanie w Izbie Reprezentantów wybiera Johna Quincy Adamsa na prezydenta Stanów Zjednoczonych; wiceprezydentem zostaje John C. Calhoun.

1825 – indiańskie plemię Creek odrzuca porozumienie przewidujące cesję własnych terytoriów na rzecz rządu Stanów Zjednoczonych.

1825 – Kongres przyjmuje politykę przesiedlenia plemion indiańskich, zamieszkujących wschodnie terytoria Stanów Zjednoczonych, na zachód od rzeki Missisipi; zostaje ustanowiona granica z plemionami indiańskimi.

1826, 4 lipca – śmierć Johna Adamsa i Thomasa Jeffersona.

1827, 30 lipca–3 sierpnia – podczas konwencji w Harrisburgu reprezentanci kół przemysłowych z Północy domagają się podwyższenia opłat celnych, przeciw czemu występują delegaci z Południa.

1828, 19 maja – uchwalenie przez Kongres tzw. ohydnego cła (Tarrif of Abominations), czyli ceł ochronnych w praktyce protegujących Północ, co doprowadza do konfliktu z zależnym od rynków zagranicznych rolniczym Południem.

1828, 3 grudnia – kandydat nowo utworzonej Partii Demokratycznej, Andrew Jackson, zostaje wybrany na prezydenta Stanów Zjednoczonych, wiceprezydentem zostaje John C. Calhoun.

1829 – prezydent Andrew Jackson wprowadza w życie tzw. system łupów (Spoils System), wynagradzając swoich zwolenników stanowiskami federalnymi; wobec doradców Jacksona w okresie jego pierwszej kadencji (Amos Kendall, Isaac Hill, William B. Lewis, Andrew J. Donnelson i Duff Green) stosuje się nazwę „gabinet kuchenny" (Kitchen Cabinet).

1829 – w Nowym Jorku rozpoczyna działanie Partia Robotnicza (Workingmen's Party), która wysuwa m. in. hasła dziesięciogodzinnego dnia pracy, zniesienia więzienia za długi i bezpłatnego szkolnictwa; po jej upadku większość przyłączy się do Partii Demokratycznej.

1830, 19–27 stycznia – senacka debata między Websterem i Haynem dotycząca racji stanów północnych i południowych: Robert Y. Hayne reprezentuje ideę praw stanowych i stanowej suwerenności, Daniel Webster przedkłada ideę Unii i Konstytucji, w myśl której suwerenność rządów stanowych jest zależna od postanowień Konstytucji.

1831, 21–23 sierpnia – zbrojne wystąpienie niewolników w Southampton County (Wirginia) pod przywództwem Nata Turnera, w czasie którego ginie 55 białych; w listopadzie Turner zostaje skazany i powieszony.

1831, 26 września – zjazd Partii Antymasońskiej w Baltimore wyłania Williama Wirta jako kandydata na urząd prezydencki i Amosa Ellmakera na urząd wiceprezydenta.

1832, 6 kwietnia–2 sierpnia – wojna Czarnego Jastrzębia w górnym dorzeczu Missisipi z plemionami indiańskimi Sac i Fox, próbującymi na powrót osiedlić się na ziemiach scedowanych uprzednio rządowi Stanów Zjednoczonych, położonych na terytoriach Wisconsin i Illinois.

1832, 24 listopada – Karolina Południowa występuje przeciwko nowej federalnej ustawie celnej uchwalonej w 1828 i 1832 r.

1832, 5 grudnia – Andrew Jackson zostaje wybrany na prezydenta Stanów Zjednoczonych na drugą kadencję, wiceprezydentem zostaje Martin Van Buren.

1833 – w Nowym Jorku i na terenie Nowej Anglii ugrupowania abolicjonistyczne powołują do życia Stowarzyszenie Antyniewolnicze.

1833, 3 września – w Nowym Jorku ukazuje się pierwsza gazeta codzienna „Sun".

1834, 14 kwietnia – w wyniku opozycji wobec osoby prezydenta Andrew Jacksona i Partii Demokratycznej powstaje Partia Wigów, wywodząca się z Narodowej Partii Republikańskiej.

1834 – powołując się na zawarte w 1832 r. traktaty rząd Stanów Zjednoczonych żąda opuszczenia Florydy przez plemię Seminolów.

1835, 30 stycznia – Richard Lawrence dokonuje nieudanego zamachu na życie prezydenta Andrew Jacksona; jest to pierwszy w historii Stanów Zjednoczonych zamach na głowę państwa.

1835, 2 października – wraz z zaatakowaniem przez amerykańskich osadników meksykańskiego garnizonu w Gonzales wybucha powstanie w Teksasie.

1835, 2 listopada – rozpoczyna się druga wojna z indiańskim plemieniem Seminolów.

1835, 16 grudnia – ofiarą pożaru w Nowym Jorku pada 530 budynków; straty szacuje się na około 20 mln dolarów.

1836, 2 marca – amerykańscy powstańcy proklamują niepodległą Republikę Teksasu.

1836, 6 marca – bitwa pod Alamo.

1836, 21 kwietnia – bitwa nad rzeką San Jacinto, która rozstrzyga losy powstania teksańskiego.

1836, 5 maja – podpisanie układu w Valasco, na mocy którego meksykański prezydent A. Santa Anna uznaje suwerenność Republiki Teksasu.

1836, 15 czerwca – Arkansas zostaje przyjęte do Unii jako dwudziesty piąty stan.

1836, 7 grudnia – Martin Van Buren zostaje wybrany na prezydenta Stanów Zjednoczonych; w związku z faktem, iż żaden z czterech kandydatów na urząd wiceprezydenta nie otrzymał wymaganej większości głosów elektorskich, po raz pierwszy i ostatni w dziejach Stanów Zjednoczonych urząd ten zostaje powierzony z rąk Senatu Richardowi M. Johnsonowi.

1837, 26 stycznia – Michigan zostaje przyjęte do Unii jako dwudziesty szósty stan.

1837, wiosna – początek recesji gospodarczej, której pierwszym symptomem jest spadek cen bawełny o około 50% na rynku w Nowym Orleanie; nowojorskie banki zawieszają wypłacalność należności w gotówce, reakcją na to są podobne czynności podjęte przez banki w Baltimore, Bostonie i Filadelfii; skutki recesji są odczuwalne do lat 1842–1943.

1837, 25 sierpnia – Stany Zjednoczone odrzucają petycję Teksasu o przyłączenie do Unii.

1837, 21 października – mimo trwania rozejmu wódz Seminolów Osceola zostaje aresztowany.

1837, 25 grudnia – wojska amerykańskie pod dowództwem gen. Zachary'ego Taylora odnoszą zwycięstwo nad Seminolami w bitwie pod Okeechobee.

1838, 5 stycznia – Martin Van Buren ogłasza neutralność Stanów Zjednoczonych w sporze brytyjsko-kanadyjskim.

1838, 26 stycznia – Osceola umiera w amerykańskiej niewoli.

1838, 25 kwietnia – zostaje podpisany układ graniczny z Teksasem.

1839, 3 marca – wojna Aroostoock; po wtargnięciu kanadyjskich drwali na sporne terytoria podległe gubernatorowi Maine prezydent Van Buren wraz z Kongresem podejmują decyzję o wysłaniu wojsk do Maine w celu ochrony tamtejszych osadników, co kończy się negocjacjami między gubernatorem Maine i gubernatorem Nowej Szkocji; kwestie graniczne ma rozstrzygnąć specjalna komisja.

1839, 13 listopada – w miejscowości Warsaw w stanie Nowy Jork powstaje pierwsza antyniewolnicza partia polityczna nosząca nazwę Partii Wolności.

1840, 2 grudnia – William Henry Harrison zostaje prezydentem Stanów Zjednoczonych, John Tyler zaś wiceprezydentem.

1841, 9 marca – werdyktem Sądu Najwyższego Stanów Zjednoczonych Murzyni, którzy uprzednio zajęli hiszpański statek *Amstad* i których z niego następnie zabrano, otrzymali wolność; bronił ich osobiście John Quincy Adams.

1841, 4 kwietnia – w miesiąc po inauguracji umiera prezydent William Henry Harrison, jego miejsce z urzędu zajmuje wiceprezydent John Tyler.

1841, 11 września – prezydent John Tyler dwukrotnie sprzeciwia się ustawie tworzącej bank narodowy wraz ze stanowymi filiami, w wyniku czego cały prezydencki gabinet, z wyjątkiem sekretarza stanu Daniela Webstera, podaje się do dymisji.

1842 – w Kalifornii zostaje odkryte złoto.

1842, 31 marca – po czterdziestoletniej służbie państwowej z Senatu ustępuje Henry Clay.

1842, 18 maja – wybuch rebelii w Rhode Island pod przywództwem Thomasa W. Dorra (znanej pod nazwą rebelii Dorra), dążącego do zliberalizowania praw wyborczych.

1842, 9 sierpnia – podpisanie traktatu Webster–Ashburton, na mocy którego wyznaczono odcinek linii granicznej między Kanadą i Stanami Zjednoczonymi; linię graniczną wytyczono między rzekami St. Croix i Connecticut, jeziorem Huron i Jeziorem Górnym, oraz Jeziorem Górnym i Jeziorem Leśnym.

1842, 14 sierpnia – zakończenie wojny z plemieniem Seminolów, które zostaje zmuszone do osiedlenia się na Terytorium Indiańskim na Zachodzie (wschodnia Oklahoma).

1842, 26 sierpnia – przesunięto datę roku finansowego z 1 stycznia na 1 lipca.

1843, 3 marca – Kongres przyznaje sumę 30 tys. dolarów dla Samuela Morse'a na założenie eksperymentalnej linii telegraficznej między Baltimore i Waszyngtonem.

1843, 2 maja – po napływie fali imigrantów szlakiem Oregonu na terytorium Oregonu, koloniści dążą do zorganizowania tamtejszych władz.

1843, 23 sierpnia – prezydent Meksyku Santa Anna ogłasza, że amerykańska próba aneksji Teksasu będzie oznaczać wybuch otwartej wojny z Meksykiem.

1844 – amerykańskie osadnictwo w Oregonie sięga linii 54°40' szer. geogr. pn., co stanowi nieoficjalną sporną granicę między Stanami Zjednoczonymi i Wielką Brytanią.

1844, 12 kwietnia – sekretarz stanu John C. Calhoun prowadzi negocjacje z rządem teksańskim na temat przyłączenia Teksasu do Stanów Zjednoczonych.

1844, 3 lipca – Stany Zjednoczone podpisują z Cesarstwem Chin układ o pokoju, przyjaźni i wymianie handlowej.

1844, 4 grudnia – James K. Polk zostaje wybrany na prezydenta Stanów Zjednoczonych, wiceprezydentem zostaje George M. Dallas.

1845, 25 stycznia – Izba Reprezentantów głosuje za przyjęciem Teksasu do Unii; 28 lutego podobną rezolucję uchwala Senat.

1845, 3 marca – Floryda zostaje przyjęta do Unii jako dwudziesty siódmy stan.

1845, 23 czerwca – Kongres Teksasu aprobuje decyzję przyłączenia do Unii.

1845, 10 października – powstaje Akademia Wojskowa Marynarki Wojennej Stanów Zjednoczonych.

1845, 29 grudnia – Teksas oficjalnie staje się dwudziestym ósmym stanem Unii.

1846, 4 marca – Michigan zostaje pierwszym stanem, w którym legislatura stanowa znosi karę śmierci.

1846, 28 marca – Meksyk zrywa stosunki dyplomatyczne ze Stanami Zjednoczonymi.

1846, 8 maja – gen. Zachary Taylor zwycięża wojska meksykańskie pod Palo Alto.

1846, 9 maja – gen. Taylor odnosi zwycięstwo pod Resaca de la Palma.

1846, 13 maja – Kongres uchwala deklarację o wojnie z Meksykiem.

1846, 15 czerwca – na mocy układu między Stanami Zjednoczonymi i Wielką Brytanią zostaje ustalona linia graniczna Oregonu na 49 równoleżniku.

1846, 8 sierpnia – Izba Reprezentantów uchwala zgłoszoną przez Davida Willmota propozycję, by na wszystkich terytoriach zdobytych podczas wojny z Meksykiem zakazano systemu niewolnictwa.

1846, 10 sierpnia – Senat odrzuca klauzulę Wilmota (Wilmot Proviso).

1846, 25 września – wojska amerykańskie zajmują Monterrey.

1846, 28 grudnia – Iowa zostaje przyjęta do Unii jako dwudziesty dziewiąty stan.

1847, 22–23 lutego – wojska amerykańskie, pod dowództwem gen. Taylora, odnoszą zwycięstwo pod Buena Vista nad armią meksykańską, dowodzoną przez gen. Santa Annę.

1847, 29 marca – gen. Winfield Scott zajmuje Vera Cruz.

1847, 18 kwietnia – bitwa pod Cerro Gordo.

1847, 20 sierpnia – wojska meksykańskie ponoszą porażkę pod Churubusco i pod dowództwem gen. Santa Annę wycofują się do Mexico City.

1847, 14 września – gen. Scott zajmuje Mexico City.

1847, 4 grudnia – rozpoczęcie negocjacji pokojowych między Meksykiem i Stanami Zjednoczonymi.

1848, 24 stycznia – James W. Marshall, mechanik z New Jersey, odkrywa złoto w odległości około 80 km od dzisiejszego Sacramento; rozpoczyna się gorączka złota, osiągająca apogeum w 1849 r.

1848, 2 lutego – zostaje podpisany traktat w Guadalupe-Hidalgo, na mocy którego Meksyk zrzeka się pretensji do Teksasu oraz ceduje na rzecz Stanów Zjednoczonych jedną trzecią swego dotychczasowego terytorium (Arizona, Newada, Kalifornia, Utah, część Nowego Meksyku, Kolorado i Wyoming); Stany Zjednoczone wypłacają Meksykowi 15 mln dolarów odszkodowania.

1848, 10 marca – Senat ratyfikuje traktat z Guadalupe-Hidalgo.

1848, 28 maja – Wisconsin zostaje przyjęte do Unii jako trzydziesty stan.

1848, 4 lipca – prezydent James Polk wmurowuje kamień węgielny pod budowę pomnika George'a Washingtona w Waszyngtonie.

1848, sierpień – powstaje Partia Wolnej Ziemi (Free Soil Party) dążąca do wprowadzenia zakazu niewolnictwa na terytoriach zdobytych podczas wojny z Meksykiem; hasło partyjne: wolna ziemia, wolność mowy, wolni ludzie.

1848, 14 sierpnia – Oregon zostaje ogłoszony terytorium Stanów Zjednoczonych.

1848, 7 grudnia – prezydentem Stanów Zjednoczonych zostaje Zachary Taylor, wiceprezydentem Millard Fillmore.

1849, 3 marca – powstaje Departament Zasobów Wewnętrznych (Department of Interior).

1849, 13 października – konwencja w Kalifornii podejmuje decyzję o nieuznawaniu niewolnictwa oraz zgłasza akces do Unii.

1850, 19 kwietnia – podpisanie brytyjsko-amerykańskiego traktatu (Clayton–Bulwer) dotyczącego kontroli obu państw nad strefą przyszłej budowy kanału międzyoceanicznego w Ameryce Środkowej (dzisiejsza Panama).

1850, 9 lipca – umiera prezydent Zachary Taylor, jego obowiązki przejmuje Millard Fillmore.

1850, sierpień–wrzesień – przyjęcie kompromisu 1850 r., dzięki któremu Kalifornia zostaje włączona do Unii jako stan wolny (tj. nie uznający niewolnictwa); decyzję w tej kwestii pozostawiono do rozstrzygnięcia stanom Nowy Meksyk i Utah, dokonano regulacji granicy między stanami Teksas i Nowy Meksyk oraz zabroniono handlu niewolnikami na terenie Dystryktu Kolumbia.

1850, 18 września – Kongres przyjmuje ustawę Fugitive Slave Law nakładającą kary na tych, którzy udzielają poparcia niewolnikom uciekającym z Południa na Północ.

1851 – stan Maine ogłasza wprowadzenie pełnej prohibicji na produkcję i spożycie alkoholu.

1851, 24 grudnia – pożar Kapitolu w Waszyngtonie.

1852, 1 czerwca – podczas konwencji Partii Demkoratycznej uchwalono program polityczny aprobujący kompromis 1850 r. oraz potwierdzający rezolucję Wirginii i Kentucky z 1798 r.

1852, 2 listopada – Franklin Pierce zostaje wybrany na prezydenta Stanów Zjednoczonych, wiceprezydentem zostaje William R. King.

1853, 2 marca – z północnej części Oregonu utworzono terytorium Waszyngton.

1853, lipiec – amerykańskie okręty pod dowództwem kpt. Matthew C. Perry'ego przybywają do zatoki Edo (dzisiejsza Zatoka Tokijska).

1853, 30 grudnia – na mocy porozumienia zawartego przez Jamesa Gadsdena Stany Zjednoczone zakupują od Meksyku terytorium o powierzchni 29 640 mil kwadratowych w Measilla Valley, na południe od rzeki Gila (dzisiejsza południowa część Arizony i Nowego Meksyku).

1854 – Partia Nic-Nie-Wiedzących (Know-Nothing-Party) staje się organizacją polityczną o zasięgu ogólnokrajowym.

1854, 21–28 lutego – w miejscowościach Jackson (Michigan) i Ripon (Wisconsin) odbywają się dwa pierwsze zebrania założycielskie Partii Republikańskiej, która powstaje w wyniku rosnącej opozycji członków Partii Wigów, Wolnej Ziemi i Partii Demokratycznej wobec niewolnictwa.

1854, 31 marca – kpt. Perry podpisuje z władzami japońskimi traktat w Kanagawa otwierający Japonię na świat; na jego mocy Japonia zezwala statkom amerykańskim na zawijanie do portów Shimoda i Hakodate, zobowiązuje się do udzielania pomocy amerykańskim rozbitkom oraz przyznaje amerykańskim kupcom klauzulę najwyższego uprzywilejowania.

1854, 30 maja – ustawa Kansas–Nebraska nabiera mocy prawnej; anulując postanowienia kompromisu Missouri z 1820 r., ustawa przyjęła regułę nieinterwencji Kongresu Stanów Zjednoczonych w sprawy niewolnictwa na obszarach terytoriów.

1854, 6–13 lipca – odbywa się pierwsza stanowa konwencja Partii Republikańskiej w Michigan.

1854, 16 października – podczas przemówienia wygłoszonego w Peoria Abraham Lincoln po raz pierwszy publicznie oskarża system niewolnictwa.

1854, 18 października – trzej amerykańscy posłowie: P. Soule z Hiszpanii, J. Y. Mason z Francji i J. Buchanan z Wielkiej Brytanii, sporządzają tajny dokument w Ostendzie (manifest ostendzki), domagając się zakupu od Hiszpanii Kuby za sumę 120 mln dolarów; w przypadku odmowy zalecają użycie siły.

1855–1859 – sprawa Kansas (Kansas Question) polegająca na otwarciu terenów Kansas dla osadnictwa amerykańskiego, czemu towarzyszą przez pięć lat walki między zwolennikami i przeciwnikami istnienia w tym stanie niewolnictwa.

1855, czerwiec – wyprawa Williama Walkera do Nikaragui, której ogłasza się dyktatorem w 1856 r.

1856, 21 maja – „pograniczni rozbójnicy" (Border Ruffians), zwolennicy niewolnictwa w stanie Kansas, napadają i niszczą osadę Lawrence.

1856, 22 maja – senator Charles Summer zostaje dotkliwie pobity w Senacie przez zwolennika niewolnictwa Prestona S. Brooksa z Karoliny Południowej.

1856, 30 sierpnia – abolicjonista John Brown broni osady Pottawatomie Creek przed atakiem zwolenników niewolnictwa w stanie Kansas.

1856, 4 listopada – prezydentem Stanów Zjednoczonych zostaje James Buchanan, wiceprezydentem John C. Breckenridge.

1857, 6 marca – sprawa Dreda Scotta, w której przewodniczący Sądu Najwyższego, Roger B. Taney, wydaje werdykt, iż Scott jako Murzyn nie ma prawa występować przed sądem federalnym, a pobyt na wolnym terytorium nie zmienia jego statusu; kompromis Missouri jest niezgodny z Konstytucją.

1857, 24 sierpnia – załamanie się rynku finansowego.

1857, 21 grudnia – opracowano konstytucję Lecompton, gwarantującą niewolnictwo w stanie Kansas; prezydent Buchanan domaga się przyjęcia na tej podstawie stanu Kansas do Unii, co wywołuje opór części Partii Demokratycznej.

1858, 11 maja – Minnesota zostaje przyjęta do Unii jako trzydziesty drugi stan.

1858, 2 sierpnia – mieszkańcy Kansas w głosowaniu odrzucają konstytucję Lecompton.

1858, 5 sierpnia – zakończono budowę transatlantyckiej linii telegraficznej.

1858, 21 sierpnia–15 października – walka wyborcza o miejsce w Senacie ze stanu Illinois między Abrahamem Lincolnem i Stephenem A. Douglasem prowadzi do siedmiu debat, w większości dotyczących niewolnictwa i jego wpływu na rząd; do historii przeszły one pod nazwą debat Lincoln–Douglas.

1859, 14 lutego – Oregon zostaje przyjęty do Unii jako trzydziesty trzeci stan.

1859, 9–19 maja – konwencja stanów południowych w Vicksburgu, w stanie Missisipi, domaga się zniesienia wszystkich praw zakazujących międzynarodowego handlu niewolnikami.

1859, 16 października – abolicjonista John Brown, w nadziei rozpoczęcia powstania niewolników, atakuje arsenał w Harper Ferry w Wirginii.

1859, 19 grudnia – w przemówieniu do Kongresu prezydent James Buchanan zapowiada podjęcie wszystkich prawnych środków mających na celu powstrzymanie handlu niewolnikami.

1860, 6 listopada – w wyborach prezydenckich republikański kandydat Abraham Lincoln pokonuje Stephena A. Douglasa, Johna Breckinridge'a i Johna Bella, wiceprezydentem zostaje Hannibal Hamlin; ani jeden ze stanów południowych nie oddaje głosu na Lincolna.

1860, 18 grudnia – senator John J. Crittenden podejmuje ostatnią próbę utrzymania jedności państwa, występując wobec Południa z kompromisem Crittendena, według którego postanowieniami kompromisu 1820 r. miano objąć stany położone nad Oceanem Spokojnym, zastrzegając również, że Kongres nie będzie próbował znieść niewolnictwa w tak określonych stanach południowych.

1860, 20 grudnia–Karolina Południowa występuje z Unii.

1861, 9 stycznia – 1 lutego – z Unii występują kolejno: Missisipi, Floryda, Alabama, Georgia, Luizjana i Teksas.

1861, 29 stycznia – Kansas zostaje przyjęty do Unii jako trzydziesty czwarty stan.

1861, 8 lutego – powstają Skonfederowane Stany Ameryki, potocznie zwane Konfederacją; stolicą Konfederacji zostaje Montgomery.

1861, 9 lutego – prezydentem Konfederacji zostaje Jefferson Davis; wiceprezydentem zaś Aleksander H. Stephens.

1861, 12 kwietnia – wojska Konfederacji atakują Fort Sumter; rozpoczyna się wojna domowa.

1861, 15 kwietnia – Lincoln wzywa do mobilizacji 75 tys. ochotników.

1861, 19 kwietnia – Lincoln ogłasza blokadę portów Konfederacji.

1861, 23 maja – 8 czerwca – secesję ogłaszają stany: Wirginia, Arkansas, Karolina Północna i Tennessee.

1861, 29 maja – stolicą Konfederacji zostaje Richmond.

1861, 21 lipca – pierwsza bitwa pod Bull Run.

1861, 16 sierpnia – zostaje wprowadzony zakaz utrzymywania stosunków między stanami północnymi i południowymi.

1862, 6 lutego – siły zbrojne Unii zdobywają Fort Henry w Tennessee.

1862, 16 lutego – gen. Ulysses S. Grant zdobywa Fort Donelson w Tennessee.

1862, 9 marca – w zatoce Hampton Roads dochodzi do pierwszego w dziejach starcia okrętów pancernych; trwające ponad dwie godziny starcie między okrętem Unii *Monitorem* i Konfederacji *Virginia* (dawniej *Merrimack*) zostaje nie rozstrzygnięte.

1862, 6–7 kwietnia – bitwa pod Shiloh, w której licząca 40 tys. armia Konfederacji pod dowództwem gen. Alberta S. Johnstona atakuje 51-tysięczną armię gen. Ulyssesa S. Granta, obozującą w dolinie Shiloh w stanie Tennessee; bitwa kończy się zwycięstwem Unii.

1862, 16 kwietnia – w okręgu stołecznym w Waszyngtonie zostaje zniesione niewolnictwo.

1862, 26 kwietnia – flota Unii pod dowództwem admirała Davida G. Farraguta pokonuje flotę Konfederacji u ujścia rzeki Missisipi i zajmuje Nowy Orlean.

1862, 15 maja – zostaje utworzony Departament Rolnictwa.

1862, 20 maja – zostaje uchwalona ustawa o osadnictwie (Homestead Act), na mocy której każdy obywatel w wieku powyżej 21 lat jest uprawniony do otrzymania na własność działki o powierzchni 160 akrów po wpłaceniu opłaty rejestracyjnej (26–34 dolarów), zagospodarowaniu ziemi i zasiedleniu przez pięć lat.

1862, 25 czerwca–1 lipca – Konfederacja podejmuje próbę zatrzymania sił Unii maszerujących na Richmond, w wyniku której dochodzi do siedmiodniowej bitwy; wojska Konfederacji dowodzone przez gen. Roberta E. Lee doprowadzają do zatrzymania pochodu wojsk Unii, dowodzonych przez gen. George'a B. McClellana.

1862, 30 sierpnia – druga bitwa pod Bull Run, w której wojska Konfederacji pod dowództwem gen. Stonewalla Jacksona i Roberta E. Lee odnoszą zwycięstwo nad armią Unii.

1862, 17 września – próba inwazji na ziemie Unii, podjęta przez wojska Konfederacji pod dowództwem gen. Roberta E. Lee, prowadzi do przekroczenia przez nie granicy stanu Maryland, gdzie pod Antietam dochodzi do starcia z wojskami Unii dowodzonymi przez gen. George'a B. McClellana; nie rozstrzygnięty wynik bitwy, przy wielkich stratach, zmusza armię Konfederacji do wycofania się do Wirginii.

1862, 22 września – wstępna publikacja proklamacji prezydenta Abrahama Lincolna znoszącej niewolnictwo na obszarach objętych secesją.

1862, 13 grudnia – bitwa pod Fredericksburgiem, w której wojska Unii, kontynuujące ofensywę w kierunku na Richmond, zostają zatrzymane i zmuszone do odwrotu.

1863, 1 stycznia – prezydent Abraham Lincoln ogłasza zniesienie niewolnictwa na obszarach objętych secesją.

1863, 25 lutego – uchwałą Kongresu zostaje utworzony narodowy system bankowy.

1863, 1–4 maja – wojska Konfederacji pod dowództwem gen. Roberta E. Lee odnoszą pod Chancellorsville zwycięstwo nad siłami Unii dowodzonymi przez gen. Josepha Hookera.

1863, 19 czerwca – Wirginia Zachodnia, opowiedziawszy się w 1861 r. przeciw Konfederacji, zostaje przyjęta do Unii jako trzydziesty piąty stan.

1863, 1–3 lipca – bitwa pod Gettysburgiem, do której dochodzi w wyniku inwazji na Pensylwanię wojsk Konfederacji dowodzonych przez gen. Roberta E. Lee; zwycięstwo wojsk Unii dowodzonych przez gen. George'a G. Meade'a stanowi punkt zwrotny w wojnie secesyjnej – odtąd inicjatywa przechodzi w ręce armii Unii.

1863, 4 lipca – wojska Unii pod dowództwem gen. Ulyssesa S. Granta zdobywają Vicksburg, by w pięć dni poźniej zdobyć Port Hudson i uzyskać kontrolę nad rzeką Missisipi w całym jej dorzeczu.

1863, 19–20 września – bitwa pod Chickamagua.

1863, 19 listopada – w czasie uroczystości ku czci poległych w bitwie gettysburgskiej prezydent Abraham Lincoln wygłasza przemówienie znane jako orędzie gettysburskie; odwołuje się w nim do ideałów przyświecających „ojcom-założycielom" republiki i przedstawia cele wojny secesyjnej.

1863, 24–25 listopada – bitwa pod Chattanooga.

1864, 9 marca – gen. Ulysses S. Grant otrzymuje dowództwo nad siłami zbrojnymi Unii i zostaje awansowany do stopnia generał-pułkownika.

1864, 5–6 maja – nie rozstrzygnięte starcie armii Unii dowodzonej przez gen. Ulyssesa S. Granta z wojskami Konfederacji dowodzonymi przez gen. Roberta E. Lee pod Wilderness.

1864, 2 września – wojska Unii dowodzone przez gen. Williama Tecumseha Shermana zajmują Atlantę.

1864, 31 października – Newada zostaje przyjęta do Unii jako trzydziesty szósty stan.

1864, 15 listopada – wojska gen. Williama Tecumseha Shermana niszczą Atlantę.

1864, 8 listopada – Abraham Lincoln zostaje wybrany na drugą kadencję prezydencką, wiceprezydentem zostaje Andrew Johnson.

1864, 22 grudnia – gen. William Tecumseh Sherman zajmuje Savannah.

1865, styczeń – Kongres uchwala XIII poprawkę do Konstytucji.

1865, 16 stycznia–21 marca – marsz gen. Williama Tecumseha Shermana przez obie Karoliny w celu połączenia się z armią Potomaku w rejonie Petersburga i Richmond.

1865, luty – gen. Robert E. Lee zostaje głównodowodzącym sił zbrojnych Konfederacji.

1865, 3 kwietnia – ewakuacja Richmond.

1865, 9 kwietnia – gen. Ulysses S. Grant przyjmuje kapitulację wojsk Konfederacji pod dowództwem gen. Roberta E. Lee w budynku sądu w miejscowości Appomattox; datę tę uznaje się za oficjalne zakończenie wojny secesyjnej.

1865, 14 kwietnia – zabójstwo prezydenta Abrahama Lincolna przez Johna Wilkesa Bootha w teatrze Forda w Waszyngtonie podczas sztuki *Our American Cousin.*

1865, 15 kwietnia – po śmierci Abrahama Lincolna urząd prezydenta obejmuje wiceprezydent Andrew Johnson.

1865, 26 kwietnia – dowodzący resztkami wojsk Konfederacji gen. Joseph E. Johnston kapituluje w Durham Station w Karolinie Północnej.

1865, 10 maja – prezydent Konfederacji Jefferson Davis zostaje pojmany przez wojska Unii.

1865, 26 maja – ostatni generał Konfederacji, Edmund Kirby-Smith, składa broń w Nowym Orleanie przed gen. Edwardem R. Canby.

1865, 18 grudnia – XIII poprawka do Konstytucji zostaje ratyfikowana, otrzymując tym samym moc prawną.

1865 – uchwalenie ustawy o rekonstrukcji.

1866 – w miejscowości Pulaski, w stanie Tennessee, powstaje Ku-Klux-Klan.

1866, 9 kwietnia – mimo prezydenckiego weta Kongres uchwala ustawę o prawach obywatelskich (Civil Rights Act), nadającą prawa wszystkim osobom urodzonym na terenie Stanów Zjednoczonych (z wyjątkiem Indian).

1866, 16 czerwca – Kongres uchwala XIV poprawkę do Konstytucji, definiującą obywatelstwo i stawiającą wymóg właściwego przewodu sądowego w sprawach o pozbawienie życia, wolności i mienia oraz gwarantującą równość wobec prawa dla wszystkich obywateli; Sąd Najwyższy stopniowo zaczyna rozciągać ustawę na ochronę wyzwolonych Murzynów.

1866, 16 lipca – mimo prezydenckiego weta Kongres przedłuża istnienie oraz rozszerza uprawnienia Biura ds. Wyzwoleńców (Freedmen's Bureau).

1867, 1 marca – Nebraska zostaje przyjęta do Unii jako trzydziesty siódmy stan.

1867, 2 marca – mimo prezydenckiego weta Kongres uchwala ustawę o rekonstrukcji (Reconstruction Act), pozbawiającą samodzielności stany należące w czasie wojny secesyjnej do Konfederacji (z wyjątkiem Tennessee); cały obszar zostaje podzielony na pięć okręgów wojskowych z generał-gubernatorami na czele.

1867, 2 marca – mimo prezydenckiego weta Kongres uchwala ustawę o urzędzie państwowym (Tenure Office Act) ustalającą, że prezydent nie może bez zgody Senatu pozbawić stanowiska urzędnika zatwierdzonego wcześniej przez tę izbę.

1867, 23 marca – uchwalenie uzupełniającej ustawy o rekonstrukcji; dwie pozostałe ustawy wejdą w życie: 19 lipca tego roku i 11 marca 1868 r.

1867, 30 marca – Stany Zjednoczone zakupują od Rosji Alaskę za cenę 7,2 mln dolarów.

1868, 16 i 26 maja – decyzją Kongresu prezydent Andrew Johnson zostaje zwolniony ze stawianego mu przez Izbę Reprezentantów zarzutu o przekroczenie ustawy o urzędzie państwowym.

1968, 28 lipca – Kongres ratyfikuje XIV poprawkę do Konstytucji rozszerzającą prawa obywatelskie.

1868, 28 lipca – podpisanie układu Burlingame'a (Burlingame Treaty) między Chinami i Stanami Zjednoczonymi, umożliwiającego swobodę migracji między obu krajami.

1868, 3 listopada – Ulysses S. Grant zostaje wybrany na prezydenta Stanów Zjednoczonych, wiceprezydentem zostaje Schuyler Colfax.

1869 – w trakcie zjazdu pięciuset przywódców ruchu trzeźwości w Chicago zostaje powołana do życia Partia Prohibicyjna (Prohibition Party), domagająca się wprowadzenia na obszarze Stanów Zjednoczonych pełnego zakazu produkcji, handlu i spożycia alkoholu.

1869, 10 maja – w miejscowości Promontory, w stanie Utah, dochodzi do spotkania dwóch transkontynentalnych linii kolejowych łączących wschodnie i zachodnie wybrzeże.

1869, 24 września – tzw. Czarny Piątek – załamanie się rynku finansowego.

1869, 9 grudnia – powstaje organizacja Rycerze Pracy.

1870, 30 marca – dwadzieścia dziewięć stanów ratyfikuje XV poprawkę do Konstytucji zakazującą dyskryminacji rasowej w korzystaniu z prawa do głosowania.

1870, 31 maja – wprowadzenie ustawy o Ku-Klux-Klanie (Ku-Klux-Klan Act) delegalizującej organizację i zapowiadającej ostre represje za przynależność do niej; 20 kwietnia 1871 r. uchwalono drugi Ku-Klux-Klan Act.

1870, 22 czerwca – utworzony zostaje Departament Sprawiedliwości.

1871, 4 marca – na mocy uchwały Kongresu w sprawie służby państwowej (Civil Service Act) prezydent Ulysses S. Grant przeprowadza reformę służby państwowej, mianując George'a Williama Curtisa przewodniczącym komisji służby państwowej (Civil Service Commission).

1871, 8 maja – w Waszyngtonie zostaje podpisany układ z Wielką Brytanią w sprawie odszkodowań za straty, jakie w okresie wojny secesyjnej spowodowały okręty Konfederacji zbudowane i wyposażone w broń w Wielkiej Brytanii (m. in. okręt *Alabama*), oraz w kwestiach granicznych i połowowych; strony zgodziły się rozstrzygnąć konflikt w drodze arbitrażu.

1871, 8 lipca – afera szajki Tweeda (Tweed Ring); na łamach dziennika „The New York Times" zostaje ujawniona przestępcza działalność Williama Mercy Tweeda, bossa Partii Demokratycznej, który wykorzystując wpływy w Tammany Hall uzyskał całkowitą kontrolę nad finansami Nowego Jorku.

1871, 14 grudnia – w Chicago wybucha pożar niszczący większą część miasta.

1872, 1 stycznia – ustawa o służbie państwowej nabiera mocy prawnej.

1872, maj – reformatorsko nastawieni członkowie Partii Republikańskiej (m. in. Carl Schurtz, Horace Greeley, Charles Francis Adams), uznając za szkodliwy ewentualny ponowny wybór na urząd prezydenta Ulyssesa S. Granta, zakładają Partię Liberalną Republikańską, wysuwając kandydaturę Horace'a Greeleya na urząd prezydencki w zbliżających się wyborach.

1872, 22 maja – na mocy ustawy o amnestii (Amnesty Act) Kongres przywraca prawa obywatelskie wszystkim mieszkańcom Południa (z wyjątkiem około 500 osób).

1872, 25 sierpnia – decyzją międzynarodowego trybunału pod przewodnictwem cesarza Niemiec Wilhelma I, rozstrzygającego sprawę odszkodowań za zniszczenia spowodowane przez konfederacki okręt *Alabama* (zbudowany i wyposażony w stoczni brytyjskiej), Wielka Brytania ma wypłacić Stanom Zjednoczonym 15,5 mln dolarów.

1872, 4 września – nowojorski dziennik „Sun" ujawnia aferę polityczną o podłożu finansowym, tzw. skandal spółki Credit Mobilier, w której wiceprezes spółki, Thomas Clark Durant, systematycznie zawyżał koszty budowy kolei transkontynentalnej Union Pacific, przejmując osobiście zyski, przy czym wielu członków Kongresu dokonała zakupu akcji na bardzo korzystnych warunkach.

1872, 5 listopada – Ulysses S. Grant zostaje wybrany na drugą kadencję prezydencką, wiceprezydentem zostaje Henry Wilson.

1873, 12 lutego – Kongres uchwala ustawę o systemie monetarnym (Coinage Act), wprowadzając zasadę wyłączności monety złotej.

1873, 18 września – krach na rynku finansowym.

1875, 1 marca – Kongres uchwala kolejną ustawę o prawach obywatelskich (Civil Rights Act), zakazującą segregacji rasowej w miejscach publicznych oraz nadającą Murzynom prawo sprawowania funkcji w sądzie przysięgłych.

1875, 1 maja – gazeta „St. Louis Democrat" ujawnia aferę znaną pod nazwą szajka whisky (Whisky Ring), polegającą na przekazywaniu przez organizację przestępczą wielomilionowych sum z podatków od produkcji i sprzedaży alkoholu na cele Partii Republikańskiej.

1875, 10 maja – sekretarz skarbu, Benjamin Helm Bristow, zarządza aresztowanie 238 osób zamieszanych w aferę Whisky Ring, wśród których poza producentami alkoholu znajdują się urzędnicy administracyjni wysokiego szczebla i bliscy współpracownicy prezydenta Granta, w tym jego prywatny sekretarz Orville Elias Babcock.

1876, 2 marca – Izba Reprezentantów podejmuje rezolucję w sprawie wszczęcia procedury (impeachment) przeciw sekretarzowi wojny Williamowi W. Belknapowi, zamieszanemu w aferę łapówkową dotyczącą sprzedaży i przedłużania terminów koncesji na handel w indiańskich rezerwatach.

1876, 10 marca – Alexander Graham Bell zostaje wynalazcą telefonu; pierwsze słowa przekazane przez telefon, wypowiedziane do asystenta, brzmią: „Mr. Watson, come here. I want you!"

1876, 25 czerwca – gen. George Armstrong Custer ponosi śmierć w bitwie z indiańskimi plemionami Sioux i Cheyenne, dowodzonymi przez Szalonego Konia (Crazy Horse), pod Little Big Horn w stanie Montana.

1876, 1 sierpnia – Kolorado zostaje przyjęte do Unii jako trzydziesty ósmy stan.

1877, 2 marca – specjalna komisja elektorów dokonuje wyboru Rutherforda B. Hayesa na urząd prezydenta Stanów Zjednoczonych; do historii wybory te przechodzą pod nazwą kompromisu 1877 r., zawartego między demokratami z Południa i republikanami, których kandydat Hayes przegrywa w głosowaniu powszechnym w 1876 r.; kompromis jest możliwy dzięki odwołaniu federalnych oddziałów wojskowych ze stanów południowych (Karoliny Południowej i Luizjany); wiceprezydentem zostaje William A. Wheeler.

1877, 10 i 24 kwietnia – wojska federalne opuszczają Karolinę Południową i Luizjanę, kończąc ostatecznie proces rekonstrukcji.

1877, 4 października – kapitulacja Chiefa Josepha, wodza indiańskiego plemienia Nez Perce, który uprzednio podejmuje próbę przeprowadzenia grupy współplemieńcow przez Góry Skaliste i rzekę Missisipi do Kanady.

1878, 21 lutego – w New Haven w stanie Connecticut ukazuje się pierwsza książka telefoniczna.

1878, 22 lutego – w mieście Toledo, w stanie Ohio, zostaje założona Partia Greenback; jej program zakłada powrót do zasady równoprawnego obieg pieniądza złotego i srebrnego, zaprzestanie druku banknotów, zmniejszenie godzin pracy oraz ograniczenie liczby imigrantów chińskich.

1878, 13 grudnia – mimo prezydenckiego weta Kongres uchwala ostateczną wersję ustawy Blanda–Allisona, dotyczącej ponownego wprowadzenia srebra do obiegu i ustalającej jego stosunek do złota na 16:1.

1879, 15 lutego – prezydent Hayes podejmuje decyzję zezwalającą kobietom na wykonywanie funkcji prawniczych w rozprawach w Sądzie Najwyższym.

1880 – Nowy Jork jest pierwszym amerykańskim miastem posiadającym ponad milion mieszkańców.

1880 – powstaje Narodowe Stowarzyszenie Farmerskie (National Farmers' Alliance), obejmujące swym zasięgiem stany Kansas, Nebraskę, Dakotę Południową i mające na celu przeprowadzenie programu oddłużenia farm i ich odbudowy.

1880, 10 marca – w Nowym Jorku powstaje Armia Zbawienia.

1880, 2 listopada – James A. Garfield zostaje wybrany na prezydenta Stanów Zjednoczonych, wiceprezydentem zostaje Chester A. Arthur.

1881, 5 marca – prezydent James A. Garfield mianuje na urząd sekretarza wojny Jamesa Gillespie Blaine'a, przywódcę republikańskiej frakcji Half-Breeds, postulującej stopniowe znoszenie „systemu łupów" i odchodzenie od bossizmu, przeciw czemu występuje frakcja opozycyjna Stalwarts, kierowana przez Roscoe Conklinga i dążąca do utrzymania obecnego systemu.

1881, 23 marca–16 maja – walka frakcji republikańskich spowodowana nominacjami na wysokie funkcje w stanie Nowy Jork, w wyniku czego Roscoe Conkling rezygnuje z posiadanego mandatu kongresowego.

1881, 21 maja – powstaje organizacja Amerykańskiego Czerwonego Krzyża.

1881, 2 lipca – na waszyngtońskiej stacji kolejowej Charles J. Guiteau dokonuje zamachu na życie prezydenta Garfielda; Garfield umiera 19 września.

1881, 20 września – prezydentem Stanów Zjednoczonych z nominacji zostaje dotychczasowy wiceprezydent Chester A. Arthur.

1882, 22 maja – Stany Zjednoczone uznają niepodległość Korei i podpisują odpowiednie umowy handlowe.

1882, 5 sierpnia – Kongres uchwala ustawę o wykluczeniu Chińczyków (Chinese Exclusion Act), zakazując imigracji z Chin do Stanów Zjednoczonych; ustawa ta jest kolejną wersją wprowadzającą dziesięcioletnie moratorium na chińską imigrację.

1882, 4 grudnia – mianowana przez prezydenta komisja celna (Tariff Commission) postuluje zmniejszenie opłat celnych.

1883, 16 stycznia – na mocy projektu zgłoszonego przez senatora George'a H. Pendletona, Kongres uchwala ustawę Pendletona (Pendleton Act), która staje się podstawą reformy służby państwowej.

1884 – Stany Zjednoczone otrzymują prawo do budowy własnej bazy zaopatrzeniowej w Pearl Harbor na Hawajach.

1884, 6 czerwca – podczas konwencji wyborczej Partii Republikańskiej w Chicago jej kandydatem na urząd prezydencki zostaje James G. Blaine; w wyniku odkrycia malwersacji popełnionych w 1876 r. przez Blaine'a grupa polityków republikańskich (Carl Schurtz, Charles W. Eliot) decyduje się poprzeć kandydata Partii Demokratycznej Grovera Clevelanda; w odniesieniu do niezależnych polityków republikańskich zastosowano nazwę Mugwumps.

1884, 4 listopada – prezydentem Stanów Zjednoczonych zostaje Grover Cleveland, wiceprezydentem Thomas A. Hendricks.

1884, grudzień – Stany Zjednoczone podpisują układ z Nikaraguą w sprawie budowy kanału przez przesmyk środkowoamerykański.

1885, 21 lutego – oficjalne odsłonięcie pomnika George'a Washingtona w Waszyngtonie.

1885, 17 maja – indiańskie plemię Apaczów pod wodzą Geronimo opuszcza rezerwat w Arizonie i wznawia wojnę z białymi osadnikami.

1885, 25 listopada – umiera wiceprezydent Stanów Zjednoczonych Thomas A. Hendricks.

1885, 3 września – w Newport, w stanie Rhode Island, powstaje Naval War College.

1886, 19 stycznia – Kongres uchwala ustawę o sukcesji prezydenckiej (Presidential Succession Act), ustalającą zasady obejmowania urzędu po prezydencie przed upływem przepisowej kadencji; według niej po wiceprezydencie sukcesorami byliby kolejno członkowie gabinetu w porządku ustanawiania ministerstw.

1886, 22 marca – powstaje Komisja Handlu Międzynarodowego.

1886, 3 maja – rozruchy na Haymarket Square w Chicago, podczas których dochodzi do starcia strajkujących robotników z McCormick Harvest Company, wspieranych przez anarchistów, z policją.

1886, 4 września – kapitulacja wodza indiańskiego Geronimo przed gen. Nelsonem A. Milesem; fakt ten uważa się za zakończenie wojen indiańskich.

1886, 22 października – uroczyste odsłonięcie Statuy Wolności.

1886, grudzień – powstaje Amerykańska Federacja Pracy (American Federation of Labor – AFL) – pierwszy nowoczesny związek zawodowy o strukturze branżowej i ogólnokrajowym zasięgu; przewodniczącym związku zostaje Samuel Gompers.

1887, 4 lutego – na mocy ustawy o handlu międzystanowym (Interstate Commerce Act) powstaje komisja ds. handlu międzystanowego (Interstate Commerce Commission), której zadaniem jest wprowadzenie prawnych regulacji stosunków handlowych i gospodarczych.

1887, 5 marca – prezydent Grover Cleveland odwołuje ustawę o urzędzie państwowym (Tenure Office Act).

1887, 9 sierpnia – potyczka wojsk amerykańskich w stanie Kolorado z indiańskim plemieniem Ute.

1888, 6 listopada – prezydentem Stanów Zjednoczonych zostaje Benjamin Harrison, wiceprezydentem Levi P. Morton.

1889, 11 lutego – powstaje Departament Rolnictwa, którego pierwszym sekretarzem jest Norman J. Coleman.

1889, 22 kwietnia – Oklahoma zostaje oficjalnie otwarta dla osadnictwa.

1889, 2 października – w Waszyngtonie rozpoczyna obrady pierwsza panamerykańska konferencja, w której udział biorą Stany Zjednoczone i wszystkie państwa południowoamerykańskie (z wyjątkiem Republiki Dominikany).

1889, 2 listopada – po podziale terytorium Dakoty na część północną i południową do Unii zostają przyjęte kolejno Dakota Północna jako trzydziesty dziewiąty stan i Dakota Południowa jako stan czterdziesty.

1889, 8 listopada – Montana zostaje przyjęta do Unii jako czterdziesty pierwszy stan.

1889, 11 listopada – Waszyngton zostaje przyjęty do Unii jako czterdziesty drugi stan.

1890, 2 lipca – Kongres uchwala ustawę antytrustową (Sherman's Antitrust Act), której projektodawcą jest senator John Sherman; według ustawy nielegalny staje się „każdy kontrakt, kombinacja w formie trustu lub konspiracja w celu ograniczenia wymiany między stanami lub handlu międzynarodowego".

1890, 3 lipca – Idaho zostaje przyjęte do Unii jako czterdziesty trzeci stan.

1890, 10 lipca – Wyoming zostaje przyjęte do Unii jako czterdziesty czwarty stan.

1890, 14 lipca – Kongres uchwala zgłoszoną przez senatora Johna Shermana ustawę Shermana o zakupie srebra (Sherman's Silver Purchase Act), która zezwala na zakup przez skarb państwa 4,5 mln uncji srebra miesięcznie i płacenie zań banknotami wymienialnymi na złoto lub srebro.

1890, 29 grudnia – wojska amerykańskie odnoszą zwycięstwo nad indiańskim plemieniem Sioux w bitwie pod Wounded Knee w Dakocie Południowej.

1892, 2 lipca – konwencja wyborcza Partii Populistycznej, która od lutego tego roku stała się organizacją polityczną o zasięgu ogólnokrajowym; wystawiając własnego kandydata do wyborów prezydenckich partia postuluje: wprowadzenie nisko oprocentowanych pożyczek federalnych dla farmerów, „wolny obieg srebra", upaństwowienie żeglugi i kolei oraz bezpośrednie wybory senatorów.

1892, 6 lipca – dochodzi do starć strajkujących robotników w Carnagie Steel Co., w miejscowości Homestead, w stanie Pensylwania, z pracownikami agencji Pinckertona przybyłymi w celu ochrony zakładu; przyczyną zajść jest obniżenie płac, a następnie zamknięcie zakładu 1 lipca i jego ponowne otwarcie 6 lipca z zatrudnieniem łamistrajków; porządek zaprowadza milicja stanowa.

1892, 8 listopada – prezydentem zostaje Grover Cleveland, wiceprezydentem Adlai E. Stevenson.

1893 – kryzys gospodarczy i finansowy.

1893, marzec – tuż po inauguracji prezydent Grover Cleveland odwołuje podpisany 14 lutego tegoż roku przez Stanforda B. Dole'a traktat z władzami hawajskimi o aneksji Hawajów.

1893, 30 października – unieważnienie ustawy Shermana o zakupie srebra.

1894, 1 maja – Jacob S. Coxey dociera do Waszyngtonu na czele grupy pięciuset demonstrantów, domagających się zgody Kongresu na rozpisanie gwarantowanej przez rząd pożyczki 500 mln dolarów; policja rozpędza „armię Coxeya", on sam zostaje zatrzymany.

1894, 28 czerwca – Kongres uchwala ustawę uznającą pierwszy poniedziałek września za święto pracy.

1894, 5 lipca – strajk w zakładach taboru kolejowego Pullmana w Chicago, zorganizowany i kierowany przez przewodniczącego American Railway Union, Eugene'a V. Debsa, zostaje stłumiony przez wojsko federalne.

1895 – z inicjatywy biskupa metodystów Jamesa Cannona powstaje Liga Antysalonowa, której celem jest walka z saloonami – miejscami narodzin wszelkiego zła; w późniejszych latach Liga stanie się rzeczniczką wprowadzenia prohibicji.

1895, 17 grudnia – prezydent Grover Cleveland przesyła do Kongresu orędzie atakujące Wielką Brytanię za odmowę przyjęcia amerykańskiego arbitrażu w sporze granicznym między Wenezuelą i Gujaną Brytyjską.

1896 – gorączka złota na Alasce.

1896 – na mocy orzeczenia Sądu Najwyższego w sprawie Plessy kontra Ferguson uznano segregację rasową w stanach południowych za zgodną z prawem.

1896, 4 stycznia – Utah zostaje przyjęte do Unii jako czterdziesty piąty stan.

1896, 3 listopada – prezydentem Stanów Zjednoczonych zostaje William McKinley, wiceprezydentem Garret A. Hobart.

1898, 15 lutego – w zatoce w Hawanie z niewyjaśnionych przyczyn dochodzi do wybuchu na pokładzie amerykańskiego pancernika *Maine*; strona amerykańska oskarża hiszpańskie władze wojskowe o zatopienie okrętu za pomocą miny; w Stanach Zjednoczonych wzrost antyhiszpańskich nastrojów.

1898, 19 kwietnia – Kongres uchwala rezolucję, na mocy której uznaje niepodległość Kuby, domaga się wycofania z Kuby wojsk hiszpańskich i upoważnia prezydenta do użycia siły dla osiągnięcia tych celów.

1898, 20 kwietnia – rząd Stanów Zjednoczonych przedstawia Hiszpanii ultimatum, które – odrzucone przez Madryt – prowadzi do zerwania stosunków dyplomatycznych.

1898, 25 kwietnia – Kongres ogłasza stan wojny (faktycznie istniejący od 21 kwietnia) między Stanami Zjednoczonymi i Hiszpanią.

1898, 1 maja – amerykańska Eskadra Azjatycka, dowodzona przez komandora George'a Deweya, odnosi zwycięstwo pod Cavite w Zatoce Manilskiej nad hiszpańskim dalekowschodnim zespołem floty, dowodzonym przez admirała Patricio Montoję.

1898, 21 czerwca – amerykański korpus ekspedycyjny zajmuje Guam.

1898, 22 czerwca – amerykański korpus ekspedycyjny ląduje w Baiquiri koło Santiago de Cuba.

1898, 1 lipca – wojska amerykańskie lądują w pobliżu Manili.

1898, 1 lipca – zwycięstwo wojsk amerykańskich pod dowództwem gen. Williama Shaftera nad hiszpańskim zgrupowaniem dowodzonym przez gen. Arsenio Linaresa w bitwie o wzgórze San Juan.

1898, 7 lipca – Kongres uchwala ustawę o aneksji Hawajów.

1898, 13 sierpnia – podpisanie kapitulacji hiszpańskiego garnizonu broniącego Manili.

1898, 10 grudnia – Stany Zjednoczone i Hiszpania podpisują traktat pokojowy w Paryżu, na mocy którego Hiszpania zrzeka się praw do Kuby, przekazuje Stanom Zjednoczonym Puerto Rico i wyspę Guam oraz odstępuje Filipiny za sumę 20 mln dolarów.

1899, 6 lutego – Kongres ratyfikuje traktat paryski różnicą jednego głosu.

1899, 18 maja–29 lipca – Stany Zjednoczone biorą udział w konferencji haskiej, podpisując konwencje o „humanizacji" wojen oraz dokument ustanawiający Trybunał Arbitrażowy.

1899, 4 lipca – na Filipinach wybucha powstanie wysuwające hasło niepodległości, skierowane przeciw Stanom Zjednoczonym.

1899, 2 grudnia – Stany Zjednoczone podpisują z Niemcami i Wielką Brytanią konwencję dotyczącą podziału archipelagu Wysp Samoa, na mocy której otrzymują wyspę Tutuila z miastem Pago-Pago.

1899 – pierwsza nota amerykańska, opracowana przez sekretarza stanu Johna Haya i skierowana do mocarstw posiadających własne interesy na terytorium Chin, określająca zasady polityki „otwartych drzwi" w Chinach.

1900 – Stany Zjednoczone potwierdzają kurs polityki wobec Chin znany pod nazwą „otwartych drzwi"; w tym samym roku amerykański korpus pomaga w uwolnieniu Pekinu podczas powstania bokserów.

1900, 9 marca – Partia Socjaldemokratyczna wysuwa kandydaturę Eugene'a Debsa, socjalistycznego przywódcy, na urząd prezydenta w nadchodzących wyborach.

1900, 14 marca – Kongres uchwala ustawę o standardzie złota (Gold Standard Act), według której waluta amerykańska zostanie oparta wyłącznie na standardzie złota; za minimalny poziom rezerw złota przyjęto zasoby wartości 150 mln dolarów.

1900, 12 kwietnia – Kongres uchwala ustawę Forakera (Foraker Act), na mocy której wprowadzono w miejsce istniejącego zarządu wojskowego Puerto Rico administrację cywilną oraz zagwarantowano podstawy autonomii dla wyspy.

1900, 4 lipca – konwencja wyborcza Partii Demokratycznej wysuwa w nadchodzących wyborach prezydenckich kandydaturę Williama Jenningsa Bryana, przeciwnika kursu imperialistycznego.

1900, 6 listopada – William McKinley zostaje wybrany na drugą kadencję prezydencką, wiceprezydentem zostaje Theodore Roosevelt.

1901 – w efekcie rozłamu w Partii Socjaldemokratycznej powstaje Partia Socjalistyczna, w której główną rolę odgrywają Eugene Debs i Victor Berger.

1901, 2 marca – Orville H. Platt, przedstawia w Senacie projekt poprawki do konstytucji kubańskiej, opracowany przez sekretarza wojny Elihu Roota; do historii akt ten przechodzi pod nazwą poprawka Platta (Platt Amendment); Kuba staje się amerykańskim protektoratem.

1901, 12 maja – wybuch strajków w kopalniach w stanie Pensylwania.

1901, 6 września – prezydent William McKinley zostaje postrzelony przez Leona Czolgosza w Buffalo, w stanie Nowy Jork, podczas przyjęcia na wystawie panamerykańskiej.

1901, 14 września – umiera prezydent William McKinley, jego miejsce zajmuje wiceprezydent Theodore Roosevelt.

1901, 18 listopada – w Waszyngtonie dochodzi do podpisania brytyjsko-amerykańskiego traktatu Haya–Pauncefote'a, określającego warunki kontroli strefy przyszłego Kanału Panamskiego przez Stany Zjednoczone, które miały sprawować nad nim wyłączną kontrolę przy zachowaniu swobodnego prawa przepływu dla wszystkich statków obcych bander.

1902 – Kongres potwierdza i przedłuża działanie ustawy Chinese Exclusion Act, zakazującej chińskiej imigracji do Stanów Zjednoczonych, obejmując nią ludność pochodzenia chińskiego przybywającego z Filipin.

1902, 2 czerwca – Oregon staje się pierwszym stanem, w którym zaczęła obowiązywać instytucja referendum; dzięki niej proponowane ustawy poddawane są bezpośredniemu zatwierdzaniu przez wyborców w głosowaniu powszechnym.

1902, 28 czerwca – na mocy uchwalonej przez Kongres ustawy Spoonera (Spooner Act) prezydent Roosevelt zostaje upoważniony do wykupienia francuskich koncesji na budowę kanału w Panamie za sumę 40 mln dolarów.

1902, 1 lipca – decyzją Kongresu Filipiny otrzymują status terytorium nie zorganizowanego.

1903, 22 stycznia – sekretarz stanu John Hay podpisuje z kolumbijskim posłem Tomasem Herranem porozumienie, w myśl którego za odpowiednią opłatą Stany Zjednoczone mają prawo do wieczystej dzierżawy pasa lądu o szerokości 6 mil; umowy nie ratyfikuje Kongres Kolumbii.

1903, 14 lutego – powstaje Departament Handlu i Pracy.

1903, 19 lutego – Kongres uchwala ustawę Elkinsa (Elkins Act), która zabrania stosowania preferencyjnych taryf przewozowych przez spółki kolejowe.

1903, 20 października – amerykańsko-brytyjską kontrowersję dotyczącą granicy między Alaską i Kanadą rozstrzyga Alaskański Trybunał Arbitrażowy, przyznając sporne obszary Stanom Zjednoczonym.

1903, 6 listopada – doprowadziwszy do oderwania się Panamy od Kolumbii, Stany Zjednoczone uznają niepodległość tej pierwszej.

1903, 18 listopada – Stany Zjednoczone zawierają z Panamą porozumienie, na mocy którego zostaje określona strefa Kanału Panamskiego; umowa ta znana jest jako traktat Haya–Bunau–Varilli.

1903, 17 grudnia – pierwszy lot samolotu konstrukcji braci Wright.

1904, 26 lutego – Stany Zjednoczone formalnie nabywają strefę Kanału Panamskiego.

1904, 8 listopada – prezydentem Stanów Zjednoczonych zostaje Theodore Roosevelt, wiceprezydentem Charles W. Fairbanks.

1904, 2 grudnia – prezydent Theodore Roosevelt uzasadnia prawo Stanów Zjednoczonych do ingerencji w sprawy państw południowoamerykańskich w celu utrzymania pokoju na półkuli zachodniej i zapobieżeniu interwencji ze strony państw europejskich; deklarację Roosevelta uznaje się za uzupełnienie doktryny Monroego.

1905 – w Chicago, w stanie Illinois, zostaje założony rewolucyjny związek zawodowy pod nazwą Przemysłowi Robotnicy Świata (Industrial Workers of the World), którego podstawowym celem jest obalenie ustroju kapitalistycznego.

1905 – Stany Zjednoczone podpisują traktat z Dominikaną, na mocy którego zobowiązują się do uregulowania wierzytelności tego kraju wobec państw trzecich oraz występują jako gwarant jej integralności terytorialnej w zamian za sprawowanie kontroli nad dominikańskimi finansami.

1905, 5 września – z inicjatywy prezydenta Theodore'a Roosevelta w Portsmouth, w stanie New Hampshire, dochodzi do podpisania rosyjsko-japońskiego traktatu pokojowego.

1906, 26 stycznia – Kongres uchwala ustawę Hepburne'a (Hepburn Act), która zwiększa uprawnienia i liczbę członków Komisji ds. Handlu Międzynarodowego.

1906, 30 czerwca – Kongres przyjął ustawę dotyczącą kontroli i jakości produkcji żywności i lekarstw (Pure Food and Drug Act).

1906, 30 czerwca – po wykryciu nieprawidłowości w przetwórniach mięsa w Chicago, uchwałą Kongresu zostaje wprowadzona ustawa o kontroli mięsa (Meat Inspection Act), mająca na celu poprawę warunków sanitarnych w przetwórniach mięsa.

1907, 24 lutego – nieprzestrzeganie przez Japonię pierwszych umów, nakładających ograniczenia na imigrację do Stanów Zjednoczonych, zmusza rząd amerykański do zawarcia tajnych porozumień z rządem japońskim, zwanych dżentelmeńskimi porozumieniami (Gentleman's Agreement), w myśl których Japonia zobowiązuje się do ścisłego przestrzegania emigracji do Stanów Zjednoczonych w zamian za zapewnienia, że Waszyngton nie zastosuje wobec obywateli japońskich klauzul zawartych w ustawie o imigracji chińskiej.

1907, 13 marca – spadek cen na giełdzie powoduje kryzys gospodarczy.

1907, 15 maja–18 października – druga konferencja haska odrzuca propozycje Elihu Roota w sprawie zmiany stałego Trybunału Arbitrażowego na kilkuosobowy profesjonalny organ arbitrażowy.

1907, 16 listopada – Oklahoma zostaje przyjęta do Unii jako czterdziesty szósty stan.

1907, 23 grudnia – okręty liniowe, zbudowane po wojnie amerykańsko-hiszpańskiej 1898 r., stanowiące trzon floty Stanów Zjednoczonych i znane jako Wielka Biała Flota (Great White Fleet), wyruszają w rejs dookoła świata w celu zademonstrowania siły amerykańskiej marynarki.

1908, 30 listopada – sekretarz stanu Elihu Root podpisuje porozumienie z japońskim ambasadorem w Stanach Zjednoczonych Kogoro Takahira (traktat Root–Takahira), przewidujące utrzymanie przez oba kraje status quo w strefie Oceanu Spokojnego oraz polityki „otwartych drzwi" w Chinach.

1908, 3 listopada – prezydentem Stanów Zjednoczonych zostaje William Howard Taft, wiceprezydentem James S. Sherman.

1909 – w Nowym Jorku powstaje Krajowe Stowarzyszenie na rzecz Postępu Ludzi Kolorowych (National Association for Advance of Coloured People), którego celem jest doprowadzenie do przyznania Murzynom praw obywatelskich.

1909, 9 lutego – zostaje przyjęta ustawa zakazująca sprzedaży narkotyków.

1909, 9 kwietnia – Kongres uchwala ustawę Payne'a–Aldricha (Payne–Aldrich Tariff Act), która podwyższa stawki celne, m. in. na węgiel i rudę żelaza, zmniejszając jednocześnie inne opłaty celne, a tym samym kształtując średnią stawkę celną na poziomie 40,73%.

1909, 2 sierpnia – rząd Stanów Zjednoczonych zakupuje pierwszy samolot.

1909, 22 września – w ramach kursu politycznego, lansowanego przez prezydenta Williama H. Tafta, Stany Zjednoczone zachęcają Chiny do wzięcia od międzynarodowego konsorcjum pożyczki na budowę kolei w Mandżurii; udział Stanów Zjednoczonych w tym konsorcjum dawałby gwarancję przestrzegania polityki „otwartych drzwi".

1910, 31 sierpnia – Theodore Roosevelt w przemówieniu wygłoszonym w Osawatomie, w stanie Kansas, zawarł zasady „nowego nacjonalizmu" (New Nationalism) w stosunku do konserwatywnej administracji Williama H. Tafta, co zostało odebrane jako atak na prezydenckie rządy.

1910, 7 września – Międzynarodowy Trybunał Arbitrażowy w Hadze rozstrzyga długoletni spór amerykańsko-brytyjski w sprawie łowisk u wybrzeży Nowej Funlandii z korzyścią dla Stanów Zjednoczonych.

1911 – Sąd Najwyższy na mocy antytrustowej ustawy Shermana (Sherman Antitrust Act) nakazuje rozwiązanie Standard Oil Company i American Tabacco Company.

1911, 21 stycznia – w Waszyngtonie zostaje zawiązana Postępowa Narodowa Liga Republikańska (National Progressive Republican League), której współzałożycielem jest senator Robert M. La Folette; w jej programie wyborczym znajdują się takie postulaty jak: bezpośrednie wybory do Senatu, bezpośrednie wybory delegatów na konwencje partyjne oraz uzdrowienie stosunków społeczno-ekonomiczno-politycznych.

1911, 6 czerwca – na mocy konwencji Knox–Castrillo Stany Zjednoczone otrzymują prawo interwencji i ingerencji w sprawy finansowe Nikaragui.

1912, 6 stycznia – Nowy Meksyk zostaje przyjęty do Unii jako czterdziesty siódmy stan.

1912, 14 lutego – Arizona zostaje przyjęta do Unii jako czterdziesty ósmy stan.

1912, 14 sierpnia – amerykańska interwencja zbrojna w Nikaragui.

1912, 5 listopada – prezydentem Stanów Zjednoczonych zostaje Woodrow Wilson, wiceprezydentem Thomas R. Marshall.

1913, 25 lutego – Kongres uchwala XVI poprawkę do Konstytucji, upoważniającą go do nakładania podatków.

1913, 1 marca – na mocy międzystanowej ustawy alkoholowej Webba–Kenyona (Webb–Kenyon Interstate Liquor Act) zostaje wprowadzony zakaz transportowania alkoholu do stanów, w których jego sprzedaż jest zabroniona.

1913, 4 marca – decyzją uchwały Kongresu dochodzi do rozdzielenia Departamentu Handlu i Pracy na dwa odrębne departamenty.

1913, 31 maja – Kongres ratyfikuje XVII poprawkę do Konstytucji, wprowadzającą wybór senatorów w głosowaniu powszechnym.

1913, 3 października – Kongres uchwala ustawę opłat celnych Underwooda (Underwood Tariff Act), na mocy której po raz pierwszy od trzydziestu lat obniżono cła na towary importowane.

1913, 23 grudnia – zostaje przyjęta ustawa o tworzeniu systemu rezerw federalnych (Federal Reserve Act), dzieląca kraj na dwanaście dystryktów, w których znajdują się banki rezerw federalnych.

1913, 7 listopada – prezydent Woodrow Wilson domaga się rezygnacji meksykańskiego dyktatora Victoriano Huerty.

1914, 21 kwietnia – siły zbrojne Stanów Zjednoczonych bombardują i zajmują Vera Cruz.

1914, 20 maja–30 czerwca – za pośrednictwem państw ABC (Argentyny, Brazylii i Chile) dochodzi do spotkania delegatów ze Stanów Zjednoczonych z delegatami z Meksyku w Niagara Falls, w prowincji Ontario; propozycja mediatorów, zmierzająca do odsunięcia Huerty i utworzenia na jego miejsce rządu tymczasowego, napotyka opór Meksyku.

1914, 5 sierpnia – wraz z wybuchem I wojny światowej prezydent Woodrow Wilson zapowiada neutralność Stanów Zjednoczonych.

1914, 15 sierpnia – oficjalne otwarcie Kanału Panamskiego.

1914, 15 sierpnia – rząd Stanów Zjednoczonych oświadcza, iż udzielanie pożyczek przez amerykańskie banki którejkolwiek ze stron walczących jest niezgodne z duchem deklarowanej neutralności.

1914, 26 września – Kongres powołuje do życia Federalną Komisję ds. Handlu (Federal Trade Commission), której zadaniem jest m. in. zwalczanie nadużyć korporacji oraz nieprawidłowości w handlu i przemyśle.

1914, październik – rząd Stanów Zjednoczonych modyfikuje swą postawę w stosunku do pożyczek zagranicznych, wyrażając zgodę na pożyczki krótkoterminowe.

1914, 15 października – Kongres uchwala antytrustową ustawę Claytona (Clayton Antitrust Act), która stanowi uzupełnienie do ustawy antytrustowej Shermana z 1890 r.

1914, 4 listopada – w wyniku rządowej zgody na krótkoterminowe pożyczki dla stron biorących udział w wojnie National City Bank udziela pożyczki rządowi francuskiemu w wysokości 10 mln dolarów.

1914, 25 listopada – wojska amerykańskie opuszczają Vera Cruz.

1915, 10 lutego – w odpowiedzi na niemiecką notę z 4 lutego, ostrzegającą przed wpływaniem do strefy wojennej rozciągającej się wokół Wysp Brytyjskich, rząd Stanów Zjednoczonych oświadcza, iż w przypadku poszkodowania obywateli amerykańskich bądź ich własności akt taki zostanie uznany za pogwałcenie praw neutralności.

1915, 7 maja – niemiecki okręt podwodny zatapia brytyjski statek transatlantycki *Lusitanię*, na którego pokładzie wśród 1198 pasażerów znajdowało się 128 Amerykanów.

1915, 13 maja – prezydent Woodrow Wilson wystosowuje notę w sprawie *Lusitanii*, domagając się od Niemiec zaprzestania wojny podwodnej oraz wypłacenia odszkodowania rodzinom pasażerów transatlantyku.

1915, 9 czerwca – druga nota Wilsona w sprawie *Lusitanii* domagająca się od władz niemieckich przyrzeczenia zaprzestania wojny podwodnej.

1915, 21 lipca – trzecia nota Wilsona w sprawie *Lusitanii*, nosząca charakter ultimatum ostrzegającego przed powtórzeniem podobnego incydentu, który będzie odebrany w Waszyngtonie jako „rozmyślnie nieprzyjazny gest" (deliberately unfriendly).

1915, 29 lipca – na mocy rozkazu prezydenta Woodrowa Wilsona oddziały US Marines lądują na Haiti.

1915, 19 sierpnia – po zatopieniu brytyjskiego statku pasażerskiego

Arabic, z dwoma obywatelami amerykańskimi na pokładzie, ambasador Niemiec w Stanach Zjednoczonych, książę von Bernstorff, zapewnia Waszyngton, iż podobny incydent nigdy już nie powtórzy się, przekazując 15 października oficjalne przeprosiny i oferując odszkodowanie dla rodzin zaginionych.

1915, 17 października – Stany Zjednoczone uznają de facto rząd Venustiano Carranzy w Meksyku.

1915, 16 września – prezydent Haiti, Sudre Dartiguenave, podpisuje ze Stanami Zjednoczonymi umowę przekształcającą faktycznie Haiti w amerykański protektorat.

1916, 22 lutego – po nieudanych tajnych rozmowach, prowadzonych w Londynie, Paryżu i Berlinie w latach 1915–1916, dochodzi do podpisania porozumienia między płk. Edwardem M. Housem i brytyjskim ministrem spraw zagranicznych Edwardem Greyem, które przewidywało zwołanie, w dogodnym dla aliantów terminie, międzynarodowej konferencji pokojowej pod patronatem Stanów Zjednoczonych, przy czym niemiecka odmowa równałaby się wypowiedzeniu Niemcom wojny przez Stany Zjednoczone.

1916, 15 marca – amerykańska interwencja zbrojna w Meksyku pod dowództwem gen. Johna J. Pershinga.

1916, 24 marca – niemiecki okręt podwodny zatapia w cieśninie La Manche francuski statek pasażerski *Sussesx*, na którego pokładzie znajdowali się obywatele amerykańscy; odebrano to jako pogwałcenie umów zawartych w związku z zatopieniem statku *Arabic*.

1916, 18 kwietnia – prezydent Woodrow Wilson przesyła do Niemiec ultimatum, grożąc zerwaniem stosunków dyplomatycznych.

1916, 3 czerwca – zostaje uchwalona ustawa o obronie narodowej (National Defense Act), na podstawie której zostanie zwiększony stan liczebny sił regularnych do 175 tys. (kolejne 223 tys. w ciągu pięciu lat) i Gwardii Narodowej do 450 tys.

1916, 17 lipca – Kongres uchwala ustawę o kredytach dla rolnictwa (Federal Farm Loan Act), która określa warunki udzielania korzystnych długoterminowych kredytów na działalność rolniczą; całością systemu zarządza Rada Pożyczek Rolnych (Federal Farm Loan Board).

1916, 4 sierpnia – Stany Zjednoczone zakupują od Danii Wyspy Dziewicze za sumę 25 mln dolarów.

1916, 29 sierpnia – zostaje uchwalona ustawa Jonesa (Jones Act), która rozszerza autonomię Wysp Filipińskich i zapowiada przyznanie im niepodległości.

1916, 29 sierpnia – na mocy ustawy Kongresu zostaje powołana do życia Rada Obrony Narodowej (Council of National Defense), której zadanie polega na koordynowaniu przygotowań wojennych w zakresie wydobycia surowców strategicznych, produkcji wojskowej, stosunków pracy, edukacji i opieki zdrowotnej.

1916, 1 września – Kongres uchwala ustawę Keatinga–Owena o pracy dzieci (Keating–Owen Child Labor Act), która ogranicza zatrudnianie dzieci w przemyśle.

1916, listopad – Jeanette Rankin, ze stanu Montana, zostaje pierwszą kobietą-członkiem Izby Reprezentantów.

1916, 7 listopada – Woodrow Wilson zostaje wybrany na prezydenta na drugą kadencję, wiceprezydentem zostaje Thomas R. Marshall.

1916, 29 listopada – Stany Zjednoczone ogłaszają okupację Santo Domingo.

1917, 22 stycznia – w przemówieniu do Senatu prezydent Woodrow Wilson mówi o potrzebie powołania do życia międzynarodowej organizacji stojącej na straży pokoju oraz o potrzebie zawarcia „pokoju bez zwycięzców".

1917, 31 stycznia – ambasador Niemiec w Stanach Zjednoczonych, książę von Bernstorff, powiadamia sekretarza stanu Roberta Lansinga, iż z dniem 1 lutego Niemcy wznawiają nieograniczoną wojnę podwodną.

1917, 3 lutego – po zatopieniu przez niemiecki okręt podwodny amerykańskiej jednostki USS *Hausatonic*, prezydent Wilson podejmuje decyzję o zerwaniu stosunków dyplomatycznych z Niemcami.

1917, 1 marca – ambasador Stanów Zjednoczonych w Wielkiej Brytanii, Walter Hines Page, przekazuje prasie treść tajnego pisma niemieckiego ministra spraw zagranicznych Alfreda Zimmermanna, przesłanego 19 stycznia tegoż roku niemieckiemu posłowi w Meksyku, hrabiemu von Eckhardtowi, w którym ten ostatni domagał się, aby w przypadku przystąpienia Stanów Zjednoczonych do wojny Eckhardt dążył do zawarcia aliansu z Meksykiem; wydarzenie to przechodzi do historii pod nazwą telegramu Zimmermanna.

1917, 2 marca – na mocy uchwalonej ustawy Jonesa (Jones Act) Puerto Rico zostaje przekształcone w terytorium Stanów Zjednoczonych, a jego mieszkańcy otrzymują amerykańskie obywatelstwo.

1917, 8 marca – Senat przyjmuje zasadę umożliwiającą zamknięcie debaty na wniosek większości (Senate Cloture Rule).

1917, 4 kwietnia – stosunkiem głosów 82 do 6 Senat uchwala ustawę o stanie wojny z Niemcami.

1917, 6 kwietnia – Izba Reprezentantów potwierdza uchwałę senacką stosunkiem głosów 373 do 50.

1917, 6 kwietnia – Stany Zjednoczone wypowiadają wojnę Niemcom.

1917, 14 kwietnia – z inicjatywy prezydenta Wilsona powstaje Komitet Informacji Publicznej (Committee of Public Information), mający na celu zorganizowanie kampanii informacyjnej, propagującej w społeczeństwie wysiłek wojenny.

1917, 24 kwietnia – zostaje uchwalona ustawa o pożyczkach wolnościowych (Liberty Loans), umożliwiających finansowanie wysiłku wojennego Stanów Zjednoczonych oraz zakup żywności i materiałów wojennych przez państwa Ententy.

1917, maj – gen. John J. Pershing otrzymuje nominację na naczelnego dowódcę Amerykańskich Sił Ekspedycyjnych.

1917, 18 maja – Kongres uchwala ustawę o selektywnym poborze (Selective Service Act), która przewiduje rejestrację mężczyzn zdolnych do służby wojskowej w wieku 21–30 lat; od sierpnia 1918 r. granica wieku uległa rozszerzeniu od 18 do 45 lat.

1917, czerwiec – do Europy przybywają pierwsze jednostki amerykańskich sił zbrojnych.

1917, 1 czerwca – rozpisano pierwszą pożyczkę wolnościową, która przynosi 2 mld dolarów wpływów.

1917, 15 czerwca – uchwalono ustawę o szpiegostwie (Espionage Act), która przewiduje kary do 10 tys. dolarów lub 20 lat więzienia dla osób podejrzanych o szpiegostwo i nielojalność wobec państwa.

1917, 28 lipca – powstaje Komisja Wojenna ds. Przemysłu (War Industries Board) w celu koordynacji wysiłków na rzecz podniesienia produkcji oraz ograniczenia strat gałęzi przemysłu wytwarzających na potrzeby wojenne.

1917, 12 października – uchwalono ustawę o zakazie handlu z państwami wrogimi (Trading With The Enemy Act), która zabrania prowadzenia interesów handlowych z narodami wrogimi lub z państwami z nimi związanymi.

1917, 12 października – prezydent Wilson powołuje do życia Urząd ds. Handlu Wojennego (War Trade Board), którego celem jest egzekwowanie zakazu handlu z wrogami Stanów Zjednoczonych.

1917, 31 października – na mocy porozumienia zawartego między sekretarzem stanu Robertem Lansingiem i reprezentującym Japonię Kikujiro Ishii dochodzi do zawarcia porozumienia (Lansing–Ishii), na mocy którego Stany Zjednoczone, potwierdzając politykę „otwartych drzwi" w Chinach, uznają japońskie interesy w tym państwie.

1917, 2 listopada – druga pożyczka wolnościowa przynosi 3,8 mld dolarów wpływu.

1918, 8 stycznia – prezydent Woodrow Wilson przedstawia w Kongresie „14 punktów" – „jedyny możliwy program pokojowy".

1918, 8 kwietnia – Rada Obrony Narodowej tworzy Krajową Komisję Wojenną ds. Stosunków Pracy (National War Labor Board), której celem jest mediacja i doradztwo w sprawach konfliktowych z zakresu stosunków pracy w przemyśle produkującym na potrzeby wojenne.

1918, maj – trzecia pożyczka wolnościowa przynosi 4,2 mld dolarów wpływu.

1918, 16 maja – zostaje uchwalony akt uzupełniający do ustawy o szpiegostwie (Sedition Act), według którego karze podlega każdy, kto występuje na piśmie przeciwko polityce rządu.

1918, 28 maja – wojska amerykańskie biorą udział w zwycięskiej bitwie pod Cantigny.

1918, 18 lipca–6 sierpnia – wojska amerykańskie w liczbie 270 tys. żołnierzy biorą udział w kontrofensywie nad Marną.

1918, 10 sierpnia – powstaje 1 Armia amerykańska.

1918, 19 sierpnia – około 108 tys. żołnierzy amerykańskich bierze udział w ofensywie Ypres–Lys.

1918, 12–16 września – Amerykanie przeprowadzają udaną operację w rejonie Saint Michiel.

1918, 15 września – wojska amerykańskie biorą udział w walkach w Argonnach.

1918, 26 września–11 listopada – wojska amerykańskie w sile 1,2 mln żołnierzy biorą udział w ofensywie Moza–Argonny.

1918, 11 listopada – zawieszenie broni w I wojnie światowej.

1918, 7 grudnia – rząd przejmuje nadzór nad kolejami.

1919, 18 stycznia – rozpoczęcie rozmów pokojowych w Paryżu.

1919, 25 stycznia – podczas drugiej sesji plenarnej pod naciskiem prezydenta Wilsona zwycięskie mocarstwa wyrażają zgodę, by punkt stanowiący o powstaniu Ligii Narodów znalazł się w traktacie pokojowym.

1919, 29 stycznia – zostaje ratyfikowana XVIII poprawka do Konstytucji, wprowadzająca zakaz produkcji, sprzedaży i transportu alkoholu.

1919, 14 lutego – przywódcy rządów Wielkiej Brytanii, Francji, Włoch i Japonii akceptują pakt Ligii Narodów.

1919, marzec – prokuratorem generalnym Stanów Zjednoczonych zostaje John M. Palmer, który na przełomie 1919/1920 r. zainicjuje akcję znaną pod nazwą „rajdy Palmera", mającą na celu aresztowanie osób podejrzanych o radykalnie lewicowe poglądy.

1919, kwiecień – czwarta pożyczka wolnościowa, tzw. pożyczka zwycięstwa, przynosi 6 mld dolarów wpływu.

1919, 28 czerwca – podpisanie traktatu wersalskiego.

1919, 10 lipca – prezydent Woodrow Wilson przekazuje Senatowi postanowienia traktatu wersalskiego.

1919, 4 września – prezydent Wilson rozpoczyna propagandową podróż po kraju w celu uzyskania poparcia dla przyjęcia przez Stany Zjednoczone postanowień traktatu wersalskiego oraz przystąpienia do Ligii Narodów; wygłasza 37 przemówień w 29 miastach.

1919, 9 września – z powodu nieuznania przez komisarza policji związku zawodowego policjantów wybucha w Bostonie strajk policji, który decyzją gubernatora stanu Massachusetts, Calvina Coolidge'a, zostaje rozbity przez siły porządkowe.

1919, 19 listopada – Senat odrzuca postanowienia traktatu wersalskiego, tym samym Stany Zjednoczone pozostają poza Ligą Narodów.

1919, 22 grudnia – po rozpoczęciu na jesieni tegoż roku przez władze federalne masowych aresztowań radykalnych polityków i aktywistów związkowych dochodzi do deportacji do Rosji Radzieckiej 249 osób.

1920, 2 stycznia – największa fala aresztowań przeprowadzona w 33 miastach, w wyniku której dochodzi do postawienia przed sądem 2700 osób.

1920, 26 sierpnia – Kongres ratyfikuje XIX poprawkę do Konstytucji, nadającą kobietom prawa wyborcze.

1920, 2 listopada – prezydentem Stanów Zjednoczonych zostaje Warren G. Harding, wiceprezydentem Calvin Coolidge.

1921 – radykalne frakcje, wchodzące w skład Partii Socjalistycznej, dokonując secesji tworzą Komunistyczną Partię Stanów Zjednoczonych (Communist Party of the United States).

1921 – recesja gospodarcza powoduje wzrost liczby bezrobotnych do ponad 4,5 mln.

1921, 19 maja – Kongres uchwala pierwszą ustawę kwotową (Quota Law), ograniczającą liczbę imigracji do Stanów Zjednoczonych, określając ją w wymiarze rocznym na 375 tys.

1921, 10 czerwca – Kongres uchwala ustawę o budżetowym sprawozdaniu (Budget and Accounting Act), która nakłada obowiązek corocznego przedstawiania Kongresowi prowizorium budżetowego oraz sprawozdania za rok miniony.

1921, 9 sierpnia – powstaje Biuro Weteranów (Veterans Bureau) jako niezależna instytucja, odpowiedzialna bezpośrednio przed prezydentem.

1921, 11 listopada – na cmentarzu Arlington pod Waszyngtonem wzniesiono Grób Nieznanego Żołnierza.

1921, 12 listopada–**1922**, 6 lutego – z inicjatywy Stanów Zjednoczonych w Waszyngtonie obraduje konferencja z udziałem Wielkiej Brytanii, Francji, Włoch, Belgii, Portugalii, Japonii i Chin, która poświęcona jest sytuacji na Dalekim Wschodzie oraz ograniczeniom w dziedzinie zbrojeń morskich.

1922, 6 lutego – podczas konferencji waszyngtońskiej zostaje podpisany układ pięciu (Stany Zjednoczone, Wielka Brytania, Japonia, Francja, Włochy), ustalający proporcje całkowitego tonażu okrętów liniowych tych państw (5 : 5 : 3 : 1,75 : 1,75).

1922, 4 grudnia–**1923**, 7 lutego – w Waszyngtonie z udziałem Stanów Zjednoczonych obraduje druga konferencja państw środkowoamerykańskich, zajmująca się sporami między Nikaraguą i Hondurasem.

1923 – Stany Zjednoczone wycofują własny kontyngent sił zbrojnych z Nadrenii.

1923, 7 stycznia – baltimorski dziennik „Sun" demaskuje działalność Ku-Klux-Klanu, który terroryzuje organy administracji w Morehouse Parish, w stanie Luizjana; rośnie popularność Klanu występującego przeciwko mniejszościom rasowym, wyznaniowym, narodowym i imigrantom.

1923, marzec – senacka komisja pod przewodnictwem Thomasa J. Walsha ujawnia nadużycia w sprawie skandalu związanego ze złożami ropy naftowej w Teapot Dome, w stanie Wyoming, oraz Elk Hills w Kalifornii.

1923, 2 sierpnia – prezydent Warren Harding umiera przed upływem kadencji.

1923, 3 sierpnia – prezydentem Stanów Zjednoczonych zostaje dotychczasowy wiceprezydent Calvin Coolidge.

1924 – Edgar J. Hoover zostaje dyrektorem Biura Śledczego (Bureau of Investigation), przemianowanego w 1935 r. na Federalne Biuro Śledcze (Federal Bureau of Investigation – FBI).

1924, 9 kwietnia – Charles G. Dawes przedstawia państwom europejskim plan stabilizacji niemieckiej waluty dzięki pożyczkom międzynarodowym oraz spłat niemieckich reparacji wojennych rozłożonych w czasie; w historii plan ten znany jest pod nazwą planu Dawesa.

1924, 24 maja – na mocy ustawy o służbie zagranicznej (Foreign Service Act) dochodzi do połączenia dotychczas odrębnych służb: dyplomatycznej i konsularnej, w jeden system służby dyplomatycznej.

1924, 26 maja – zostaje uchwalona druga ustawa kwotowa (Quota Law) zmniejszająca liczbę imigrantów o 50% w porównaniu z pierwszą.

1924, 2 czerwca – obywatelstwo amerykańskie otrzymują wszyscy Indianie urodzeni na terytorium Stanów Zjednoczonych.

1924, lipiec – wraz z demokratycznymi wyborami prezydenckimi w Dominikanie Stany Zjednoczone wycofują własny kontyngent US Marines z tego kraju.

1925, 5 stycznia – Nellie Taylor Ross zostaje pierwszą kobietą-gubernatorem; urząd swój sprawuje w stanie Wyoming.

1925, 28 października–17 grudnia – w Waszyngtonie toczy się proces Billy Mitchella, zastępcy dowódcy Army Air Service w latach 1920–1924, który za krytykę najwyższego dowództwa amerykańskich sił zbrojnych zostaje uznany winnym i wydalony ze służby wojskowej.

1927, 20 maja – Charles A. Lindbergh samotnie odbywa lot przez Atlantyk.

1927, 20 czerwca–4 sierpnia – z inicjatywy prezydenta Calvina Coolidge'a zostaje zwołana do Genewy konferencja mocarstw z udziałem Stanów Zjednoczonych, Wielkiej Brytanii i Japonii (bez udziału Francji i Włoch), na której omówiono możliwości ograniczenia zbrojeń morskich nie objętych postanowieniami konferencji waszyngtońskiej.

1927, 1 lipca – pod naciskiem opinii publicznej gubernator stanu Massachusetts, Alan T. Fuller, powołuje specjalną komisję do zbadania sprawy Sacco i Vanzettiego, których wyrokiem sądowym z 14 lipca 1921 r. skazano na karę śmierci.

1927, 2 sierpnia – podczas pobytu w Black Hills w Dakocie Południowej prezydent Calvin Coolidge oświadcza, iż nie będzie ubiegał się o drugą kadencję prezydencką.

1927, 23 sierpnia – wykonanie wyroku śmierci na Sacco i Vanzettim.

1928, 27 sierpnia – z inicjatywy amerykańskiego sekretarza stanu Franka B. Kelloga i francuskiego ministra spraw zagranicznych Aristide'a Brianda, w Paryżu dochodzi do podpisania aktu Kellogga–Brianda, który sygnowały ogółem 63 państwa; sygnatariusze zobowiązali się do wyrzeczenia się wojny jako narzędzia prowadzenia polityki i sposobu rozstrzygania sporów.

1928, 6 listopada – prezydentem Stanów Zjednoczonych zostaje Herbert C. Hoover, wiceprezydentem Charles Curtis.

1929, 15 stycznia – Senat zatwierdza pakt Kellogga–Brianda.

1929, 11 lutego – przewodniczący Komisji ds. Niemieckich Reparacji (Committee on German Reparation), Owen Young, opracowuje nowy projekt spłacania przez Niemcy reparacji wojennych, rozłożonych na 59 rat i zredukowanych do 121 mld marek.

1929, 15 czerwca – zostaje powołana do życia organizacja rządowa ds. organizacji spółdzielczości i zbytu nadwyżek rolnych (Farm Board).

1929, 24 października – na nowojorskiej giełdzie sprzedano 13 mln akcji, 29 października zaś 16 mln akcji; rozpoczyna się Wielki Kryzys Gospodarczy.

1929, 25 października – Albert B. Fall, sekretarz Departamentu Zasobów Wewnętrznych w okresie prezydentury Warrena G. Hardinga, zamieszany w skandal Teapot Dome, zostaje uznany winnym praktyk korupcyjnych.

1929, 19–27 listopada – prezydent Herbert C. Hoover organizuje w Białym Domu spotkanie z czołowymi przedstawicielami świata biznesu w celu omówienia programu wyjścia z kryzysu.

1930, 22 kwietnia – w wyniku obrad konferencji londyńskiej z udziałem Stanów Zjednoczonych, Wielkiej Brytanii, Francji i Włoch przyjęto nowe ograniczenia w sprawie zbrojeń morskich, m. in. w kwestii budowy krążowników, niszczycieli i okrętów podwodnych.

1930, 3 lipca – na mocy uchwały Kongresu powstaje nowa agencja rządowa: Zarząd Weteranów (Veterans Administration).

1930, 2 grudnia – prezydent Herbert C. Hoover występuje do Kongresu z petycją o przyznanie sumy od 100 do 150 mln dolarów na program robót publicznych.

1931, 20 stycznia – prezentując przed Kongresem raport George'a W. Wickershama na temat funkcjonowania XVIII poprawki do Konstytucji (prohibicja), prezydent Herbert C. Hoover opowiada się za utrzymaniem dotychczasowego kursu.

1931, 3 marca – napisana w 1814 r. pieśń *Gwiaździsty Sztandar* (*Star Spangled Banner*) zostaje uznana przez Kongres za hymn narodowy Stanów Zjednoczonych.

1931, 20 czerwca – prezydent Herbert C. Hoover ogłasza roczne odroczenie płatności długów wojennych i reparacji, znane jako moratorium Hoovera.

1932, 7 stycznia – w wyniku japońskiej agresji na Mandżurię sekretarz stanu Henry L. Stimson przesyła notę dyplomatyczną do Chin i Japonii, stwierdzającą, że Stany Zjednoczone nie uznają żadnego porozumienia lub traktatu, który podważałby suwerenność Chin bądź prowadził do zmian terytorialnych i administracyjnych ich kosztem; zasady te noszą nazwę doktryny Stimsona.

1932, 22 stycznia – powstaje Towarzystwo Rekonstrukcji Finansów (Reconstruction Finance Corporation), którego celem jest udzielanie nisko oprocentowanych pożyczek i kredytów bankom i towarzystwom ubezpieczeniowym, co ma spowodować ożywienie gospodarcze.

1932, 28–29 lipca – marsz weteranów na Waszyngton (Bonus March).

1932, 8 listopada – prezydentem Stanów Zjednoczonych zostaje Franklin Delano Roosevelt, wiceprezydentem John Nance Garner.

1933 – od 1930 r. do momentu rozpoczęcia urzędowania przez prezydenta Roosevelta 5504 banków ogłosiło upadłość.

1933, 13 stycznia – na mocy ustawy Hawesa–Cuttinga (Hawes–Cutting Act) Stany Zjednoczone zobowiązują się do przyznania Filipinom pełnej niepodległości w ciągu dwunastu lat z zastrzeżeniem posiadania prawa do utrzymywania na ich terytorium baz wojskowych.

1933, 6 lutego – Kongres ratyfikuje XX poprawkę do Konstytucji, regulującą zakończenie prezydenckiej kadencji, którą przesunięto z 3 marca w południe na dzień 20 stycznia.

1933, 4 marca – podczas przemówienia inauguracyjnego prezydent Franklin D. Roosevelt deklaruje gotowość przekształcenia Stanów Zjednoczonych w „dobrego sąsiada" państw Ameryki Południowej; działania administracji zmierzające w tym kierunku noszą nazwę „polityki dobrego sąsiada" (Good Neighbor Policy).

1933, 9 marca–16 kwietnia – „Sto Dni", podczas których Kongres przyjmuje kompleks ustaw wprowadzających program Nowego Ładu (New Deal).

1933, 12 marca – prezydent Roosevelt inauguruje audycje radiowe znane jako „Pogawędki przy Kominku" (Fireside Chats), podczas których informuje społeczeństwo amerykańskie o bieżącej polityce wewnętrznej.

1933, 27 marca – w celu koordynacji i kontroli kredytu dla rolnictwa zostaje utworzona Administracja ds. Kredytu dla Farmerów (Farm Credit Administration).

1933, 31 marca – jako jedna z pierwszych agencji Nowego Ładu powstaje Cywilny Korpus Ochrony Przyrody (Civilian Conservation Corps), którego podstawowe zadanie polegało na zapewnieniu pracy ludziom młodym i z rodzin otrzymujących zasiłki.

1933, 12 maja – Kongres uchwala ustawy o przystosowaniu rolnictwa (Agriculture Adjustment Acts), których celem jest zmniejszenie nadwyżki produkcyjnej w rolnictwie i zahamowanie spadku cen na produkty rolne.

1933, 12 maja – Kongres powołuje do życia Administrację Federalną Pomocy Doraźnej (Federal Emergency Relief Administration), która jako agenda rządowa działająca w ramach Nowego Ładu ma zająć się doraźną pomocą dla bezrobotnych, a także dla farmerów.

1933, 18 maja – powstaje Urząd ds. Doliny Tennessee (Tennessee Valley Authority), mający zająć się sprawą rozwoju gospodarczego doliny Tennessee.

1933, 12 czerwca–27 lipca – obrady konferencji londyńskiej z udziałem Stanów Zjednoczonych i państw europejskich w celu podjęcia wspólnych środków antykryzysowych.

1933, 16 czerwca – w celu zwalczania skutków Wielkiego Kryzysu Gospodarczego zostaje utworzona Administracja Odbudowy Gospodarczej (National Recovery Administration).

1933, 16 czerwca – powstaje Administracja Robót Publicznych (Public Works Administration).

1933, 16 czerwca – z zamiarem ubezpieczenia depozytów bankowych na wypadek upadłości banku utworzono Federalną Korporację Ubezpieczeń Depozytów (Federal Deposit Insurance Corporation).

1933, 16 listopada – Stany Zjednoczone nawiązują stosunki dyplomatyczne ze Związkiem Radzieckim.

1933, 5 grudnia – Kongres przyjmuje XXI poprawkę do Konstytucji, znoszącą prohibicję.

1933, 26 grudnia – sekretarz stanu Cordell Hull podczas konferencji w Montevideo podpisuje deklarację o nieingerowaniu Stanów Zjednoczonych w sprawy wewnętrzne i zagraniczne innych państw amerykańskich.

1934, 24 marca – na mocy ustawy Tydingsa–McDuffie (Tydings–McDuffie Act), która zasadniczo potwierdza ustawę Hawesa–Cuttinga ze stycznia 1933 r., Stany Zjednoczone zapewniają Filipiny o przyszłej niepodległości, pozostawiając kwestię amerykańskich baz wojskowych do przyszłych negocjacji.

1934, 29 maja – unieważniono poprawkę Platta.

1934, 12 czerwca – z inicjatywy sekretarza stanu Cordella Hulla zostaje uchwalona ustawa o wzajemnych korzyściach w porozumieniach handlowych (Reciprocal Trade Agreements Act), która upoważnia prezydenta do zawierania umów handlowych z rządami innych państw – w zamian za określone koncesje może on obniżyć opłaty celne o 50%.

1934, 28 czerwca – zostaje powołany do życia Zarząd Budownictwa Mieszkaniowego (Federal Housing Administration).

1934, 6 sierpnia – kontyngent wojsk amerykańskich opuszcza Haiti.

1935, 6 maja – zostaje utworzona Administracja Robót Publicznych (Works Progress Administration), której zadaniem jest walka z bezrobociem.

1935, 27 maja – decyzją Sądu Najwyższego zostaje unieważniona ustawa o odbudowie gospodarczej (National Industrial Recovery Act).

1935, 5 lipca – prezydent Franklin D. Roosevelt podpisuje ustawę Wagnera–Connery'ego (Wagner–Connery Act), regulującą stosunki prawne między pracodawcami i pracownikami.

1935, 14 sierpnia – Kongres uchwala ustawę o ubezpieczeniu społecznym (Social Security Act).

1935, 31 sierpnia – po włoskim najeździe na Etiopię Kongres uchwala pierwszą ustawę o neutralności (Neutrality Act), wprowadzając sześciomiesięczne embargo na dostawy broni dla stron walczących.

1935, 9 grudnia–**1936**, 25 marca – podczas konferencji londyńskiej z udziałem pięciu potęg morskich (z której wycofały się Włochy i Japonia) zamieniono koncepcję ilościową ograniczenia zbrojeń morskich na jakościową.

1936, 6 stycznia – Sąd Najwyższy unieważnia ustawę o przystosowaniu rolnictwa z 1933 r.

1936, 29 lutego – w wyniku przedłużenia pierwszej ustawy o neutralności (Neutrality Act) do 1 maja 1937 r. uchwalono drugą ustawę sankcjonującą przedłużenie terminu pierwszej, zakazując przy tym udzielania kredytów walczącym stronom.

1936, 3 listopada – prezydent Franklin D. Roosevelt zostaje wybrany na drugą kadencję, wiceprezydentem zostaje John N. Garner.

1936, 1 grudnia – prezydent Franklin D. Roosevelt oraz sekretarz stanu Cordell Hull biorą udział w panamerykańskiej konferencji w Buenos Aires w celu wypracowania zasad neutralności państw półkuli zachodniej wobec konfliktów europejskich.

1937, 1 maja – uchwalono trzecią ustawę o neutralności (Neutrality Act) utrzymującą embargo na dostawy broni i materiałów wojennych, przy czym zastrzeżono dla prezydenta możliwość sprzedaży towarów nie objętych embargiem na zasadach „cash and carry".

1937, 22 lipca – Senat odrzuca propozycje prezydenta Roosevelta reorganizacji Sądu Najwyższego.

1937, 14 września – prezydent Roosevelt wydaje zakaz transportu sprzętu wojennego do Chin i Japonii na amerykańskich statkach rządowych, ostrzegając prywatnych armatorów o ryzyku podejmowania takich działań.

1937, październik–listopad – recesja gospodarcza.

1937, 5 października – w przemówieniu wygłoszonym w Chicago prezydent Roosevelt mówi o zastosowaniu „międzynarodowej kwarantanny" w stosunku do państw-agresorów jako jedynym środku zabezpieczającym pokój na świecie.

1937, 12 grudnia – lotnictwo japońskie zatapia amerykańską kanonierkę *Panay* na rzece Jangcy.

1937, 14 grudnia – Kongres rozpatruje projekt rezolucji, przedstawiony przez członka Izby Reprezentantów Louisa Ludlowa, domagającego się, by o wypowiedzeniu wojny nie decydował Kongres, lecz powszechne referendum.

1938, 16 lutego – Kongres uchwala drugą ustawę o przystosowaniu rolnictwa (Agriculture Adjustment Act), wprowadzającą subsydiowanie przez rząd zakupów żywności w ramach limitów akceptowanych przez farmerów.

1938, październik – opinia publiczna w Stanach Zjednoczonych uważa układy monachijskie za możliwość utrzymania pokoju w Europie.

1938, 9–27 grudnia – amerykański sekretarz stanu Cordell Hull uczestniczy w konferencji państw amerykańskich w Limie, której celem jest wzmocnienie solidarności państw półkuli zachodniej wobec wzrostu zagrożenia zewnętrznego.

1938, 31 grudnia – w odpowiedzi na japońską notę z 18 listopada, podważającą zasady polityki „otwartych drzwi" w Chinach, Departament Stanu odrzuca możliwość uznania nowego ładu na Dalekim Wschodzie, tworzonego przez japoński imperializm.

1939, 4 stycznia – inaczej aniżeli dotychczas w corocznym posłaniu prezydenckim Roosevelt nie koncentruje się na sprawach wewnętrznych, skupiając uwagę na zagrożeniu, jakie niosą ze sobą „siły agresywne" dla międzynarodowego pokoju i demokracji.

1939, 5 stycznia – prezydent Roosevelt przedstawia Kongresowi 9-miliardowy budżet na 1940 r., w którym 1 319 558 000 dolarów przeznaczono na wydatki związane z obroną narodową.

1939, 12 stycznia – prezydent Roosevelt przedstawia Kongresowi potrzebę uchwalenia dodatkowych 525 mln dolarów w ramach programu obrony narodowej.

1939, 2 sierpnia – zostaje uchwalona ustawa Hatcha (Hatch Act), której projekt zgłasza senator Carl Hatch ze stanu Nowy Meksyk; ogranicza ona sponsorowanie kampanii wyborczej przez indywidualnych obywateli.

1939, 24 sierpnia – prezydent Roosevelt występuje z apelem do prezydenta Polski Ignacego Mościckiego, kanclerza Rzeszy Adolfa Hitlera oraz króla Włoch Wiktora Emanuela III, proponując przeprowadzenie negocjacji pokojowych.

1939, 3 września – prezydent Roosevelt podczas „Pogawędki przy Kominku" zapewnia, iż Stany Zjednoczone pozostaną neutralne wobec europejskiego konfliktu.

1939, 5 września – Stany Zjednoczone oficjalnie deklarują swą neutralność.

1939, 23 września–3 października – zwołana do Panamy konferencja ministrów spraw zagranicznych krajów amerykańskich ma na celu rozpatrzenie problemów powstałych w wyniku wybuchu II wojny światowej.

1939, 11 października – Albert Einstein wraz z grupą naukowców informuje prezydenta Roosevelta o możliwości wyprodukowania bomby atomowej.

1939, 4 listopada – uchwalając czwartą ustawę o neutralności (Neutrality Act) Kongres upoważnił prezydenta do sprzedaży materiałów wojennych stronom walczącym; powstała dzięki temu możliwość pomocy dla Wielkiej Brytanii i państw sprzymierzonych.

1940, 9 lutego – prezydent Roosevelt przedstawia szczegóły dotyczące europejskiej misji podsekretarza stanu Sumnera Wellesa, który ma zapoznać się z poglądami stron walczących.

1940, 28 czerwca – Kongres uchwala ustawę o rejestracji obcokrajowców (Alien Registration Act), która wprowadza obowiązek rejestracji przebywających w Stanach Zjednoczonych obywateli obcych państw.

1940, 30 lipca – z inicjatywy amerykańskiego sekretarza stanu Cordella Hulla zostaje zwołana do Hawany konferencja państw amerykańskich, której celem jest zapobieżenie przejęciu przez Niemcy terytoriów amerykańskich należących do okupowanej Francji i Holandii.

1940, 2 września – Stany Zjednoczone zawierają z Wielką Brytanią porozumienie określane mianem „niszczyciele za bazy" (Destroyers for Bases), na mocy którego w zamian za 50 amerykańskich niszczycieli rząd brytyjski wydzierżawił Stanom Zjednoczonym bazy na Nowej Funlandii, Bermudach, Wyspach Bahama, Jamajce, Antigui, St. Lucii, Trynidadzie i w Gujanie Brytyjskiej.

1940, 16 września – Kongres uchwala ustawę o selektywnym poborze (Selective Service Act), nakazującą rejestrację mężczyzn w wieku 21–36 lat i upoważniającą prezydenta do powołania do służby czynnej 1,2 mln żołnierzy oraz 800-tysięcznej armii rezerwowej.

1940, 26 września – prezydent Roosevelt ogłasza embargo na eksport złomu i stali poza półkulę zachodnią z wyjątkiem Wielkiej Brytanii; zarządzenie to skierowane jest przeciw Japonii, która odbiera je jako „nieprzyjazne działanie".

1940, 5 listopada – prezydent Franklin D. Roosevelt zostaje wybrany bezprecedensowo na trzecią kadencję, wiceprezydentem zostaje Henry A. Wallace.

1941, 6 stycznia – w corocznym posłaniu do Kongresu prezydent Roosevelt mówi o prawie do „czterech wolności".

1941, 27 stycznia–29 marca – w Waszyngtonie odbywają się tajne rozmowy na najwyższym szczeblu wojskowym, podczas których przyjęto plan ABC-1 określający priorytet frontu europejskiego.

1941, 11 marca – Kongres uchwala ustawę o pożyczce-dzierżawie (Lend-Lease Act), upoważniającą prezydenta do podejmowania decyzji o sprzedaży, wynajmie lub wypożyczaniu materiałów wojennych państwom, których obrona ma znaczenie dla bezpieczeństwa Stanów Zjednoczonych.

1941, 9 kwietnia – Stany Zjednoczone podpisują umowę z Danią, na mocy której zobowiązują się do obrony Grenlandii.

1941, 7 lipca – na mocy porozumienia z rządem Islandii Stany Zjednoczone ogłaszają okupację wyspy.

1941, 26 lipca – gen. Douglas MacArthur zostaje mianowany naczelnym dowódcą wojsk amerykańskich na Filipinach.

1941, 14 sierpnia – w wyniku spotkania prezydenta Roosevelta z premierem Wielkiej Brytanii Winstonem Churchillem w Argentia Bay u wybrzeży Nowej Funlandii zostaje uzgodniona i podana do publicznej wiadomości treść dokumentu znanego jako Karta Atlantycka.

1941, 18 sierpnia – prezydent Roosevelt wydłuża czas służby wojskowej poborowych do 18 miesięcy.

1941, 7 grudnia – Japonia dokonuje ataku na amerykańską bazę w Pearl Harbor.

1941, 8 grudnia – Stany Zjednoczone wypowiadają wojnę Japonii.

1941, 11 grudnia – Niemcy i Włochy wypowiadają wojnę Stanom Zjednoczonym.

1941, 12 grudnia – Stany Zjednoczone tracą Guam.

1941, 17 grudnia – admirał Chester W. Nimitz zostaje dowódcą amerykańskiej floty na Oceanie Spokojnym.

1941, 19 grudnia – decyzją Kongresu granica wiekowa poboru do wojska ulega rozszerzeniu od 20 do 44 lat.

1942, 1 stycznia – w Waszyngtonie zostaje podpisana przez 26 państw Karta Narodów Zjednoczonych.

1942, 26 stycznia – pierwsze amerykańskie wojska ekspedycyjne lądują w Ulsterze w Irlandii Północnej.

1942, 27 lutego–1 marca – flota amerykańska dowodzona przez admirała Thomasa C. Harta ponosi w bitwie na Morzu Jawajskim największe straty od czasu Pearl Harbor.

1942, 6 maja – po zdobyciu Bataan 9 kwietnia Japończycy opanowują wyspę Corregidor w Zatoce Manilskiej, bronioną przez gen. Johnatana M. Wainwrighta.

1942, 14 maja – w amerykańskich siłach zbrojnych utworzono Pomocniczy Korpus Kobiecy.

1942, 29 maja – do Waszyngtonu przybywa radziecki minister spraw zagranicznych Wiaczesław Mołotow w celu podpisania nowych umów w ramach lend-lease.

1942, 3–6 czerwca – bitwa o Midway; po raz pierwszy wojska amerykańskie zadają poważne straty japońskiej flocie; punkt zwrotny w działaniach zbrojnych na Oceanie Spokojnym.

1942, 7 sierpnia–**1943**, 9 lutego – działania zbrojne na Guadalcanal w Archipelagu Wysp Salomona.

1942, 12–15 sierpnia – Averell Harriman bierze udział w pierwszej konferencji moskiewskiej; reprezentując prezydenta Roosevelta informuje o niemożności otwarcia drugiego frontu w 1942 r.

1942, 3 listopada – Stany Zjednoczone zrywają stosunki dyplomatyczne z francuskim rządem Vichy.

1942, 8 listopada–1 grudnia – wojska amerykańsko-brytyjskie pod dowództwem gen. Dwighta D. Eisenhowera i admirała Andrew Cunninghama lądują w Afryce Północnej; rozpoczyna się operacja „Torch".

1942, 2 grudnia – w Chicago przeprowadzono pierwszą nuklearną reakcję łańcuchową.

1943, 14–24 stycznia – podczas konferencji w Casablance prezydent Roosevelt i premier Churchill uzgadniają formułę „bezwarunkowej kapitulacji"; wśród przywódców koalicji istnieją różnice na temat otwarcia drugiego frontu.

1943, 2–3 marca – zwycięstwo wojsk amerykańskich w bitwie na Morzu Bismarcka i śmierć admirała Isoroku Yamamoto.

1943, 12–15 maja – z udziałem amerykańskich i brytyjskich najwyższych czynników wojskowych w Waszyngtonie prezydent Roosevelt i premier Churchill omawiają kwestię otwarcia drugiego frontu, uzgadniając datę rozpoczęcia działań na dzień 1 maja 1944 r.

1943, 13 maja – zakończenie operacji w Afryce Północnej; straty amerykańskie szacuje się na 18,5 tys. zabitych, rannych i zaginionych.

1943, 10 lipca – wojska amerykańsko-brytyjskie pod dowództwem gen. George'a S. Pattona i gen. Bernarda Montgomery'ego lądują na Sycylii, rozpoczynając operację „Husky".

1943, 25 lipca – król Wiktor Emanuel III ogłasza dymisję rządu Benito Mussoliniego; premierem Włoch zostaje Pietro Badoglio.

1943, 11–24 sierpnia – podczas pierwszej konferencji w Quebec prezydent Roosevelt i premier Churchill potwierdzają datę rozpoczęcia inwazji w Europie – operacja „Overlord", oraz posiłkowych działań w południowej Francji, – operacja „Anvil", przemianowana na „Dragoon".

1943, 15 sierpnia – zakończenie działań o Aleuty i zajęcie wyspy Kiska przez wojska amerykańsko-kanadyjskie.

1943, 17 sierpnia – wojska sprzymierzonych zdobywają Messynę, kończąc tym samym operacje na Sycylii.

1943, 3 września–2 grudnia – armie sprzymierzonych prowadzą działania zbrojne we Włoszech w ramach operacji „Baytown".

1943, 9 września – amerykańskie wojska pod dowództwem gen. Marka Clarka lądują pod Salerno; operacja „Avalanche".

1943, 19–30 października – konferencja moskiewska z udziałem ministrów spraw zagranicznych; omawiane są m. in.: sprawa rządu polskiego na uchodźstwie i potrzeba powołania do życia międzynarodowej organizacji stojącej na straży światowego pokoju.

1943, 2 listopada – Japończycy ponoszą porażkę w bitwie w Zatoce Cesarzowej Augusty, zostaje przerwane połączenie z Rabaul; resztki sił japońskich pozostające na Wyspach Solomona zostają odcięte.

1943, 9 listopada – powstaje United Nations Relief and Rehabilitation Administration (UNRRA).

1943, 22–26 listopada – prezydent Roosevelt i premier Churchill prowadzą rozmowy w Kairze z generalissimusem Cziang Kai-shekiem na temat planów operacyjnych na Dalekim Wschodzie oraz aktywniejszego włączenia Chin do wojny.

1943, 28 listopada–1 grudnia – spotkanie Wielkiej Trójki w Teheranie, podczas którego uzgodniono m. in. termin lądowania wojsk sprzymierzonych w Europie, udział ZSRR w wojnie na Dalekim Wschodzie, strefy okupacyjne Niemiec oraz wschodnią granicę Polski.

1943, 4–6 grudnia – podczas drugiej konferencji kairskiej ustalono zasady stosunków państw sprzymierzonych z Turcją oraz powierzono naczelne dowództwo frontu w Europie Zachodniej gen. Dwightowi D. Eisenhowerowi.

1943, 25 grudnia – linia frontu we Włoszech przebiega wzdłuż rzek Garigliano i Sangro.

1944, 11 stycznia – wojska sprzymierzonych rozpoczynają strategiczne bombardowania terytorium Niemiec w ramach przygotowywanej operacji lądowania w Europie.

1944, 22 stycznia – wojska sprzymierzonych lądują w Anzio.

1944, 31 stycznia – wojska amerykańskie zajmują Wyspy Marshalla.

1944, 4 czerwca – wojska amerykańskie zajmują Rzym.

1944, 6 czerwca – rozpoczęcie operacji „Overlord", wojska sprzymierzonych lądują w Normandii.

1944, 16 czerwca – lotnictwo amerykańskie dokonuje nalotów na wyspę Kiusiu.

1944, 19–20 czerwca – bitwa na Morzu Filipińskim.

1944, 1–22 lipca – międzynarodowa konferencja w Bretton Woods obraduje nad międzynarodowymi sprawami walutowymi, powołując do życia Międzynarodowy Fundusz Walutowy (International Monetary Fund).

1944, 15 sierpnia – wojska amerykańskie pod dowództwem gen. Alexandra M. Patcha lądują w południowej Francji między Marsylią i Niceą.

1944, 25 sierpnia – wyzwolenie Paryża.

1944, 27 sierpnia–7 października – Stany Zjednoczone, Wielka Brytania, ZSRR oraz Chiny obradują na temat utworzenia Organizacji Narodów Zjednoczonych.

1944, 4 września – wojska sprzymierzonych wyzwalają Brukselę i Antwerpię.

1944, 20 października – wojska amerykańskie pod dowództwem gen. MacArthura powracają na Filipiny.

1944, 21 października – wojska amerykańskie zajmują Aachen.

1944, 23–25 października – po zwycięstwie w zatoce Leyte Stany Zjednoczone odzyskały kontrolę nad wodami filipińskimi.

1944, 7 listopada – w wyniku wyborów Franklin D. Roosevelt zostaje wybrany na czwartą kadencję prezydencką, wiceprezydentem zostaje Harry S. Truman.

1944, 22 listopada – wojska amerykańskie zajmują Metz, a 23 listopada Strasburg.

1944, 25 listopada – zakończenie kampanii o wyspy Palau.

1944, 16–26 grudnia – wojska niemieckie podejmują kontrofensywę w Ardenach; straty amerykańskie wynoszą 77 tys. zabitych, rannych, wziętych do niewoli i zaginionych.

1945, 21 stycznia – wojska sprzymierzonych odzyskują terytorium utracone w wyniku niemieckiej ofensywy w Ardenach.

1945, 4–11 lutego – podczas konferencji w Jałcie prezydent Franklin D. Roosevelt, premier Wielkiej Brytanii Winston Churchill oraz Józef Stalin omawiają kwestie związane z zakończeniem wojny w Europie i na Dalekim Wschodzie, przyszłość pokonanych Niemiec i krajów Europy Środkowo-Wschodniej, a także funkcjonowanie przyszłej Organizacji Narodów Zjednoczonych.

1945, 10 lutego – amerykańskie lotnictwo bombarduje Tokio.

1945, 23 lutego – wojska amerykańskie zajmują Manilę; zakończenie kampanii na Filipinach.

1945, 17 marca – zakończenie kampanii na Iwo Dżimie.

1945, 12 kwietnia – Franklin Dealno Roosevelt umiera w Warm Springs w stanie Georgia; prezydentem Stanów Zjednoczonych zostaje dotychczasowy wiceprezydent Harry S. Truman.

1945, 25 kwietnia–26 czerwca – w wyniku obrad konferencji w San Francisco z udziałem 50 państw zostaje powołana do życia Organizacja Narodów Zjednoczonych.

1945, 8 maja – feldmarszałek Alfred Jodl podpisuje akt bezwarunkowej kapitulacji III Rzeszy.

1945, 5 czerwca – Europejska Komisja Doradcza (European Advisory Commission) wytycza granice niemieckich stref okupacyjnych.

1945, 21 czerwca – wojska amerykańskie zdobywają Okinawę, 360 mil na południe od terytorium Japonii.

1945, 17 lipca–2 sierpnia – w Poczdamie obraduje konferencja z udziałem prezydenta Trumana i sekretarza stanu Jamesa Byrnesa.

1945, 6 sierpnia – wybuch pierwszej bomby atomowej zrzuconej na Hiroszimę.

1945, 8 sierpnia – powstaje Międzynarodowy Trybunał Wojskowy pod przewodnictwem Francisa Biddle (USA), Geoffery'a Lawrence'a (Wielka Brytania) i Iola T. Nikitczenki (ZSRR), mający sformułować akt oskarżenia przeciw hitlerowskim zbrodniarzom wojennym.

1945, 8 sierpnia – ZSRR wypowiada wojnę Japonii.

1945, 9 sierpnia – zrzucono bombę atomową na Nagasaki.

1945, 15 sierpnia – kapitulacja Japonii.

1945, 20 listopada – Trybunał w Norymberdze rozpoczyna obrady.

1945, 16–26 grudnia – podczas obrad konferencji moskiewskiej postanowiono utworzyć czterostronną Radę Sojuszniczą ds. Japonii (Allied Council for Japan) z gen. MacArthurem na czele, mającą nadzorować wypełnianie przez Japonię warunków kapitulacji; utworzono też tymczasowy zarząd powierniczy dla Korei.

1946, 4 lipca – Stany Zjednoczone przyznają Filipinom niepodległość.

1946, 20 lipca – utworzono Radę Doradców Ekonomicznych przy Białym Domu.

1946, 1 sierpnia – powstaje Komisja Energii Atomowej (Atomic Energy Commission) z siedzibą w Germantown, w stanie Maryland, której zadanie polega na kierowaniu badaniami nad rozwojem i wykorzystaniem energii atomowej w celach wojennych i pokojowych.

1946, 1 października – zakończenie obrad Trybunału Norymberskiego: 12 osób zostaje skazanych na karę śmierci, 7 na karę więzienia, 3 uniewinnione.

1947, 12 marca – prezydent Truman występuje do Kongresu o pomoc finansową dla Grecji i Turcji, krajów zagrożonych komunistycznym przewrotem; w przemówieniu Truman postuluje udzielenie pomocy ekonomicznej wszystkim wolnym krajom zagrożonym przewrotem komunistycznym lub agresją zewnętrzną; założenia polityczne Trumana przechodzą do historii pod nazwą doktryny Trumana; oznacza to definitywne odejście od izolacjonizmu i doktryny Monroego.

1947, 27 marca – pod wpływem informacji o działalności agentów komunistycznych w Stanach Zjednoczonych i w Kanadzie prezydent Truman inicjuje program badania lojalności pracowników.

1947, 12 kwietnia – decyzją ONZ Stany Zjednoczone uzyskują pod zarząd powierniczy wyspy na Oceanie Spokojnym należące uprzednio do Japonii (Karoliny, Mariany i Wyspy Marshalla).

1947, 5 czerwca – sekretarz stanu George C. Marshall w przemówieniu wygłoszonym w Harvard University przedstawia program wszechstronnej pomocy ekonomicznej dla krajów europejskich, który przechodzi do historii pod nazwą planu Marshalla.

1947, 23 czerwca – mimo weta prezydenta Trumana, Kongres uchwala ustawę Tafta–Hartleya (Taft–Hartley Act), regulującą niektóre kwestie prawne związane z działaniem związków zawodowych oraz stosunkami między pracodawcami i zatrudnionymi, zasadniczo ograniczając rolę związków zawodowych.

1947, 18 lipca – uchwalono ustawę o prezydenckiej sukcesji (Presidential Succession Act), według której po wiceprezydencie obejmują sukcesję politycy wybierani, a nie mianowani.

1948, 2 kwietnia – Kongres zatwierdza plan Marshalla.

1948, 15 maja – Stany Zjednoczone uznają państwo Izrael.

1948, 11 czerwca – Senat przyjmuje rezolucję Vandenberga (Vandenberg Resolution), popierającą udział Stanów Zjednoczonych w różnego rodzaju zbiorowych układach bezpieczeństwa pod auspicjami ONZ.

1948, 24 czerwca – po wprowadzeniu przez ZSRR blokady Berlina Zachodniego, Stany Zjednoczone tworzą most powietrzny do sektorów zachodnich miasta; operacją kieruje dowódca amerykańskich sił powietrznych w Europie, gen. Curtis LeMay.

1948, 3 sierpnia – pracownik „Time'a", Whittaker Chambers, wskazuje na Algera Hissa, przewodniczącego Fundacji Carnagiego na rzecz Pokoju Międzynarodowego, jako na ważnego członka komunistycznej siatki szpiegowskiej w Stanach Zjednoczonych.

1948, 2 listopada – Harry S. Truman zostaje wybrany na urząd prezydenta Stanów Zjednoczonych, wiceprezydentem zostaje Alben W. Barkley.

1949, 17 stycznia – proces jedenastu działaczy Komunistycznej Partii Stanów Zjednoczonych; zostają oni skazani na kary więzienia pod zarzutem prowadzenia działalności spiskowej z zamiarem obalenia rządu amerykańskiego.

1949, 20 stycznia – prezydent Truman, wygłaszając przemówienie inauguracyjne, określa w „Punkcie Czwartym" warunki pomocy gospodarczej dla krajów słabo rozwiniętych.

1949, 4 kwietnia – w Waszyngtonie dochodzi do podpisania Paktu Północnoatlantyckiego (North Atlantic Treaty Organization – NATO), którego pierwszymi sygnatariuszami są Stany Zjednoczone, Kanada, Wielka Brytania, Francja, Belgia, Holandia, Luksemburg, Dania, Islandia, Norwegia, Portugalia i Włochy.

1949, 8 kwietnia – mocarstwa zachodnie podejmują decyzję o utworzeniu Republiki Federalnej Niemiec.

1949, 12 maja – wraz ze zniesieniem przez ZSRR blokady Berlina Stany Zjednoczone wstrzymują działalność mostu powietrznego.

1949, 29 czerwca – ostatnie jednostki amerykańskie są ewakuowane z Korei; pozostają jedynie doradcy wojskowi.

1950, 21 stycznia – Alger Hiss zostaje skazany na pięć lat więzienia.

1950, 31 stycznia – prezydent Truman zapowiada produkcję bomby wodorowej.

1950, 7 lutego – Stany Zjednoczone uznają niepodległe państwo wietnamskie w ramach Unii Francuskiej.

1950, 9 lutego – senator Joseph McCarthy oskarża o komunizm 205 pracowników Departamentu Stanu.

1950, 25 czerwca – wojska Koreańskiej Republiki Ludowo-Demokratycznej przekraczają granicę 38 równoleżnika; rozpoczyna się wojna w Korei.

1950, 27 czerwca – z inicjatywy Stanów Zjednoczonych Rada Bezpieczeństwa ONZ uznaje KRLD za agresora.

1950, 5 lipca – pierwsze jednostki amerykańskie lądują w Korei.

1950, 8 lipca – gen. Douglas MacArthur staje na czele wojsk ONZ walczących w Korei.

1950, 27 sierpnia – w celu zapobieżenia strajkowi generalnemu prezydent Truman wydaje decyzję o zmilitaryzowaniu kolei.

1950, 15 września – wojska amerykańskie na podstawie planu inwazyjnego opracowanego przez gen. MacArthura lądują pod Inczhon.

1950, 1 listopada – dwóch portorykańskich nacjonalistów dokonuje nieudanego zamachu na życie prezydenta Trumana.

1950, 21 listopada – 8 Armia osiąga linię rzeki Yalu, oddzielającej Koreę od Chińskiej Republikji Ludowej.

1950, 8 grudnia – prezydent Truman ogłasza embargo na handel z Chińską Republiką Ludową.

1951, 22 lutego – Kongres ratyfikuje XXII poprawkę do Konstytucji, ograniczającą liczbę prezydenckich kadencji do dwóch.

1951, 6 marca – rozpoczyna się proces Ethel i Juliusa Rosenbergów, oskarżonych o przekazanie w latach 1944–1945 wywiadowi radzieckiemu tajnych dokumentów dotyczących amerykańskich badań nad bombą atomową.

1951, 30 marca – sąd wydaje wyrok śmierci na małżeństwo Rosenbergów.

1951, 2 kwietnia – gen. Dwight D. Eisenhower otwiera główną kwaterę NATO w Paryżu.

1951, 11 kwietnia – prezydent Truman odwołuje gen. MacArthura ze stanowiska głównodowodzącego kontyngentem sił międzynarodowych ONZ w Korei, powierzając tę funkcję gen. Matthew B. Ridgwayowi.

1951, 1 września – Australia, Nowa Zelandia i Stany Zjednoczone podpisują w San Francisco regionalny pakt obronny ANZUS.

1951, 8 września – Stany Zjednoczone podpisują w San Francisco traktat pokojowy z Japonią.

1951, 31 grudnia – zostaje powołana agencja federalna (Mutual Security Agency).

1952, 30 marca – prezydent Truman oznajmia, iż nie zamierza brać udziału w nadchodzących wyborach prezydenckich.

1952, 8 kwietnia – prezydent Truman rozkazuje wojsku zająć huty, w których strajkuje ponad 600 tys. hutników.

1952, 23 maja – zmilitaryzowane uprzednio linie kolejowe zostają zwrócone prywatnym właścicielom.

1952, 2 czerwca – Sąd Najwyższy uznaje, iż zajęcie hut przez wojsko jest niezgodne z prawem.

1952, 30 czerwca – na mocy ustawy Waltera–McCarrana (Walter–McCarran Act), uchwalonej mimo prezydenckiego weta, Kongres utrzymał postanowienia ustawy imigracyjnej z 1924 r. dotyczącej rocznej maksymalnej liczby imigrantów, przy czym zniósł wszelkie ograniczenia w stosunku do narodów azjatyckich i strefy Oceanu Spokojnego.

1952, 25 lipca – Puerto Rico uzyskuje status państwa stowarzyszonego ze Stanami Zjednoczonymi.

1952, 1 listopada – na atolu Eniwetok, w archipelagu Wysp Marshalla, dokonano po raz pierwszy próbnego wybuchu bomby wodorowej.

1952, 4 listopada – prezydentem Stanów Zjednoczonych zostaje Dwight D. Eisenhower, wiceprezydentem Richard M. Nixon.

1953, 2 lutego – prezydent Eisenhower oznajmia zniesienie blokady Tajwanu, wprowadzonej przez 7 Flotę.

1953, 1 kwietnia – zostaje utworzony Departament Zdrowia i Opieki Społecznej (Department of Health Education and Welfare), który objęła Oveta Culp Hobby.

1953, 19 czerwca – zostaje wykonany wyrok śmierci na małżeństwie Rosenbergów.

1953, 27 lipca – w Panmundżon podpisano zawieszenie broni; zakończenie działań zbrojnych na Półwyspie Koreańskim.

1953, 7 sierpnia – Kongres uchwala ustawę o pomocy uchodźcom (Refugee Relief Act), zezwalającą na osiedlanie się w Stanach Zjednoczonych uchodźcom z krajów komunistycznych ze względu na prześladowania polityczne.

1954 – sekretarz stanu John Foster Dulles ogłasza doktrynę zmasowanego odwetu (Massive Retaliation).

1954, 21 stycznia – w miejscowości Groton, w stanie Connecticut, zostaje wodowany pierwszy okręt podwodny o napędzie atomowym *Nautilus*.

1954, 1 marca – czterech terrorystów, domagających się niepodległości dla Puerto Rico, wchodzi na salę obrad Izby Reprezentantów i rani pięciu jej członków.

1954, 22 kwietnia – senator Joseph McCarthy rozszerza oskarżenia o komunizm na Departament Obrony i siły zbrojne.

1954, 17 maja – Sąd Najwyższy ogłasza segregację rasową w szkolnictwie za niezgodną z Konstytucją.

1954, 24 sierpnia – Komunistyczna Partia Stanów Zjednoczonych zostaje zdelegalizowana.

1954, 8 września – zostaje podpisany Pakt Południowo-Wschodniej Azji (Southeast Asia Treaty Organization – SEATO), którego sygnatariuszami, poza Stanami Zjednoczonymi, są: Francja, Filipiny, Tajlandia, Pakistan, Australia, Nowa Zelandia i Wielka Brytania.

1954, 27 września – Stany Zjednoczone i Kanada oznajmiają zamiar wspólnej budowy i użytkowania Wysuniętego Systemu Wczesnego Ostrzegania (Distant Early Warning Line – DEW Line).

1955, 28 stycznia – licząc się z możliwością inwazji Chin kontynentalnych na Tajwan, Kongres upoważnia prezydenta Eisenhowera do użycia amerykańskich sił zbrojnych w celu obrony wyspy.

1955, 24 lutego – z inicjatywy Stanów Zjednoczonych i Wielkiej Brytanii powstaje Organizacja Paktu Centralnego (Central Treaty Organization – CENTO), którego członkami są: Irak, Turcja, Wielka Brytania, Pakistan i Iran.

1955, 21 kwietnia – formalne zakończenie amerykańskiej okupacji części zachodniej Niemiec.

1955, 31 maja – Sąd Najwyższy potwierdza zasadę desegragacji rasowej w szkolnictwie.

1955, 18–23 lipca – Stany Zjednoczone, Wielka Brytania, Francja i Związek Radziecki omawiają na konferencji w Genewie kwestię zjednoczenia Niemiec i bezpieczeństwa europejskiego oraz możliwości polepszenia stosunków Wschód–Zachód.

1955, 5 grudnia – czarna społeczność miasta Montgomery, w stanie Alabama, rozpoczyna bojkot publicznych środków transportu, domagając się zniesienia w nich segregacji rasowej; powstaje Montgomery Improvement Association, na której czele staje pastor Martin Luther King.

1955, 5 grudnia – połączenie central związkowych AFL z CIO, w wyniku którego powstaje wspólna centrala związkowa AFLCIO.

1956, 12 marca – kongresmeni ze stanów południowych wzywają do użycia „wszystkich środków prawnych" w celu stawienia oporu wobec decyzji Sądu Najwyższego, znoszącej segregację w szkolnictwie publicznym.

1956, 19 lipca – Stany Zjednoczone odmawiają współfinansowania Tamy Asuańskiej w Egipcie.

1956, listopad – Dwight D. Eisenhower zostaje wybrany na drugą kadencję prezydencką, wiceprezydentem zostaje Richard M. Nixon.

1957, 5 stycznia – prezydent Eisenhower w orędziu do Kongresu przedstawia program amerykańskiej polityki zagranicznej w stosunku do krajów Bliskiego i Środkowego Wschodu, na mocy którego, po zatwierdzeniu przez Kongres w marcu 1957 r., jest upoważniony do użycia siły w przypadku, gdyby kraje blisko- i środkowowschodnie znalazły się w obliczu agresji bądź infiltracji ze strony sił komunistycznych; program ten przechodzi do historii pod nazwą doktryny Eisenhowera.

1957, 29 lipca – Stany Zjednoczone ratyfikują porozumienie o powołaniu Międzynarodowej Agencji Energii Atomowej.

1957, 9 września – Kongres uchwala ustawę o prawach obywatelskich (Civil Rights Act), upoważniającą Departament Sprawiedliwości do występowania w imieniu Murzynów o zagwarantowanie praw wyborczych w stanach południowych.

1957, 19 września – w stanie Newada dokonany zostaje pierwszy podziemny wybuch nuklearny.

1957, 24 września – prezydent Eisenhower wysyła wojska federalne do Little Rock w celu ochrony dziewięciu czarnych uczniów udających się do szkoły, aby zapewnić wykonanie decyzji Sądu Najwyższego o desegregacji szkół.

1958, 31 stycznia – Stany Zjednoczone wystrzeliły pierwszego sztucznego satelitę.

1958, 26 lutego – sekretarz stanu John Foster Dulles ogłasza neutralność Stanów Zjednoczonych wobec wojny domowej w Indonezji.

1958, 7–8 maja – wiceprezydent Richard M. Nixon zostaje w Peru zaatakowany przez tłum demonstrantów, podczas swej podróży „dobrej woli" po krajach południowoamerykańskich.

1958, 13 maja – podczas wizyty w Wenezueli wiceprezydenta Nixona wita fala antyamerykańskich demonstracji.

1958, 15 lipca – po wybuchu zbrojnej rebelii w Libanie Stany Zjednoczone, zgodnie z doktryną Eisenhowera, wysyłają kontyngent US Marines.

1958, 29 lipca – w następstwie dyskusji w Kongresie na temat potrzeby podjęcia przez Stany Zjednoczone programu kosmicznego zostaje powołana Narodowa Administracja Aeronautyki i Przestrzeni Kosmicznej (National Aeronautics and Space Administration – NASA).

1959, 3 stycznia – Alaska zostaje przyjęta do Unii jako czterdziesty dziewiąty stan.

1959, 18 marca – Hawaje zostają przyjęte do Unii jako pięćdziesiąty stan.

1959, 25 sierpnia–7 września – prezydent Eisenhower odwiedza Wielką Brytanię, Francję i Republikę Federalną Niemiec.

1959, 14 września – Kongres uchwala ustawę Landruma–Griffina (Landrum–Griffin Act), mającą na celu wykluczenie praktyk kryminalnych z życia związków zawodowych.

1959, 15–27 września – rozmowy prezydenta Eisenhowera z premierem Nikitą Chruszczowem w Camp David koło Waszyngtonu.

1959, 3–22 grudnia – prezydent Eisenhower składa wizytę w 11 krajach Europy, Azji i Afryki.

1960, 5 maja – Związek Radziecki podaje do wiadomości fakt zestrzelenia w dniu 1 maja amerykańskiego samolotu szpiegowskiego U-2.

1960, 11 maja – prezydent Eisenhower oświadcza, iż sam wydał rozkaz wykonywania szpiegowskich lotów samolotu U-2.

1960, 16 maja – załamanie się paryskiej konferencji na szczycie z powodu nieobecności radzieckiego premiera Chruszczowa, związanej z incydentem U-2.

1960, 7 lipca – Stany Zjednoczone zakazują importu kubańskiego cukru.

1960, 8 listopada – John Fitzgerald Kennedy zostaje prezydentem Stanów Zjednoczonych, wiceprezydentem Lyndon B. Johnson.

1960, 16 listopada – Stany Zjednoczone wprowadzają morskie i lotnicze patrole nad Kubą.

1961 – prezydent Kennedy inicjuje program badań kosmicznych znany pod nazwą Program Kosmiczny Apollo (Apollo Space Program).

1961 – prezydent Kennedy inicjuje dziesięcioletni program pomocy ekonomicznej dla krajów południowoamerykańskich pod nazwą Sojusz dla Postępu (Alliance for Progress).

1961, 3 stycznia – Stany Zjednoczone zrywają stosunki dyplomatyczne z Kubą.

1961, 1 marca – zostaje utworzony Korpus Pokoju (Peace Corps).

1961, 26 marca – po wprowadzeniu XXIII poprawki do Konstytucji mieszkańcy Waszyngtonu uzyskali prawo udziału w wyborach prezydenckich.

1961, 17 kwietnia – przygotowana przy pomocy CIA inwazja 1600 kubańskich przeciwników rządu Castro w Zatoce Świń kończy się fiaskiem.

1961, maj – zwolennicy praw obywatelskich zrzeszeni w Kongresie Równości Rasowej (Congress of Racial Equality – CORE) przybywają do stanów południowych w ramach tzw. rajdów wolności (Freedom Raids).

1961, 3–4 czerwca – spotkanie w Wiedniu prezydenta Kennedy'ego z premierem Chruszczowem, podczas którego omawiane są kwestie traktatu pokojowego z Niemcami, sytuacja Berlina oraz konflikt w Laosie.

1961, 1 sierpnia – prezydent Kennedy powołuje do wojska 25 tys. rezerwistów.

1961, 12 sierpnia – w odpowiedzi na otoczenie przez władze wschodnioniemieckie Berlina Zachodniego murem, Stany Zjednoczone przeznaczają dodatkową kwotę w wysokości 3,5 mld dolarów na obronę narodową oraz wzmacniają kontyngent własnych wojsk w Berlinie Zachodnim.

1962, 6 lutego – Stany Zjednoczone tworzą w Wietnamie Południowym Military Assistance Command (MAC) w celu koordynacji działań szkoleniowych armii południowowietnamskiej.

1962, 7 lutego – Stany Zjednoczone nakładają embargo na handel z Kubą.

1962, 15 maja – w związku z rozwojem kryzysowej sytuacji w Laosie prezydent Kennedy przysyła dodatkowe 4 tys. żołnierzy do Tajlandii.

1962, 22 października – w wyniku lotów rozpoznawczych nad Kubą amerykańskie lotnictwo zlokalizowało punkty budowy wyrzutni rakietowych; prezydent Kennedy żąda ich natychmiastowego demontażu.

1962, 24 października – Stany Zjednoczone wprowadzają kwarantannę wokół Kuby.

1962, 27 października – prezydent Kennedy odrzuca notę Chruszczowa informującą o gotowości demontażu wyrzutni rakietowych na Kubie w zamian za demontaż amerykańskich wyrzutni w Turcji.

1962, 28 października – Nikita Chruszczow zgadza się na demontaż wyrzutni rakietowych na Kubie w zamian za przyrzeczenie Kennedy'ego, iż nie dojdzie do inwazji wojsk amerykańsich na Kubę.

1962, 2 listopada – prezydent Kennedy informuje opinię publiczną o demontażu radzieckich wyrzutni rakietowych na Kubie.

1962, 21 listopada – zniesiono blokadę Kuby.

1963, 7 stycznia – radziecko-amerykańskie oświadczenie, adresowane do Sekretarza Generalnego ONZ U Thanta, informuje o zakończeniu kryzysu kubańskiego.

1963, 9 kwietnia – Winston Churchill otrzymuje honorowe obywatelstwo Stanów Zjednoczonych.

1963, 11 czerwca – Gwardia Narodowa eskortuje dwóch studentów murzyńskich przyjętych na uniwersytet w Alabamie.

1963, 20 czerwca – po doświadczeniach kryzysu kubańskiego Stany Zjednoczone zawierają porozumienie ze Związkiem Radzieckim w sprawie zainstalowania „gorącej linii".

1963, 5 sierpnia – Stany Zjednoczone, Związek Radziecki i Wielka Brytania podpisują traktat o ograniczeniu prób z bronią nuklearną, zobowiązując się do nieprzeprowadzania próbnych wybuchów pod wodą, w przestrzeni kosmicznej i w atmosferze.

1963, 28 sierpnia – ponad 200 tys. osób przybywa w pokojowym marszu do Waszyngtonu w celu obrony praw obywatelskich; pastor King wygłasza słynne przemówienie zaczynające się od słów: „I had a dream".

1963, 2 września – w telewizyjnym wywiadzie prezydent Kennedy krytykuje rząd Ngo Dinh Diema w Wietnamie Południowym, zapewniając jednocześnie o woli pomocy dla rządu w Sajgonie w jego walce z komunistyczną partyzantką – Vietcongiem.

1963, 22–24 października – Stany Zjednoczone przerzucają mostem powietrznym 2 Pancerną Dywizję z Fort Hood w stanie Teksas do RFN.

1963, 22 listopada – zabójstwo prezydenta Johna Fitzgeralda Kennedy'ego w Dallas; domniemanym zabójcą jest Lee Harvey Oswald; prezydentem zostaje dotychczasowy wiceprezydent Lyndon B. Johnson.

1963, 29 listopada – prezydent Johnson powołuje specjalną komisję w celu wyjaśnienia szczegółów związanych z zabójstwem prezydenta Kennedy'ego; jej pracami kieruje prezes Sądu Najwyższego Earl Warren.

1963, grudzień – liczba wojsk amerykańskich w Wietnamie Południowym przekracza 16 tys. żołnierzy.

1964, 8 stycznia – prezydent w orędziu skierowanym do Kongresu na temat stanu państwa przedstawia program „walki z ubóstwem".

1964, 23 stycznia – Kongres ratyfikuje XXIV poprawkę do Konstytucji, zakazującą pobierania podatku przy wyborach federalnych.

1964, 2 lipca – prezydent Johnson podpisuje ustawę o prawach obywatelskich (Civil Rights Act), zabraniającą dyskryminacji ze względu na kolor skóry, rasę, religię lub miejsce urodzenia.

1964, 2 sierpnia – pierwszy incydent w Zatoce Tonkińskiej, w którym zaatakowany przez północnowietnamskie kutry amerykański okręt USS *Maddox* zatopił kilka jednostek nieprzyjaciela.

1964, 4 sierpnia – drugi incydent w Zatoce Tonkińskiej.

1964, 7 sierpnia – Kongres uchwala rezolucję tonkińską, upoważniającą prezydenta do podjęcia wszelkich działań, z prawem użycia siły włącznie, w celu ochrony krajów południowo-wschodniej Azji oraz wojsk amerykańskich przebywających w tym rejonie.

1964, 27 września – komisja Warrena publikuje raport w sprawie zabójstwa prezydenta Kennedy'ego.

1964, 3 listopada – Lyndon B. Johnson zostaje prezydentem Stanów Zjednoczonych, wiceprezydentem zostaje Hubert H. Humphrey.

1965, 4 stycznia – prezydent Johnson przedstawia założenia programu społeczno-politycznego pod nazwą „wielkie społeczeństwo" (Great Society).

1965, 7 lutego – pierwsze amerykańskie naloty na Demokratyczną Republikę Wietnamu – Wietnam Północny.

1965, 21 lutego – zabójstwo Malcolma X.

1965, 8 marca – nie opodal miejscowości Da Nang, na prośbę głównodowodzącego amerykańskimi siłami zbrojnymi w Wietnamie, gen. Williama Westmorelanda, lądują dwa bataliony US Marines; rozpoczęcie amerykańskiej interwencji zbrojnej w Wietnamie.

1965, 28 kwietnia–18 maja – w wyniku wybuchu wojny domowej w Dominikanie prezydent Johnson podejmuje decyzję wysłania tam korpusu wojsk amerykańskich, liczącego 24 tys. żołnierzy.

1965, 6 sierpnia – prezydent Johnson podpisuje ustawę o prawie do głosowania, która upoważnia władze do wprowadzenia obserwatorów do punktów wyborczych w celu zapewnienia Murzynom prawa głosowania.

1965, 3 października – prezydent Johnson podpisuje ustawę imigracyjną eliminującą kwoty etniczne, ale przewidującą roczny limit 290 tys. – w tym 120 tys. dla półkuli zachodniej i 170 tys. dla półkuli wschodniej.

1965, 15–16 października – antywojenne demonstracje na uniwersytecie w Berkeley.

1966 – rośnie amerykańskie zaangażowanie w Wietnamie; z początkiem roku liczba wojsk przekracza 200 tys.

1966, 15 października – powstaje Departament Transportu.

1967, 28 stycznia – władze Wietnamu Północnego wyrażają gotowość do negocjacji pod warunkiem zaprzestania bombardowań DRW.

1967, 10 lutego – Kongres ratyfikuje XXV poprawkę do Konstytucji dotyczącą przypadków, w których prezydent nie może pełnić swego urzędu.

1967, 23 i 25 czerwca – prezydent Johnson spotyka się z Aleksejem Kosyginem w miejscowości Glasboro, w stanie New Jersey.

1967, lipiec – zamieszki na tle rasowym w Cleveland, Detroit, Newark, Bostonie i New Haven.

1967, 29 września – prezydent Johnson oznajmia, iż jest w stanie warunkowo wstrzymać bombardowania DRW.

1968 – największe nasilenie działań wojennych w Wietnamie; liczba amerykańskich wojsk osiągnęła najwyższy stan od rozpoczęcia konfliktu – 540 tys. żołnierzy.

1968, 23 stycznia – władze Korei Północnej zmuszają amerykański okręt USS *Pueblo* do zakotwiczenia w północnokoreańskim porcie Wonsan, po czym pod zarzutem prowadzenia działalności szpiegowskiej internują całą załogę.

1968, 30 stycznia – w Wietnamie Południowym partyzantka komunistyczna przeprowadza ofensywę Tet, atakując 140 punktów na terenie kraju, w tym amerykańską ambasadę w Sajgonie; prezydent Johnson po raz pierwszy bierze pod uwagę możliwość wycofania wojsk amerykańskich z Wietnamu.

1968, 4 kwietnia – Martin Luther King zostaje zamordowany w Memphis; zabójcą jest James Earl Ray.

1968, 5 czerwca – senator Robert Kennedy zostaje zamordowany w Los Angeles; zabójcą jest obywatel syryjski Sirhan Bishara Sirhan.

1968, 31 października – prezydent Johnson powiadamia o całkowitym wstrzymaniu bombardowań Wietnamu Północnego.

1968, 5 listopada – prezydentem Stanów Zjednoczonych zostaje Richard M. Nixon, wiceprezydentem Spiro T. Agnew.

1969, marzec – ujawnienie masakry w wietnamskiej wiosce My Lai, gdzie żołnierze amerykańscy pod dowództwem por. Williama Calleya wymordowali w 1968 r. cywilnych mieszkańców wioski.

1969, 16–24 lipca – załogowy lot Apollo 11, kierowany przez Neila A. Armstronga, zakończony lądowaniem na Księżycu.

1969, 25 lipca – prezydent Richard M. Nixon, podczas konferencji prasowej na wyspie Guam, określa zasady militarnego zaangażowania się Stanów Zjednoczonych w obronę niektórych państw azjatyckich, przerzucając główny ciężar obrony na armie państw atakowanych; w szczególności doktryna ta odnosi się do Wietnamu, stąd powstaje termin „wietnamizacji" wojny.

1969, 17 września – pierwsze rozmowy amerykańsko-radzieckie w Helsinkach na temat ograniczenia zbrojeń; są to wstępne negocjacje w ramach Rozmów o Redukcji Broni Strategicznych (Strategic Arms Limitation Talks – SALT).

1970, 20 kwietnia – prezydent Nixon podaje do wiadomości liczbę wycofanych żołnierzy amerykańskich z Wietnamu, która wynosi 150 tys.

1970, 30 kwietnia – prezydent Nixon ogłasza decyzję podjęcia przez amerykańskie wojska interwencji zbrojnej w Kambodży, określając czas trwania operacji na 62 dni.

1970, 1 maja – na skutek decyzji o interwencji w Kambodży dochodzi do starć z Gwardią Narodową na Kent State University w stanie Ohio, w których ginie czterech demonstrantów.

1970, 23 czerwca – wojska amerykańskie opuszczają terytorium Kambodży.

1970, 9 lipca – decyzją Kongresu zostaje utworzona Agencja Ochrony Środowiska (Environmental Protection Agency – EPA), grupująca 15 różnych agencji rządowych zajmujących się kwestią zanieczyszczenia środowiska naturalnego.

1971, 30 stycznia – wojska amerykańskie posiłkują południowowietnamską inwazję na Laos w celu zniszczenia baz Vietcongu.

1971, 29 marca – sąd orzeka winę por. Williama Caleya w sprawie mordu w wiosce My Lai, skazując go na dożywotnie więzienie (zamienione później na 20 lat).

1971, 6 kwietnia – Chińska Republika Ludowa zaprasza na występy amerykańską drużynę tenisa stołowego – stąd powstaje termin „ping-pong diplomacy".

1971, 14 kwietnia – Stany Zjednoczone znoszą embargo wobec ChRL.

1971, 20 kwietnia – decyzją Sądu Najwyższego uznano przewożenie dzieci autobusami do szkół desegregowanych za zgodne z Konstytucją.

1971, 2–5 maja – masowe demonstracje antywojenne w Waszyngtonie.

1971, 13 czerwca – „New York Times" rozpoczyna publikację dokumentów tzw. Akt Pentagonu (Pentagon Papers), przekazanych przez doradcę w Departamencie Obrony, Daniela Ellsberga, a dotyczących amerykańskiej polityki w Wietnamie od 1945 r.

1971, 30 czerwca – Sąd Najwyższy zezwala na rozpowszechnianie Pentagon Papers.

1971, 5 lipca – prezydent Nixon podpisuje XXVI poprawkę do Konstytucji, obniżającą prawo wyborcze z 21 do 18 lat.

1971, 9–11 lipca i 20–26 października – Henry Kissinger, prezydencki doradca do spraw bezpieczeństwa, odbywa dwie tajne podróże do Chin.

1971, 3 września – w celu zdyskredytowania Daniela Ellsberga agenci FBI włamują się do gabinetu psychiatry, u którego leczył się Ellsberg.

1971, 15 listopada – po wycofaniu uznania dla rządu tajwańskiego reprezentującego interesy Chin, Stany Zjednoczone umożliwiają przyjęcie ChRL do ONZ.

1972, 5 stycznia – prezydent Nixon aprobuje plan budowy wahadłowca kosmicznego.

1972, 21–28 lutego – na zaproszenie premiera ChRL i przewodniczącego Komunistycznej Partii Chin Mao Zedonga prezydent Nixon przybywa z oficjalną wizytą państwową do Chin.

1972, 15 maja – Stany Zjednoczone zwracają Japonii Okinawę.

1972, 15 maja – kandydat Partii Demokratycznej na urząd prezydenta, George Wallace, zostaje postrzelony w stanie Maryland i wycofuje się z życia politycznego.

1972, 26 maja – podczas wizyty prezydenta Nixona w Moskwie dochodzi do podpisania układu o ograniczeniu systemów obrony przeciwrakietowej (układu ABM – Anti-Ballistic Missile Treaty), który zobowiązuje obie strony do wprowadzenia ograniczeń w strategicznych zbrojeniach defensywnych.

1972, 26 maja – pierwszy etap rozmów w sprawie ograniczenia zbrojeń strategicznych (Strategic Arms Limitation Talks – SALT), podjętych przez Stany Zjednoczone i Związek Radziecki, zakończył się podpisaniem w Moskwie układu SALT I, regulującym ograniczenia systemów broni rakietowych i antyrakietowych.

1972, 17 czerwca – policja aresztuje pięć osób, które włamały się do siedziby Partii Demokratycznej Watergate w Waszyngtonie.

1972, 5 listopada – Richard M. Nixon zostaje wybrany na drugą kadencję prezydencką, wiceprezydentem zostaje Spiro T. Agnew.

1972, 11 grudnia – prezydent Nixon ujawnia istnienie grupy „hydraulików" (Plumbers), składającej się z byłych funkcjonariuszy CIA i FBI, która za wiedzą m. in. prezydenta, a bez zgody sądu zakładała podsłuchy; aresztowani w gmachu Watergate są członkami tejże grupy.

1972, 18 grudnia – w wyniku zerwania przez delegację Wietnamu Północnego rokowań paryskich prezydent Nixon nakazuje wznowienie bombardowań DRW, których celem ma być Hanoi i Hajfong.

1972, 30 grudnia – prezydent Nixon nakazuje wstrzymanie bombardowań Wietnamu Północnego.

1973, 27 stycznia – Stany Zjednoczone podpisują z delegacją Wietnamu Północnego traktat paryski, przewidujący m. in. wycofanie wojsk amerykańskich z Wietnamu Południowego, obustronne zwolnienie więźniów wojennych oraz wycofanie wojsk północnowietnamskich z terytorium Wietnamu Południowego.

1973, 7 lutego – Senat powołuje specjalną komisję pod przewodnictwem senatora Samuela J. Ervina, który prowadzi śledztwo w sprawie afery „Watergate".

1973, 29 marca – ostatnie oddziały amerykańskie opuszczają Wietnam Południowy.

1973, 18 maja – Archibald Cox zostaje mianowany specjalnym prokuratorem do spraw skandalu „Watergate".

1973, 18–25 czerwca – podczas wizyty radzieckiego przywódcy w Waszyngtonie odbywają się rozmowy Nixon–Breżniew.

1973, 27 czerwca – Clarence Kelley zostaje dyrektorem FBI.

1973, 10 października – wiceprezydent Spiro T. Agnew podaje się do dymisji.

1973, 12 października – Gerald R. Ford jest mianowany na wiceprezydenta Stanów Zjednoczonych.

1975, grudzień – na polecenie Sądu Najwyższego prezydent Nixon przekazuje taśmy z nagraniami własnych rozmów, które wykazują udział Białego Domu w wielu nielegalnych operacjach, o których prezydent był poinformowany.

1974, 28 stycznia – prezydent Nixon w osobistym liście do kambodżańskiego przywódcy gen. Lon Nola zapowiada kontynuację amerykańskiej pomocy dla tego kraju.

1974, 6 lutego – wobec wyniku dochodzenia w sprawie skandalu „Watergate" Izba Reprezentantów upoważnia Komisję Prawną Kongresu do wszczęcia procedury „impeachment" w stosunku do prezydenta Nixona.

1974, 28 lutego – Stany Zjednoczone i Egipt wznawiają stosunki dyplomatyczne.

1974, 1 marca – siedmiu współpracowników prezydenta Nixona zostaje postawionych w stan oskarżenia w związku ze skandalem „Watergate".

1974, 30 kwietnia – taśmy prezydenta Nixona udostępniono do użytku publicznego.

1974, 9 maja – Komisja Sprawiedliwości Izby Reprezentantów rozpoczyna przesłuchania w sprawie oskarżenia prezydenta Nixona.

1974, 12–19 czerwca – prezydent Nixon udaje się z oficjalną wizytą do Egiptu, Arabii Saudyjskiej, Izraela, Jordanii, Syrii oraz na Azory.

1974, 12 lipca – specjalna komisja senacka publikuje raport w sprawie skandalu „Watergate".

1974, 30 lipca – Komitet Sprawiedliwości Izby Reprezentantów złożył wniosek o zastosowanie wobec prezydenta Nixona procedury „impeachmentu", oskarżając go o nadużycie władzy, stawianie oporu wymiarowi sprawiedliwości i lekceważenie Kongresu.

1974, 9 sierpnia – Richard M. Nixon ustępuje ze stanowiska prezydenta Stanów Zjednoczonych.

1974, 20 sierpnia – prezydent Gerald Ford mianuje dotychczasowego gubernatora stanu Nowy Jork, Nelsona Rockefelera, wiceprezydentem Stanów Zjednoczonych.

1974, 4 września – Stany Zjednoczone nawiązują stosunki dyplomatyczne z Niemiecką Republiką Demnokratyczną.

1974, 8 września – prezydent Ford udziela bezwarunkowej amnestii Richardowi Nixonowi.

1974, 16 września – prezydent Ford udziela bezwarunkowej amnestii dezerterom oraz tym wszystkim, którzy uchylali się od służby wojskowej w okresie wojny w Wietnamie.

1794, 23–24 listopada – na przedmieściu Władywostoku dochodzi do spotkania prezydenta Geralda Forda z Leonidem Breżniewem, podczas którego podpisano oświadczenie o zamiarze zawarcia układu o ograniczeniu strategicznych zbrojeń ofensywnych, proklamując zasadę parytetu zbrojeń.

1975, 13 kwietnia – ewakuacja personelu ambasady Stanów Zjednoczonych ze stolicy Kambodży Phnom Penh.

1975, 27 kwietnia – prezydent Ford wydaje rozkaz ewakuacji amerykańskiego personelu z Wietnamu Południowego.

1975, 30 kwietnia – ostateczna ewakuacja Sajgonu.

1975, 7 maja – prezydent Ford mówi o zakończeniu „ery wietnamskiej" w polityce Stanów Zjednoczonych i apeluje o zmianę struktury wydatków państwa.

1975, 15 maja – prezydent Ford wydaje rozkaz uwolnienia z rąk Czerwonych Khmerów amerykańskiego statku *Mayaguez*.

1975, 10 czerwca – kierowana przez wiceprezydenta komisja badająca działalność CIA przedstawia swój raport, uznający niektóre poczynania CIA za „jaskrawo bezprawne i z gruntu sprzeczne z prawami obywatelskimi Amerykanów".

1975, 8 lipca – prezydent Ford oznajmia swą decyzję kandydowania w nadchodzących wyborach prezydenckich.

1975, 15–24 lipca – wspólny radziecko-amerykański lot kosmiczny Sojuz–Apollo.

1975, 21 sierpnia – zostaje częściowo zniesiony zakaz eksportu na Kubę.

1975, 5 września – w Sacramento dochodzi do nieudanego zamachu na życie prezydenta Forda.

1975, 20 listopada – zostaje opublikowany raport komisji Rockefellera ujawniający współudział CIA w zamachu na Fidela Castro, Patrice'a Lumumbę i Ngo Dinh Diema.

1975, 26 listopada – sąd w Kalifornii uznaje hippiskę Lynette Fromme winną usiłowania zabójstwa prezydenta Forda w dniu 5 września tegoż roku.

1975, 1–5 grudnia – wizyta prezydenta Forda w Chinach.

1975, 7 grudnia – podczas pobytu w Honolulu na Hawajach prezydent Ford proklamuje „doktrynę pokoju Oceanu Spokojnego", która zakłada „utrzymanie pokoju ze wszystkimi i nieżywienie nienawiści do nikogo".

1976, 19 stycznia – w orędziu o stanie państwa prezydent Ford akcentuje potrzebę „zdrowego rozsądku" i „nowego realizmu".

1976, 20 stycznia – dzienniki „New York Times" i „Washington Post" ujawniają poufny raport Komisji ds. Wywiadu Izby Reprezentantów, stwierdzający tak rozległe zaangażowanie wywiadu, iż jego kontrola wymyka się spod nadzoru Kongresu.

1976, 4 lutego – specjalna podkomisja Senatu ujawnia aferę związaną z lotniczym koncernem Lockheeda, który przekazał japońskim politykom łapówki w wysokości miliona dolarów.

1976, 17 lutego – prezydent Ford ogłasza projekt reorganizacji amerykańskich służb wywiadowczych.

1976, 31 marca – powołano specjalną komisję rządową w celu zbadania praktyk korupcyjnych stosowanych przez amerykańskie koncerny przemysłowe.

1976, 28 maja – prezydent Gerald Ford w Waszyngtonie i Leonid Breżniew w Moskwie podpisują jednocześnie układ o ograniczeniu mocy podziemnych eksplozji nuklearnych do 150 kt.

1976, 12 czerwca – Jimmy Carter ogłasza fakt posiadania przez Stany Zjednoczone (skonstruowanej w 1957 r.) broni neutronowej, co wywołuje protesty ze strony przeciwników zbrojeń.

1976, 16 czerwca – w Bejrucie zostaje uprowadzony i zamordowany Francis E. Meloy, ambasador Stanów Zjednoczonych.

1976, 7 sierpnia – Stany Zjednoczone i Iran podpisują w Teheranie kontrakt na dostawy amerykańskiego sprzętu wojskowego.

1976, 18 sierpnia – w zdemilitaryzowanej strefie Panmudżon, oddzielającej Koreę Północną od Południowej, dochodzi do incydentu zbrojnego, w którym ginie dwóch żołnierzy amerykańskich.

1976, 2 listopada – Jimmy Carter zostaje prezydentem Stanów Zjednoczonch, wiceprezydentem Walter F. Mondale.

1976, 31 grudnia – prezydent Ford ogłasza projekt przyłączenia Puerto Rico jako pięćdziesiątego stanu do Stanów Zjednoczonych.

1977, 21 stycznia – prezydent Carter ogłasza amnestię dla ludzi uchylających się od służby wojskowej w okresie wojny wietnamskiej.

1977, 27 stycznia – Waszyngton ostrzega Moskwę przed próbami represjonowania Andreja Sacharowa; rząd Stanów Zjednoczonych po raz pierwszy występuje w obronie radzieckich dysydentów.

1977, 18 kwietnia – prezydent Carter ogłasza przygotowany przez zespół Jamesa R. Schlesingera długofalowy plan rozwoju energetyki amerykańskiej, mający na celu redukcję importu ropy naftowej, zwłaszcza z państw OPEC.

1977, 28–30 marca – podczas wizyty państwowej amerykańskiego sekretarza stanu Cyrusa Vance'a w ZSRR, Moskwa odrzuca propozycję kontynuowania rokowań SALT II.

1977, 9 maja – prezydent Carter spotyka się z syryjskim przywódcą Hafezem Assadem, z którym omawia warunki zawarcia pokoju na Bliskim Wschodzie.

1977, 17–20 maja – w Genewie odbywa się kolejna runda amerykańsko-radzieckich rokowań SALT II; poinformowano o przełamaniu impasu i postępie w negocjacjach.

1977, 30 maja – Stany Zjednoczone i Kuba podpisują porozumienie w sprawie otwarcia „biur interesów" w obu państwach.

1977, 21 czerwca – Robert H. Haldeman, szef personelu Białego Domu w okresie prezydentury Nixona, zostaje skazany na karę więzienia za udział w skandalu „Watergate".

1977, 1 sierpnia – „New York Times" podaje do wiadomości, że CIA pracuje nad systemem kontroli mózgu ludzkiego.

1977, 26–27 sierpnia – w ambasadzie Stanów Zjednoczonych w Moskwie wybucha pożar; po jego ugaszeniu ambasador oznajmia o zaginięciu części dokumentów.

1977, 7 września – po 13 latach negocjacji Waszyngton zawiera porozumienie z rządem Panamy (układ Carter–Torrijos) na temat przejęcia przez nią pełnej kontroli nad strefą Kanału Panamskiego z dniem 1 stycznia 2000 r. oraz jego neutralizacji i podniesieniu opłat dzierżawnych.

1977, 27 września – w przemówieniu wygłoszonym na forum Zgromadzenia Ogólnego ONZ Andrej Gromyko ostrzega Stany Zjednoczone, iż prowadzona przez nie polityka ochrony praw człowieka zagraża odprężeniu w bilateralnych stosunkach państwowych.

1977, 1 października – rządy Stanów Zjednoczonych i Związku Radzieckiego proponują rozpoczęcie w Genewie bliskowschodnich negocjacji pokojowych.

1977, 5 października – prezydent Carter podpisuje dwie Konwencje Praw Człowieka.

1977, 1 listopada – Stany Zjednoczone występują z Międzynarodowej Organizacji Pracy.

1977, 7 grudnia – FBI udostępnia 40 tys. stron dokumentów dotyczących zabójstwa prezydenta Kennedy'ego.

1977, 14 grudnia – przy udziale Stanów Zjednoczonych i ONZ w Kairze rozpoczynają się izraelsko-egipskie rokowania pokojowe.

1978, 6 marca – stosując ustawę Tafta–Hurtleya prezydent Carter przerywa strajk amerykańskich górników.

1978, 28 marca–3 kwietnia – prezydent Carter odbywa podróż do Wenezueli, Boliwii, Nigerii i Liberii; podróż ta jest wyrazem poparcia dla krajów rozwijających się.

1978, 7 kwietnia – prezydent Carter informuje o decyzji odłożenia produkcji bomby neutronowej.

1978, 20 czerwca – w przemówieniu wygłoszonym w Atlantic City, w stanie New Jersey, sekretarz stanu Cyrus Vance określa zasady polityki amerykańskiej wobec kontynentu afrykańskiego, który, jak zapewnia, nie stanie się terenem starć między Wschodem i Zachodem.

1978, 28 czerwca – decyzją Sądu Najwyższego biały student Alan Bakke padł ofiarą dyskryminacji po odmowie przyjęcia do Akademii Medycznej, mimo posiadanych przezeń wyższych kwalifikacji od przyjmowanych studentów murzyńskich.

1978, 18 września – Stany Zjednoczone, Egipt i Izrael podpisują trójstronne porozumienie w Camp David regulujące sytuację polityczną na Bliskim Wschodzie.

1978, 15 grudnia – prezydent Carter podaje do wiadomości, iż z dniem 1 stycznia przyszłego roku Stany Zjednoczone nawiążą pełne stosunki dyplomatyczne z Chińską Republiką Ludową.

1978, 30 grudnia – specjalna Komisja ds. Zabójstw Izby Reprezentantów, badając sprawy zabójstwa prezydenta Kennedy'ego oraz Martina Luthera Kinga, nie wykluczyła w swym raporcie istnienia spisku.

1979, 19 stycznia – były prokurator generalny Stanów Zjednoczonych, jako ostatnia osoba zamieszana w skandal „Watergate", zostaje zwolniony z więzienia.

1979, 28 stycznia–5 lutego – wicepremier ChRL Deng Xiaoping odwiedza Stany Zjednoczone; podczas jego wizyty zostały podpisane porozumienia w sprawie wymiany kulturalnej i naukowej.

1979, 26 marca – w obecności prezydenta Cartera dochodzi do podpisania w Waszyngtonie układu pokojowego między Izraelem i Egiptem, który kończy 31-letni stan wojny między tymi państwami.

1979, 28 marca – w stanie Pensylwania dochodzi do awarii elektrowni atomowej Three Mile Island.

1979, 6 maja – w Waszyngtonie ponad 65 tys. osób bierze udział w demonstracji przeciw energii atomowej i broni atomowej.

1979, 18 czerwca – prezydent Jimmy Carter i Leonid Breżniew podpisują w Wiedniu układ SALT II na temat ograniczenia liczby międzykontynentalnych wyrzutni rakiet balistycznych do 2 tys. po każdej stronie; układu tego nie ratyfikuje Kongres.

1979, 21 czerwca – flota amerykańska otrzymuje rozkaz ratowania „ludzi z łódek" (boat people) – indochińskich uchodźców na Morzu Południowochińskim.

1979, 2 sierpnia – Stany Zjednoczone wystosowują ostrzeżenie do rządu radzieckiego przeciw interwencji w Afganistanie.

1979, 15 sierpnia – po ujawnieniu szczegółów dotyczących tajnego spotkania z przywódcami Organizacji Wyzwolenia Palestyny, amerykański ambasador przy ONZ, Andrew Young, podaje się do dymisji.

1979, 31 sierpnia – Departament Stanu ogłasza wykrycie obecności wojsk radzieckich na Kubie.

1979, 1 października – zostaje utworzony Departament Oświaty.

1979, 1 października – prezydent Carter informuje o wzmocnieniu wojsk amerykańskich w rejonie Karaibów i wzmożeniu obserwacji Kuby.

1979, 20 października – Stany Zjednoczone udzielają prawa wjazdu szachowi Iranu Rezie Pahlaviemu w celu leczenia.

1979, 4 listopada – grupa Irańczyków zajęła w Teheranie gmach ambasady Stanów Zjednoczonych, zatrzymując dziewięćdziesięciu zakładników i żądając wydania szacha.

1979, 14 listopada – Stany Zjednoczone zamrażają aktywa irańskie.

1979, 4 grudnia – prezydent Carter oznajmia o swej decyzji ubiegania się o drugą kadencję.

1979, 12 grudnia – na sesji Rady NATO w Brukseli podjęto decyzję rozmieszczenia w Europie Zachodniej od 1983 r. 108 amerykańskich rakiet średniego zasięgu typu Pershing II i 464 pocisków manewrujących Cruise.

1980, 4 stycznia – w wyniku wkroczenia wojsk radzieckich do Afganistanu prezydent Carter ogłasza sankcje gospodarcze i polityczne wobec ZSRR.

1980, 20 stycznia – prezydent Carter zapowiada amerykański bojkot Olimpiady w Moskwie i wzywa sojuszników Stanów Zjednoczonych do poparcia bojkotu.

1980, 3 lutego – wybucha skandal ABSCAM związany z przyjęciem przez kilku kongresmanów znacznych sum pieniędzy, przewyższających wartością kwotę określoną prze kodeks etyczny (100 dolarów); pieniądze wręczali agenci FBI; skandal kończy się procesami sądowymi o korupcję.

1980, 7 kwietnia – Stany Zjednoczone zrywają stosunki dyplomatyczne z Iranem i nakładają nań sankcje gospodarcze.

1980, 24 kwietnia – specjalne jednostki amerykańskie podejmują operację uwolnienia zakładników z ambasady USA w Teheranie za pomocą desantu śmigłowcowego; operacja kończy się fiaskiem na skutek zderzenia helikoptera z samolotem transportowym.

1980, 14 maja – prezydent Carter ogłasza program powstrzymania napływu uchodźców kubańskich do Stanów Zjednoczonych.

1980, 3 czerwca – błąd w komputerze, w systemie obrony, w Colorado Springs powoduje fałszywy alarm oznajmiający o radzieckim ataku rakietowym na Stany Zjednoczone.

1980, 2 października – w Waszyngtonie Stany Zjednoczone i Tajwan podpisują układ o utrzymaniu wzajemnych stosunków.

1980, 28 października – debata telewizyjna między prezydentem Carterem i kandydatem Partii Republikańskiej Ronaldem Reaganem.

1980, 4 listopada – Ronald Reagan zostaje prezydentem Stanów Zjednoczonych, wiceprezydentem George Bush.

1980, 22 grudnia – w Nowym Jorku umiera Rick Wellikoff – według specjalistów pierwsza ofiara AIDS.

1981, 20 stycznia – po uprzednim wynegocjowaniu warunków zwolnienia zakładników amerykańskich przetrzymywanych w Iranie, dyplomatyczny personel amerykański powraca do kraju.

1981, 20 stycznia – inauguracyjne przemówienie prezydenta Ronalda Reagana, w którym nakreślił on główne zasady polityki ekonomicznej, tzw. Reaganomiki (Reaganomics), zmierzającej m. in. do pobudzenia gospodarki przez obniżenie podatków, zmniejszenie ingerencji rządu w sprawy gospodarki i wzrost wydatków budżetowych na obronę.

1981, 30 marca – John Hinckley dokonuje nieudanego zamachu na życie prezydenta Reagana.

1981, 12–14 kwietnia – pierwszy lot promu kosmicznego Columbia.

1981, 24 kwietnia – prezydent Reagan znosi embargo na eksport zboża do ZSRR, nałożone przez prezydenta Cartera radzieckiej interwencji w Afganistanie.

1981, 19 sierpnia – lotnictwo amerykańskie zestrzeliło dwa libijskie myśliwce w trakcie manewrów nad zatoką Wielka Syrta.

1981, 27 października – Senat potępia płk. Mu'ammara al-Kaddafiego za popieranie międzynarodowego terroryzmu.

1981, 4 grudnia – prezydent Reagan podpisuje zarządzenie wykonawcze, rozszerzające zakres działania CIA i zobowiązujące ją do zbierania informacji od obywateli amerykańskich w kraju i za granicą.

1981, 10 grudnia – rząd Stanów Zjednoczonych wezwał swoich obywateli przebywających na terenie Libii do opuszczenia tego kraju.

1981, 23 grudnia – prezydent Reagan ogłasza wprowadzenie sankcji gospodarczych wobec Polski.

1981, 29 grudnia – uznawszy odpowiedzialność ZSRR za wprowadzenie w Polsce stanu wojennego, prezydent ogłasza sankcje gospodarcze wobec Moskwy.

1982, 26 stycznia – w orędziu o stanie państwa prezydent Reagan ogłasza politykę „nowego federalizmu" (New Federalism), polegającą na rozszerzeniu uprawnień organów niższego szczebla oraz zakładającą, że władze federalne i stanowe są współpracującymi partnerami, a nie rywalami o podział wpływów.

1982, 24 lutego – prezydent Reagan ogłasza plan poprawy sytuacji gospodarczej i bezpieczeństwa na Karaibach i w Ameryce Środkowej.

1982, 29 kwietnia – rozpoczynają się amerykańsko-radzieckie rokowania o ograniczeniu zbrojeń strategicznych (Strategic Arms Reduction Talks – START).

1982, 18 czerwca – prezydent Reagan rozszerza zakaz eksportu technologii amerykańskiej przez kraje zachodnioeuropejskie do ZSRR.

1982, 23 czerwca – sekretarz stanu Alexander Haig podaje się do dymisji, tłumacząc decyzję „rozbieżnościami w ocenie polityki amerykańskiej"; funkcję tę obejmuje George Schultz.

1982, 24 czerwca – zwolennicy poprawki o zrównaniu praw obu płci (Equal Rights Amendement) ponoszą porażkę w związku z ratyfikowaniem jej przez 35 legislatur stanowych, zamiast wymaganej większości – 38.

1982, 13 listopada – prezydent Reagan znosi embargo na dostawy amerykańskiego sprzętu i technologii do budowy gazociągu syberyjskiego.

1982, 22 listopada – prezydent Reagan informuje o planie rozmieszczenia na terytorium Stanów Zjednoczonych 100 rakiet MX jako nowego systemu obronnego.

1982, 2 grudnia – w Centrum Medycznym uniwersytetu w stanie Utah dokonano pierwszego zabiegu wszczepienia sztucznego serca; pacjentem był 61-letni Barney Clark.

1982, 7 grudnia – Kongres odrzuca projekt przyznania funduszy na budowę w 1983 r. rakiet MX; po raz pierwszy od 1945 r. żądanie prezydenckie w sprawie zbrojeń zostało odrzucone.

1982, 8 grudnia – Waszyngton zapowiada utworzenie z dniem 1 stycznia przyszłego roku nowego centralnego dowództwa z siedzibą w Tempa na Florydzie, odpowiedzialnego za działania Sił Szybkiego Reagowania (Rapid Deployment Force).

1982, 10 grudnia – delegacje Stanów Zjednoczonych i krajów EWG podpisują umowę o podjęciu działań mających na celu uniknięcie wojny handlowej z powodu produktów rolnych z EWG i Stanów Zjednoczonych.

1983, 2 lutego – w Genewie wznowiono, przerwane 30 listopada ubiegłego roku, amerykańsko-radzieckie rozmowy o ograniczeniu zbrojeń strategicznych w Europie – START.

1983, 23 marca – po 112 dniach od operacji umiera pierwszy pacjent ze sztucznym sercem.

1983, 23 marca – prezydent Reagan ogłasza realizację inicjatywy obrony startegicznej (Strategic Defense Initiative – SDI); celem „wojen gwiezdnych" jest zastąpienie strategii wzajemnego odstraszania w stosunkach Stanów Zjednoczonych z ZSRR koncepcją skutecznej obrony w wypadku ataku nuklearnego.

1983, 28 czerwca – podczas konferencji prasowej dziennikarze pytają prezydenta Reagana o posiadanie przezeń kopii zeszytu z notatkami Jimmy Cartera, zawierającymi strategię debaty telewizyjnej w 1980 r., co umożliwiło Reaganowi lepsze przygotowanie się do starcia.

1983, 23 października – w wyniku wybuchu ciężarówki z 1100 kg materiałów wybuchowych przed kwaterą piechoty morskiej w Bejrucie zginęło 216 żołnierzy amerykańskich.

1983, 25 października – prezydent Reagan oświadcza o podjęciu przez wojska amerykańskie wraz ze sprzymierzonymi państwami karaibskimi interwencji zbrojnej na Grenadzie w celu obalenia reżimu Hudsona Austina.

1983, 29 listopada – Stany Zjednoczone występują z UNESCO, motywując swą decyzję „nadmiernym upolitycznieniem działalności organizacji".

1984, 10 stycznia – Stany Zjednoczone nawiązują stosunki dyplomatyczne z Watykanem, zerwane w 1867 r.

1984, 11 stycznia – komisja Kissingera ds. Ameryki Środkowej zaleca, aby Stany Zjednoczone przeznaczyły w tym rejonie 8 mld dolarów w ciągu 5 lat na program pomocy gospodarczej i wojskowej.

1984, 1 lutego – projekt budżetu na rok 1985 przewiduje wydatki na zbrojenia w wysokości 313 mld dolarów.

1984, 26 kwietnia–1 maja – prezydent Reagan przebywa z oficjalną wizytą w ChRL, z którą zawiera porozumienie o współpracy gospodarczej oraz pokojowym wykorzystaniu energii jądrowej.

1984, 7 maja – ZSRR podejmuje decyzję o bojkocie Olimpiady w Los Angeles i wzywa pozostałe państwa do przyłączenia się do bojkotu, oskarżając Stany Zjednoczone o „wykorzystywanie Olimpiady do celów politycznych".

1984, 12 października – Międzynarodowy Trybunał Sprawiedliwości w Hadze wydaje wyrok w sprawie przebiegu granicy między Kanadą i Stanami Zjednoczonymi w zatoce Maine, przyznając jedną trzecią tego obszaru Kanadzie, a dwie trzecie Stany Zjednoczone.

1984, 6 listopada – Ronald Reagan zostaje wybrany na drugą kadencję prezydencką, wiceprezydentem zostaje George Bush.

1985, 7–8 stycznia – podczas genewskich rozmów sekretarza stanu George'a Schultza z radzieckim ministrem spraw zagranicznych Andrejem Gromyką uzgodniono wznowienie (zerwanych przez ZSRR w grudniu 1983 r.) rokowań START, a także redukcję broni atomowych średniego zasięgu.

1985, 18 kwietnia – prezydent Reagan zawiera kompromis z Kongresem w sprawie pomocy dla nikaraguańskich contras; uzgodniono przyznanie subwencji na zakup sprzętu i zaopatrzenia wojskowego.

1985, 1 maja – Stany Zjednoczone wprowadzają sankcje gospodarcze wobec Nikaragui, wypowiadając traktat o przyjaźni, zrywając stosunki handlowe oraz wprowadzając zakaz lotów samolotów nikaraguańskich nad terytorium Stanów Zjednoczonych.

1895, 19–21 listopada – w Genewie odbywa się spotkanie Reagan–Gorbaczow; pierwszy od 1979 r. szczyt supermocarstw; nie dochodzi do porozumienia w sprawie kontroli zbrojeń, praw człowieka i konfliktów regionalnych.

1985, 28 grudnia – na poligonie w stanie Newada Stany Zjednoczone przeprowadziły udaną próbę z bronią laserową.

1986, 1 stycznia – prezydent Ronald Reagan i Michaił Gorbaczow w telewizyjnych przemówieniach przesyłają noworoczne życzenia dla obu narodów.

1986, 14/15 kwietnia – w odwecie za wspieranie i finansowanie międzynarodowego terroryzmu przez Libię, amerykańskie lotnictwo zbombardowało Trypolis i Bengazi.

1986, 15 czerwca – rząd Stanów Zjednoczonych występuje do ONZ o anulowanie mandatu nad powierniczymi wyspami na Oceanie Spokojnym.

1986, 25 czerwca – Kongres aprobuje plan pomocy dla nikaraguańskich contras w wysokości 100 mln dolarów.

1986, 5 sierpnia – Stany Zjednoczone i Związek Radziecki zawierają w Waszyngtonie trzynaście porozumień na temat wymiany kulturalnej i współpracy w dziedzinie sportu i oświaty.

1986, 16 listopada – Waszyngton nakazuje opuszczenie terytorium Stanów Zjednoczonych 25 radzieckim pracownikom misji przy ONZ, oskarżonym o szpiegostwo.

1986, 11–12 października – w Rejkiaviku dochodzi do spotkania Reagan–Gorbaczow; w sprawie redukcji rakiet średniego zasięgu nie osiągnięto porozumienia.

1986, 21 października – Waszyngton nakazuje opuszczenie terytorium Stanów Zjednoczonych 55 radzieckim dyplomatom.

1986, 5–6 listopada – w Wiedniu odbywa się spotkanie amerykańskiego sekretarza stanu George'a Schultza z radzieckim ministrem spraw zagranicznych Eduardem Szewardnadze; bezskutecznie dyskutowane są problemy zbrojeń.

1986, 19 listopada – prezydent Reagan przyjmuje na siebie całkowitą odpowiedzialność za dostawy amerykańskiej broni do Iranu.

1986, 25 listopada – w związku z ujawnieniem afery „Iran–Contra" doradca prezydenta ds. bezpieczeństwa narodowego, admirał John Pointdexter, podaje się do dymisji.

1987, 19 lutego – prezydent Reagan znosi sankcje gospodarcze wobec Polski.

1987, 7 kwietnia – prezydent Reagan poleca wzmocnienie ochrony ambasady Stanów Zjednoczonych w Moskwie z powodu wykrycia w ścianach aparatury podsłuchowej.

1987, 5 maja – Kongres rozpoczyna przesłuchania w sprawie tajnych dostaw amerykańskiej broni do Iranu.

1987, 12 czerwca – podczas wizyty w Berlinie Zachodnim prezydent Reagan wzywa rząd radziecki do zburzenia muru berlińskiego.

1987, 25 czerwca – Kongres uchwala rezolucję żądającą postawienia przed amerykańskim sądem dowódcy sił zbrojnych Panamy, gen. Manuela Noriegi, oskarżonego o przemyt i handel narkotykami.

1987, 22 lipca – Stany Zjednoczone rozpoczynają operację ochrony kuwejckich okrętów w Zatoce Perskiej, użyczając im własnej bandery oraz eskorty.

1987, 1–3 sierpnia – gen. John Vessey, specjalny wysłannik prezydenta Reagana, złożył wizytę w Wietnamie w celu omówienia stosunków dwustronnych.

1987, 16 września – rząd Stanów Zjednoczonych nakazuje zamknięcie waszyngtońskiego biura informacyjnego OWP.

1987, 3 października – Stany Zjednoczone podpisują z Kanadą układ o likwidacji, w ciągu dziesięciu lat, taryf celnych.

1987, 14 października – na giełdzie nowojorskiej dochodzi do spadku wskaźnika Dow Jonesa o 261,3 punkta.

1987, 19 października – wartość akcji na nowojorskiej giełdzie spada o 508 punktów; prezydent Reagan powołuje specjalną komisję do zbadania przyczyn załamania.

1987, 12 listopada – prezydent Reagan przyjmuje w Waszyngtonie przywódców afgańskich mudżahedinów, których zapewnia o pomocy i poparciu ze strony Stanów Zjednoczonych.

1987, 8–10 grudnia – w Waszyngtonie dochodzi do trzeciego spotkania na szczycie między Michaiłem Gorbaczowem i Ronaldem Reaganem, podczas którego zostaje podpisany układ o całkowitej likwidacji rakiet krótkiego i średniego zasięgu; 9 grudnia wchodzi w życie porozumienie o utworzeniu bezpośredniego połączenia lotniczego Moskwa–Nowy Jork.

1988, 28 stycznia – amerykańscy lekarze informują o wyodrębnieniu wirusa HIV-2.

1988, 3 lutego – Kongres odrzuca możliwość przyznania dalszych funduszy w wysokości 36 mln dolarów dla contras.

1988, marzec – sekretarz skarbu Nicolas Brady ogłasza plan restrukturyzacji długów najbardziej zadłużonych państw świata, który zakłada redukcję i odroczenie spłat w zamian za obsługę reszty wierzytelności.

1988, 16 kwietnia – amerykańska marynarka wojenna zatopiła w Zatoce Perskiej sześć irańskich okrętów oraz dwie platformy wiertnicze.

1988, 29 maja – 2 czerwca – prezydent Reagan przybywa z wizytą do Moskwy, gdzie podpisuje z prezydentem Gorbaczowem dziewięć porozumień dotyczących kontroli zbrojeń; uzgodniono m. in. wymóg powiadamiania o sile i terminie prób nuklearnych i rakietowych.

1988, 1 sierpnia – Stany Zjednoczone rozpoczynają wycofywanie rakiet Pershing z terytorium RFN.

1988, 17 sierpnia – Stany Zjednoczone i Związek Radziecki przeprowadzają wspólnie próbę wybuchu atomowego w Newadzie.

1988, 17 października – w Waszyngtonie podpisano porozumienie o przedłużeniu obecności amerykańskich baz wojskowych na Filipinach w zamian za pomoc finansową dla Manili.

1988, 23 października – prasa publikuje oskarżenia pod adresem prezydenta Reagana i wiceprezydenta Busha, którym zarzuca celowe opóźnianie uwolnienia zakładników amerykańskich z Iranu w 1980 r., mające uniemożliwić Carterowi wykorzystanie tego elementu w propagandzie wyborczej.

1988, 8 listopada – George Bush zostaje prezydentem Stanów Zjednoczonych, wiceprezydentem Danford J. Quayle.

1989, 1 stycznia – wchodzi w życie układ amerykańsko-kanadyjski w sprawie utworzenia wspólnego rynku w ciągu dziesięciu lat.

1989, 21 lutego – w Waszyngtonie rozpoczyna się proces głównego oskarżonego w aferze „Iran–Contra", byłego pracownika Rady Bezpieczeństwa Narodowego, płk. Olivera Northa, oskarżonego o oszukiwanie rządu, wprowadzanie w błąd komisji Kongresu oraz czerpanie osobistych korzyści z zajmowanego stanowiska.

1989, 3 marca – były doradca prezydenta Reagana ds. bezpieczeństwa, Robert McFarlane, zostaje ukarany grzywną w wysokości 20 tys. dolarów i oddany na dwa lata pod nadzór sądowy za udział w aferze „Iran–Contra".

1989, 24 marca – prezydent Bush otrzymuje od Kongresu zezwolenie na kontynuowanie pomocy humanitarnej dla contras w wysokości 27 mln dolarów.

1989, 9–13 lipca – prezydent Bush przybywa z wizytą do Polski i Węgier w celu poparcia zachodzących tu zmian demokratycznych; Polska otrzymuje pomoc w wysokości 115 mln dolarów, Węgry 5 mln dolarów.

1990, 6–11 lutego – amerykański sekretarz stanu James Baker odbywa podróż do Bułgarii, Czechosłowacji, Rumunii i ZSRR, podczas której omawia sprawy związane ze zjednoczeniem Niemiec, rozbrojeniem oraz pomocą gospodarczą.

1990, 11–13 lutego – podczas konferencji w Ottawie z udziałem przedstawicieli paktu NATO i Układu Warszawskiego uzgodniono obniżenie liczby wojsk radzieckich w Europie do 195 tys. i amerykańskich do 225 tys.; ministrowie spraw zagranicznych zapowiadają podjęcie rozmów w sprawie zjednoczenia Niemiec.

1990, 24–25 lutego – w Camp David odbywa się spotkanie prezydenta Busha z kanclerzem Niemiec Helmutem Kohlem poświęcone sprawie zjednoczenia Niemiec.

1990, 30 maja – 4 czerwca – w Waszyngtonie podczas oficjalnej wizyty Michaiła Gorbaczowa zostaje zawarte porozumienie o likwidacji 6 tys. głowic nuklearnych i 1,6 tys. rakiet strategicznych; podpisano również układ o współpracy handlowej, naukowej i kulturalnej.

1990, 11 września – Kongres upoważnia George'a Busha do wysłania wojsk amerykańskich do Zatoki Perskiej.

1990, 12 września – cztery zwycięskie mocarstwa, w tym delegacja Stanów Zjednoczonych, podpisuje w Moskwie układ o ostatecznym uregulowaniu spraw dotyczących Niemiec, na mocy którego usankcjonowano istniejące granice Niemiec i przywrócono im pełną suwerenność.

1990, 3–8 grudnia – prezydent Bush odbywa podróż do Argentyny, Brazylii, Chile i Wenezueli, podczas której omawia projekt utworzenia strefy wolnego handlu na obu kontynentach amerykańskich.

1991, 12 stycznia – prezydent Bush otrzymuje od Kongresu pełnomocnictwa do podjęcia „wszelkich niezbędnych kroków" w celu zlikwidowania irackiej okupacji Kuwejtu.

1991, 17 stycznia – po wygaśnięciu ultimatum ONZ rozpoczyna się wojna koalicji 25 państw, kierowana przez Stany Zjednoczone, przeciw Irakowi.

1991, 17 stycznia – liczba zgonów spowodowanych przez wirusa HIV do końca 1990 r. wyniosła ponad 100 tys.

1991, 24 lutego – o godzinie 22 czasu lokalnego nad Zatoką Perską rozpoczyna się ofensywa lądowa wojsk koalicji antyirackiej.

1991, 27 lutego – o godzinie 9 czasu waszyngtońskiego prezydent Bush poinformował w telewizji o wyzwoleniu Kuwejtu i wstrzymaniu ognia.

1991, 1 marca – prezydent Bush w przemówieniu telewizyjnym powiadamia opinię publiczną o pełnym triumfie aliantów w Zatoce Perskiej.

1991, 8 kwietnia – ewakuacja wojsk amerykańskich z okupowanej części Iraku.

1991, 17 lipca – podczas spotkania na szczycie w Londynie George Bush i Michaił Gorbaczow podają do wiadomości treść porozumienia w sprawie redukcji arsenałów strategicznych supermocarstw (START), które przewiduje zmniejszenie liczby rakiet nośnych o około 46% oraz głowic atomowych z 7,5 tys. i 9 tys. do 6 tys. po każdej ze stron.

1991, 24 sierpnia – Pentagon oznajmia, iż w związku z zamachem stanu w ZSRR na Michaiła Gorbaczowa amerykańskie siły strategiczne są postawione w stan gotowości.

1991, 2 września – Stany Zjednoczone uznają niepodległość Litwy, Łotwy i Estonii.

1991, 27 września – prezydent Bush ogłasza jednostronną redukcję głowic nuklearnych przez Stany Zjednoczone w związku z „ustaniem zagrożenia ze strony ZSRR i Układu Warszawskiego".

1991, 11 listopada – po raz pierwszy od 16 lat Stany Zjednoczone wysyłają personel dyplomatyczny do Kambodży.

1991, 7 grudnia – podczas przemówienia w 50 rocznicę japońskiego ataku na Pearl Harbor prezydent Bush przeprasza wszystkich obywateli amerykańskich japońskiego pochodzenia internowanych w latach 1941–1945.

1992, 1 stycznia – w corocznym orędziu o stanie państwa prezydent Bush ogłasza zwycięstwo Stanów Zjednoczonych w „zimnej wojnie" i koniec komunizmu, zapowiada redukcję arsenałów nuklearnych, cięcia w wydatkach na obronę, reformy podatkowe i zmiany w systemie opieki zdrowotnej.

1992, 1 lutego – w Camp David odbywa się prywatne spotkanie prezydenta George'a Busha z prezydentem Rosji Borysem Jelcynem.

1992, 6 kwietnia – Stany Zjednoczone uznają niepodległość Bośni i Hercegowiny.

1992, 30 kwietnia – Naczelnym Dowódcą Sił Zbrojnych NATO zostaje gen. John Shalikashvili.

1992, 8–9 czerwca – podczas rozmów waszyngtońskich James Baker i Andrej Kozyriew uzgadniają redukcję liczby głowic atomowych przez USA i Wspólnotę Niepodległych Państw do około 4,7 tys. po każdej za stron.

1992, 16–17 kwietnia – podczas waszyngtońskiego szczytu prezydent George Bush i prezydent Borys Jelcyn podpisują porozumienie o redukcji liczby głowic atomowych posiadanych przez Stany Zjednoczone i Wspólnotę Niepodległych Państw.

1992, 7 sierpnia – prezydent Bush potępia serbskie „czystki etniczne" w Bośni i Hercegowinie.

1992, 12 sierpnia – w Waszyngtonie ogłoszono, że Kanada, Meksyk i Stany Zjednoczone ustaliły projekt układu o utworzeniu Północnoamerykańskiego Stowarzyszenia Wolnego Handlu (North America Free Trade Association – NAFTA), zakładającego zniesienie barier celnych w ciągu piętnastu lat i powstanie strefy wolnego handlu zamieszkałej przez 370 mln ludzi.

1992, 13 sierpnia – James Baker oznajmia rezygnację z urzędu sekretarza stanu w związku z prowadzeniem kampanii wyborczej prezydenta George'a Busha; jego następcą zostaje Lawrence Eagleburger.

1992, 22 września – były sekretarz stanu Henry Kissinger zaprzecza jakoby Stany Zjednoczone pozostawiły amerykańskich jeńców wojennych w rękach komunistów wietnamskich.

1992, 24 września – w Nowym Jorku dochodzi do podpisania projektu układu START II między Lawrencem Eagleburgerem i Andrejem Kozyriewem.

1992, 25 września – Rosja i Stany Zjednoczone znoszą wszelkie restrykcje związane ze swobodą podróżowania.

1992, 3 listopada – William (Bill) J. Clinton zostaje wybrany na prezydenta Stanów Zjednoczonych, wiceprezydentem zostaje Albert (Al) Gore.

1992, 23 listopada – zakończono wycofywanie wojsk amerykańskich z Filipin.

1992, 3 grudnia – Rada Bezpieczeństwa ONZ uchwala wysłanie amerykańskich wojsk pokojowych do Somalii pod auspicjami ONZ w celu zapewnienia dostaw żywności dla pogrążonego w wojnie domowej kraju.

1992, 9 grudnia – pierwsze jednostki amerykańskie lądują w Somalii.

1992, 29 grudnia – Stany Zjednoczone i Rosja uzgadniają ostateczny tekst układu rozbrojeniowego START II.

1993, 20 stycznia – oficjalna inauguracja prezydentury Clintona.

1993, 23 stycznia – prezydent Clinton znosi przepisy dotyczące zakazu przerywania ciąży.

1993, 29 stycznia – prezydent Clinton wydaje zakaz zwalniania homoseksualistów ze służby wojskowej.

1993, 9 lutego – były sekretarz stanu Cyrus Vance i lord David Owen przedstawiają Radzie Bezpieczeństwa ONZ pokojowy plan dla Bośni i Hercegowiny.

1993, 26 lutego – islamscy fundamentaliści dokonują zamachu bombowego w nowojorskim World Trade Center.

1993, 3–4 kwietnia – podczas spotkania Billa Clintona z Borysem Jelcynem w Vancouver, prezydent Stanów Zjednoczonych oferuje Rosji pomoc gospodarczą oraz większe otwarcie amerykańskiego rynku na rosyjskie towary.

1993, 19 kwietnia – po 51 dniach oblężenia farmy Waco w stanie Teksas, stanowiącej centrum wyznaniowe sekty religijnej Davida Koresha, wojsko podejmuje operację zbrojną, w wyniku której ginie 87 członków sekty.

1993, 22 kwietnia – w Waszyngtonie zostaje otwarte Muzeum Holocaustu.

1993, 27 czerwca – w ramach odwetu za próbę zamachu na byłego prezydenta Stanów Zjednoczonych George'a Busha lotnictwo amerykańskie dokonuje ataku rakietowego na kwaterę główną wywiadu irackiego w Bagdadzie.

1993, 1 lipca – Stany Zjednoczone zapowiadają poparcie dla przyznania Japonii i Niemcom statusu stałego członka Rady Bezpieczeństwa ONZ.

1993, 11 sierpnia – gen. John Shalikashvili zostaje mianowany przewodniczącym Połączonego Kolegium Szefów Sztabu Sił Zbrojnych Stanów Zjednoczonych.

1993, 20 października – sekretarz obrony Les Aspin zgłasza wniosek, by zamiast projektu szybkiego przyjęcia do NATO nowych członków zaproponować im podpisanie umów o współpracy obronnej; amerykańska inicjatywa otrzyma wkrótce nazwę „Partnerstwo dla Pokoju".

1993, 14 listopada – w przeprowadzonym referendum mieszkańcy Puerto Rico odrzucili projekt przekształcenia państwa w pięćdziesiąty pierwszy stan USA, opowiadając się za utrzymaniem statusu państwa stowarzyszonego ze Stanami Zjednoczonymi.

1993, 17 listopada – Kongres ratyfikuje układ o utworzeniu strefy wolnego handlu między Kanadą, Meksykiem i Stanami Zjednoczonymi – NAFTA.

1994, 9–16 stycznia – prezydent Clinton przybywa z pierwszą wizytą do Europy; w siedzibie NATO w Brukseli przedstawia program „Partnerstwo dla Pokoju".

1994, 3 lutego – prezydent Clinton ogłasza decyzję o zniesieniu embarga na handel z Wietnamem.

1994, 22 lutego – były szef wydziału rosyjskiego CIA, John Aldrich Ames, zostaje oskarżony o szpiegostwo na rzecz Rosji.

1994, 28 lutego – w związku z naruszeniem zakazu lotów nad Bośnią, w północno-wschodniej części kraju zostają zestrzelone przez amerykańskie lotnictwo cztery serbskie samoloty.

1994, 23 kwietnia – umiera były prezydent Stanów Zjednoczonych Richard Nixon.

1994, 15 czerwca – w związku z konstruowaniem przez Koreę Północną bomby atomowej były prezydent Jimmy Carter przybywa na Półwysep Koreański z misją mediacyjną.

1994, 25 lipca – premier Izraela Icchak Rabin oraz król Jordanii Husajn podpisują w Waszyngtonie deklarację pokojową.

1994, 18 września – były prezydent Jimmy Carter prowadzi misję mediacyjną w sprawie przekazania władzy wojskowej na Haiti przez juntę gen. Cedrasa w ręce obalonego prezydenta Jean-Bertranda Aristide'a.

1994, 19 września – w celu nadzorowania porozumienia między generałem Cedrasem i Jean-Bertrandem Aristide'em na Haiti lądują wojska amerykańskie.

1994, 1 października – znajdujące się pod zarządem powierniczym ONZ wyspy Palu otrzymują status państwa stowarzyszonego ze Stanami Zjednoczonymi.

1994, 8 października – Kongres uchwala poprawkę Browna, która upoważnia prezydenta do objęcia państw Grupy Wyszechradzkiej programem współpracy wojskowej, przysługującej formalnie sojusznikom Stanów Zjednoczonych.

1994, 5 listopada – były prezydent Ronald Reagan oświadcza o konieczności wycofania się z życia politycznego w związku z chorobą Alzheimera.

1994, 8 listopada – po raz pierwszy od czterdziestu lat Partia Republikańska uzyskuje większość w obu izbach Kongresu.

1994, 18 grudnia – były prezydent Jimmy Carter rozpoczyna nieoficjalną misję pokojową na Bałkanach.

1995, 9 stycznia – sekretarz obrony William Perry ostrzega, że Irak jest gotów w każdej chwili skonstruować broń atomową.

1995, 16 lutego – Kongres podejmuje uchwałę zobowiązującą Biały Dom do podjęcia działań w celu jak najszybszego przyjęcia Czech, Polski, Słowacji i Węgier do NATO.

1995, 27 lutego – wiceprezydent Al Gore oświadcza w Brukseli, iż Rosja nie ma prawa weta w kwestii przyjęcia nowych członków do paktu NATO.

1995, 30 marca – po wypełnieniu pokojowej misji na Haiti Bill Clinton przekazał w Port-au-Prince władzę na ręce Jean-Bertranda Aristide'a; tymczasowo zdecydowano się pozostawić kontyngent liczący 2400 żołnierzy.

PREZYDENCI STANÓW ZJEDNOCZONYCH AMERYKI

1.	GEORGE WASHINGTON	1789, 1793
2.	JOHN ADAMS	1797
3.	THOMAS JEFFERSON	1801, 1805
4.	JAMES MADISON	1809, 1813
5.	JAMES MONROE	1817, 1821
6.	JOHN QUINCY ADAMS	1825
7.	ANDREW JACKSON	1829, 1833
8.	MARTIN VAN BUREN	1837
9.	WILLIAM HENRY HARRISON	1841
10.	JOHN TYLER	1841
11.	JAMES KNOX POLK	1845
12.	ZACHARY TAYLOR	1849
13.	MILLARD FILLMORE	1850
14.	FRANKLIN PIERCE	1853
15.	JAMES BUCHANAN	1857
16.	ABRAHAM LINCOLN	1861, 1865
17.	ANDREW JOHNSON	1865
18.	ULYSSES S. GRANT	1869, 1873
19.	RUTHERFORD B. HAYES	1877
20.	JAMES A. GARFIELD	1881
21.	CHESTER A. ARTHUR	1881
22.	GROVER CLEVELAND (1)	1885
23.	BENJAMIN HARRISON	1889
	GROVER CLEVELAND (2)	1893
24.	WILLIAM MCKINLEY	1897, 1901
25.	THEODORE ROOSEVELT	1901, 1905
26.	WILLIAM H. TAFT	1909
27.	WOODROW WILSON	1913, 1917
28.	WARREN G. HARDING	1921
29.	CALVIN COOLIDGE	1923, 1925
30.	HERBERT C. HOOVER	1929

31. FRANKLIN D. ROOSEVELT	1933, 1937, 1941, 1945
32. HARRY S. TRUMAN	1945, 1949
33. DWIGHT D. EISENHOWER	1953, 1957
34. JOHN F. KENNEDY	1961
35. LYNDON B. JOHNSON	1963, 1965
36. RICHARD M. NIXON	1969, 1973
37. GERALD R. FORD	1974
38. JAMES E. CARTER	1977
39. RONALD W. REAGAN	1981, 1985
40. GEORGE H. BUSH	1989
41. BILL CLINTON	1993

SPIS MAP I DIAGRAMÓW

1. Podział Europy po II wojnie światowej 40
2. Wybory prezydenckie 1948 r. 43
3. Wojna w Korei – działania zbrojne 1950–1953 46
4. Wybory prezydenckie 1952 r. 51
5. Wybory prezydenckie 1956 r. 60
6. Wybory prezydenckie 1960 r. 73
7. Inwazja w Zatoce Świń, 1961 r., oraz kryzys kubański, 1962 r. 76
8. Podział Berlina na strefy okupacyjne 77
9. Wybory prezydenckie 1964 r. 83
10. Antywojenne protesty na wyższych uczelniach w latach 1967–1969 89
11. Wojna w Wietnamie 90
12. Wybory prezydenckie 1968 r. 101
13. Wybory prezydenckie 1972 r. 115
14. Wybory prezydenckie 1976 r. 120
15. Rezerwaty indiańskie, stan z 1984 r. 130
16. Imigracja do Stanów Zjednoczonych w latach 1981–1986 131
17. Wybory prezydenckie 1980 r. 134
18. Wybory prezydenckie 1984 r. 138
19. Amerykańskie bazy wojskowe poza obszarem Stanów Zjednoczonych, stan z 1984 r. 141
20. Największe bazy wojskowe na terytorium Stanów Zjednoczonych, stan z 1984 r. . . 142
21. Wybory prezydenckie 1988 r. 149
22. Wybory prezydenckie 1992 r. 155
23. Rozruchy na tle rasowym w latach 1963–1968 230
24. Procentowy udział Murzynów w wyborach w latach 1960–1970 235

SPIS ILUSTRACJI

1. Harry S. Truman, prezydent Stanów Zjednoczonych w latach 1945–1953
2. Gen. Douglas MacArthur i prezydent Korei Płd., Syngman Rhee, październik 1948 r.
3. Most powietrzny do Berlina w czasie kryzysu berlińskiego z lat 1948–1949
4. Amerykańskie oddziały w trakcie walk nad rzeką Han w pobliżu Seulu, Korea Płd., wrzesień 1950 r.
5. Amerykańscy żołnierze w strefie zdemilitaryzowanej w Korei
6. Szczyt NATO w 1950 r.
7. John Wayne i Coleen Gray w filmie *Czerwona rzeka*, 1952 r.
8. Duke Ellington w 1955 r.
9. Scena z dramatycznych wydarzeń w Little Rock (Arkansas) we wrześniu 1957 r. – żołnierze eskortujący murzyńskich uczniów pragnących uczęszczać do szkoły tylko dla białych
10. Rosa Parks, której protest w Montgomery (Alabama) z grudnia 1955 r. dał początek działalności ruchu praw obywatelskich na Południu
11. Szczyt przywódców czterech mocarstw w Genewie w 1955 r., Od lewej: N. Bułganin (ZSRR), D. D. Eisenhower (USA), E. Faure (Francja), A. Eden (W. Brytania)
12. Żołnierze amerykańscy wycofują się z doliny An Lho w Wietnamie, maj 1967 r.
13. Żołnierze amerykańscy w rejonie Da Nang, 1967 r.
14. Wystąpienie Martina L. Kinga w Waszyngtonie
15. „Marsz biednych” w Waszyngtonie, 1968 r.
16. Policja ochrania budynek Pentagonu w czasie demonstracji przeciwników wojny wietnamskiej, październik 1967 r.
17. Jedna z typowych scenek z okresu buntu studenckiego z lat sześćdziesiątych. Studenci Columbia University bojkotują zajęcia uniwersyteckie, kwiecień 1968 r.
18. Elvis Presley, jeden z idoli muzyki młodzieżowej z końca lat pięćdziesiątych – symbol narodzin subkultury młodzieżowej
19. Marylin Monroe, popularna aktorka z lat pięćdziesiątych – symbol seksu w tym czasie
20. Earl Warren, sędzia Sądu Najwyższego
21. Robert McNamara, sekretarz obrony w gabinecie prezydenta J. F. Kennedy'ego i L. B. Johnsona, 1961–1968
22. John Foster Dulles, sekretarz stanu w administracji D. D. Eisenhowera, 1953–1959
23. Malcolm X – jeden z przywódców Czarnych Muzułmanów
24. Vivian Malone – pierwsza czarna studentka przyjęta do University of Alabama. Jej przyjęcie stało się jednym z symbolicznych aktów desegregacji szkolnictwa na Południu
25. John F. Kennedy, prezydent Stanów Zjednoczonych, 1961–1963
26. Astronauta John Glenn
27. Gen. Alexander Haig, sekretarz stanu w gabinecie R. Reagana
28. Henry Kissinger, doradca ds. bezpieczeństwa w administracji R. Nixona oraz sekretarz stanu w gabinecie R. Nixona i G. Forda (1973–1977)
29. Pogrzeb prezydenta J. F. Kennedy'ego w listopadzie 1963 r.

30. Biblioteka im. J. F. Kennedy'ego w Bostonie
31. L.B. Johnson składa przysięgę prezydencką w styczniu 1965 r.
32. Spotkanie prezydenta L. B. Johnsona z M. L. Kingiem
33. Prezydent L. B. Johnson w rozmowie z wiceprezydentem H. Humphreyem
34. Pogrzeb Roberta Kennedy'ego w czerwcu 1968 r. Przemawia jego brat Edward Kennedy
35. Pogrzeb M. L. Kinga w kwietniu 1968 r.
36. Osiedle Island Tree (w stanie Nowy Jork) zwane popularnie Levittown, zbudowane w 1946 r., stało się symbolem szybkiej powojennej suburbanizacji w USA
37. Jeane Kirkpatrick, ambasador USA przy ONZ w latach 1981–1985
38. Thomas Marshall, prawnik NAACP opuszcza gmach Sądu Najwyższego
39. Richard Nixon, prezydent Stanów Zjednoczonych, 1969–1974
40. Prezydent R. Nixon w czasie wizyty w Chinach, luty 1972 r.
41. Gerald Ford, prezydent Stanów Zjednoczonych, 1974–1977
42. Spotkanie G. Forda i L. Breżniewa we Władywostoku w listopadzie 1974 r.
43. Jimmy Carter, prezydent Stanów Zjednoczonych, 1977–1981
44. J. Carter, A. Sadat i M. Begin w czasie uroczystości podpisania porozumień pokojowych z Camp David, marzec 1979 r.
45. Zakładnicy amerykańscy przetrzymywani w Iranie przez 444 dni powracają do Stanów Zjednoczonych w styczniu 1981 r.
46. Walter Cronkite, jeden z najbardziej znanych publicystów i amerykańskich dziennikarzy telewizyjnych z okresu po II wojnie światowej
47. Thomas O'Neill, wpływowy polityk partii demokratycznej, długoletni (1977–1986) przewodniczący Izby Reprezentantów
48. Zbiorowa przysięga w czasie uroczystości nadania obywatelstwa amerykańskiego, Miami, Floryda
49. Marina City Tower w Chicago, przykład nowoczesnej architektury z końca lat sześćdziesiątych
50. Ronald Reagan, prezydent Stanów Zjednoczonych, 1981–1989
51. R. Reagan i M. Gorbaczow w czasie szczytu amerykańsko-radzieckiego w Waszyngtonie, 1987 r.
52. George P. Schultz, sekretarz stanu w administracji R. Reagana
53. George Bush, prezydent Stanów Zjednoczonych, 1989–1993
54. Zdjęcie prezydenta G. Busha w otoczeniu rodziny, 1989 r.
55. Orzeł amerykański

Ilustracje ze zbiorów Biblioteki Ośrodka Studiów Amerykańskich Uniwersytetu Warszawskiego. Fot.: 1, 2, 3, 6 9–11, 21–22, 24, 26–31, 33–35, 37, 40–43, 45–47 udostępnione przez US Information Agency.

SPIS TREŚCI

1 Wilson D. Miscamble
STANY ZJEDNOCZONE PODCZAS ZIMNEJ WOJNY 1945–1975 **5**

2 Ellis W. Hawley
ERA TRUMANA – EISENHOWERA **31**

3 Hugh Davis Graham
ERA KENNEDY'EGO – JOHNSONA **67**

4 Donald T. Critchlow
LATA NIXONA, FORDA I CARTERA: 1968–1980 **95**

5 Donald T. Critchlow
„REWOLUCJA" RONALDA REAGANA I JEJ POKŁOSIE **125**

6 Bruce Kuklick
AMERYKAŃSKA MYŚL PO 1945 R. **157**

7 Paul Boyer
AMERYKAŃSKA KULTURA MASOWA PO 1945 R. **183**

8 David J. Garrow
WALKA O RÓWNOUPRAWNIENIE MURZYNÓW **213**

9 Judith Sealander
KOBIETA I RODZINA PO II WOJNIE ŚWIATOWEJ **237**

10 Gary R. Hess
AMERYKAŃSKA POLITYKA ZAGRANICZNA OD 1975 R. **271**

Indeks osób **297**

Indeks nazw geograficznych i etnicznych **303**

CHRONOLOGIA **308**

Spis map i diagramów **397**

Spis ilustracji **398**